La puissance de l’Ange

Bryce Courtenay

La puissance de l'Ange

Roman

Traduit de l'anglais
par Agnès GATTEGNO

Presses de la Renaissance
37, rue du Four
75006 Paris

Si vous souhaitez recevoir notre catalogue et être tenu régulièrement au courant de nos publications, envoyez vos nom et adresse en citant ce livre aux

Presses de la Renaissance
37, rue du Four 75006 Paris

et pour le Canada à

Édipresse
945, avenue Beaumont
Montréal H3N 1W3

Le présent ouvrage est le quarante-sixième titre
de la collection
« Les romans étrangers »
dirigée par Tony Cartano

Titre original : *The power of the one*, publié par William Heinemann, Londres, 1989.

ISBN 2-85616-491-9 H 60-3535-6

REMERCIEMENTS

Il me faut commencer par ma femme Benita qui a été privée de mari durant un an, le temps d'écrire ce livre. Les autres personnes qui m'ont aidé en m'offrant leurs conseils, leur travail, leurs recherches et les mille corvées qui assortissent la création d'un livre sont Adam Courtenay, mon deuxième fils qui, en tant que jeune journaliste, est devenu ainsi que Peter Keeble mon lecteur assidu. Je leur dois beaucoup à tous deux. D'autres noms viennent facilement car ils m'ont fait don de leur concours sans compter : Alex Hamill et Owen Denmeae, Linda Van Niekerk, « Chig » Chignall, Siân Powell, Jill Hickson, Tony Lunn, Ken Cato, Joe Loewy, Annette Dupree, Laura Longrigg et enfin Kate Medina. Je les remercie tous.

Pour Maude Jasmine Greer et Enda Murphy.
Voici le livre que je vous ai promis il y a si longtemps.

1

Les choses se passèrent ainsi.

Avant que ma vie ne démarre à proprement parler, je piaillais et je tétais, comme tout le monde ; sauf qu'en l'occurrence je m'échinais sur deux énormes seins noirs satinés. Selon la tradition africaine, je poursuivis allégrement ma besogne jusqu'à l'âge de deux ans et demi, après quoi ma nourrice zoulou prit le rôle de nounou. C'était une femme gaie, douce et chaleureuse, qui me serrait contre son sein et caressait mes boucles dorées d'une main si imposante qu'elle semblait étreindre toute ma tête entre ses doigts. Elle apaisait mes chagrins par une chanson sur un jeune guerrier courageux qui chassait le lion ou une complainte de femmes qui s'en allaient laver le linge sur un gros rocher, au bord de la rivière où venaient s'abreuver, au coucher du soleil, les babouins désertant les collines.

Ma vie prit son vrai départ à l'âge de cinq ans, quand ma mère fit sa dépression nerveuse. On m'arracha à mon adorable nounou noire et à son grand sourire éclatant pour m'envoyer en pension.

Commença alors le temps des parts de potiron calciné et amer sur les bords ; purées de pommes de terre pleines de grumeaux visqueux ; viande enrobée de nerfs baignant dans une sauce grisâtre ; carottes en dés, chou tiède, détrempé, flatulant ; lits qui se mouillent au petit matin ; et une impression tout à fait nouvelle qu'on appelle la solitude.

J'avais deux ans de moins que les plus jeunes de mes condisciples et je ne parlais qu'anglais, la langue empoisonnée qui s'était répandue tel un fléau sur la terre sacrée et qui avait contaminé les eaux pures et douces du royaume des Afrikaners.

La guerre des Boers avait engendré une forte malveillance à l'égard des Anglais, les *rooinecks* comme on les appelait. Cette haine coulait dans le sang des Afrikaners qui en avaient imprégné les cœurs et les esprits de la génération suivante. Pour leurs va-nu-pieds de fils, j'étais le premier exemple vivant de cette haine congénitale qu'ils nourrissaient envers les gens de mon espèce.

C'était dans ma langue qu'avaient été prononcées les sentences de mort contre leurs grands-pères, et de déportation contre leurs grand-mères, qui, dans les premiers camps de concentration, étaient tombées comme des mouches, terrassées par la dysenterie, la malaria et le paludisme. Aux yeux des fermiers calvinistes aigris, les péchés des pères rejaillissaient sur les fils, et ce, jusqu'à la troisième génération. J'étais contaminé.

J'ignorais jusqu'alors que j'étais foncièrement méchant : la nouvelle fut une surprise épouvantable. Je pleurais à chaudes larmes sur mon sort dans le dortoir des petits quand deux garçons de onze ans m'arrachèrent à mon affreuse couverture qui empestait le camphre et me conduisirent dans le dortoir des grands pour être jugé devant le conseil de guerre.

Mon procès fut évidemment une parodie de justice. Que pouvais-je espérer ? On m'avait pris en plein territoire ennemi et chacun, même un enfant de cinq ans, sait que cela entraîne la peine de mort. Je bégayais, incapable de comprendre le langage du juge de douze ans à la voix de stentor ni la raison qui déchaîna l'hilarité lorsqu'on prononça la sentence. J'imaginais le pire.

Je ne savais au juste ce qu'était la mort. Une chose qui à la ferme frappait les cochons et les chèvres ou une génisse de temps en temps entre les murs de l'abattoir. Les cris perçants des cochons étaient si atroces que ce devait être un sale moment à passer, même pour eux.

Je n'étais sûr que d'une chose : la mort, c'était moins bien que la vie. Et elle allait m'emporter avant que j'aie vraiment eu le temps de me faire une idée de la vie. Alors que je m'efforçais de réprimer mes larmes, on m'entraîna à la potence.

Il devait y avoir pleine lune ce soir-là car la salle de douches baignait dans une lumière bleutée. Les murs austères des cabines se dressaient à angle droit sur le sol en ciment mouillé. Je n'étais jamais entré dans un pareil lieu et ça ressemblait à l'abattoir de la ferme. Il y régnait la même odeur, un mélange d'urine et de savon au phénol. J'imaginais donc que ma dernière heure était arrivée.

J'avais les yeux un peu gonflés à force de pleurer mais j'y vivais assez pour reconnaître l'endroit où on devait fixer les crochets à viande. Dans chaque bloc de granit saillait du mur un tuyau muni d'un pommeau. Ils allaient me pendre à l'un de ces gibets et je mourrais, comme les cochons.

On m'ordonna d'enlever mon pyjama et de m'agenouiller dans la cabine face au mur. Je regardai aussitôt le trou par terre où mon sang s'écoulerait jusqu'à la dernière goutte.

Je fermai les yeux et me récitai une prière pathétique. Elle ne s'adressait pas à Dieu mais à ma nounou. C'était apparemment la chose la plus urgente dans l'immédiat. Quand elle n'arrivait pas à résoudre un de mes problèmes, elle disait : « Il faut demander à Inkosi-Inkosikazi, le grand sorcier, il saura ce qu'on doit faire. » On n'avait jamais eu recours aux bons offices de ce haut personnage, mais ça ne prouvait rien ; c'était réconfortant de penser qu'il était disponible en cas de besoin.

Cependant, il était trop tard pour faire parvenir à Nounou un message, sans parler de le transmettre au grand sorcier. Je sentis brusquement des éclaboussures sur mon cou, puis un filet de sang chaud dégoulina sur mon corps nu et tremblant, ruisselant sur le sol froid en ciment pour finir dans le tuyau d'écoulement. Etrange, je n'avais pas l'impression d'être mort. Mais voilà. Qui sait à quoi ressemble la mort ?

Lorsque le juge et son conseil de guerre m'eurent tous pissé dessus, ils se retirèrent. Au bout d'un moment, le calme revint ; on n'entendait plus que des gouttes, floc, floc, qui tombaient d'un endroit au-dessus de ma tête et moi qui reniflais, mais on aurait dit que le bruit venait d'ailleurs.

N'ayant jamais vu une douche de ma vie, je ne savais pas comment ouvrir le robinet, je n'avais donc aucun moyen de me laver. Ma nounou me baignait toujours dans une cuvette en fer-blanc devant la cuisinière. Je me tenais debout et elle me savonnait partout. Dee et Dum, les deux filles de cuisine qui étaient jumelles, pouffaient en se cachant derrière leurs mains quand elle s'attaquait à mon petit gland. Parfois, il se dressait tout seul et tout le monde riait de plus belle. C'est ainsi que je compris qu'il était spécial. Je n'allais pas tarder à découvrir jusqu'à quel point.

Je tentai de m'essuyer avec mon pyjama, qui était mouillé par endroits car il traînait par terre, puis je l'enfilai. Je ne pris pas la peine de le boutonner entièrement car mes mains tremblaient fort. Errant dans cet immense dédale sombre, je finis par trouver le dortoir des petits. Je me glissai alors sous la couverture et j'en arrivai au terme de ma première journée dans la vraie vie.

Je ne puis affirmer que le deuxième jour de ma vie valut mieux que le précédent. Dès mon réveil, les choses tournèrent mal. Des gamins entouraient mon lit, se bouchant le nez et émettant des gémissements vigoureux. Permettez-moi de vous dire qu'il y avait largement de quoi : j'empestais. Plus que les cabinets des Cafres, plus que les porcs à la maison. Plus encore que les deux réunis.

Les gosses se dispersèrent à l'entrée d'une très grosse dame avec une ombre de moustache noire au-dessus de la lèvre. C'était elle qui m'avait abandonné au dortoir la veille au soir. « Bonjour, Mevrou ! » lancèrent les enfants en chœur, chacun se tenant au garde-à-vous au pied de son lit.

La grosse dame répondant au nom de Mevrou me fusilla du regard. « *Kom* », m'ordonna-t-elle d'un ton féroce. M'attrapant par l'oreille, elle m'arracha à la puanteur de mes draps et m'entraîna à l'abattoir. De sa main libre, elle retira ma veste de pyjama ouverte et baissa mon pantalon aux chevilles. « Allez », glapit-elle.

Je songeai avec horreur : elle est encore plus imposante que Nounou. Si elle me pisse dessus, à coup sûr, je vais finir noyé. Je me déculottai et, me rendant mon oreille, elle me poussa dans la cabine. Brusquement fusa un sifflement et des pointes d'eau glacée me perforèrent.

Quand on n'a jamais pris une douche de sa vie ni même reçu une averse glaciale, on peut facilement s'imaginer que c'est ça, la mort. J'avais les yeux bien fermés mais le jet était impitoyable : des millions de piqûres me transperçaient la peau. Comment tant de pisse pouvait-elle gicler d'une seule personne à la fois ?

La mort était d'un froid épouvantable. On dit que l'enfer brûle de mille feux et je mourais de froid. C'était terrifiant mais, comme tant de choses ces jours derniers, le contraire de ce à quoi je m'attendais.

« Quand tu iras en pension, tu dormiras dans une très grande chambre avec un tas de petits amis et tu n'auras plus peur du noir. » La perspective était séduisante.

Le crépitement déchaîné et le déluge de pisse glacée s'arrêta soudain. J'ouvris les yeux pour découvrir que Mevrou avait disparu. Le Juge se dressait devant moi, sa manche de pyjama relevée, son bras trempé jusqu'au coude après avoir fermé le robinet. Derrière lui se tenait le jury et tous les petits de mon dortoir.

Lorsque je n'eus plus d'eau dans les yeux, je m'efforçai de sourire avec reconnaissance. Le bras mouillé du Juge surgit : m'attrapant par le poignet, il m'arracha à la cabine en granit. Le jury forma un cercle autour de moi, terrorisé, les mains sur mes testicules. Je claquais des dents, un étrange bruit syncopé qui résonnait dans ma tête. Le bras du Juge s'abattit de nouveau : saisissant mes deux poignets dans sa grande main, il écarta les miennes et montra du doigt mon tout petit gland. « Pourquoi tu as mouillé ton lit, le rooinek ? s'enquit-il.

— Hé, regardez, il n'a pas de chapeau à son serpent ! » brailla l'un d'eux. Ils s'attroupèrent, ravis de cette découverte abominable.

« *Pisskop ! Pisskop !* hurla l'un des petits et tous les autres reprirent en chœur.

— Tu as entendu, tu es une tête de nœud, traduisit le Juge. Qui a décapité ton serpent, Pisskop ? »

Je contemplai l'endroit qu'il désignait, mes dents changeant de tempo pour se lancer dans un claquement de timbales moins effréné. Tout m'avait l'air parfaitement normal bien que le bout, d'un bleu vif, se fût quasiment recroquevillé dans sa coquille bien dégagée. Troublé, je considérai le Juge.

Il me libéra puis, de ses deux mains, écarta la braguette de son pyjama. Son « serpent », monstrueusement gros, pendait à la hauteur de mes yeux ; il semblait fait d'une gaine d'un seul tenant qui se terminait par un bout tout fripé. Quelques maigres poils poussaient à la base. Il faut bien avouer que le spectacle n'était pas beau à voir.

Je n'en avais sûrement pas fini avec les problèmes. J'étais un rooinek et un pisskop. Je ne parlais pas la bonne langue. De plus, j'étais fait autrement, de toute évidence. Mais j'étais encore de ce monde et selon moi : tant qu'il y a de la vie, il y a de l'espoir.

A la fin du premier trimestre, j'avais réussi à limiter mes persécutions à une heure par jour. J'avais acquis l'art de la survie presque au quart de tour. Sauf sur un point : je faisais désormais régulièrement pipi au lit.

Il est impossible de bien s'intégrer lorsqu'on laisse derrière soi une traînée mouillée tous les matins. Je commençais la journée par les coups de fouet de Mevrou pour me corriger de mes incontinences, suivis du parcours solitaire jusqu'aux douches pour laver mon drap de caoutchouc. Quand je frottais le savon au phénol contre les poils raides de la grosse brosse en chiendent que j'étais contraint d'utiliser, des petits morceaux me sautaient aux yeux et me brûlaient atrocement. Cependant, je découvris vite qu'il était inutile de s'en servir, comme le prétendait Mevrou, et qu'il suffisait d'arroser généreusement le drap pour résoudre le problème.

Mon train-train matinal eut un bon résultat. J'appris que les larmes sont un luxe auquel doivent renoncer les sujets bien acclimatés. Je détins vite le record de l'école en matière de corrections. C'était le Juge qui l'affirmait. Pour la première fois de ma vie, je comptais à mon actif une chose qui n'était pas un handicap flagrant à l'intégration. Je n'étais pas seulement un rooinek honni et un pisskop, j'étais aussi un détenteur de record. Je vous assure qu'on se sent mieux aussitôt.

Le Juge ordonna que je ne serais tabassé qu'à petite dose. Un coup de poing par-ci, un plat de la main par-là et, si jamais je n'étais plus un pisskop, il m'en ferait même grâce, bien que cela relevât sans doute de l'impossible pour un rooinek, ajouta-t-il. Je dois avouer que j'étais enclin à le croire. Ni mes bonnes résolutions réitérées, ni les prières adressées à Nounou et même à Dieu n'avaient le moindre effet, apparemment.

Cela avait peut-être un rapport avec mon infirmité. Je fis un trou dans les poches de mon short pour y glisser le pouce et l'index. Et je me mis à tirer en secret sur mon prépuce en le tenant aussi longtemps que possible par-dessus le bout de mon gland dans l'espoir qu'il perde de son élasticité et me rende normal. Je n'obtins hélas aucun résultat si ce n'est un machin irrité. J'étais condamné à être une tête de nœud pour le restant de mes jours.

Le premier trimestre s'acheva enfin. Je devais retourner à la maison pour les vacances de mai : retrouver Nounou qui écouterait mes tristesses et dormirait sur sa natte au pied de mon lit pour que le croquemitaine ne m'attrape pas. J'avais aussi l'intention de demander si ma mère avait cessé de déprimer pour que je puisse rester chez nous.

Je rentrai joyeusement, installé à l'arrière de la nouvelle et rutilante Chevrolet décapotable du Dr « Henny » Boshoff. Le Dr Henny était une vedette locale qui jouait demi d'ouverture dans l'équipe de rugby du Nord-Transvaal. Lorsque le Juge vit qui était venu me chercher, il me serra la main et me promit que les choses iraient mieux à mon retour.

C'était le Dr Henny qui m'avait parlé le premier de l'état de ma mère ; il me confirma qu'elle se « remettait gentiment » mais qu'elle avait toujours sa dépression nerveuse et ne reviendrait pas encore à la maison.

Voilà qui sonnait le glas de mes chances de rester chez nous et de ne plus en ressortir jusqu'à ce que je sois aussi vieux que mon grand-père ; et encore.

Tandis qu'on poursuivait tranquillement notre route, assis dans le spider ouvert au soleil et à tout vent, je n'étais plus un rooinek ni un pisskop, mais un grand chef. On traversa des villages africains où des poulets s'enfuyaient devant nous dans des piaillements et des battements d'ailes désespérés alors que des chiens cafres efflanqués, au pelage tavelé, nous poursuivaient en jappant. Malgré tout, mon trône caracolant passait sain et sauf. En tant que grand chef, j'étais naturellement au-dessus d'incidents aussi triviaux. La vie était belle. Ça, je vous assure, la vie était très belle.

Nounou versa des larmes qui coulèrent sur ses joues et éclaboussèrent ses énormes seins chauds. Elle n'arrêtait pas de frotter sa grosse main noire sur mon crâne rasé, poussant plaintes et gémissements en me serrant contre elle. Je croyais répandre tous les pleurs à mon arrivée, je ne pouvais rivaliser avec elle cependant.

C'était la fin de l'été. Les jours résonnaient de mélodies tandis que les paysannes qui ramassaient le coton se frayaient un passage le long des rangées interminables, bavardant et chantant à l'unisson en cueillant le bout duveteux des fibres blanches des graines noircies au soleil.

Nounou envoya un message à Inkosi-Inkosikazi, déclarant qu'on avait besoin de le voir d'urgence pour régler la question des eaux nocturnes de l'enfant. Il fut transmis sur les tambours et, deux jours plus tard, on apprit que le grand sorcier passerait dans une quinzaine en se rendant chez Modjadji, la reine de la pluie.

Quand Nounou parlait du pouvoir d'Inkosi-Inkosikazi, le blanc de ses yeux s'agrandissait et ses joues se gonflaient. « Il va sécher ton lit en jetant une seule poignée de tibias du grand bœuf blanc, me promit-elle.

— On va aussi faire pousser la peau sur mon gland ? » m'enquis-je. Elle me serra contre sa poitrine et sa réponse se perdit dans les trémoussements de son ventre alors qu'elle gloussait en se répandant sur moi.

Les paysannes débattirent longuement le problème des eaux nocturnes, se demandant comment une question aussi anodine pouvait amener la visite du haut personnage. « Une natte en herbe sécherait bien au soleil du matin, non ? Cette question n'est pas digne d'être posée au plus éminent sorcier d'Afrique. »

Facile à dire, ce n'était pas elles qui allaient devoir affronter le Juge ni Mevrou.

Deux semaines plus tard, presque jour pour jour, Inkosi-Inkosikazi arriva dans sa grosse Buick noire. La voiture était un symbole de son immense richesse et de son énorme pouvoir, même auprès des Boers, qui le méprisaient tel le diable incarné mais qui le craignaient avec la superstition de tous les ignorants redoutant les foudres de Dieu. Personne n'aurait osé opposer les dogmes de l'Église réformée à ce vieux farfadet noir.

Toute la journée, les paysannes apportèrent des dons de nourriture. En fin d'après-midi, une petite montagne composée de blé et de maïs de la région, de courges, d'épinards du pays et de pastèques se dressait sous le grand avocat près de l'abattoir. Des tas de feuilles de tabac séché étaient empilés à côté et, séparés par deux grandes *indaba* en herbe — les nattes réservées aux réunions —, se trouvaient six poulets cafres décharnés. C'étaient pour la plupart de vieux coqs coriaces à faire cuire pendant quatre heures. Ils avaient les pattes attachées et les ailes coupées. Ils gisaient sur le flanc, leur mince cou déplumé et leur crâne chauve maculés de poussière. Seul un « couac ! » de temps en temps ou un petit œil vif qui s'ouvrait brusquement montrait qu'ils étaient encore vivants, si ce n'est frétillants.

Une pauvre bête complètement étique aux plumes grises mouchetées ressemblait fort à mon grand-père, sauf les yeux. Ceux de mon grand-père étaient bleu pâle et un peu larmoyants, des yeux faits pour contempler de doux paysages anglais alors que ceux du coq décrépit étaient aussi perçants qu'une pointe de lumière rouge.

Grand-papa descendit les marches et se dirigea vers la grosse Buick noire. Il s'arrêta en chemin pour donner un coup de pied à l'un des volatiles car il détestait les poulets cafres presque autant que les Shangaans. Sa fierté et sa joie reposaient sur ses cent poules noires Orpington et ses six coqs géants. La présence des gallinacés cafres dans la cour de la ferme, même rognés et troussés, lui faisait le même effet que cinq ou six vieillards sales assistant à un cours de danse.

Il admirait profondément Inkosi-Inkosikazi qui l'avait guéri de ses calculs biliaires. « J'ai pris sa potion verte infecte et, sapristi, les cailloux ont pétaradé comme une pluie de chevrotines ! Plus jamais entendu parler depuis. Si vous voulez mon avis, le vieux singe est le meilleur bon dieu de toubib de tout le bas veld. »

Il attendit qu'Inkosi-Inkosikazi descende de voiture. Le sorcier, comme Nounou, était zoulou. On prétendait qu'il était le dernier fils du grand Dingaan, le roi zoulou qui avait combattu les Boers et les Anglais jusqu'à l'asphyxie. Deux générations après avoir enfin vaincu ses *impis* à la bataille de Blood River, les Boers éprouvaient toujours une crainte respectueuse à son égard.

Douze ans après cet épisode, Dingaan, fuyant les forces combinées de son demi-frère Mpande et des Boers, avait cherché refuge auprès des Nyawo sur les cimes du Lebombo. Le soir où il fut traîtreusement assassiné par des membres de la tribu, on lui avait présenté une vierge et la graine du second grand roi guerrier fut plantée dans son utérus de quatorze ans.

« Là où j'ai choisi la voie du sang, le dernier de mes fils choisira la voie de la sagesse. Tu le baptiseras Inkosi-Inkosikazi et il sera un homme pour toute l'Afrique », avait déclaré Dingaan à la jeune Nyawo terrifiée.

Cela avait donné le petit centenaire noir et tout ratatiné qu'on aidait à sortir de l'arrière de la Buick.

Inkosi-Inkosikazi était vêtu d'un costume dépareillé : veste marron luisante d'usure et pantalon bleu à rayures. Il avait une chemise blanche, faite pour aller avec un col amidonné détachable, fermée par un gros bouton en or et en ivoire. Une grande cape en peau de léopard pelé pendait sur ses épaules. Comme le voulait la coutume, il ne portait pas de chaussures, il avait les pieds plats et la plante craquelée sur les bords. Dans sa main droite il tenait un superbe chasse-mouches en perles, symbole d'un chef important.

Je n'avais jamais vu un homme aussi âgé ; ses cheveux étaient plus blancs que du coton brut, de maigres touffes de barbe blanche comme neige jaillissaient de son menton et il ne restait que trois dents jaunies dans sa bouche. Il nous regarda, ses yeux brûlaient d'une flamme claire et vive tels ceux du vieux coq.

Plusieurs femmes se lancèrent dans une mélopée funèbre et furent aussitôt rabrouées par le sorcier. « Espèces de stupides *abafazi* ! La mort ne voyage pas avec moi dans mon énorme moteur, vous n'avez donc pas entendu le rugissement de son gros ventre ? »

Le silence se fit à l'approche de mon grand-père. Après quelques mots de bienvenue, il accorda à Inkosi-Inkosikazi la permission de passer la nuit à la ferme. Le vieil homme acquiesça d'un signe sans faire preuve de l'obséquiosité habituelle des Cafres ; apparemment, mon grand-père ne le souhaitait pas. Il se contenta de serrer la maigre patte de son hôte et regagna son fauteuil sous la véranda.

Nounou, qui avait frotté de la terre sur son front, comme toutes ses compagnes, prit enfin la parole. « Seigneur, les femmes ont apporté à manger et nous avons de la bière tout juste fermentée. »

L'ignorant, attitude fort courageuse à mon avis, Inkosi-Inkosikazi ordonna à l'une des femmes de détacher les coqs. Deux d'entre elles se précipitèrent et ils furent vite délivrés. Ils restèrent là sans bouger, incertains de leur liberté, jusqu'à ce que le sorcier brandisse son chasse-mouches et l'agite au-dessus d'eux. Dans un battement d'ailes chétives accompagné d'un concert de gloussements, ils se redressèrent tous sauf un et se dispersèrent à la débandade, haussant bien haut leurs longues pattes en se ruant vers un espace dégagé. La vieille bête qui ressemblait à mon grand-père se leva lentement, s'étira le cou, battit de ses maigres ailes, dardant de gauche et de droite sa tête légèrement dressée comme s'il prêtait l'oreille ; puis, d'un calme bien venu, il se dirigea vers le tas de maïs et se mit à picorer.

« Attrapez les diables à plumes », somma soudain Inkosi-Inkosikazi. Et il ajouta en pouffant de rire : « Attrapez le dîner de ce soir d'un vieil homme. »

Au milieu des cris de joie, on rassembla les volatiles. La glace était brisée quand cinq femmes, tenant chacune un poulet par les pattes la tête en bas, attendirent les instructions du sorcier. Inkosi-Inkosikazi s'accroupit et, d'un doigt, dessina un cercle de soixante centimètres de diamètre dans la poussière. Il bondit tel un vieux chimpanzé et reproduisit cinq ronds de la même taille tout en parlant dans sa barbe.

Les incantations terminées, il fit signe à l'une des femmes d'amener un coq. Attrapant l'oiseau décrépit par son long cou décharné et ses deux pattes, il refit le tracé du premier cercle par terre, utilisant ce coup-ci son bec pour marquer le trait. Puis il déposa dans le disque la bête immobile, les yeux clos, une patte dépassant de chaque aile. Il réitéra le même manège avec les cinq autres jusqu'à ce que chacun soit à sa place devant la foule. Chaque fois qu'il en postait un, les femmes en avaient le souffle coupé de surprise. C'était de la magie de bas étage mais une bonne entrée en matière.

Inkosi-Inkosikazi s'écarta, s'assit en tailleur au milieu des indaba et me fit signe de le rejoindre. Il ne m'avait pas remarqué jusqu'alors, je m'accrochais désespérément aux jupes de Nounou. Elle me poussa gentiment vers lui et murmura avec énergie : « Il faut que tu y ailles, c'est un grand honneur. Seul un chef peut s'installer auprès d'un autre sur la natte des invités. »

Il avait cette forte odeur de sueur suave typiquement africaine mêlée à des effluves de tabac et de vieillard. Après tout ce que j'avais connu en la matière, c'était supportable ; je m'assis en tailleur auprès de lui, les yeux rivés par terre.

Inkosi-Inkosikazi se pencha légèrement vers moi et me parla en zoulou. « Demain, je te montrerai le truc des poulets. Ce n'est pas vraiment de la magie. Ces imbéciles de Shangaans pensent que c'en est, ils ne méritent pas d'en savoir plus.

— Merci, monsieur », répliquai-je à voix basse. J'étais content à l'idée de partager un secret. Même si ce n'était qu'un tour, c'était une sacrée astuce qui réussirait peut-être à confondre le Juge et son jury si jamais j'arrivais à mettre la main sur un poulet égaré à l'école. Ma confiance dans son pouvoir à changer mon statut de pisskop grandissait de minute en minute.

Inkosi-Inkosikazi indiqua à Nounou d'aborder le problème des eaux nocturnes. Deux femmes furent aussitôt déléguées pour mettre le feu en route, les autres paysannes s'installèrent autour des indaba en prenant soin de ne pas les toucher, ne serait-ce qu'au bord.

Les récits africains sont longs, chaque détail sauvegardé et entretenu grâce à des milliers de versions. Ce fut une heure de gloire pour Nounou de raconter son histoire seule dans le crépuscule qui déclinait rapidement. Elle parla en shangaan pour que tout le monde pût écarquiller les yeux, pousser des gémissements, acquiescer et soupirer au bon moment.

Les dimensions de mastodonte et la moustache de Mevrou, ils les trouvèrent stupéfiantes, l'injustice du Juge et du jury, ils l'acceptèrent avec équanimité car ils savaient tous que l'homme blanc prononce des condamnations qui n'ont aucun rapport avec l'acte commis. La révélation que le Juge et le jury m'avaient pissé dessus les fit gémir, osciller et coller leurs mains sur leurs oreilles. Une telle indignité dépassait même l'homme blanc, à coup sûr, non ?

Comme toujours en Afrique, la nuit tomba brusquement. Un morceau de bois vert crépita dans le feu et fit jaillir une pluie d'étincelles. Les flammes éclairèrent le visage de Nounou ; ils n'étaient pas près d'oublier le conteur de cette extraordinaire histoire de souffrances et de malheurs. Un flot de larmes accompagna le récit de la mort qui frappa enfin en une douche de pisse glacée giclant des entrailles de ce grand ange de perdition moustachu.

Je dois reconnaître que j'étais fort impressionné. Cependant, lorsque Nounou en arriva à l'épisode de mon serpent sans chapeau qui, d'après moi, constituait l'élément essentiel de cette affaire, ils se mirent la main devant la bouche et, entre les pleurs, pouffèrent de rire.

Nounou conclut en affirmant que le drame de mes eaux nocturnes était un maléfice qu'avait jeté sur moi l'ange de la mort avec sa moustache d'homme et ses entrailles de cascade pour revenir tous les matins satisfaire les besoins de son terrible *sjambok* qui s'abattait sur ma chair tendre. Seul un grand sorcier tel qu'Inkosi-Inkosikazi pouvait vaincre ce sortilège

Les lueurs du feu éclairèrent le visage des femmes bouleversées quand Nounou s'assit enfin, secouée de violents sanglots, sachant qu'on n'avait jamais conté un tel récit et qu'il risquait de vivre à tout jamais déformé en une légende shangaan.

Je peux vous assurer une chose : j'étais renversé à l'idée que quelqu'un, et surtout moi, pût subir une épreuve aussi déchirante.

Inkosi-Inkosikazi se leva, se gratta le derrière et bâilla. Du manche de son chasse-mouches, il picota ma nounou en larmes. « Va me chercher de la bière cafre, femme », ordonna-t-il.

Dee et Dum, les filles de cuisine jumelles, me servirent mon dîner car Nounou devait pourvoir à la boisson et aux autres appétits du vieux sorcier efflanqué. Sous le coup de l'émotion, les deux jeunes servantes m'affirmèrent les yeux écarquillés qu'elles n'avaient jamais vu quelqu'un d'aussi courageux.

A l'heure d'aller au lit, Nounou était auprès de moi comme d'habitude ; elle arriva avec une grosse patate douce, sa chair ouverte avec une cuillère dépassant au milieu, de minces volutes de vapeur s'échappant et se condensant sur le manche. Il y a quelque chose dans la patate douce qui vous ragaillardit quand vous êtes abattu et qui se réjouit avec vous quand vous êtes content. Il y a, chez la patate douce en robe des champs, un remarquable pouvoir réconfortant.

Nounou n'avait rien perdu de sa fièvre. Elle m'empoigna, m'écrasa contre son énorme sein en riant et m'expliqua que je lui avais apporté la gloire avec la venue du vieux singe qui n'en était pas moins le plus grand sorcier de toute l'Afrique ; que le récit des eaux nocturnes montrait qu'une Zoulou pouvait se montrer un conteur d'histoires supérieures en tous points même à la meilleure des fables narrée par le plus éloquent Shangaan.

Je lui fis remarquer qu'elle avait entièrement sauté la question de mon record en matière de corrections. Une grosse larme coula sur sa joue. « Quant aux châtiments de l'homme blanc, le peuple noir a déjà compris que le corps peut être brisé par un sjambok mais jamais l'esprit. Nous sommes la terre et c'est pourquoi nous sommes de la couleur de la terre. Au bout du compte, c'est la terre qui gagnera, tous les Africains le savent. »

Quel que soit le sens de ces paroles, cela ne répondait pas à ma question. Nounou me quitta enfin, non sans avoir allumé la lampe à pétrole qu'elle mit en veilleuse, assez fort toutefois pour que je reconnaisse le croquemitaine s'il tentait de se faufiler dans ma chambre.

« Cette nuit, Inkosi-Inkosikazi te visitera dans tes rêves pour découvrir le chemin de tes eaux nocturnes », assura-t-elle en me bordant.

Le lendemain matin du jour où Inkosi-Inkosikazi se promena dans mes rêves, il me somma de m'asseoir seul auprès de lui sur la natte des invités. D'un vieux sac en cuir, il sortit les douze tibias magiques du grand bœuf blanc. Puis, accroupi, alors qu'il s'apprêtait à jeter les os, il se lança dans une incantation aux accents profonds et tonitruants qui évoquait le grondement lointain du tonnerre.

Les étranges osselets jaunis, qui devaient résoudre le problème de mes incontinences nocturnes, cliquetèrent un instant dans sa main et tombèrent par terre devant lui. Inkosi-Inkosikazi les poussa de l'index ; ce faisant, des roulements de tonnerre miniature jaillirent de sa gorge. Dans un dernier grognement, il les ramassa et les fourra dans son cartable.

Les yeux d'Inkosi-Inkosikazi, des pointes de lumière aiguisées dans sa figure incroyablement ridée, semblèrent regarder en moi. « Je t'ai visité dans tes rêves, on s'est rendus à un endroit où se trouvent trois cascades et dix pierres dans la rivière. Les tibias du grand bœuf blanc affirment que je dois te ramener là-bas pour que tu sautes les trois cascades et que tu traverses la rivière en bondissant d'une pierre à l'autre sans tomber dans le flot rugissant du torrent. Si tu y arrives, le malheur des eaux nocturnes sera réglé. »

J'acquiesçai, ne sachant que dire. Après tout, les gosses de cinq ans sont très mauvais en devinettes. Son visage devint encore plus simiesque lorsqu'il ajouta en pouffant : « Quant tu auras appris cette leçon, je te montrerai le truc des poulets endormis. »

J'avais aperçu la légère trace des cercles de la veille, point de bêtes toutefois. On avait dû les expédier dans le ventre de la communauté. J'espérais simplement qu'il n'avait pas fait main basse sur l'une des Orpingtons noires de grand-papa ; quelle histoire sinon, songeai-je.

« Maintenant, écoute-moi bien, petit. Regarde et écoute. Regarde et écoute, répéta-t-il. Quand je te demanderai de fermer les yeux, tu t'exécuteras. Tu as compris ? »

Anxieux de lui faire plaisir, je fermai bien les yeux. « Non, pas tout de suite ! Uniquement quand je te le dirai. Pas en les plissant, comme lorsque tu as les paupières lourdes après une longue journée et qu'il est l'heure d'aller dormir. »

J'ouvris les yeux et le découvris accroupi juste devant moi, son superbe chasse-mouches suspendu légèrement au-dessus de mon champ de vision. Le bouquet de poils de cheval se balançait gentiment devant moi.

« Observe la queue du cheval. » Je suivis du regard le fouet qui allait et venait. « Il est temps de fermer tes yeux mais pas tes oreilles. Tu dois bien écouter car le grondement de l'eau est grand. »

Un brusque déferlement résonna dans ma tête et j'aperçus les trois cascades. Je me tenais sur un promontoire au-dessus de la plus haute chute. En contrebas dévalait le torrent, roulant et bouillonnant dans une étroite gorge. Dans la rivière, juste avant de s'engouffrer dans le défilé en une masse d'écume blanche, je remarquai les dix pierres telle une rangée de dix dents anthracite barrant le passage.

Inkosi-Inkosikazi me parlait d'une voix feutrée, presque douce. « Il est tard. Les colombes, sentant la nuit tomber, sont déjà silencieuses. C'est l'heure du jour où les eaux blanches rugissent le plus violemment comme lorsque les ondes sont plongées dans l'ombre.

« Tu es sur le rocher surplombant la plus haute chute, un jeune guerrier qui a tué son premier lion et qui est digne désormais de combattre dans la légion de Dingaan, le puissant *impi* qui détruit tout devant lui. Digne même de combattre dans l'impi de Shaka, le plus grand roi guerrier de tous.

« Face au soleil couchant, tu portes le pagne en queue de lion. Le soleil a quitté le Zoulouland, quitté le pays des Swazis, il déserte maintenant le Shangaan et le kraal royal de Modjadji, la reine de la pluie, pour se rafraîchir dans les immenses eaux noires.

« Tu vois la lune se lever sur l'Afrique et tu es en paix avec la nuit, tu ne redoutes pas le terrible démon Skokijaan qui vient se nourrir des ténèbres, déchiquetant sa chair noire jusqu'à ce qu'enfin il en soit fait de lui et que le jour nouveau vienne réveiller les vachers endormis pour les envoyer s'occuper du bétail qui beugle. »

Perché sur le gros roc en attendant de sauter, j'aperçus la lune se lever, éclatante tel un florin flambant neuf au-dessus des chutes rugissantes.

« Tu dois respirer à fond et te dire le chiffre trois au moment de sauter. Une fois remonté à la surface, tu dois respirer de nouveau et te dire le chiffre deux quand tu seras entraîné au bord de la deuxième cascade, puis respirer encore un coup lorsque tu jailliras et que tu seras emporté vers la troisième. Maintenant, il te faut nager jusqu'au premier rocher, en comptant de dix à un, comptant chaque pierre en bondissant de l'une à l'autre par-delà les flots déchaînés. » Le vieux sorcier observa une pause pour me laisser le temps d'enregistrer ses dires. « Tu dois sauter à présent, petit guerrier du roi. »

Je respirai à fond et m'élançai dans la nuit. L'air frais aspergé d'embruns me cingla le visage, puis je heurtai l'eau en contrebas, coulai un instant, remontai à la surface et soufflai. J'eus à peine le temps de reprendre une inspiration que je fus emporté vers la deuxième chute et déjà dévalais la troisième cascade bouillonnante pour plonger dans un profond bassin au pied de la dernière. Je nageai vigoureusement et en toute confiance vers le premier des gros rochers qui luisaient au clair de lune, noirs et mouillés. Bondissant de l'un à l'autre, je traversai la rivière en comptant de dix à un et sautai vers la plage de galets sur l'autre rive.

Claire comme l'écho, sa voix perça le grondement des flots. « On a traversé les eaux de la nuit et c'est fini, tu peux ouvrir les yeux, petit guerrier. » Inkosi-Inkosikazi me ramena du monde des rêves ; je regardai autour de moi, un peu surpris de découvrir le spectacle familier de la cour de la ferme. « Quand tu auras besoin de moi, tu pourras venir au pays de la nuit, je t'attendrai. Je serai toujours là, à l'endroit des trois cascades et des dix pierres dans la rivière. » Désignant du doigt une chose qui s'avéra être un sac vide de farine de maïs, il me lança : « Amène-moi cette bête que je te montre le truc du poulet endormi. »

Je me levai, m'approchai du sac et l'ouvris. Au fond, le petit œil rouge et perçant du coq qui ressemblait à grand-père se plissa.

Je traînai le fardeau jusqu'à l'endroit où il avait tracé les cercles dans la poussière, le vieil homme se redressa et me dit d'en dessiner un autre. Puis il me montra comment tenir le coq décrépit. On devait arrimer le corps de l'animal sous l'aisselle droite telle une cornemuse et, de la main gauche, l'attraper bien haut par le cou pour coincer sa tête déplumée entre le pouce et l'index. Empoignant ses pattes de la main libre, on inclinait le poulet à 45° vers le sol en s'accroupissant, son bec n'effleurant pas tout à fait le bord du cercle. Le bec suivait alors trois fois le périmètre ; sur ce, l'oiseau était déposé au centre.

Le sorcier me fit répéter l'exercice à trois reprises. A ma stupeur et à ma joie, le vieux coq resta en place, aussi docile qu'une truie dans de la boue chaude. Pour le ramener de là où vont les animaux de son espèce en ce genre de pénibles circonstances, il me suffisait de le toucher en déclarant d'un ton bourru : « Poulet dormir, poulet se réveiller, si poulet pas réveillé, poulet mangé ! » Ce qui est sans doute une menace de sinistre augure pour un volatile.

Je m'abstins de demander à Inkosi-Inkosikazi comment une bête shangaan pouvait comprendre le zoulou, pour la bonne raison qu'on ne pose pas ce type de questions au plus grand sorcier de toute l'Afrique.

J'ignorais encore que ce gallinacé était exceptionnel, que l'aptitude à comprendre deux langues africaines était probablement dans ses capacités.

« Désormais, nous sommes liés par le truc du poulet. Nous sommes frères par ce secret commun ainsi que le lieu du pays des rêves. Seuls toi et moi pouvons faire ce tour ou nous rendre là-bas. »

Entre nous, c'était drôlement solennel. Lançant un cri dans la cour de la ferme, le vieil homme appela son chauffeur qui dormait à l'arrière de la Buick. On se dirigea ensemble vers la grosse auto noire.

« Tu peux garder ce poulet pour t'entraîner », dit Inkosi-Inkosikazi en s'installant sur la banquette arrière.

Comme surgies de nulle part, les paysannes entourèrent la voiture et chargèrent le coffre des tributs qu'elles avaient apportés la veille. Nounou tendit au vieil homme un petit carré de tissu aux couleurs vives avec plusieurs pièces nouées dans un coin. Inkosi-Inkosikazi déclina sa proposition qui, pour elle, représentait deux mois de salaire.

« C'est une affaire entre l'enfant et moi. Cet endroit est sur mon chemin pour me rendre à la rivière Molototsi où je vais voir Modjadji, la reine de la pluie. » Il passa la tête par la vitre arrière et contempla le ciel. « Les pluies ne sont pas tombées sur le Zoulouland et, en la matière, sa magie est plus grande que la mienne. »

Elles avaient été abondantes au nord des montagnes Drakensberg et les craintes de Nounou grandirent en demandant des nouvelles de son peuple.

« Les champs sont labourés depuis trois mois et les graines de maïs sont prêtes dans les gros pots mais le vent emporte la terre pendant qu'on attend l'eau », soupira le vieil homme.

Nounou transmit en shangaan l'annonce de la sécheresse aux paysannes. La sécheresse est toujours une nouvelle à partager entre les tribus. Elles se lancèrent dans des lamentations, dansant d'un pas traînant autour de la Buick et chantant la gloire du tout-puissant qui amène les pluies, donne aux femmes stériles les fils qu'elles désirent si ardemment et soigne les morsures de serpent, même celles du grand mamba noir.

Inkosi-Inkosikazi sortit de nouveau sa vieille tête par la fenêtre et agita son chasse-mouches d'un air impatient. « Allez-vous-en, espèces de corneilles stupides, chantez pour Modjadji la reine de la pluie, cette faiseuse de pluie qui n'a pas réussi à arracher une seule goutte au ciel. »

Et dans un grondement de son puissant moteur huit cylindres, la grosse voiture noire déboula la route, soulevant derrière elle un nuage de poussière.

A la fin des vacances, Grand-père Chook — c'était le nom que j'avais donné à mon poulet — et moi étions pratiquement inséparables. Ce surnom était une plaisanterie entre ma mère et moi. On avait reçu des photos d'un lointain cousin d'Australie et l'une d'elles représentait un petit garçon, guère plus âgé que moi, donnant à manger aux poules. Au dos du cliché était écrit : « Petit Lennie donne à manger aux chook-chooks dans la ferme de Wagga Wagga. » On avait baptisé les deux vieux canards qui caquetaient de concert dans la cour Wagga Wagga et on s'était mis à parler des Orpingtons noires de grand-père en disant : « Les chook-chooks ».

Grand-père Chook était, selon moi, un nom superbe pour le coq étique qui se précipitait dès que j'apparaissais à la porte de la cuisine. On ne pouvait s'y tromper : cet animal était tombé amoureux de moi. Et je reconnais volontiers que je me sentais irrésistiblement attiré par lui.

On s'entraîna pendant deux jours au coup du poulet ; cependant il devint si malin qu'à la seconde où je dessinais un cercle dans la poussière, il s'y mettait et se posait poliment. Il voulait juste se montrer coopératif sans doute, mais en attendant, j'avais perdu tout mon pouvoir. Grand-père Chook était la première créature vivante sur laquelle j'avais exercé mon pouvoir et ce cornichon, pas si bête que ça, avait trouvé moyen de revenir sur des termes établis. C'était drôlement agaçant, si vous voulez mon avis.

2

Mes vacances touchaient à leur fin. Mes incontinences nocturnes étaient, naturellement, passées, mais pas mon appréhension à l'idée de retourner en pension. Quant à mon serpent décapité, j'avais interrogé Inkosi-Inkosikazi à ce sujet ; il m'avait laissé entendre qu'on se distinguait par la même singularité, c'est pourquoi on était si spéciaux. Cela m'avait réconforté sur le moment, je n'en étais plus si sûr maintenant.

Le dernier soir à la maison, on pleura un bon coup, Nounou et moi. Elle mit dans une valise mon short kaki, mes chemises, deux pyjamas et un pull-over rouge vif que ma mère avait envoyé de sa maison à dépression nerveuse. On avait ri comme des fous, entre les larmes évidemment, car l'une des manches avait vingt-cinq centimètres de moins que l'autre. Les dépressions nerveuses faisaient sans doute ce genre d'effet aux tricots des gens. En le décousant aux épaules, Nounou en fit un joli chandail rouge.

On partit après le petit déjeuner dans le vieux camion Ford Model A de grand-père. En chemin, on prit la grosse Mrs. Vorster, la veuve de la ferme voisine. Grand-papa ne parlait pas l'afrikaaner et elle pas un mot d'anglais ; elle rebondit donc en silence, son triple menton s'écrasant sur sa poitrine à chaque secousse.

J'étais ravi d'être à l'arrière avec Nounou et Grand-père Chook qui, caché dans le maïs, était si sage qu'on aurait juré que le sac était vide. Nounou se rendait en ville pour envoyer de l'argent à sa famille dans le Zoulouland et l'aider à surmonter l'épreuve de la terrible sécheresse.

Les plumes des ailes de Grand-père Chook avaient quasiment repoussé ; désormais, en prenant de l'élan, ses grandes pattes se pliant et se redressant, il parvenait à décoller et à atterrir sur une branche haut perchée quand il le voulait. Il me fallait reconnaître néanmoins que, même s'il était plus gros, il n'avait pas embelli. Son long cou était toujours nu et sa tête toujours chauve ; quant à sa crête de coq, elle était minable et pendait d'un côté comme une bourse vide Comparé aux Orpingtons noirs, il était lamentable.

On s'arrêta devant les grilles de l'école, Nounou me tendit la valise et le sac où Grand-père Chook faisait le mort. « Qu'est-ce que tu as là-dedans ? » s'enquit grand-père.

Sans me laisser le temps de répondre, Nounou lança de l'arrière : « Ce ne sont que des patates douces, *baas*. »

Les larmes coulaient sur ses joues, comme d'habitude ; j'eus envie de me précipiter pour me cacher à l'abri de ses grands bras. En pétaradant un peu et dans une bouffée bleue de gaz d'échappement, le camion s'éloigna en faisant une embardée et on m'abandonna à la porte. Là m'attendaient la redoutable Mevrou, le Juge et son jury ainsi que les prémices de ce qui serait pour moi la puissance de l'Ange. J'allais apprendre qu'en chacun de nous réside une flamme qu'on ne doit jamais laisser s'éteindre. Et que, tant qu'elle brûle en nous, on ne peut être anéanti.

Je libérai Grand-père Chook et lui donnai une petite tape amicale. Pisskop, le rooinek au serpent sans chapeau, était de retour. Cette fois-ci cependant, il n'était pas seul.

La cour était déserte quand on la traversa ; Grand-père Chook fonçait de-ci de-là vers les sauterelles vertes minuscules qui se posaient dans la poussière et la chaleur. Elles aussi semblaient être en territoire ennemi : pas un brin d'herbe ne poussait sur le bout de terre brûlé par le soleil. Pour arriver à bon port, elles durent s'arrêter souvent, et s'exposer au péril d'un Grand-père Chook en maraude. Les chances étaient de leur côté : il y en avait des centaines et Grand-père Chook était seul. En ce qui nous concernait tous les deux, c'était plutôt le contraire.

Apparemment, on était en avance, je me rendis donc à mon manguier secret qui poussait de l'autre côté de la cour. Laissant ma valise au pied de l'arbre, je grimpai à l'abri de la voûte sombre et accueillante formée par le feuillage. Grand-père Chook, prenant son envol et battant furieusement des ailes, décolla et se percha sur une branche auprès de moi. Il se balançait, remuait dangereusement, en faisait toute une histoire et s'égosillait inutilement.

Je lui expliquai soigneusement la situation. Il resta assis là, rejeta sa stupide crête en arrière et émit des cris rauques. Je tentai de lui faire comprendre que l'heure était grave, que ce n'était plus comme à la ferme. Je dois dire qu'un poulet qui avait réussi à déjouer le piège de la marmite d'Inkosi-Inkosikazi et à l'emporter sur son cercle magique était forcément un vrai professionnel ; je ne le sermonnai donc pas trop. Grand-père Chook était un survivant ; quelle chance j'avais de l'avoir pour ami.

Au bout d'un moment, on quitta le manguier ; contournant le bord de la cour, on se faufila vers la partie du foyer qui abritait le dortoir des petits. Il donnait sur un verger abandonné de vieux pamplemoussiers presque dénudés. Cinq ou six cassiers avaient fait souche au fil des années, leurs fleurs d'un jaune éclatant redonnaient vie au jardin sur le déclin. Le sol était couvert de kakis et de jacquiers noirs qui m'arrivaient à l'épaule. Personne ne venait jamais ici. C'était l'endroit idéal pour Grand-père Chook le temps que je me présente à Mevrou.

Au fond du verger, j'aménageai une clairière au milieu des herbes à l'odeur fétide ; ce faisant, je déterrai un gros ver de terre blanc avec une tête grise cerclée d'un anneau jaune. Grand-père Chook était à la fête : poussant un cri perçant, il enfourna la larve grassouillette dans son bec. On pouvait suivre le parcours de la victime qui forma une bosse en descendant le long du cou dénudé.

Une fois qu'il eut terminé son festin, je dessinai un cercle par terre où il s'installa poliment. J'étais encore un peu contrarié qu'il se refuse à accomplir le rite de toute cette comédie magique mais, la belle affaire, on ne peut pas discuter avec un poulet, n'est-ce pas ?

Je découvris Mevrou au lavoir qui pliait des couvertures. Elle me regarda avec dégoût et me montra du doigt un seau en ferblanc à côté de l'essoreuse. « Ton drap en caoutchouc est là-dedans, prends-le », m'ordonna-t-elle. Je m'efforçai de ne pas avoir l'air terrifié. « Je... je suis guéri, Mevrou, balbutiai-je.

— Ha ! Les raclées de ton *oupa* sont plus efficaces que les miennes alors, *ja* ? »

Je gardai la tête baissée comme il se devait en présence de Mevrou. « Non, Mevrou, vos corrections sont les meilleures... plus efficaces que celles de mon grand-père. Simplement, je ne le fais plus, c'est tout.

— Mon sjambok se sentira bien seul. » C'était ainsi qu'elle appelait sa baguette en bambou. Elle me tendit une serviette rêche et une couverture. « Tu es en avance, il n'y a pas de déjeuner, les autres enfants n'arriveront pas avant cet après-midi. » La couverture empestait les boules de camphre ; cette odeur familière fit ressurgir mes vieilles peurs et, aussitôt, me hanta l'idée que je n'étais peut-être pas guéri de mes incontinences nocturnes.

J'abandonnai serviette et couverture dans le dortoir des petits, puis rejoignis Grand-père Chook. Sauter le déjeuner ne me contrariait en rien. Nounou avait mis dans ma valise deux grosses patates douces que j'avais bien l'intention de partager avec Grand-père Chook.

En approchant du verger abandonné, j'entendis un cri craintif qui venait de Grand-père Chook. Brusquement, il surgit de la végétation, ses courtes ailes battant l'air. Je le perdis de vue lorsqu'il replongea dans les broussailles. Puis il se redressa, le cou arqué, sur ses ergots. Et sombra, les herbes s'agitant frénétiquement à cet endroit-là. Cette fois-ci, il ne réapparut pas. Il ne braillait plus bien que les kakis continuent à remuer là où il s'était volatilisé. Mon cœur se mit à battre la chamade. Grand-père Chook s'était fait attaquer Par une belette ou un chat sauvage ? C'était ma faute, je l'avais abandonné sans défense dans le cercle magique.

Je trébuchai à l'aveuglette en direction de l'abri où je l'avais laissé, kakis et jacquiers noirs me fustigeant, me retenant dans mon élan. Grand-père Chook était à sa place ; coincée dans son bec se trouvait une couleuvre de dix centimètres de long. Secouant vigoureusement la tête et d'un petit coup de son puissant bec, il lui arracha la gueule et, à ma grande stupeur, l'avala. Elle disparut par la même voie que le ver de terre grassouillet. Ignorant que le spectacle était terminé, le serpent aux écailles d'un vert éclatant continuait à se tortiller désespérément dans les broussailles.

Rejetant la tête en arrière, ce sacré poulet sans peur et sans reproche me fit un clin d'œil de ses petits yeux vifs. Il avait l'air très content de lui. Mais entre nous, comment lui en vouloir ? Lorsqu'on a un ami tel que lui à ses côtés, il ne peut rien vous arriver de mal.

La couleuvre ne gigotait plus, je la ramassai et la suspendis à une branche du cassier qui poussait à quelques mètres de la fenêtre la plus proche de mon lit dans le dortoir des petits. Désormais il y avait deux serpents décapités en ce monde et, dans les deux cas, je n'étais pas étranger à l'affaire.

L'après-midi résonna petit à petit de la cacophonie du retour des enfants. Je les entendis jeter leurs couvertures et leurs valises au dortoir avant de se ruer dans la cour pour jouer. Quant à Grand-père Chook et moi, on consacra notre temps à lui confectionner une maison avec des bouts de tôle ondulée que j'avais trouvés parmi les broussailles. Apparemment, sa nouvelle demeure lui plaisait : il raclait la terre à la recherche de vers là où j'avais arraché les herbes. Il serait bien à l'abri et au sec s'il pleuvait.

Lorsque la cloche de la toilette sonna à cinq heures moins le quart, j'étais dans un sale état après tout ce désherbage et ce bricolage. Je laissai Grand-père Chook pour la nuit ; il grattait gaiement le sol de son logis. Je me lavai à un robinet dont on se servait rarement sur le côté du bâtiment donnant sur le verger. A l'heure où carillonna la cloche du dîner, j'avais séché au soleil de la fin de l'après-midi, aussi propre qu'un sou neuf. J'attendis le tout dernier moment avant de me faufiler dans la salle à manger pour prendre ma place à la table du fond réservée aux petits.

Peu après l'extinction des feux ce soir-là, je fus convoqué devant le Juge et le jury. C'était la pleine lune de nouveau, comme la toute première fois. Mais aussi comme celle qui s'élevait au-dessus des cascades au pays des rêves quand, jeune guerrier, j'avais vaincu mes peurs.

Le Juge, assis en tailleur sur un lit, était encore plus imposant que dans mon souvenir. Vêtu uniquement d'un pantalon de pyjama, il affichait un grossier tatouage tout en haut de son bras gauche. La scarification ne m'était pas inconnue, les femmes africaines étaient coutumières de ce genre de pratiques sur leurs visages ; je n'avais toutefois jamais vu de tatouage sur une peau blanche auparavant. Des marbrures d'un rouge rosé formaient encore des plis le long des lignes bleues grossièrement ébauchées qui se croisaient au milieu tels deux serpents décapités emmêlés l'un dans l'autre.

Frottant le dessin d'un air absent, le Juge secoua lentement la tête en me regardant. « Tu es un imbécile, un fichu imbécile d'être revenu, Pisskop. » Dans sa narine gauche, une petite boule de morve montait et descendait au rythme de sa respiration.

« Vous avez des marques sur le bras comme une Cafre », m'entendis-je dire.

Les yeux du Juge semblèrent lui sortir de la tête. Il ronchonna de stupeur et la bombe foudroyante jaillit de sa narine pour atterrir sur mon visage. Sa main suivit un quart de seconde plus tard. Je sentis mon crâne exploser en m'effondrant par terre.

Je me redressai. Des étoiles, exactement comme dans les bandes dessinées, dansaient dans un ciel rougeoyant devant mes yeux et un bruit de cloches sonnait à mes oreilles. Je ne pleurai pas toutefois. Je maudis ma bêtise, les vacances avaient émoussé mon sens de la survie ; adapte-toi, mêle-toi, fonds-toi dans le paysage, invente-toi un camouflage, sois un rocher, une feuille ou un insecte, essaie à tout prix d'être un Afrikaner. Sidéré devant mon audace, le jury gardait le silence. Un filet de sang chaud coula de mon nez, dégoulinant sur mes lèvres et mon menton.

Le Juge m'attrapa par le devant de mon pyjama et me plaqua contre lui, me soulevant de terre si bien que j'étais sur la toute pointe des pieds. « Ce symbole signifie mort et destruction à tous les rooineks. Et toi, Pisskop, tu seras le premier. » Il me relâcha, je trébuchai en arrière mais réussis à rester debout.

« Oui, monsieur, répliquai-je d'une voix à peine audible.

— C'est une croix gammée, mon vieux ! Tu sais ce que c'est ?

— N... non, monsieur.

— Dieu nous a envoyé cet emblème d'Adolf Hitler, qui va délivrer les Afrikaners de l'Anglais honni ! »

Je voyais que le jury était fort impressionné. Moi aussi.

Plantant son doigt sur la croix gammée, le Juge s'adressa à eux. « Nous devons tous prêter serment à Adolf Hitler par la voie du sang », déclara-t-il d'un ton solennel. Les autres s'attroupèrent autour du lit, les yeux brillants d'émotion.

« Moi aussi », dis-je, plein d'espoir. Le sang coulait toujours de mon nez, il en était tombé un peu par terre.

« Ne joue pas au con, Pisskop, c'est *toi*, l'enfoiré d'Anglais. » Le Juge se dressa et, doigts tendus, leva le bras vers le plafond. « Au nom d'Adolf Hitler, on va repousser tous ces salauds de rooineks à la mer. »

Je n'étais jamais allé à la mer, je savais cependant que ce serait un sacré bout de chemin. « Le serment par le sang ! Le serment par le sang ! scanda le jury.

— Viens ici, Pisskop », ordonna le Juge. Je m'approchai. « Regarde-moi, bonhomme. » Je levai les yeux vers lui qui, du haut de son perchoir, me dominait de trois têtes. Il passa le majeur sous mon nez, puis me repoussa et j'atterris par terre. Au bout de son doigt, mon sang luisait sous le clair de lune.

« Nous allons prêter serment par le sang d'un rooinek ! » annonça-t-il d'un ton grave. Deux membres du jury me remirent debout tandis que les autres m'entouraient pour tremper leurs doigts potelés dans le sang qui coulait de mon nez. L'approvisionnement ne venant pas assez vite, un garçon me tordit le nez pour augmenter le flot.

Cela eut pour effet de l'arrêter complètement, les deux derniers durent se contenter des gouttes qui étaient tombées par terre.

S'essuyant le doigt sur la croix gammée, le Juge ordonna à ses compagnons de l'imiter, si bien qu'elle disparut, presque entièrement badigeonnée. « Mort à tous les Anglais d'Afrique du Sud, notre patrie, hurla le Juge, se figeant une fois de plus, le bras tendu.

— Mort à tous les Anglais d'Afrique du Sud, notre patrie ! » reprit le jury.

Le Juge me regarda. « On ne va pas te tuer ce soir, Pisskop. Mais lorsque Hitler viendra, tes jours seront comptés, tu entends ?

— Oui, monsieur. Ce sera quand, monsieur ? m'enquis-je.

— Bientôt ! » Il descendit du lit et, posant son énorme main sur le dessus de mon crâne, me fit faire demi-tour vers la porte avant de me balancer dans le derrière un coup de pied qui m'envoya valdinguer la tête la première sur le parquet. L'odeur de la cire me remplit les narines, puis je me relevai et décampai.

Dans mon dortoir, les petits bondirent de leur lit et m'entourèrent, voulant savoir ce qui s'était passé. Trop bouleversé pour tenir ma langue, je racontai en sanglotant l'histoire de la croix gammée, du serment par le sang et la menace de mort planant sur moi à l'arrivée de Hitler.

Un gamin de huit ans du nom de Daniel Coetzee secoua la tête d'un air solennel.

« Pisskop, tu es dans la merde jusqu'au cou, mon vieux, affirma-t-il.

— Qui est cet Adolf Hitler qui va venir prendre Pisskop ? » lança un camarade qu'on appelait « Jactance » de Jaager.

Il était évident que personne ne connaissait la réponse quand Daniel Coetzee annonça : « C'est sans doute le nouveau directeur. »

Des bruits avaient couru parmi les enfants le trimestre précédent sur le directeur et son « problème de boisson ». Je m'étais demandé à l'époque ce que c'était. Certainement une chose très grave, sinon l'énorme homme morose qu'on redoutait tous ne serait pas parti.

L'un des enfants se mit à scander à voix basse : « Pisskop est dans la panade… Pisskop est dans la panade… » Les autres reprirent aussitôt son slogan et le ton monta. Je plaquai mes mains sur mes oreilles pour tenter de l'étouffer.

« Silence ! » Le dortoir vibra à cet ordre. Mevrou se tenait à la porte, son corps colossal obstruant l'encadrement.

« On bavardait, c'est tout, Mevrou », assura Daniel Coetzee. Etant le plus grand des petits, il assumait le poste de porte-parole.

« Vous savez que bavarder après l'extinction des feux est *verboten*, Coetzee. »

Daniel Coetzee fut le dernier à rester au pied de mon lit alors que chacun regagnait sa place à pas de loup. « *Ja*, Mevrou. Pardon, Mevrou. » Sa voix avait des accents fragiles et apeurés.

« Penche-toi vers le lit », le somma Mevrou. La trace floue de la baguette cingla l'air avant d'atterrir sur le postérieur de Coetzee. Il laissa échapper un glapissement craintif et, se tenant le derrière des deux mains, fit des sauts de carpe. Sans plus de cérémonies, Mevrou quitta les lieux.

Durant un moment, le silence fut total, puis Daniel Coetzee, au bord des larmes, lança : « Tu me le paieras, sale Pisskop de rooinek ! »

J'attendis que tout le monde fût endormi et me faufilai discrètement vers la fenêtre. La pleine lune donnait un doux éclat aux feuilles du pamplemoussier qui semblaient miroiter dans la lumière fantomatique. Le serpent décapité de Grand-père Chook formait une boucle argentée sous le clair de lune, décoration superbe et inattendue sur la branche du cassier. « Je n'ai pas pleuré. Ils ne me feront plus jamais pleurer ! » dis-je à la lune. Puis je regagnai mon lit. Jamais la solitude ne m'avait semblé si pesante.

Dès le lendemain matin, Grand-père Chook se trahit. Comme tous les poulets cafres, c'était un lève-tôt. Avant même la cloche de six heures, son chant du coq rauque avait réveillé tout le dortoir. Je fus arraché à un profond sommeil et le découvris juché sur le rebord de la fenêtre la plus proche, son long cou décharné lancé dans une puissante variation de cocoricos ! Puis il dressa la tête d'un côté, poussa un tout petit cri et, abandonnant son poste, vint se poser sur le haut de mon lit en fer. Etirant son long cou vers moi, presque au point d'en perdre l'équilibre, il me donna un gentil coup de bec sur l'oreille.

Les gamins se ruèrent autour de moi. « C'est un vieux poulet cafre qui est venu voir Pisskop », brailla Jactance de Jaager d'un ton surexcité.

Autoritaire sur son perchoir, Grand-père Chook les fixa d'un œil vif. « Il est à moi, affirmai-je avec défi, c'est mon ami. »

Ça alors, si vous aviez vu la scène ! Daniel Coetzee, oubliant un instant ses envies de revanche à la suite de la correction de la veille, affirma en gloussant : « Ne sois pas idiot, mon vieux, tu as déjà vu un type ami avec un poulet cafre !

— Oui, moi. Il sait faire des tours et des tas de choses.

— Non, ce n'est pas vrai ! C'est un stupide poulet cafre. Attends un peu que le Juge entende parler du nouvel ami de Pisskop», dit-il spontanément, et les autres se mirent à rire.

La cloche du réveil sonna ; Mevrou allait arriver d'une minute à l'autre, on se précipita tous au lit en attendant la permission de se lever. J'eus à peine le temps de repousser Grand-père Chook dans le verger et de regagner ma place que son énorme silhouette se profilait, menaçante, dans l'encadrement de la porte.

Mevrou arpenta le dortoir, son sjambok accroché à une boucle sur la ceinture en cuir noir de son uniforme bleu marine. Elle s'arrêta à ma hauteur, ôta brusquement la couverture et examina le matelas sec.

« Hum ! » grogna-t-elle en la jetant par terre. Je bondis de mon lit et me postai à côté. Elle m'ignora, se détournant pour haranguer la communauté. «Je vous préviens, *kinder*, si je vous entends à nouveau parler après l'extinction des feux, mon sjambok vous dira deux mots, c'est compris ?

— Ja, Mevrou», répondit-on en chœur.

Brusquement, ses yeux s'écarquillèrent et semblèrent quasiment lui sortir de la tête : «Pisskop ! Il y a de la fiente de poulet sur ton oreiller ! »

Je contemplai le spectacle avec horreur : proprement déposée entre deux lignes de la taie en toile à matelas, Grand-père Chook avait laissé sa carte de visite gravée en vert et blanc.

«Explique-toi, mon ami ! » rugit Mevrou.

Je ne pouvais lui avouer que la vérité. Tremblant de terreur, je lui parlai de Grand-père Chook.

Mevrou me lança un regard noir et, défaisant la boucle où était accrochée sa badine, s'en empara. «Pisskop, je pense que tu es malade de la tête comme ta pauvre mère. Tu commences par débarquer ici et tu pisses au lit toutes les nuits. Puis tu reviens et tu l'inondes de fiente de poulet ! » Elle me désigna le bout de mon lit où Daniel Coetzee avait pris son remède la veille. «Penche-toi», me somma-t-elle.

Elle me flanqua quatre coups de sjambok. Ravalant mes larmes, je serrai mes mains entre mes cuisses et rentrai les épaules pour me forcer à ne pas me tenir les fesses. Apparemment, cela me permit aussi de m'arrêter de trembler.

La journée commençait drôlement mal !

«Nettoie ton oreiller et amène ce poulet du diable à la porte de la cuisine après le petit déjeuner, c'est compris ? » Sur le seuil, elle se retourna vers nous : «Allez vous doucher maintenant», ordonna-t-elle.

On était bel et bien dans le pétrin jusqu'au cou, Grand-père Chook et moi. Après le repas, je quittai discrètement les lieux pour le retrouver. Il était toujours dans le vieux verger, gloussant et grattant le sol à la recherche de vers. Je sortis une tranche de pain que j'avais sauvée à table et, tout en la cassant en petits morceaux pour qu'il puisse les avaler, lui expliquai la dernière catastrophe en date. Hélas pour ma résolution de ne pas pleurer : je sentis les larmes couler sur mes joues.

Quand Grand-père Chook eut fini son petit déjeuner, je le pris dans mes bras puis, me frayant un passage parmi les kakis et les jacquiers noirs, je l'emmenai au bout du jardin jusqu'à une clôture basse en tôle ondulée qui marquait la limite du domaine. Sur la pointe des pieds, je regardai à la ronde. Mon cœur bondit ; au loin, j'apercevais trois cabanes cafres d'où se dégageait de la fumée. Ils avaient sûrement des poulets cafres, Grand-père Chook pourrait être pris en pension parmi eux.

Fort ragaillardi, j'exposai ce projet à Grand-père Chook et le poussai par-dessus la palissade. La barrière entre l'imagination et la réalité est assez floue chez un enfant de cinq ans ; une fois conçu, ce nouveau plan fut donc aussitôt exécuté.

Grand-père Chook, cependant, voyait les choses autrement. Dans un cri indigné et un battement d'ailes, il revint de mon côté. On s'exprima par gestes durant quelques instants : je le remettais par-dessus la clôture, le voilà qui revenait. Il fallut se résoudre à l'évidence : ce sacré poulet sans peur et sans reproche n'avait aucune intention d'abandonner son ami, même au péril de sa vie.

On attendit une dizaine de minutes à la porte de la cuisine avant que Mevrou n'apparaisse. « Alors, voilà le bestiau qui a fait dans ton lit, Pisskop ?

— Il ne l'a pas fait exprès, Mevrou. Il est très propre et très intelligent.

— Non mais, regardez-moi qui parle de propreté ! Un poulet, c'est un poulet. Un poulet intelligent, ça ne s'est jamais vu !

— Je vais vous montrer, Mevrou. » Je dessinai rapidement un rond dans la poussière, Grand-père Chook y bondit aussitôt et s'installa comme s'il pondait un œuf, exploit impossible évidemment. « Il va rester dans ce cercle jusqu'à ce que je lui dise d'en sortir », annonçai-je.

L'espace d'un moment, Mevrou eut l'air impressionné, puis elle se renfrogna brusquement. « Ce n'est qu'un truc idiot que font les poulets cafres et pas les blancs, décréta-t-elle d'un ton suffisant.

— Non, Mevrou ! l'implorai-je. Il accomplit des tas d'autres prouesses ! »

Je fis sauter Grand-père Chook sur une patte autour du périmètre en poussant un « couac » à chaque coup. Je lui montrai ensuite comment il se posait sur mon épaule et, à mon commandement, me picotait l'oreille.

Ce dernier tour marqua la fin de sa patience. « Tu vas avoir des poux plein les cheveux, espèce d'imbécile ! » brailla Mevrou. Juste derrière la porte se dressait un billot de boucher avec un gros couperet dessus. « Donne-moi cette sale bête cafre dévorée de poux qui chie dans les lits ! » hurla-t-elle en attrapant le hachoir.

Deux cafards, nichés sous l'instrument, se ruèrent sur le dos de sa main. Laissant échapper un cri terrible, Mevrou lâcha son arme et battit l'air comme une folle. L'un des assaillants tomba par terre tandis que l'autre escaladait son bras pour disparaître sous son corsage.

Lançant un gloussement de joie, Grand-père Chook se précipita dans la pièce et saisit entre ses griffes le cafard qui se carapatait sur le sol. Mevrou agitait les bras, sa poitrine tressautait. Elle émit de petits halètements, comme si elle tentait de pousser un hurlement en dansant d'un pied sur l'autre dans un état de fébrilité totale. L'autre cancrelat dégringola de sa jupe et se dirigea vers une fissure du sol en ciment. Mais trop rapide pour lui, Grand-père Chook le coinça en un clin d'œil.

Mevrou avait viré au cramoisi, sa tête semblait vibrer sous le choc. « Ne vous inquiétez pas, Mevrou, l'autre a roulé par terre et Grand-père Chook l'a eu », déclarai-je en désignant le vainqueur qui se rengorgeait, apparemment très content de lui.

Je fonçai chercher une chaise où Mevrou s'effondra telle une pastèque trop mûre. Prenant un torchon sur un séchoir à côté de l'énorme fourneau noir qui chauffait au bois, je me mis à l'éventer comme j'avais vu faire Nounou quand ma mère avait ses vapeurs.

Soudain je perçus un bruit de gouttes qui dégoulinaient sous le siège en rotin. Affolé, je compris que Mevrou avait mouillé sa culotte. Elle était sans doute trop bouleversée pour le remarquer. Je me demandai combien cela valait de coups de fouet selon ses règles. Lorsqu'elle se fut remise de ses émotions, elle pointa un doigt tremblant vers Grand-père Chook.

« Tu as raison, Pisskop. C'est un bon poulet. Il peut rester. Toutefois, il devra gagner son pain », ajouta-t-elle en suffoquant. Elle parut alors s'apercevoir du désastre survenu sous sa chaise.

« Allons, va-t'en », dit-elle et, m'arrachant le linge des mains, elle me désigna la porte.

C'est ainsi que Grand-père Chook entra en fonction à la cuisine. Tous les jours après le petit déjeuner, il inspectait les moindres recoins à la recherche de rampants en tout genre. Ce sacré poulet sans peur et sans reproche avait survécu, il avait vaincu son bourreau grâce à son don d'adaptation et on était de nouveau ensemble, à l'abri des mauvais coups.

Deux mois passèrent. J'étais devenu l'esclave du Juge. En échange de ma soumission absolue, j'avais obtenu qu'on me laisse plus ou moins en paix. Je n'avais plus droit qu'à une calotte sur le crâne ou à être bousculé de temps en temps par un des grands. Tout allait pour le mieux. Quand le Juge avait besoin de moi, il portait deux doigts à sa bouche et lançait l'un de ses sifflements perçants : Grand-père Chook et moi-même accourions aussitôt.

Grand-père Chook était désormais sous la protection de Mevrou, il devait cependant être constamment sur ses gardes : les gosses des fermiers ne peuvent s'empêcher de jeter des pierres aux poulets cafres. Pendant les heures de classe, il gloussait dans la cour à la recherche de larves. A la seconde où sonnait la cloche de la récréation, il se ruait vers la salle, s'arrêtant dans la poussière en dérapant et clamant son impatience à l'idée de me retrouver.

Aucune section n'étant prévue pour mon âge, on m'avait mis avec les enfants de sept ans qui tous apprenaient encore à lire. Je lisais l'anglais depuis plus d'un an, il ne me fut donc pas difficile de passer à l'afrikaans ; je devins le meilleur de la classe en un rien de temps. Toutefois, je compris vite que, pour survivre, il ne fallait jamais être le meilleur dans quelque domaine que ce soit ; seul le plus cancre des cancres avait ses chances. Aussi je m'efforçai de minimiser mes talents, faisant semblant de m'arrêter, de buter sur des mots qui n'avaient aucun secret pour moi.

La médiocrité est le camouflage le plus efficace parmi les armes de l'homme. Notre maîtresse, Miss du Plessis, n'avait aucune envie de voir un rooinek de cinq ans briller parmi des nigauds de Boers. Elle était assez contente d'attribuer mes piètres résultats tant à mon inaptitude à saisir les subtilités de l'afrikaans qu'à mon jeune âge, alors que je parlais déjà le zoulou et le shangaan et que, comme la plupart des petits enfants, je n'avais aucun problème à apprendre une nouvelle langue.

Les autres eurent de plus en plus de mal à me considérer comme un être différent, car aucune particularité visible ou audible ne nous distinguait. En dehors de mon serpent sans chapeau naturellement ; encore que, à l'instar d'un gosse né avec une tache de vin ou un petit doigt en moins, cette singularité commençât à passer inaperçue Je me fondais dans un parfait anonymat.

Puis, le 5 septembre 1939, Neville Chamberlain finit par conclure avec tristesse que Herr Hitler n'était pas un gentleman, un homme digne de foi et ouvert aux négociations. Que l'Angleterre, après avoir complètement laissé tomber la Tchécoslovaquie, ne pouvait se permettre d'agir ainsi envers la Pologne et se voyait donc dans l'obligation de déclarer la guerre à l'Allemagne. Le nouveau directeur était arrivé.

Au déjeuner dans la salle à manger du foyer, l'ancien directeur, avec son problème de boisson, s'adressa à nous. Vacillant légèrement, il se tenait les deux mains agrippées au bord de la table. Il s'empara alors d'un couteau et cogna le manche sur le bois. « Silence ! » rugit-il. Sur ce, Miss du Plessis, lèvres pincées, se leva aussitôt et disparut par les portes battantes. L'orateur ne parut pas s'en apercevoir. Abandonnant son couteau, d'une voix sonore il entama un discours comme s'il haranguait des centaines de gens : « Aujourd'hui, l'Angleterre a déclaré la guerre à l'Allemagne ! » Il observa une pause pour juger de l'effet produit. Il n'y eut aucune réaction hormis un murmure du côté des grands. « Savez-vous ce que cela signifie, mes enfants ? » Sans attendre de réponse, il poursuivit : « Cela signifie la liberté ! La liberté pour notre patrie bien-aimée ! Adolf Hitler va détruire l'Anglais maudit et briser le joug de l'oppression imposée à la nation afrikaner par ces *uitlanders* qui brûlent les maisons, enferment femmes et enfants dans des camps de concentration où vingt-six mille personnes sont mortes de faim, de la dysenterie et du paludisme ! »

Le directeur parlait de ces événements comme s'ils se produisaient à l'heure actuelle en Afrique du Sud. Tout s'expliquait : ma mère avait subi le même sort, on l'avait prise pour une Boer et jetée dans un camp de concentration.

L'orateur recula de deux pas, puis s'avança en titubant, sa bouche ourlée de salive remuant en silence comme s'il voulait dire quelque chose et qu'aucun mot n'en sortait. En fait, il leva le bras comme le Juge dans le dortoir. « Heil Hitler ! » lâcha-t-il enfin.

A cet instant, les portes s'ouvrirent à la volée et Mevrou entra dans la cantine ; on entr'aperçut Miss du Plessis qui se mordait les doigts dans le couloir. S'approchant du directeur d'un air furieux, Mevrou le prit fermement par le bras pour le faire sortir de la salle.

« Heil Hitler ! » nous hurla-t-il sans se retourner au moment où il franchissait le seuil.

On resta assis là, abasourdis. Puis le Juge se leva d'un bond, sauta sur le banc de la table du bout et roula la manche de sa chemise sur son épaule pour qu'on voie tous les lignes bleues entrecroisées de son tatouage grossièrement ébauché.

« Adolf Hitler est le roi de l'Allemagne ! Dieu l'a envoyé reprendre l'Afrique du Sud aux Anglais pour nous la donner ! » Du doigt, il désigna son bras. « Voici son emblème... la croix gammée, la croix gammée qui va nous rendre la liberté. » De la main droite, il exécuta le même salut que le directeur quelques instants plus tôt. « Heil Hitler ! » brailla-t-il.

On se redressa tous d'un bond et, levant le bras comme lui, on cria : « Heil Hitler ! »

C'était fort grisant. Penser que cet homme, Adolf Hitler, qui allait nous sauver de l'Anglais maudit, serait notre nouveau directeur !

C'est alors que les paroles qu'avait prononcées le Juge le jour de mon retour à l'école commencèrent à se reformer dans mon esprit, lentement tout d'abord, avant de gagner du terrain pour enfin rugir dans ma tête.

« Ne joue pas au con, Pisskop, c'est *toi*, l'enfoiré d'Anglais ! »

La longue marche vers la mer avait commencé.

A notre table, Jactance de Jaager n'arrêtait pas de beugler « Heil Hitler », slogan que bientôt chacun reprit en le scandant de plus en plus fort. Un sifflement strident du Juge finit par les arrêter.

« Certains d'entre nous ont prêté serment à Adolf Hitler par le sang. Le moment est venu de repousser les rooineks à la mer. Après la classe, on se retrouvera derrière les chiottes pour tenir un conseil de guerre ! »

Selon moi, personne ne savait très bien où se trouvait la mer, quelque part au-delà des montagnes Lebombo et sans doute au-delà du fleuve Limpopo. Quelle que soit la direction, c'était très, très loin. La longue marche vers la mer ne serait pas une mince affaire. Normal qu'il faille s'y préparer.

La fièvre montait dans la cantine. Le Juge leva la main pour nous imposer silence. Puis il me désigna : « Pisskop, tu es notre premier prisonnier de guerre ! » Son bras jaillit à nouveau : « Heil Hitler ! »

On bondit tous aussitôt, mais les deux gamins qui m'entouraient me forcèrent à me rasseoir. « Heil Hitler ! » reprit en chœur le reste de la salle.

Mon avenir avait beau s'annonçer fort noir, c'était incontestablement le jour le plus passionnant de toute l'histoire de l'école. Une chose était certaine : pour Grand-père Chook et moi, les jours étaient comptés, on devait de toute urgence prévoir un plan d'évasion. J'étais au désespoir. Même si j'avais su comment rentrer à la maison — et je n'en avais pas la moindre idée —, jusqu'où pouvait aller un petit garçon accompagné d'un poulet sans être repéré par l'ennemi ?

Cet après-midi-là, Miss du Plessis, qui semblait encore plus affligée que d'habitude, me donna à deux reprises un coup sur la jointure des doigts avec sa règle de cinquante centimètres. Elle perdit toute patience quand, plongé dans mes projets de fuite, je ne l'entendis pas me demander combien faisaient trois fois quatre.

« *Domkop !* Tu resteras après la classe ! » L'idée relevait de l'impossible. Il fallait qu'on décampe avant la réunion du conseil de guerre derrière les chiottes.

« Je vous en prie, miss ! Excusez-moi, miss. Cela ne se reproduira plus, miss », l'implorai-je. Et, dans une tentative désespérée pour faire amende honorable, je baissai le masque. Je récitai la table de neuf, puis celles de dix, onze et douze. Jusqu'à présent, j'avais soigneusement caché mes connaissances au-delà de la table de quatre ; de plus, on n'en était pas encore arrivé là. Le résultat fut cataclysmique. Comme j'arrivais à la fin de ma brillante démonstration — j'avais appris tout cela au dos du livre de calcul du Juge —, Miss du Plessis bouillait littéralement de colère.

« Douze fois douze font, ah... cent... euh, quarante-quatre, annonçai-je d'une voix hésitante devant l'étendue du désastre.

— Sale gosse, espèce de menteur, de tricheur ! » s'égosilla-t-elle en levant sa règle aux arêtes d'acier. Les coups se mirent à pleuvoir mais, dans son émoi, elle visa mal ; je fus surtout touché aux bras et aux épaules. Une attaque perça mes défenses, le métal me blessant en haut de l'oreille. Abaissant ma garde, je portai la main à la plaie qui me brûlait. Du sang chaud me coula entre les doigts.

Ce spectacle arracha Miss du Plessis à sa fureur. Elle me regarda, médusée. Puis elle lâcha un hurlement et tomba raide morte à mes pieds.

Devant ce drame, je restai planté là, sous le choc, incapable de bouger. Mon sang se mit à goutter sur son chemisier blanc impeccable, dessinant une tache cramoisie grosse comme mon poing juste à la place du cœur.

« Mince alors ! Tu lui as brisé le cœur et tu l'as tuée ! » me lança Jactance de Jaager qui décampa aussitôt. Tous les autres suivirent, braillant et se bousculant pour évacuer les lieux du crime. Je demeurai là, tête vide, tandis que mon sang continuait à pisser.

Avant qu'une énorme main ne m'eût soulevé de terre pour me balancer à travers la salle, je ne m'étais pas aperçu que quelqu'un était entré. J'atterris contre le mur. Trop sonné pour sentir quoi que ce soit, je restai appuyé là comme une poupée de chiffon jetée au rebut. Mr. Stoffel, le maître de la classe du Juge, était à genoux devant Miss du Plessis et la secouait par l'épaule. Mes yeux s'écarquillèrent lorsqu'il observa le sang sur sa blouse. « Merde, il l'a tuée ! » l'entendis-je affirmer.

A cet instant, Miss du Plessis ouvrit les yeux et, tel Lazare, se redressa. Voyant son corsage maculé, elle poussa un léger soupir avant de s'évanouir de nouveau. Mr. Stoffel la gifla. Revenue à elle, elle parvint à s'asseoir. « Oh, oh, qu'est-ce que j'ai fait ! » se lamenta-t-elle en sanglotant.

Et brusquement, la salle devint sombre, très silencieuse, comme si un nuage masquait le soleil. Je vis vaguement Mr. Stoffel s'approcher de moi, ses longs bras poilus lui battant les flancs comme au ralenti, les contours de sa silhouette plongés dans le flou. Je voulus cacher mon visage, mes mains restèrent obstinément collées à mon corps.

« Regarde ce qui se passe quand tu abandonnes ton déguisement », me dis-je. C'est à ce moment-là que je dus perdre connaissance.

Je me réveillai dans mon lit ; avant même d'ouvrir les yeux, je sentis la présence de Mevrou à mes côtés. Elle avait dû me voir ciller. « Tu es réveillé, Pisskop ? s'enquit-elle sans méchanceté.

— Ja, Mevrou. » Revenu à la réalité, je repris aussitôt possession de mon camouflage psychologique. Ma tête était enrubannée d'une épaisse bande Velpeau. Je portais mon pyjama. Si ma tête ne me faisait pas mal, il n'en allait pas de même de mon épaule, à l'endroit où j'avais buté contre le mur.

« Ecoute-moi, Pisskop. » Le ton était pressant. « Lorsque le médecin viendra, tu lui diras que tu es tombé d'un arbre, c'est compris ?

— Ja, Mevrou.

— De quel arbre es-tu tombé, Pisskop ? s'enquit-elle.

— Il n'y avait pas d'arbre, Mevrou. » Elle m'avait tendu un piège et j'étais tombé en plein dedans.

« Domkop ! hurla-t-elle. Débouche-toi les oreilles. Qu'est-ce que je viens de t'expliquer, mon ami ?

— C'était le manguier, le gros à côté de la cour, rectifiai-je.

— Ja, c'est bien, le manguier. » Elle se leva de la chaise placée à mon chevet. « Tu as une bonne mémoire quand tu veux, Pisskop. N'oublie pas de le dire au docteur quand il viendra. »

A peine fut-elle partie que je bondis hors du lit et me ruai vers la fenêtre où j'appelai Grand-père Chook en sifflant. Peu après, il apparut, gloussant, l'œil vif comme toujours lorsqu'il venait se poser sur le rebord de la croisée auprès de moi.

« Grand-père Chook, on est dans le pétrin jusqu'au cou », lui annonçai-je et je lui exposai l'arrivée imminente d'Adolf Hitler qui avait l'intention de nous repousser à la mer. « Tu sais nager ? » lui demandai-je. Grand-père Chook était si étonnant que je n'aurais pas été autrement surpris d'apprendre qu'il était l'unique poulet au monde doué de ce talent-là aussi.

« Couac ! » répondit-il, ce qui pouvait signifier oui ou non, allez savoir. Grand-père Chook n'était pas toujours facile à comprendre.

On entendit des voix qui se rapprochaient du dortoir. Je repoussai aussitôt mon ami vers le verger et repris ma place.

A ma grande joie, Mevrou entra avec le Dr Henny. Il s'assit sur mon lit pour défaire le bandage enroulé autour de ma tête. « Que se passe-t-il, mon garçon ? Tu m'as l'air bien amoché. »

Bien que le Dr Henny ne fût pas un rooinek, je sentais qu'il était de mon côté. J'avais très envie d'éclater en larmes. Je lui aurais volontiers confié tous mes malheurs, si, ce jour-là, je n'avais déjà frisé la catastrophe après avoir levé le masque. Vu ma bêtise impardonnable, je m'en étais tiré à bon compte avec mon oreille bandée et mon épaule endolorie. La prochaine fois, je risquais de ne pas avoir autant de chance. Ravalant mes pleurs, je lui déclarai que j'étais tombé du gros manguier près de la cour.

Je dus exagérer un peu car il se tourna vers Mevrou et observa en afrikaans : « Hum, en dehors de l'entaille entre l'oreille et le crâne, il n'a aucune contusion ni écorchure. Vous êtes vraiment sûre que cet enfant est tombé d'un arbre ?

— Les autres ont assisté à la scène, docteur. Il n'y a aucun doute. » Mevrou l'affirma avec une telle conviction que je commençai à m'interroger. Je compris que les questions du Dr Henny ne pourraient m'apporter que des problèmes.

« C'est la vérité, monsieur. Ça s'est passé comme ça, je suis tombé de l'arbre et je me suis cogné l'épaule contre le mur. »

Le Dr Henny ne sembla pas remarquer que j'avais répondu en afrikaans. « Le mur ? Quel mur ? »

L'espace d'un instant, la peur se lut dans le regard de Mevrou, elle retrouva vite ses esprits toutefois. « Le petit ne parle pas très bien l'afrikaans, il veut dire par terre.

— Ja, par terre », renchéris-je. Ce n'était pas passé loin !

Le Dr Henny parut perplexe. « Bon, regardons cette épaule. » Il la fit tourner dans le sens des aiguilles d'une montre. « Ça te fait mal ? Dis-moi quand je te fais mal. » Je secouai la tête. La remuant dans l'autre sens, il obtint le même résultat. Puis il la souleva et je grimaçai. « C'est sensible, hein ? » J'acquiesçai. « Enfin, elle n'est pas déboitée, en tout cas. » Il écouta mon cœur : son stéthoscope était tout froid contre ma peau. « Tout a l'air bien. On va juste faire deux petits points de suture et tu te porteras comme un charme, déclara-t-il en anglais.

— Je pourrais rentrer chez moi, s'il vous plaît ?

— Inutile, mon garçon. Tu seras remis à neuf demain. » Il fouilla dans son sac et en sortit une sucette jaune. « Voilà, tu te sentiras mieux avec ça, tu vas t'offrir ça pendant que je fais ces points. »

Il dut surprendre mon expression. « Ja, ça va faire un peu mal mais tu ne vas pas crier contre moi, hein ?

— C'est un vaillant petit, docteur, affirma Mevrou, soulagée que la vérité n'ait pas éclaté.

— Fort bien, lança Henny comme il tamponnait mon oreille de mercurochrome. Pas besoin de pansement, on reviendra dans une semaine te les retirer. » Il se tourna vers Mevrou : « Tenez-moi au courant s'il se plaint des reins. » Il prit une deuxième sucette dans sa sacoche et me la tendit. « C'est parce que tu as été très courageux.

— Merci, monsieur. Dr Henny, vous êtes Anglais ? » demandai-je en m'emparant de ma récompense.

Il changea d'expression, apparemment contrarié. « Nous sommes tous des Sud-Africains, mon garçon. Ne laisse personne te dire le contraire. » Il s'exprima avec une véhémence tempérée, puis répéta : « Ne laisse jamais personne te dire quoi que ce soit d'autre ! »

J'avais connu des jours meilleurs ; cependant, une journée avec deux sucettes ne se présente pas très souvent, ce n'était pas si mal.

Malgré mon statut de prisonnier de guerre, les enfants furent cléments à mon égard les jours suivants. Mes points de suture firent de moi un héros dans le dortoir des petits et même Maatie la Jactance la ferma pour une fois.

On avait une nouvelle maîtresse, Mrs. Gerber, qui s'avéra être la femme du vétérinaire gouvernemental venu un jour à la ferme vérifier que la maladie de Newcastle n'avait pas touché les Orpingtons noirs de grand-père. Mrs. Gerber n'était pas du genre grincheux. D'ailleurs, je crois qu'elle ne savait même pas que j'étais un rooinek. Ce n'était pas un vrai prof, et donc une femme charmante.

Le bruit courait que Miss du Plessis avait une dépression nerveuse. Naturellement, je n'ignorais pas que c'était ma faute. De là à découvrir avec consternation que j'avais sans doute provoqué aussi celle de ma mère, il n'y eut qu'un pas. Je devais être un spécialiste de la dépression nerveuse. Tout d'abord ma mère, maintenant Miss du Plessis et, même si je n'en avais pas encore donné une à Mevrou, je lui avais fait faire pipi dans sa culotte, ce qui, dans le genre, n'était pas mal non plus.

On discuta longuement de notre situation délicate, Grand-père Chook et moi, sans arriver à une conclusion efficace toutefois. Après tout, les poulets cafres dont il faisait partie n'ont pas la vie rose. Vous vous baladez tranquillement en grattant le sol et, la seconde suivante, un chacal ou un python vous avale tout cru pour son dîner ou vous disparaissez dans le bouillon d'une marmite en fonte. Grand-père Chook, survivant exemplaire, partait du principe que si une tuile risque de vous tomber sur la tête, ça arrive forcément. Même si un gamin de cinq ans n'est pas un grand pessimiste, on était sûrs et certains d'une chose : il allait infailliblement se produire une catastrophe.

3

Le jour où on m'enleva mes points, je fus convoqué le soir même devant le Juge et le jury.

Mon bourreau s'était montré très gentil à mon égard depuis une semaine et, vu mon épaule endolorie, ne m'avait pas demandé de porter ses livres pour aller en classe tous les matins. D'ailleurs, Miss du Plessis étant fort impopulaire, j'étais devenu une espèce de héros.

Dans cette partie du monde toutefois, les rooineks ne sont pas faits pour être des héros éternels. Je sentais que cela ne durerait pas : une fois mon oreille recollée, mon sursis serait terminé. Je me retrouvai donc là, entraîné directement vers une nouvelle calamité.

« Garde à vous, prisonnier Pisskop », lança le Juge d'un ton hargneux.

Je me redressai de toute ma taille, bras raides le long du corps.

« Serre les guibolles, mon vieux ! hurla l'un des membres du jury.

— Nom ? »

Je parus déconcerté, tout le monde le connaissait.

« Comment t'appelles-tu, Pisskop ? répéta mon tortionnaire.

— Pisskop ? hasardai-je, ne comprenant toujours pas ce qu'il voulait.

— Et qu'est-ce que ça signifie ? »

J'eus de nouveau l'air plaintif. « Que je fais pipi au lit ?

— Ja, et que les poulets chient dedans aussi ! Qu'est-ce qu'un rooinek ?

— Je suis anglais.

— Ça, je suis au courant, mon vieux ! Mais comment sais-tu que tu es un rooinek ?

— Je… je n'en sais rien, monsieur. »

Le Juge secoua la tête et poussa un profond soupir. « Viens ici. Approche-toi, bonhomme. »

J'avançai jusqu'au lit sur lequel il était assis en tailleur. Son bras se leva, ma main l'imita pour me protéger le visage ; au lieu de me frapper, cependant, il tira sur le cordon de mon pantalon de pyjama qui tomba à mes chevilles.

« Ton imbécile de serpent n'a pas de chapeau sur la tête, domkop ! C'est la preuve que tu es anglais ! C'est compris ?

— Oui, monsieur. » Je me penchai pour remonter mon pantalon.

« Non ! » Je me remis au garde-à-vous. « Et moi, qu'est-ce que je suis, Pisskop ? s'enquit le Juge.

— Un Boer, monsieur.

— Oui, et qu'est-ce qu'un Boer ?

— Un Afrikaner, monsieur.

— Oui, évidemment… mais quoi d'autre ?

— Un Boer a un chapeau à son serpent. » Pourquoi, alors qu'il a fait tous les Blancs à la même image, Dieu a-t-il donné aux Anglais des serpents sans chapeau ? Cela semblait terriblement injuste. Mon camouflage était parfait hormis ce léger détail.

« Ce soir, tu vas apprendre à marcher au pas. On doit te préparer pour ta marche vers la mer. » Le Juge montra du doigt le couloir aménagé entre les lits et me poussa. Trébuchant sur mon pyjama, je tombai par terre. L'un des membres du jury m'arracha mon pantalon. Je me redressai, cul à l'air, et regardai mon bourreau d'un air hésitant. « En avant, marche ! » ordonna-t-il, me montrant une fois de plus le passage. Je me mis en route, balançant les bras bien haut. « Une, deux, une, deux, halte ! » beugla-t-il. Puis : « *Links, regs, links, regs, halt !* Quel est ton pied gauche, prisonnier Pisskop ? » Je n'en avais pas la moindre idée, j'en désignai un au hasard. « Domkop ! Tu ne reconnais même pas ta gauche de ta droite ?

— Non, monsieur », avouai-je, peu fier de moi. Désormais, je le savais : la gauche était du côté où j'avais mal à l'épaule.

« Tous les jours après la classe, tu feras cinq mille pas autour de la cour, c'est compris ? » J'acquiesçai. « Tu compteras à rebours de cinq mille jusqu'à un. »

Ma chance me paraissait incroyable : personne n'avait posé

la main sur moi. Je récupérai mon pyjama et me sauvai à toutes jambes dans le corridor sombre qui menait à mon dortoir.

Etre prisonnier de guerre et apprendre à marcher au pas n'était pas si terrible. De toute façon, je n'avais rien à faire après les cours. Je dois admettre cependant que compter à rebours en partant de cinq mille n'est pas la meilleure façon de passer le temps. Quoi qu'il en soit, c'est impossible, votre esprit vagabonde et, avant même de s'en rendre compte, on s'embrouille, obligé de repartir de zéro. Je pris l'habitude de marmonner un chiffre au cas où quelqu'un traînerait dans les parages mais, la plupart du temps, je faisais les devoirs du Juge de mémoire. Tout en rapportant ses livres de l'école j'apprenais ses leçons de calcul par cœur et résolvais ensuite les équations de tête en exécutant mes tours de cour. Quand les choses se compliquaient un peu, je m'assurais que personne ne me regardait et faisais l'opération en me servant d'un bâton dans la poussière. Cela me passionnait tellement que je brûlais d'impatience à l'idée de découvrir son programme du jour.

Le Juge était un épouvantable domkop. Le matin, en portant ses livres, je vérifiais ses devoirs. C'était toujours un chiffon et pratiquement tout était faux. Je commençais à désespérer aussi bien pour lui que pour moi : il ne pourrait quitter l'école que si son travail lui permettait d'être reçu à l'examen. Jusqu'à présent, il n'avait aucune chance. Et s'il échouait, je l'aurais sur le dos une année de plus. Enfin, si Hitler n'était pas arrivé entretemps pour me repousser à la mer.

Toute évasion semblait impossible, il fallait donc trouver une autre solution. Au cours d'un certain nombre d'après-midi de marche forcée, un plan se fit jour. La solution de rechange, lorsqu'elle apparut enfin, était d'une simplicité déconcertante bien que fort dangereuse. Durant deux jours, j'y réfléchis encore un peu. Si je me démasquais en aidant le Juge à faire ses devoirs pour qu'il soit reçu, ne se verrait-il pas contraint de nous épargner, Grand-père Chook et moi, si jamais Adolf Hitler débarquait avant la fin du trimestre ?

Je dois avouer que j'étais inquiet. Chaque fois que j'avais abandonné mon camouflage, une catastrophe s'était ensuivie. Enfin, après une longue discussion avec Grand-père Chook, on convint que le risque en valait la peine.

Le lendemain matin après le petit déjeuner, alors que je pliais la couverture du Juge et disposais sa serviette sur les barreaux de son lit, j'abordai le sujet. Assis sur un lit, il suçait son crayon, essayant de finir un exercice de calcul à la dernière minute.

« Puis-je vous aider, monsieur ? » Mon cœur battait la chamade comme un petit cheval, bien que je fusse surpris d'entendre ma voix aussi posée.

« Fous le camp, Pisskop. Tu ne vois pas que je suis occupé ! » Le Juge s'évertuait sur les fractions que j'avais résolues de tête la veille et se trompait du tout au tout.

Ravalant ma peur, je m'enquis : « Que se passera-t-il si vous n'êtes pas reçu à la fin de l'année ? » Le Juge me regarda, je compris qu'il avait déjà envisagé cette éventualité. Il m'attrapa par la chemise.

« Si je ne suis pas reçu, d'abord je te tuerai et ensuite je m'enfuirai ! »

Je pris mon courage à deux mains. « Je... je pourrais vous aider, monsieur », balbutiai-je.

Il me libéra, puis se remit à mâchonner son crayon, sourcil froncé tout en louchant sur la page de calcul. Il ne m'avait pas entendu apparemment. Je lui montrai l'opération qu'il venait de finir. « C'est faux. Ça fait 7/9. » Je suivis l'opération du doigt. « 4/5, 6/8, 9/10, 5/7... » Je m'arrêtai car il s'empara de ma main et m'observa, bouche bée.

« Où as-tu appris ça, mon vieux ? »

Je répondis en haussant les épaules : « Pour moi, c'est facile. » J'espérais que ma peur ne se voyait pas.

Une expression rusée se glissa dans son regard. Il me relâcha, me tendit livre et crayon. « Ecris les réponses très légèrement et je les recopierai, c'est compris ? »

Mon camouflage était toujours indemne ; de plus, j'avais franchi une autre étape. Après avoir dissimulé mes capacités intellectuelles, je commençais à m'en servir. Pour Grand-père Chook et moi, le péril de la mer s'était éloigné d'un bon pas.

Cependant, je me rappelais ce qu'il m'en avait coûté d'en révéler trop à la fois. Je savais que si un domkop tel que le Juge passait du dernier au premier rang de la classe en un jour, Mr. Stoffel soupçonnerait qu'il y avait anguille sous roche. Ma vie n'aurait pas pesé lourd si j'avais déclaré à mon bourreau qu'il était un cancre. De plus, je commençais à comprendre combien la manipulation était une arme essentielle pour les petits et les faibles.

« Il y a un problème, affirmai-je.

— Quel problème, mon vieux ? Je n'en vois aucun. Tu notes les réponses sans appuyer, un point c'est tout.

— Monsieur le Juge, vous êtes un type très intelligent.

— Ja, c'est vrai. Et alors ?

— Donc le calcul ne vous intéresse pas ? Enfin, sinon vous le feriez... en moins de deux ! ajoutai-je en claquant des doigts.

— Ja, si je voulais, j'y arriverais. Il n'y a que les gamins comme toi qui se passionnent pour toutes ces conneries ! »

Je vis que cette conclusion lui plaisait. Aussi, je m'enhardis : « Donc vous ne pouvez pas avoir tout juste aujourd'hui alors qu'hier vous n'aviez réussi que deux opérations sur dix. Mr. Stoffel devinerait que ça cache quelque chose. »

Le Juge eut l'air préoccupé. « Tu veux dire que tu n'as pas l'intention de m'aider ?

— Bien sûr que si. Toutefois, vous allez progresser petit à petit toutes les semaines et vous déclarerez à Mr. Stoffel que vous avez pigé le truc. »

Il parut soulagé et eut un grand sourire sournois. « *Jy is 'n slimmertjie, Pisskop* », proclama-t-il.

Le Juge m'avait traité de cerveau. Moi ! Pisskop ! Un rooinek qui n'avait pas de chapeau à son serpent ! On ne m'avait jamais fait un tel compliment, j'étais fier comme Artaban.

Avant qu'il ne remarque l'effet de ses paroles, je repris aussitôt mes manières de larbin. La joie avait failli me faire oublier mes inquiétudes.

« Que va-t-il se passer si Adolf Hitler arrive avant la fin du trimestre ? » m'enquis-je, le cœur battant à tout rompre.

Le Juge m'observa l'œil vide puis, comprenant le sens de ma question, grimaça brusquement un sourire. « D'accord, mon vieux, tu m'as eu. Je la fermerai jusqu'à ce que je sois reçu à la fin de l'année. » Secouant la tête, il m'accorda un regard qui n'était pas complètement dénué de compassion. « Je regrette, Pisskop, mais après, il faudra que je lui parle de toi. Tu dois être puni pour avoir tué vingt-six mille femmes et enfants boers. Toi et ton imbécile de poulet cafre, vous êtes foutus le jour où il débarquera. Je vais te dire une chose quand même, je te donne ma parole de Boer, si je réussis en calcul, je te jure sur une pile de bibles que je n'en toucherai pas un mot à Adolf Hitler jusqu'à la fin du prochain trimestre. »

Sourcil froncé comme s'il faisait les opérations lui-même, le Juge se mit à copier les réponses que j'avais écrites dans son cahier.

J'avais gagné : mon plan avait marché. J'en croyais à peine mes oreilles. On était sauvés dans l'immédiat, Grand-père Chook et moi.

Mon bourreau en avait terminé avec son labeur. Je ne l'avais jamais vu aussi content, même lorsqu'il clamait des Heil Hitler à la ronde. Saisissant l'occasion, je respirai un grand coup et balançai : « Ce sera difficile de m'entraîner dans la cour tous les après-midi et d'assurer vos devoirs en même temps, monsieur. »

Un bruit de sifflement résonna dans ma tête. Etais-je allé trop loin ? J'avais gagné la bataille et je risquais tout sur une broutille. Ce n'était pas si dramatique de marcher au pas. Plutôt amusant en réalité. Et si jamais il s'apercevait que je consacrais ce temps à son travail de toute façon ?

Le Juge renifla, puis s'essuya le nez du revers de la main. « Bon, fini les exercices. Mais tu feras mes devoirs, c'est compris ? Si je te prends à t'amuser avec ce poulet cafre, tu écoperas deux fois plus qu'avant. Vous êtes des prisonniers de guerre, je te conseille de ne pas l'oublier, mon vieux ! »

Derechef, je tenais la victoire. Mes premiers pas sur la pratique de la manipulation délibérée avaient été couronnés de succès. En accompagnant le Juge à l'école ce matin-là, on se sentait grisés, Grand-père Chook et moi.

Une chose est certaine dans la vie. Quand tout va bien, il y a toujours une tuile qui vous tombe sur la tête juste après. C'est dans l'ordre des choses.

Ce jour-là en classe, Mrs. Gerber nous annonça que la maladie de Newcastle avait touché une ferme spécialisée dans l'élevage de poulets près de Merensky Dam. Son mari, le vétérinaire, était parti pour se rendre dans toutes les exploitations des environs.

Même le plus jeune d'entre nous savait quels ravages risque de causer une quelconque épidémie sur la volaille ou le bétail. Naturellement, la peste bovine et la fièvre aphteuse étaient les plus graves ; cependant, tous les fermiers avaient au moins une cinquantaine de poules pour avoir des œufs, on accueillit donc les nouvelles de Mrs. Gerber avec consternation. Ma mère avait dit un jour que si mon grand-père perdait toutes ses Orpingtons noires, il en aurait le cœur brisé.

Ce n'était pas gai de penser à ma mère, victime de sa dépression nerveuse dans un camp de concentration anglais, en train de tricoter des pull-overs avec de drôles de manches. De tricoter telle Pénélope en attendant de mourir de faim ou du paludisme entourée de toutes les mères et enfants boers. Pendant ce temps, à la maison, ce pauvre vieux grand-père se mourait à petit feu d'un cœur brisé. Du moins, si Adolf Hitler n'était pas arrivé avant. Car dans ce cas, je savais que grand-papa n'aurait même pas la force d'échafauder des plans d'évasion ni de monter dans la Ford Model A. Alors qu'adviendrait-il de moi ?

Je pourrais peut-être vivre avec Nounou au Zoulouland ? Cette idée me ragaillardit. Adolf Hitler n'irait jamais chercher un petit Anglais perdu au milieu des Zoulous. Inkosi-Inkosikazi me cacherait grâce à un sortilège. Aucune chance de me retrouver. Quant à Grand-père Chook, Adolf Hitler ne parviendrait jamais à reconnaître un poulet de langue anglaise parmi tous ses compères cafres. Je décidai aussitôt d'exposer ce remarquable projet à Nounou quand je rentrerais à la maison.

D'après les renseignements qu'on recueillait du Juge, qui avait le droit d'écouter les nouvelles le samedi soir sur le poste de TSF de Mr. Stoffel, la guerre s'annonçait fort mal pour les Anglais. Adolf Hitler s'était emparé de la Pologne, qui devait se situer quelque part en Afrique du Sud, comme le Zoulouland, sauf qu'y vivait la tribu Po. Le Juge présentait les choses comme si Adolf Hitler risquait de débarquer d'un jour à l'autre dans les parages.

J'ignorais que l'Afrique du Sud était du côté de l'Angleterre ; vu d'ici, l'Anglais était l'ennemi numéro 1. C'était bien là mon malheur, une tare comme si j'étais né dans une famille pauvre et dégénérée.

La majeure partie de mes informations provenait des conseils de guerre que le Juge tenait régulièrement derrière les cabinets de l'école. Tous les grands étaient membres des sections d'assaut nazies et Daniel Coetzee, en tant que chef du dortoir des petits, avait aussi la permission d'y assister. Dans nos rôles de prisonniers de guerre officiels, on nous y traînait, Grand-père Chook et moi, pour nous interroger et nous torturer.

On me bandait les yeux. On m'attachait au tronc d'un jacaranda avec une corde enroulée autour de la taille et de la poitrine, ne laissant libres que mes bras et mes jambes, ce qui était indispensable pour deux des principales tortures.

La plupart des séances commençaient par la barre de fer, connue sous le nom de « supplice chinois », selon les normes fixées par la grosse montre gousset bon marché du Juge, l'un des biens auxquels il tenait le plus. Je devais tenir la barre à bout de bras tandis qu'il minutait chaque exploit, exigeant que je résiste un peu plus longtemps chaque fois. Mes performances étaient scrupuleusement consignées par un gamin du nom de Boetie Van der Merwe, connu dans le parti nazi sous le triple titre de Membre des sections d'assaut, Chronométreur et Pointeur.

Très fier de son poste, Van der Merwe me rappelait à chaque

occasion le temps minimum qui m'était alloué pour la prochaine séance de supplice chinois. Quand je n'arrivais pas à battre mon record, je recevais une gifle fort sévère du Juge, suivie d'une raclée administrée par les six représentants des sections d'assaut en service ce jour-là.

L'autre torture de choix, qui exigeait que j'eusse les mains libres, était baptisée « exercice de tir ». Tous les durs des sections d'assaut avaient pour arme mortelle un lance-pierres. Les gosses des fermes, qui en avaient tous pour attaquer les oiseaux, se montraient fort habiles dans le maniement de leur engin. Bien qu'il fût interdit de les exhiber, tous les grands en avaient en cachette qu'ils arboraient autour du cou aux réunions du parti nazi.

Pour l'exercice de tir, je devais tendre les bras en croix, les mains ouvertes et retournées. On posait une boîte de confiture vide sur chacune de mes paumes et chacun des candidats avait droit à deux essais pour tenter de les dégommer. Les six champions du jour gagnaient le droit de me rouer de coups à la prochaine occasion. Comme d'habitude, Boetie Van der Merwe faisait fonction de pointeur.

A la décharge de ces nazis, je dois reconnaître que, même s'ils touchaient assez souvent la cible en visant de six mètres, je ne reçus qu'une seule fois une pierre qui me heurta avec un bruit sourd en plein dans la main. La gauche fort heureusement, car je ne pus m'en servir durant plusieurs jours.

Grand-père Chook se posait sur une branche du jacaranda d'où il surveillait les opérations d'un œil vif. Il était connu du parti nazi sous le nom du prisonnier de guerre « Poulet cafre rooinek ». On ne peut guère se prêter à des interrogatoires ni à des tortures sur un volatile. Dans son rôle d'exterminateur en chef des insectes au service de Mevrou à la cuisine, Grand-père Chook était très protégé. Le Juge était coriace, mais il n'avait tout de même pas l'intention de se battre contre Mevrou.

Lorgnant Grand-père Chook, il lançait d'un ton menaçant : « Ton heure viendra, prisonnier de guerre Poulet cafre rooinek. Ne t'imagine pas qu'on t'a oublié, c'est compris ? »

J'avais toujours peur qu'il ne lui arrive une catastrophe mais je ne pouvais pas y faire grand-chose. On était logés à la même enseigne. Il ne nous restait qu'à espérer des jours meilleurs en tentant de nous tirer d'affaire. De plus, Grand-père Chook se la coulait douce là-haut, dans son arbre, alors que j'endurais un enfer en bas.

Les séances du parti nazi avaient lieu deux fois par semaine.

Même si j'en demeurais tremblant pendant des heures, je ne souffrais pas trop physiquement. On ne me frappait que lorsque je laissais tomber trop tôt la barre de fer. Dans un ou deux autres cas aussi : quand le Juge s'excitait trop, par exemple, ou que je ne répondais pas assez vite à son goût à l'une de ses questions lancée sur un ton emphatique.

« Qu'est-ce qu'elle est ta mère, Pisskop ?

— Une putain, monsieur ! » Je ne connaissais absolument pas le sens de ce mot mais c'était la réponse qu'il voulait.

« Avec qui elle couche ?

— Des Cafres, monsieur.

— Bien dit, mon vieux. De sales Cafres qui puent ! » faisaient écho les autres nazis grognant, tirant la langue et se prenant la gorge en faisant semblant de vomir.

Les ébats des animaux n'ont rien de mystérieux pour le plus jeune des gosses de fermiers ; il ne m'était toutefois jamais venu à l'esprit que les humains exécutaient les mêmes figures. Je me demandais pourquoi cette réponse était si insultante. Après tout, Nounou dormait auprès de moi sur sa natte au pied de mon lit depuis toujours et, aux yeux des nazis, elle était cafre.

« Qu'est-ce que tu es, Pisskop ?

— Un tas de merde ! répondais-je

— Non, pas de la merde ! De la crotte de chien ! » ripostaient-ils de concert.

On s'habitue à tout, découvris-je. Ils s'attendaient à ce que je commette cette erreur pour pouvoir s'adonner à leur comédie. A la moitié de l'interrogatoire, on me bandait les yeux. Puis, souvent au beau milieu d'une question, quelqu'un me jetait un seau d'eau sur la tête. Sachant que cela risquait d'arriver à tout moment, le choc était atroce. L'imagination est toujours le meilleur des bourreaux.

Parfois, ils lâchaient cinq ou six fourmis rouges dans mon pantalon et me regardaient me débattre comme un fou pour tenter de les trouver tandis qu'elles me piquaient affreusement entre les cuisses et jusqu'aux parties. Quand j'arrachais mon bandeau, j'avais droit à un double coup de poing de chacun de mes tortionnaires. J'appris vite qu'une fourmi rouge ne sévit généralement qu'une seule fois si on la laisse tranquille. Permettez-moi de vous dire que cela n'a rien d'agréable cependant.

Lorsqu'un nouveau tour tel que celui-là marchait, ils se félicitaient à grands cris et hurlaient de rire alors que je faisais des sauts de cabri, fouillant désespérément mon short pour me débarrasser des assaillants en maraude.

Le Juge encourageait toutes les initiatives en matière de supplices et d'insultes mais repoussait les tortures qui laissaient des traces apparentes. Par exemple, tordre les poignets était autorisé mais pincer interdit. Le dernier trimestre tirant à sa fin, leurs esprits limités étaient à court d'idées ; connaissant toutes les réponses à toutes leurs questions stupides et ayant avoué tous les crimes dont ils m'avaient accusé en acceptant allégrement toutes leurs insultes, la procédure se calma très nettement. J'avais découvert que dans la vie tout, même le plus terrible, a une fin.

Une chose les exaspérait plus particulièrement. Ils n'arrivaient pas à me faire pleurer. Même le Juge, malgré la terreur qu'il m'inspirait, n'y parvenait pas. Je crois qu'ils nourrissaient désormais une certaine admiration à mon égard. La plupart ayant des petits frères de mon âge, ils savaient combien il est facile de pleurer pour un enfant de cinq ans. En réalité, j'avais eu six ans ; personne ne me l'ayant dit toutefois, j'en avais toujours cinq dans ma tête.

Cette impuissance était aussi ce qui me coûtait le plus. Les larmes peuvent être un bon camouflage. A la vérité, ma volonté n'avait pas grand-chose à voir avec ma résolution de ne jamais céder ; j'avais découvert un tour spécial et, ce faisant, j'avais bloqué les valves.

Ce qu'ils ignoraient, c'est que derrière mon bandeau, j'avais appris à me trouver à deux endroits en même temps. Je répondais facilement à leurs questions idiotes tout en rendant visite à Inkosi-Inkosikazi avec une autre partie de mon esprit. Là-bas au pays de la nuit, j'étais à l'abri des sections d'assaut qui ne pouvaient pas me blesser, ni me faire pleurer.

Lorsqu'ils nouaient le bout de chiffon sale sur mes yeux, je respirais trois fois à fond. Aussitôt, j'entendais la voix d'Inkosi-Inkosikazi, aussi douce que le tonnerre au loin : « Tu es sur le rocher surplombant la plus haute chute, un jeune guerrier qui a tué son premier lion et qui est digne désormais de combattre dans l'impi de Shaka, le plus grand roi guerrier de tous. »

Je me tenais sur le promontoire au clair de lune au-dessus des trois cascades. En contrebas, j'apercevais les dix pierres mouillées et luisantes ainsi que les eaux blanches d'écume qui s'engouffraient dans l'étroite gorge. Je savais alors que la personne extérieure n'était qu'une coquille, une présence faite pour être vue et provoquée. Mon vrai moi se trouvait à l'intérieur, là où mes larmes se mêlaient à celles de tous les gens tristes pour former les trois cascades au pays de la nuit.

L'année scolaire tirait à sa fin, il ne restait plus qu'un jour, plus qu'un interrogatoire avant la libération.

Les efforts du Juge au cours du dernier trimestre avaient satisfait Mr. Stoffel. Ses médiocres résultats du début étaient oubliés. Il était devenu le premier de sa classe. Mr. Stoffel le prenait en exemple et je crois qu'il se plaisait aussi à s'octroyer une part de ces mérites. Considéré comme un cas désespéré, le Juge était aujourd'hui le numéro un. Il me montra son bulletin qui affirmait, noir sur blanc, qu'il était reçu. Il en était arrivé à accepter son intelligence supérieure, attendant les compliments de ses camarades du parti. Non seulement c'était un dur mais en plus un brillant esprit, situation plus que confortable.

Je n'avais aucune raison de redouter autre chose qu'un dernier interrogatoire, une ultime séance de tortures de pure formalité avant que mon bourreau ne sorte de ma vie à tout jamais. Après tout, il m'était redevable ; de plus Adolf Hitler, malgré son écrasante victoire dans un lieu nommé Dunkerque, n'ayant pas encore débarqué, il ne s'était absolument pas compromis.

Les prisonniers de guerre Pisskop et Poulet cafre rooinek furent entraînés pour la dernière fois vers le jacaranda sous le commandement du Juge nazi. Ce jour-là, on me banda aussitôt les yeux en m'attachant à l'arbre comme d'habitude. J'entendais Grand-père Chook qui gloussait dans les branches au-dessus de ma tête. Je m'apprêtais à entrer au pays de la nuit quand la voix de mon tortionnaire résonna avec méchanceté.

« C'est la dernière fois, salopard d'Anglais ! »

Brusquement, je sentis avec certitude que les choses en iraient autrement aujourd'hui. Que le Juge, dans son esprit, ne me devait rien. On en était revenu aux temps difficiles. Je tentai de me plonger à l'abri du pays de la nuit ; cependant, la peur jaillit en moi tel un Vésuve régurgitant et vomissant.

« Aujourd'hui, l'Anglais, tu vas manger de la merde. »

L'emploi de ce mot, « l'Anglais », à la place du familier et presque amical rooinek ne fit qu'ajouter à la menace.

« Tends les mains. » Je l'entendis renifler tandis que je m'exécutais. Il me saisit par les poignets, les serrant si fort que je ne pouvais plus bouger les bras. « Apporte-la ici, membre des sections d'assaut nazies Van der Merwe », somma-t-il.

On déposa une substance molle dans l'une de mes mains, puis dans l'autre. « Ferme-les, saligaud », ordonna le Juge.

J'avais si mal aux poignets que c'en était quasiment insupportable. Lentement, j'obéis. « Retirez-lui son bandeau », dicta mon bourreau. Les autres nazis étaient muets, l'un d'eux dénoua le chiffon. Je clignai les yeux dans la lumière. Le bandeau me masquait le nez ainsi que les yeux ; avant même de regarder, une puanteur atroce me monta aux narines. J'avais les mains poisseuses, je les ouvris et découvris qu'elles renfermaient deux excréments humains écrasés.

Le Juge me relâcha. « Lèche-toi les doigts », déclara-t-il.

Je restai les bras tendus, ne sachant que faire.

« Je vais compter jusqu'à trois. Si tu ne l'as pas bouffée, je ferai sauter ta sale cervelle, tas de merde ! » Il se dressait devant moi, yeux exorbités, je m'aperçus qu'il tremblait.

J'étais trop bouleversé pour réagir. Je crois que je me serais exécuté si le message était enfin parvenu jusqu'à mon cerveau. Mais à ce moment-là, tous les fusibles avaient sauté.

« *Een... twee... drie !* » lança-t-il. Le Juge arriva à trois, je demeurai immobile, frémissant de terreur. Il émit du fond de sa gorge une espèce de gargouillement bestial puis, saisissant mes poignets, il tenta de m'enfoncer les mains dans la bouche. J'avais les dents serrées de peur, la merde me barbouilla les lèvres, les dents et toute la figure. Il avait dû en tomber sur la main du Juge car il me libéra et s'essuya sur mes cheveux coupés très ras.

Puis, à califourchon sur moi, il agrippa le tronc à une cinquantaine de centimètres au-dessus de ma tête. Il essaya d'abord de secouer le jacaranda. Et se mit ensuite à le cogner de ses poings. Brusquement, il rejeta la tête en arrière, les yeux dans l'arbre.

« Heil Hitler ! » brailla-t-il.

Haut perché dans les branches, l'anus de Grand-père Chook s'ouvrit, de là tomba une parfaite bombe de fiente de poulet vert et blanc juste dans la gueule béante du Juge.

Grand-père Chook avait attendu le dernier jour du trimestre pour donner son opinion sur le parti nazi. Comme d'habitude, il était bref, précis et pertinent.

Le Juge cracha comme un fou, se plia en deux, tourna en rond, se prenant la gorge et le ventre, expectorant et crachotant pour vomir enfin. Il se rua vers le robinet, se rinça la bouche et recracha l'eau cinq ou six fois. Puis il s'enfonça le doigt dans la bouche comme une brosse à dents et se frotta dents et gencives, reprit de l'eau et cracha à profusion.

« Sauve-toi, Grand-père Chook ! Sauve-toi, mon vieux, sauve-toi ! » lui hurlai-je.

Cependant, Grand-père Chook avait déjà fui trop souvent pour un vieux poulet cafre. Gloussant là-haut parmi les fleurs pourpres du jacaranda, il donnait l'impression de rire comme une baleine avec sa tête décharnée.

« Je t'en prie, sauve-toi, Grand-père Chook, je t'en prie, je t'en supplie, sauve-toi ! Ce salaud va te tuer ! » braillai-je, indifférent à la merde sur mon visage et dans mes cheveux.

Il sauta sur une branche plus basse et de là, à mon grand effroi, se posa sur mon épaule, me donnant sur l'oreille l'un de ses célèbres baisers à la Grand-père Chook. Je l'empoignai pour le jeter au loin mais, au moment où je le soulevais, je reçus une explosion de plumes en pleine figure. Arraché à mon emprise, il laissa échapper un cri terrifié et tomba à terre. Le Juge se dressait à quelques pas, son lance-pierres vide se balançant dans sa main gauche.

« Sauve-toi, Grand-père Chook, sauve-toi à toutes jambes ! » l'implorai-je.

Il voulut se redresser : l'arme du Juge lui avait brisé la cage thoracique. Il fit plusieurs tentatives, retombant chaque fois sur le flanc. Il savait que c'était sans espoir, je pense. Au bout d'un moment, il resta là, me regarda et lança : « Couac ! »

Daniel Coetzee se précipita sur lui. Je réussis à lui décocher un coup de pied mais il empoigna triomphalement Grand-père Chook par les pattes. Le malheureux battit furieusement des ailes, il avait dû souffrir terriblement. Tout à coup, il s'arrêta ; je crus qu'il était mort. Je surpris alors son œil vif qui me cherchait la tête en bas.

« Les sales poulets cafres ne me chient pas dessus ! Pendez-le par les pattes à côté de Pisskop », ordonna le Juge qui continuait à cracher encore un peu, s'essuyant la bouche sur le revers de la main. Deux membres des sections d'assaut nazies attachèrent un bout de corde à une branche ; peu après, Grand-père Chook pendait la tête en bas, à la hauteur de mes yeux. Il était juste hors de ma portée.

« Je vous en prie, monsieur. Je ferai n'importe quoi ! Tout ce qu'il vous plaira ! Tout ce que vous voudrez ! Je vous en supplie, ne tuez pas Grand-père Chook ! »

L'air cruel, le Juge se pencha pour me regarder dans les yeux. « On va bien voir qui va pleurer maintenant », déclara-t-il en grimaçant un sourire.

Je fus pris de panique. « Tuez-moi ! implorai-je. Je vous en supplie, tuez-moi. Mais pas Grand-père Chook ! »

Le Juge me frappa au front du plat de la main, je me cognai la tête contre le jacaranda, j'en restai tout étourdi. « Et merde ! » s'exclama-t-il, il avait écopé au passage de mon masque immonde. Il s'essuya de nouveau dans mes cheveux.

« Tu es un tas de merde et ton enfoiré de poulet cafre aussi. Tu as vu ce qu'il m'a fait ? A moi, Jaapie Botha ! Cette satanée bestiole m'a chié dans la bouche ! »

Encore hébété, j'essayai une autre tactique tout aussi désespérée. « Je vais le dire à Mevrou ! hurlai-je, m'efforçant de paraître menaçant.

— *Mevrou kan gaan kak !* » (Mevrou peut aller se faire voir !) Mon bourreau cracha par terre, cette fois-ci un gros molard, pas de la fiente. Puis il se tourna vers ses sections d'assaut : « Le prisonnier de guerre Poulet cafre rooinek va être exécuté, deux coups chacun ! » Il alla prendre place parmi ses troupes tandis que les autres chargeaient leurs lance-pierres.

Abandonnant mes dernières cartouches, je levai le masque. « Je vais raconter à Mr. Stoffel que je te faisais ton calcul ! » braillai-je au Juge.

J'entendis le « pfuit » de son arme à l'instant où je sentis la pierre me frapper en plein dans l'estomac. La douleur fut atroce, j'avais l'impression d'un coup au ralenti comme si la pierre avait une force en soi, me rongeant le ventre, me brûlant, me dévorant les intestins et le dos. Une chose brutale, décidée, vivante, aveugle. Le choc fut terrible : les yeux me sortirent de la tête et, sous l'effet de la surprise, je tirai la langue.

« Feu ! » Une série de faibles flocs lacérèrent la fragile carcasse de Grand-père Chook. Après les premiers assauts, la corde se balança mais les troupes étaient composées de tireurs d'élite, leur second tir déchira derechef la drôle de dépouille flétrie. Des gouttes de sang tombèrent dans la poussière mais aussi parmi les fleurs de jacaranda arrachées dans la bataille ; la corde se balançant, les taches émaillaient le sol. Grand-père Chook, ce sacré poulet sans peur et sans reproche, était mort.

Une petite plume vola vers moi, l'une des plumes duveteuses qui poussaient tout en haut de ses pattes décharnées. Elle se colla à un morceau de merde sur mon visage. Le Juge s'approcha et me libéra, je m'affalai sur le derrière à ses pieds. Il posa son pied nu sur mon épaule.

« Qu'est-ce que tu es, l'Anglais ?

— De la crotte de chien, monsieur.

— Regarde-moi quand tu me parles ! » glapit-il.

Brusquement, je levai les yeux vers le géant qui me dominait. Au-dessus de lui, j'apercevais une lune laiteuse dans le ciel de l'après-midi. On était si près du but, Grand-père Chook et moi, on avait presque réussi, il ne nous manquait que quelques heures.

Je lui crachai à la figure : « C'est toi, la crotte de chien ! Ta mère est une putain ! »

Me repoussant violemment du pied, il m'envoya valdinguer par terre. Puis il lâcha un hurlement qui tenait de la rage et de l'angoisse. « Pourquoi tu ne pleures pas, espèce de salopard ! » dit-il en sanglotant et il commença à me rouer de coups lancés à l'aveuglette.

Les sections d'assaut se précipitèrent pour le retenir et l'arracher à moi. Le Juge se laissa entraîner. On resta seuls derrière les cabinets sous une lune blanche dans un ciel d'un bleu éclatant.

Je libérai le corps brisé de Grand-père Chook, on s'assit sous le jacaranda et je caressai ses plumes ensanglantées. Fini les douces aurores africaines enveloppant la nuit, fini les cocoricos matinaux pour me signaler ta présence, mon poulet fidèle et bien-aimé. Qui me picotera l'oreille ? Qui sera mon ami désormais ? me lamentai-je en redoublant de sanglots. La grande sécheresse était finie, l'homme du dedans était sorti, les pluies tombaient sur le Zoulouland.

Au bout d'un long, très long moment, quand j'eus versé toutes les larmes de mon corps et que l'oiseau de solitude se fut glissé dans le gouffre creusé en moi pour y construire un nid de pierres, j'emportai Grand-père Chook dans le verger et le déposai à l'endroit que j'avais aménagé pour le protéger de la pluie. Puis je passai par la fenêtre du dortoir pour récupérer mon nouveau pull-over rouge, celui que ma mère avait tricoté dans le camp de concentration et que Nounou avait arrangé.

Je recueillis tous les cailloux que je trouvai, puis enfilai mon tricot à Grand-père Chook, ses ailes dépassant des manches, son long cou sortant par le haut et ses pattes par le bas.

Il avait plus d'allure que jamais. Je pris la boîte de confiture où je lui donnais à boire ; en cinq minutes, j'avais récolté une vingtaine de petites sauterelles vertes, le fin du fin pour un poulet. Je posai le fruit de ma chasse à côté de son corps pour qu'il ait droit à un festin en allant au paradis. Et je recouvris sa dépouille de pierres.

La première victime de la guerre d'Afrique du Sud contre Adolf Hitler était enfin en paix.

Je m'assis là à côté du tas de pierres tandis que le soleil de l'après-midi commençait à décliner. Le soleil quittait le Zoulouland, quittait le pays des Swazis, il désertait maintenant le Shangaan et le kraal royal de Modjadji, la reine de la pluie, pour se rafraîchir dans les immenses eaux noires.

La première cloche du dîner sonna, je m'approchai du robinet pour laver la merde et le sang de mes mains, ma figure et mes cheveux.

Au plus profond de moi, l'oiseau de solitude s'installa sur son nid sommaire où il pondit un gros œuf de pierre très lourd.

La cloche du repas retentit, le dernier repas. Tout a une fin. Demain, je rentrerais à la maison pour Noël où je retrouverais Nounou. Ma douce, ma chaude, ma merveilleuse Nounou.

Cependant, il n'en va pas ainsi dans l'existence. Moi, plus que tout autre, j'aurais dû le savoir. Au dîner, Boetie Van der Merwe m'annonça que Mevrou voulait me voir à l'infirmerie. « Si tu lui parles de cet après-midi, on te tuera », lança-t-il. Je n'avais pas peur, je savais reconnaître l'heure du dénouement quand elle se présentait.

Il ne restait que quelques heures avant ma libération. Ni le Juge, ni Mevrou, ni même, pour le moment en tout cas, Adolf Hitler n'y pouvaient rien changer. J'allais bientôt retourner à mon petit coin tranquille.

J'ignorais alors que ce qui m'apparaissait comme la fin n'était que le début. Tous les enfants sont des épaves entraînées par le flux et le reflux de la vie des adultes. A mon insu, le vent avait tourné et j'étais emporté vers la mer.

4

A la fin du dîner, après que Mr. Stoffel eut fini la lecture de la Bible et les prières du soir, j'attendis Mevrou à la porte de l'infirmerie. Elle arriva peu après. « *Kom !* » dit-elle, me frôlant en passant devant moi. J'entrai et me tins les mains derrière le dos, tête baissée comme d'habitude.

« Pourquoi y a-t-il du sang sur ta chemise, Pisskop ? »

Je contemplai ma chemise souillée du sang de Grand-père Chook où la pierre qui m'avait lacéré avait laissé une énorme marque.

Mevrou soupira, puis s'assit pesamment sur une chaise de bistrot peinte en vert clair comme les murs de la salle. « Enlève-la », ordonna-t-elle.

Je m'exécutai aussitôt. Mevrou jeta un coup d'œil à mon ventre. « Alors, c'est tout ? » Elle tapota la blessure, je ne pus m'empêcher de tressaillir.

« Je vous en prie, Mevrou, je suis tombé sur une pierre. » Elle retira le bouchon d'un gros flacon de teinture d'iode et le renversa sur un tampon d'ouate.

« Oui, je vois ça. » Elle appliqua le produit qui me brûla atrocement, je grimaçai et sautai au plafond de consternation, me tordant les mains pour arrêter la douleur. « Allons, encore un peu. » Elle renversa de nouveau la bouteille, me tamponnant violemment le ventre. Cette fois-ci, je savais à quoi m'attendre ; serrant les dents et fermant bien les yeux, je réussis à souffrir le moins possible. « Tu ne peux pas aller mettre du sang partout dans le train », déclara-t-elle en jetant le coton sur la table. Elle récupéra le bouchon qu'elle enfonça dans le goulot.

« Quel train, Mevrou ? demandai-je, déconcerté.

— Ton oupa a appelé d'un *dorp* de l'Est-Transvaal du nom de Barberton. Tu ne vas pas retourner à la ferme. Il a annoncé qu'il avait dû tuer toutes ses poules et ses coqs à cause de la maladie de Newcastle et qu'il avait vendu le domaine à une Mevrou Vorster.

— Mais que fait mon grand-père dans cette ville du nom de Barberton, Mevrou ? »

Ma tête partait à la dérive, tout mon univers s'en allait en morceaux. Si grand-papa avait vendu la ferme à la grosse Mrs. Vorster et téléphonait d'un endroit étrange de l'Est-Transvaal, où était Nounou ? Sans Grand-père Chook ni Nounou, la vie était inconcevable.

« Je ne lis pas dans les esprits, moi. Il a peut-être trouvé du travail là-bas. » Plongeant la main dans son sac, elle brandit une enveloppe. « Le billet est là-dedans. Demain soir, tu prendras le train pour Barberton. Deux jours et deux nuits de voyage. Je t'emmènerai à la gare. » Elle agita l'enveloppe pour me congédier.

Je m'apprêtais à sortir quand, sur le seuil, Mevrou me rappela. « Tu ne peux pas emporter le coq, c'est compris ? » Elle me regarda d'un air suffisant. « Les chemins de fer d'Afrique du Sud ne te laisseront pas emmener un poulet cafre, pas même dans le wagon de marchandises. » Elle avait l'air contente à cette idée. « Je le garderai, il gagnera son pain bien qu'il ne soit qu'une bestiole cafre.

— Il est mort, Mevrou. Un chien l'a mangé aujourd'hui. » Je parvins à parler d'une voix où ne transparaissaient pas mes larmes.

« Dommage, il était efficace en cuisine. » Elle se leva en soupirant, s'éventant avec la lettre. « Je vais te dire une chose, mon ami, un poulet cafre c'est comme un Cafre. Juste au moment où tu crois pouvoir leur faire confiance, ils te laissent tomber. »

Je n'avais jamais eu de chaussures. A l'époque, dans le Nord-Transvaal, un gosse de fermiers n'avait des bottes que si ses parents étaient riches ou s'il avait atteint l'âge de treize ans C'est alors qu'un garçon devient un homme, selon l'Ancien Testament. Un short kaki, une chemise et un pull-over pour les jours de grand froid, notre garde-robe s'arrêtait là. On n'avait pas encore inventé les sous-vêtements. De toute façon, les petits Boers n'en auraient pas porté. Pourquoi dépenser de l'argent superflu ?

Le lendemain de l'enterrement de Grand-père Chook était le dernier jour du trimestre. Tout le monde était prêt à partir bien avant le petit déjeuner. Ensuite, Mevrou me convoqua à l'infirmerie pour m'annoncer qu'après le déjeuner on irait en ville m'acheter une paire de tennis chez Harry Crown.

« Qu'est-ce que c'est, Mevrou ?

— Domkop ! Ce sont des chaussures en toile avec des semelles de caoutchouc. Tu ne connais donc rien ? Et vérifie que tu as les pieds propres pour ne pas nous faire honte devant le Juif. »

De mon manguier secret, je regardai les élèves quitter le foyer. Les parents arrivaient dans de vieilles camionnettes ou des charrettes tirées par des mules. Certains enfants partaient à dos d'âne sur des bêtes amenées à l'école par un garçon de ferme. J'observai le Juge s'en aller dans une charrette. Il fit asseoir le serviteur noir sur le hayon, bondit à la place du conducteur, s'empara des rênes, puis du fouet et s'élança comme un fou, cinglant les mules, faisant claquer le fouet comme un coup de fusil. Je poussai un énorme soupir de soulagement. Comme disait ma mère : « Bon débarras de ces cochonneries ! »

Tout le monde avait disparu, je redescendis de mon arbre et traversai la cour. Ce n'était pas la même chose sans Grand-père Chook. Le soleil était toujours chaud. Les petites sauterelles vertes n'arrivaient toujours pas à traverser la cour d'un coup. La lune de jour, d'un blanc laiteux, planait toujours dans le ciel sans nuage du matin. Cependant, rien ne serait jamais plus comme avant. Je réservai mes épanchements pour plus tard. J'avais assez de choses en tête à l'idée d'aller en ville acheter une paire de chaussures et de prendre le train. Je n'avais jamais eu de chaussures et je n'avais jamais pris le train, je n'avais même jamais vu un vrai train. Deux « jamais » en une journée suffisent à se remplir l'esprit.

Après un déjeuner composé de pain avec de la confiture accompagné d'une tasse de thé sucré, je courus retrouver Mevrou à l'infirmerie, ne m'arrêtant que le temps de me récurer les jambes et les pieds, suivant ses instructions. La douche qui gouttait ce premier soir, alors que je me croyais dans un abattoir, faisait toujours floc, floc, floc, tel un métronome. C'est drôle de voir comment les enfants confondent les choses. Tout cela semblait si loin ; j'étais un bébé à l'époque.

J'attendais depuis quelques minutes quand Mevrou arriva. Elle portait une robe en coton à fleurs informe et un drôle de chapeau, un vieux chapeau de paille noir avec deux cerises plantées dessus. Un troisième bout de fil de fer dépassait à la place du fruit qui manquait. Dans sa tenue de ville, Mevrou ressemblait beaucoup à la grosse Mrs. Vorster, mais en plus jeune avec une moustache.

La bourgade se trouvait à trois kilomètres de l'école. « On pourrait peut-être aller à la gare en même temps qu'au magasin d'Harry Crown ? proposai-je timidement.

— C'est déjà bien que je fasse ça pour toi, Pisskop. Qu'est-ce que tu veux ? Parler à un mur ? Ce soir, je serai obligée de refaire tout ce chemin pour toi. Il n'y a rien à voir à la gare en dehors des Cafres qui somnolent en attendant le train. »

Durant le reste du trajet, on garda le silence. Mevrou me devança de trois pas tout au long de la route. Sa silhouette massive oscillait légèrement, s'arrêtant de temps à autre pour reprendre son souffle. Le soleil du début d'après-midi était de plomb. Lorsqu'on arriva, Mevrou était dans tous ses états et empestait plus que jamais.

La boutique d'Harry Crown était fermée, il n'y avait guère d'animation dans la grand-rue. Mevrou sortit un immense *doek* rouge d'un panier et s'essuya le visage. « Ils sont tous encore en train de déjeuner, il faut attendre », expliqua-t-elle. A grand-peine, elle gravit les cinq marches qui menaient à la véranda, puis s'assit sur un banc à côté de la porte cadenassée. « Cherche un robinet où te laver les pieds », dit-elle en haletant.

Je traversai la rue jusqu'au garage où un panneau annonçait : Station-service Atlantic. Il n'y avait que deux pompes devant un modeste bureau et un atelier. Dans un coin se trouvait un robinet. L'endroit puait l'huile et la graisse. Je me lavai les pieds, puis retraversai la route sur les talons pour ne pas me salir. Cinq ou six Africains dormaient au bout de la véranda où donnait l'autre entrée du magasin. Au-dessus de la porte, un écriteau indiquait : « Réservé aux Noirs. » Je me demandai un instant pourquoi les Blancs ne pouvaient l'emprunter.

Des mouches, volant pesamment dans la chaleur, se posaient sur des yeux endormis ; de temps en temps, une main noire se levait au hasard et les chassait, son propriétaire ne sortant apparemment pas de son sommeil.

Un Noir, qui avait perdu l'œil gauche, ne dormait pas ; il était assis contre le mur de la boutique. Ses mains refermées et sa bouche masquaient une guimbarde qui vibrait au son d'un rythme insistant.

« Le Juif est en retard, pour qui il se prend ? » se plaignit Mevrou avec impatience. Se retournant à moitié, elle s'adressa à l'Africain qui jouait de la musique. « Hé, le Cafre ! Où est le baas ? »

L'homme se leva d'un bond, il rangea le petit instrument dans la poche de son pantalon en loques. Ne comprenant pas l'afrikaans, il ne répondit pas.

« Tu travailles ici ? lui demandai-je en shangaan.

— Non, petit baas, moi aussi j'attends. Le grand baas du magasin ne va pas tarder, je crois. Lorsque la sirène de la scierie retentira, il arrivera sûrement.

— Il n'est pas au service de Mr. Crown, Mevrou », annonçai-je.

A cet instant, une sirène hurla. On connaissait bien l'appel de la scierie qui résonnait à une heure, puis de nouveau à deux heures.

Quasiment à la seconde, une grosse Chevrolet noire remonta la rue pour se garer devant la boutique. Je n'avais jamais vu une aussi belle voiture. Jamais je n'aurais imaginé qu'une auto pût être aussi rutilante ni aussi puissante. Avant de couper le contact, le chauffeur emballa le moteur qui rugit comme une bête vivante. Etre juif était manifestement une affaire fort rentable. Peut-être pourrais-je le devenir quand je serais grand.

Harry Crown était un homme corpulent qui approchait de la soixantaine. Il portait son pantalon si haut qu'il masquait presque tout son ventre et une bonne partie de sa poitrine. Des bretelles rouge vif le maintenaient. Sa chemise ouverte en coton blanc ne semblait pas couvrir plus de vingt centimètres du col à l'endroit où elle disparaissait sous son pantalon. Il était quasiment chauve et, lorsqu'il souriait, découvrait deux dents de devant en or.

« Mille excuses, Mevrou. Vous attendez depuis longtemps ? » s'enquit-il, faisant un tas de manières pour ouvrir les portes cadenassées.

« Oh, ce n'est rien. Pas même quelques minutes », répondit Mevrou, tout sourire pour le gros homme chauve.

Dans la partie réservée aux clients blancs, deux grands ventilateurs vrombissaient doucement au plafond, la boutique était sombre et fraîche. Mevrou s'affala avec reconnaissance sur une chaise à côté du comptoir, Harry Crown lui servit une tasse de café d'une casserole qu'il retira d'une petite plaque chauffante installée sur une étagère derrière la caisse.

« Que puis-je pour vous, Mevrou ? » demanda-t-il puis, se tournant vers moi, il s'inclina légèrement. « Et pour vous, monsieur ? » ajouta-t-il d'un ton solennel.

Je n'étais pas habitué à ce genre de facétie ; ne sachant que faire, je baissai les yeux pour éviter son regard.

Remarquant ma timidité, il se tourna vers un gros pot en verre sur le comptoir d'où il sortit une sucette framboise, le bout rouge vermeil enveloppé dans de la cellophane. Il me la tendit. Je regardai Mevrou qui prit poliment une petite gorgée de café avant d'acquiescer d'un signe. Je saisis le cadeau ô combien délicieux et le glissai dans la poche de ma chemise.

« Merci, Meneer, murmurai-je.

— Allez, mange-la, mon petit. Quand on en aura fini avec les affaires, tu auras droit à une autre. » Il observa une pause. « Une verte peut-être, hein ? » Il se tourna vers Mevrou. « J'ai ce magasin depuis trente ans et je peux vous assurer sans risquer de me tromper que les enfants préfèrent avant tout les framboise, viennent ensuite les vertes. Si je ne suis sûr de rien dans la vie, de ça je suis convaincu. » Il fit claquer ses bretelles avec ses pouces en poussant un joyeux grognement.

Je n'avais jamais rencontré un homme qui riait et faisait du cinéma comme cela. Intimidé, je laissai la sucette au fond ma poche bien à l'abri.

« Comment t'appelles-tu, mon petit ? poursuivit Harry Crown.

— Pisskop, monsieur », répliquai-je.

Renversant brusquement son crâne chauve et luisant, Harry Crown me contempla d'un air consterné. « Pisskop ? Pisskop ! C'est un nom pour un gentil garçon ? me demanda-t-il, affolé. Qui t'appelle comme ça ? »

Mevrou l'interrompit sans façon. « Peu importe son nom, qu'est-ce que vous avez comme tennis ? Le gamin en a besoin. Il part seul par le train de ce soir rejoindre son oupa à Barberton. »

Il se tourna un instant pour montrer qu'il l'avait entendue, puis s'en revint vers moi et siffla avec gravité. « Barberton, hein ? C'est dans le bas veld de l'Est-Transvaal. Au moins deux jours de train, un long voyage pour un petit garçon tout seul. » Il était passé devant le comptoir et regardait mes pieds. « On n'a rien d'aussi petit, Mevrou. Je n'ai pas beaucoup de demande de tennis. Dans les parages, les Boers ne pratiquent guère ce sport. » Il s'esclaffa bruyamment de sa plaisanterie qui nous échappa complètement à tous deux.

« Montrez-moi ce que vous avez, Mr. Crown. Son oupa n'a pas envoyé assez d'argent pour des bottes, juste pour des tennis.

— Ça ne change rien. Que ce soient des bottes, des sandales ou des tennis, le gosse a le pied trop petit. » Retournant derrière le comptoir, il retira un carton défoncé d'une étagère. Il en sortit une paire de chaussures en toile marron foncé.

« Il peut les essayer, suggéra Mevrou.

— C'est inutile, Mevrou. Elles ont quatre tailles de trop pour lui. C'est un miracle que je les aie mais elles sont quand même trop grandes.

— Le gamin va grandir, remarqua Mevrou d'un ton un tantinet impatient.

— Ja, sûrement, Mevrou. Dans cinq ou six ans, elles lui iront peut-être comme un gant. En attendant, il aura l'air d'un clown. » Il se tapa sur le ventre. « Très drôle, se félicita-t-il en anglais

— On va les essayer. On peut arranger ça avec du papier journal.

— Mevrou, même si on les bourrait avec la *Zoutpansberg Gazette* en entier, il n'y suffirait pas. Il a de très petits pieds pour un Boer.

— Il n'est pas boer. C'est un rooinek ! » riposta Mevrou, en colère soudain. Elle abandonna la tasse de café sur le comptoir puis, se penchant, s'empara des chaussures et se tourna vers moi. « Pose le pied sur mon genou, petit », ordonna-t-elle.

Je flottai complètement dans la première. Le talon appuyé sur le genou de Mevrou, j'avais l'impression d'avoir des bottes de sept lieues.

Mevrou tira sur les lacets jusqu'à ce que les œillets se chevauchent. « L'autre maintenant », dit-elle.

Je demeurai planté là, n'osant pas bouger, ne sachant comment m'y prendre. Les tennis semblaient deux fois plus grands que mes pieds.

« Marche, petit », m'enjoignit Mevrou.

J'avançai d'un pas hésitant, la chaussure gauche resta collée au sol ; je réussis tout de même à traîner la droite sans lever le pied.

« Donnez-moi du papier. » Mevrou fabriqua habilement deux petits « bateaux » avec des bandes de journaux. Elle les glissa ensuite dans les tennis, puis me somma d'y introduire le pied et de les lacer. Cette fois-ci, j'étais bien au chaud. Il me faut avouer cependant que j'avais une drôle d'impression ; de plus, quand je marchais, elles faisaient flip-flop là où elles se pliaient au bout de mes orteils.

Je ne m'étais jamais senti aussi magnifique. « On va les prendre », annonça Mevrou d'un ton triomphal. Elle chercha son porte-monnaie dans son sac à main.

Harry Crown soupira. « Ça ne va pas, Mevrou. »

Si Mevrou avait eu son sjambok, elle aurait obligé le vieux monsieur rondelet à se pencher sur le comptoir pour lui administrer six coups de son meilleur cru.

« C'est combien ? s'enquit-elle d'un ton cassant, lèvres pincées.

— Une demi-couronne, mais pour vous deux shillings seulement », répliqua Harry Crown, réajustant le prix par habitude. De toute évidence, il n'avait pas le cœur aux affaires.

Je tirai sur le bout d'un lacet : à mon grand soulagement, le nœud céda. Je refis la même opération avec l'autre, puis m'extirpai avec moult délicatesse des bateaux en papier et tendis les tennis à Harry Crown.

« Pauvre petit bonhomme », dit-il en anglais. Il les rangea dans la boîte en carton marron clair. Voyant que Mevrou ne regardait pas, d'un geste preste, il glissa dedans deux sucettes vertes et deux rouges avant de me la remettre. « Je te souhaite bien du courage », poursuivit-il en anglais. La bouche en coin, il ajouta : « Elle comprend l'anglais ? »

N'osant pas répondre, je secouai presque imperceptiblement la tête pour faire signe que non.

« C'est pour le voyage, des vertes et des rouges, les meilleures ! Crois-moi, j'en connais un bout sur la question. A un de ces jours, Peekay. » Il me tapota l'épaule, puis écarquilla les yeux et, se redressant de toute sa taille, mains croisées sur le ventre, ses dents en or étincelant, il me décocha un large sourire. « Peut-être que les tennis ne vont pas, mais je pense que ton nouveau nom te sied à merveille. Peekay ! Ja, c'est un joli nom pour un vaillant petit garçon qui voyage seul jusqu'au bas veld pour retrouver son grand-père. »

Mevrou, qui écumait quasiment de rage, jeta deux shillings sur le comptoir. Sur ce, elle quitta le magasin d'un pas furieux. Je la suivis, mon précieux butin sous le bras. A la porte, je me retournai pour saluer Harry Crown.

« Au revoir, monsieur ! » dis-je en anglais. Les trois mots anglais parurent étrangement déplacés, comme une langue qu'on ne maîtrise pas.

Mevrou se retourna, furibonde. M'attrapant par l'oreille, elle lança d'un ton cinglant : « Je t'interdis de parler à ce... ce sale Juif dans la langue maudite. Tu vas avoir des nouvelles de mon sjambok en rentrant !

— Aïe ! C'est mon oreille sensible, Mevrou. » Je pensai aussitôt qu'elle se sentirait coupable de m'attraper par mon oreille blessée, même si j'étais complètement guéri.

Mevrou la lâcha comme si elle tenait un tisonnier chauffé au rouge. On a intérêt à réagir vite en ce monde si on veut survivre. Néanmoins, une fois qu'on connaît les règles, ce n'est pas trop difficile de jouer le jeu.

Mevrou s'élança comme un ouragan et je me retrouvai à cinq pas derrière elle. Après lui avoir administré une dose de culpabilité que j'espérais suffisante pour la convaincre de renoncer à la correction promise, je lui abandonnai une quinzaine de pas supplémentaires avant de sortir la sucette à la framboise de ma poche. Retirant le papier cellophane, je léchai les petits morceaux collés de sucre cristal cramoisi avant de le jeter. Le trajet s'annonçait bien : j'allais la déguster tranquillement jusqu'au foyer.

J'avais raison à propos du sjambok : on n'y fit aucune allusion à notre retour. Je passai la fin de l'après-midi à entasser d'autres cailloux sur la tombe de Grand-père Chook que j'entourai d'une bordure de galets blancs ; il me fallut une éternité pour les ramasser dans les parages. Je dois avouer que ce sacré poulet sans peur et sans reproche avait une sépulture fort impressionnante, un massif de pierres, sans doute éternel, caché sous des couches successives de kakis et de jacquiers noirs.

Le garçon de cuisine m'avait préparé un grand sac en papier kraft avec des sandwiches pour le voyage. On quitta le foyer vers cinq heures pour prendre le train de sept heures. Ma valise, bien que grosse, renfermait fort peu de choses. Deux chemises, deux shorts kaki, mon pyjama, les quatre sucettes que j'avais cachées dans un short et mes tennis neuves avec les bateaux en papier dedans. Il y avait largement la place pour le casse-croûte. Elle ballottait contre mes genoux mais elle n'était pas très lourde ; de plus, avec toutes les séances de torture à la barre de fer, j'étais bien musclé. Mevrou était complètement à bout de souffle après avoir fait deux fois le trajet dans la même journée et, avec mon bagage qui me battait les jambes, il nous fallut près d'une heure pour arriver.

La gare se résumait à un quai surélevé d'une trentaine de mètres où se dressait un bâtiment avec deux portes donnant sur la ligne de chemin de fer. Au-dessus de l'une d'elles, un panneau annonçait : Chef de gare. A droite, s'ouvrait un guichet ; au-dessus de celui-ci, un écriteau indiquait : Billets. Sur l'autre porte, on lisait : Salle d'attente. Devant le bureau du chef de gare se trouvaient trois pneus de camion peints en blanc ; au milieu poussaient des cannas rouges, leurs longues feuilles plates poussiéreuses et déchiquetées avaient aussi piètre allure que les fleurs. Apparemment, Mevrou connaissait le chef de gare. Il ouvrit la salle d'attente pour nous, puis lui apporta un café dans une grande tasse blanche ornée du monogramme SAR, Chemins de Fer d'Afrique du Sud.

« Ne vous inquiétez pas, c'est Hoppie Groenewald le contrôleur, il prendra bien soin du petit. » Il sembla alors me remarquer. « C'est le champion des chemins de fer, tu sais. Ce Hoppie, poursuivit-il, esquissant un sourire à cette idée, il rit tout le temps mais si jamais tu te retrouves dans une bagarre, je vais te dire une chose, mon bonhomme, vaut mieux prier qu'il soit de ton côté ! »

Je me demandais ce qu'était au juste un champion des chemins de fer ; cependant, je comprenais et appréciais fort la perspective d'avoir un tombeur de mon côté dans une bagarre. Je semblais fait pour attirer les ennuis, cela me changerait agréablement d'avoir un champion des chemins de fer auprès de moi lors du prochain coup dur qui ne manquerait pas d'arriver.

Parfois, une broutille modifie le cours de notre vie, un simple concours de circonstances, le hasard d'une rencontre percutante comme une météorite. Parfois il suffit d'une réflexion fortuite pour changer de cap. Hoppie Groenewald allait se révéler un mentor éphémère qui définirait les dix-sept années à venir de façon irrévocable. Et ce, en l'espace d'un jour et d'une nuit.

« Le gosse est un rooinek et il est trop petit pour se battre », affirma Mevrou. On aurait dit que ce n'était qu'une question de temps : je finirais forcément par mal tourner, avec mon mauvais sang anglais. Elle sortit d'une enveloppe un billet perforé à un bout et, dans le trou, glissa une grosse épingle de sûreté. « Viens ici, petit. » Elle l'accrocha à la poche de ma chemise. « Ecoute-moi bien, bonhomme. Ce billet va t'emmener à Barberton mais ton oupa a envoyé juste de quoi prendre un petit déjeuner, un déjeuner et un dîner en route. Ce soir, tu n'avaleras qu'un sandwich, c'est compris ? » J'acquiesçai. « Demain matin, un autre et à midi, le dernier. Ensuite, tu mangeras dans le train. Tu m'as bien suivi ?

— Ja, Mevrou, je réserve le casse-croûte pour les trois prochains repas.

— Non, mon ami ! Ce n'est pas ce que j'ai dit. Ce soir, demain matin et demain midi. Et prends d'abord la viande parce que le pain restera mou avec la confiture. C'est compris ?

— Ja, Mevrou. »

Elle s'empara d'un carré de tissu blanc grand comme un mouchoir de dame et le mit sur ses genoux. Au milieu, elle posa un shilling.

« Regarde bien, Pisskop. Je mets cette pièce ici et je l'attache. »

Elle rapprocha les deux coins opposés, les noua sur le shilling, puis refit l'opération avec les deux autres. Elle sortit ensuite une autre grosse épingle nourrice de son sac ; fourrant le doek renfermant le trésor dans la poche de mon short kaki, elle le fixa à la doublure.

« Ecoute-moi bien maintenant. C'est pour un cas d'urgence. En cas de besoin, et uniquement dans ce cas, tu peux en utiliser une partie. Toutefois, tu dois attacher la monnaie comme je viens de te montrer et la remettre dans ta poche avec l'épingle de sûreté. Si tu n'en as pas besoin, il faudra le donner à ton oupa, c'est ce qui lui revient. »

Le chef de gare entra, annonçant que le train était à l'heure et qu'il nous restait cinq minutes.

« Dépêche-toi, mon ami, mets tes tennis », me somma Mevrou en me poussant vers mon bagage.

Je fus pris de panique brusquement. Si j'ouvrais ma valise et qu'elle découvrait mes sucettes ? Je la posai à plat par terre puis l'ouvris, le couvercle servant de rempart pour empêcher Mevrou de voir dedans. Comme de bien entendu, une sucette verte enfouie dans mon short avait réussi à sortir de sa cachette, mon cœur battit la chamade. Ouf ! Je pris les chaussures et refermai aussitôt. Je glissai délicatement chaque pied dans un bateau en papier, puis Mevrou laça les tennis. Je tentai désespérément de me rappeler comment elle faisait mais je n'étais pas sûr d'avoir saisi la manœuvre.

« S'il vous plaît, Mevrou, vous allez m'apprendre à mettre les lacets pour que je puisse enlever mes chaussures dans le train ? »

Mevrou leva les yeux, paniquée. « Tu ne dois pas les retirer avant d'arriver à Barberton. Si jamais tu les perds, ton oupa pensera que j'ai volé son argent. Tu les gardes aux pieds, c'est compris ? »

Entendant le train de loin, on sortit de la salle d'attente pour le regarder arriver. Marcher avec mes tennis n'était pas aisé, cela n'avait rien à voir avec les trois ou quatre pas hésitants que j'avais faits dans la boutique d'Harry Crown. Je trébuchai plusieurs fois, mes tennis faisant flic-floc, flic-floc jusqu'au bord du quai. Des morceaux de papier journal glissaient au-dessus de mes chevilles, je dus m'arrêter pour les renfoncer.

Dans un souffle de vapeur assourdissant aussitôt suivi de deux coups de sifflet stridents et du crissement des roues sur les rails, l'énorme train entra en gare. Des wagons de Noirs défilèrent les uns après les autres. Riant aux éclats, ils passaient la tête par la fenêtre : ils s'amusaient bien. Enfin, les deux dernières voitures ainsi que le wagon de marchandises s'arrêtèrent juste au bord du quai. Les inscriptions des deux dernières voitures indiquaient respectivement : 1re et 2e classe des Chemins de Fer d'Afrique du Sud. J'avais déjà vu des trains en photo naturellement ; parfois même la nuit dans le dortoir des petits, j'entendais un sifflement emporté par le vent, le bruit grisant de la liberté qui vous entraînait vers des endroits lointains, loin du foyer, de Mevrou, du Juge et de ses sections d'assaut nazies. Je dois avouer toutefois que je n'étais pas préparé à découvrir quelque chose d'aussi gros, d'aussi noir, qui crachait autant de vapeur, de fumée, de feu par ses tuyaux en cuivre et ses pistons hurlant.

Des Africains sortirent comme de nulle part. Ils portaient des ballots sur la tête qu'ils passaient aux passagers par les fenêtres des 3e classe avant de monter en s'esclaffant, tout à l'ivresse du départ. Des compartiments, fusaient des chansons, d'autres rires, des tas de cris et des plaisanteries bon enfant. Je sus aussitôt que j'allais aimer les trains.

Le contrôleur bondit sur le quai avec un sac en toile estampillé de la poste. Il le tendit au chef de gare qui lui en remit un autre identique à la place.

Puis ce dernier le présenta à Mevrou. « Voici Hoppie Groenewald, il est contrôleur et chef de train jusqu'à Gravelotte. Il va s'occuper du petit. »

Après m'avoir fait un grand sourire, Hoppie Groenewald salua Mevrou en portant la main à sa casquette bleu marine de contrôleur. « Vous en faites pas. Je prendrai soin de lui jusqu'à Gravelotte. Ensuite je le confierai à Pik Marais qui l'emmènera à Kaapmuiden. » Il ouvrit la portière du wagon de 2e classe, posa ma valise dans le train et me fit signe de monter. Les trois marches étaient assez hautes, je posai mon pied emmailloté dans le papier journal sur celle du bas. Au moment où je m'appuyais de tout mon poids, le bout du tennis se recourba et je tombai sur le derrière. Porter des chaussures était beaucoup plus délicat que je ne l'aurais imaginé. Un peu affligé, je me demandais comment les adultes se débrouillaient apparemment sans aucun problème. Je voulus me redresser mais, flottant dans mes chaussures, je n'arrivais pas à prendre appui sur le gravier qui recouvrait le quai.

« Debout, mon ami ! » m'enjoignit Mevrou, visiblement contrariée. Elle secoua la tête : « De grâce ! Jusqu'au bout, il faudra que tu me causes des ennuis. »

Hoppie Groenewald posa le sac en toile de la poste puis, se

penchant, il m'attrapa sous les aisselles, me souleva bien haut et me hissa dans le wagon.

« T'en fais pas, petit frère, moi aussi je suis tombé plus d'une fois sur ces marches *verdomde*. Moi, qui suis contrôleur, bientôt chef de train, et qui devrais savoir à quoi m'en tenir. »

Il récupéra son bien et le posa à côté de mon bagage. Puis il bondit à bord du train sans même regarder et décrocha un drapeau vert bien roulé au-dessus de la portière qu'il déploya avant de tirer, d'un air distrait, sur une chaîne attachée à un bouton de son gilet en serge marine et de sortir un gros sifflet en argent de son gousset.

« Regarde les Cafres, ils vont avoir une peur bleue », dit-il avec un grand sourire. Il me montra comment me tenir au garde-fou en me penchant par la portière pour voir le train dans toute sa longueur jusqu'aux 3e classe. Puis il sauta sur le quai et agita le drapeau en sifflant un grand coup.

Si vous aviez vu la scène ! Des Africains qui étaient descendus pour s'étirer les jambes ou faire pipi se bousculaient comme des fous pour monter, grimpant les uns sur les autres tandis que le train s'ébranlait au milieu des rires et des cris. Hoppie Groenewald siffla deux coups brefs avant de s'élancer à bord de la voiture.

« Au revoir, Mevrou. Merci, hurlai-je en la saluant d'un signe.

— Garde tes tennis aux pieds, c'est compris ! » brailla-t-elle à son tour.

C'était un adieu sans larmes de part et d'autre. J'espérais ardemment que le rooinek et Mevrou ne se reverraient plus jamais.

Hoppie Groenewald ferma la portière alors que le train commençait à prendre de la vitesse. Il enroula rapidement le drapeau et l'accrocha à côté d'un rouge sur son support. Puis il s'empara de ma valise et ouvrit la porte du premier compartiment.

Le train avançait en douceur, je m'abandonnai au bruit réconfortant, régulier des roues : cli-que-tis, cli-que-tis.

Le compartiment vide possédait deux banquettes en cuir vert vif installées face à face, assez grandes pour asseoir chacune trois adultes. Une petite table, qui se transformait en lavabo découvrirais-je plus tard, se trouvait entre les deux fenêtres. Le reste semblait lambrissé d'un bois verni et, juste au-dessus des sièges en cuir vert étaient accrochés deux cadres d'une trentaine de centimètres de haut sur toute la longueur. Ils renfermaient des tas de photos. Tout cela était très chic. Avant qu'il ne fasse complètement nuit, Hoppie Groenewald alluma les lumières, le décor parut très douillet... exactement comme le début d'une véri table aventure.

« C'est tout à toi jusqu'à ce qu'on arrive à Tzaneen. Ensuite, on verra. T'en fais pas, Hoppie va bien s'occuper de toi. » Il jeta un coup d'œil sur mes tennis, des bouts de papier dépassaient sur le côté et sur mes chevilles.

« La vieille vache ne peut plus t'attraper maintenant, enlève-les », déclara le contrôleur. Je les ôtai en tirant d'un coup sec. J'avais les pieds chauds et sensibles ; de plus, à force de frotter, le journal les avait noircis. Il était fort agréable de remuer les orteils. Hoppie Groenewald me tendit la main brusquement. « Serre-moi la pince. Tu connais mon nom mais je n'ai pas eu le plaisir. »

Après avoir pesé les propos d'Harry Crown, j'avais décidé de suivre son conseil : je m'étais baptisé Peekay. « Peekay », répliquai-je timidement. Je le prononçai à l'anglaise, comme Harry Crown ; ainsi, cela ressemblait à un vrai nom.

Je me sentis soudain un autre homme. Personne ne saurait jamais plus qu'on m'appelait Pisskop. Grand-père Chook était mort, Pisskop aussi. Les deux premières victimes de la Seconde Guerre mondiale en Afrique du Sud.

« Enchanté, Peekay. On va devenir copains tous les deux. » Il retira sa casquette et la posa sur ma tête. Je me demandais s il était nazi. Il n'avait pas l'air de savoir que j'étais anglais, pourquoi tenter le diable ?

« Merci de vous occuper de moi, Mr. Groenewald, dis-je poli ment en lui rendant son bien.

— Allez, mon bonhomme, appelle-moi Hoppie. » Il sourit en remettant sa casquette.

Hoppie partit contrôler les billets des Africains, me promettant de revenir vite.

Il faisait presque nuit dehors lorsque je m'assis seul à une place éclairée, emporté dans la nuit africaine, cli-que-tis, cli-que-tis. J'avais vaincu le Juge et ses sections d'assaut nazies, j'avais survécu à Mevrou, j'avais grandi et j'avais changé de nom, cli-que-tis, cli-que-tis.

J'ouvris ma valise pour en sortir l'une des sucettes vertes d'Harry Crown. Retirant soigneusement le papier cellophane, je léchai les morceaux de sucre coloré collés dessus. Le léger goût de citron vert passa sur ma langue, douce promesse du bonheur parfait alors que j'attaquais les choses sérieuses.

Harry Crown avait raison : les vertes étaient presque aussi bonnes que les framboise. J'observai les photos accrochées au-dessus des banquettes, des photos aux tons sépia d'une montagne plate auréolée d'une traînée de nuage blanc. La légende indiquait : « La mondialement célèbre Montagne de la Table portant sa fameuse nappe. » Il n'y avait qu'un gros nuage blanc au-dessus, point de fameuse nappe. Une autre représentant une grande ville vue d'avion était intitulée : « Cape Town, foyer de l'illustre Cape Doctor. » Je me demandai ce qu'avait fait le médecin pour être riche et connu au point d'avoir une grande ville pour demeure. Il devait être encore plus riche qu'Harry Crown. Des années plus tard, je découvrirais que le Cape Doctor était un vent qui soufflait au début du printemps pour débarrasser des germes de la grippe et des saletés en tout genre accumulées durant l'hiver. Un autre cliché de la Montagne de la Table était accompagné du texte suivant : « L'une des merveilles naturelles du monde. » Le dernier, représentant une immense maison blanche, portait la mention : « Les vastes et célèbres caves de Groot Constantia, terre du grand vin. »

« Ça alors, songeai-je, ça va être un très beau voyage si on visite tous ces endroits ! » Je décidai d'interroger Hoppie sur la question à son retour.

Il revint après un moment qui parut une éternité mais qui n'était sans doute pas très long. Dans le train, les ténèbres défilant au triple galop, le temps semblait disparaître, le clic-clac des roues sur les rails engloutissait les minutes.

Il s'affala d'un air las sur la banquette en face de moi. « Bouh, mon bonhomme, ces Cafres puent ! » déclara-t-il, puis il me fit un grand sourire en me donnant une petite tape sur le menton. « Lorsqu'on arrivera à Tzaneen dans une heure, on va manger quelque chose. On s'arrête quarante-cinq minutes pour charger du charbon et de l'eau. Il y a un café en face de la gare. A partir de Tzaneen, je ne suis plus que contrôleur, un autre chef de train prend le relais. Quel est ton plat préféré, Peekay ?

— Les patates douces, répondis-je.

— Les patates douces, peut-être qu'il y en a, peut-être qu'il n'y en a pas. Je n'en ai jamais demandé là-bas. Et un mixed grill, ça te dirait ? Un spécial à deux shillings, hein ?

— Je n'ai qu'un shilling à employer uniquement en cas d'urgence. C'est un cas d'urgence un mixed grill ? » m'enquis-je.

Hoppie se mit à rire. « Pour moi, oui. Ce soir, c'est moi qui régale, mon pote. »

Je ne voulus pas lui demander ce qu'était un « grill » ni comment il était mélangé ; je l'interrogeai donc sur les photos au mur. « Quand va-t-on voir "La-Montagne-de-la-Table-l'une-des-merveilles-naturelles-du-monde ?"

— Hein, répète un peu là ? »

Je lui montrai le cliché au-dessus de sa tête. « Quand y va-t-on ? »

Hoppie se retourna pour regarder la reproduction ; cependant, il ne rit pas lorsqu'il comprit de quoi je parlais. « Ce ne sont que de bêtes photos pour montrer où vont les Chemins de Fer d'Afrique du Sud mais on n'y va pas, Peekay. » Il se mit à les étudier comme s'il ne les avait jamais remarquées.

« J'ai failli aller à Cape Town l'année dernière pour disputer les finales. Je me suis fait battre dans les championnats du Nord-Transvaal. Un match nul mais l'arbitre a déclaré vainqueur le boxeur de Pretoria. Je te jure que je l'avais battu loyalement, ce salaud. C'était juste, il faut le reconnaître. Moi, je sais que j'avais gagné aux points. »

Je l'écoutais, étonné. De quoi diable parlait-il ?

Hoppie me regarda droit dans les yeux. « Tu as presque en face de toi le champion de boxe des chemins de fer du Transvaal. » Il rapprocha son pouce et son index sous mon nez. « A ça près, j'étais dans les championnats de boxe nationaux des chemins de fer à Cape Town.

— Qu'est-ce que c'est un champion de boxe ? » m'enquis-je.

Ce fut au tour de Hoppie de paraître surpris. « Quel domkop tu fais, Peekay. Tu ne connais donc pas la boxe ?

— Non, monsieur. » Je baissai les yeux, honteux de mon ignorance.

Me prenant par le menton, Hoppie Groenewald me redressa la tête. « Il n'y a pas de quoi avoir honte. Il arrive toujours un moment où on bute sur quelque chose. » Il eut un large sourire. « Bon, mon bonhomme, installe-toi, mets-toi à l'aise, on en a pour un bout de temps.

— Un instant, Hoppie », m'exclamai-je. J'ouvris ma valise d'un coup sec. « Verte ou rouge ? » demandai-je en sortant une sucette de chaque couleur. J'avais décidé de m'en offrir une le matin et une le soir pour qu'elles me fassent tout le voyage. Mais un ami pareil ne se présente pas tous les jours ; de plus, je n'avais pas eu droit à une bonne histoire depuis celles de Nounou.

« Tu choisis en premier, Peekay. Laquelle tu préfères ?

— Non, c'est vous qui choisissez, Hoppie. C'est vous qui allez raconter l'histoire, donc vous avez la préférence, répliquai-je avec générosité.

— La verte, annonça-t-il. J'aime bien le vert, ma mère avait les yeux verts. » Il prit la sucette au citron, je rangeai la framboise, puis refermai la valise.

« Je viens de m'en offrir une, avouai-je, heureux d'avoir encore les deux meilleures pour les deux prochains jours.

— On va partager alors, décréta-t-il, tu commences, parce que je vais être trop occupé à parler. » Il me regarda enlever le papier cellophane que je léchai jusqu'au dernier grain de sucre cristal. « Quand j'avais ton âge, je faisais la même chose. » Il consulta sa montre. « On a une heure jusqu'à Tzaneen, juste le temps d'une leçon de boxe, peut-être même d'une petite démonstration. »

Je me calai joyeusement dans le coin de la grande banquette verte en m'abandonnant à la gourmandise. Une sucette et demie en moins d'une heure était un bonheur sans précédent et avoir un vrai ami en était un autre. Quelle aventure ça allait être.

« La boxe est le plus grand sport au monde, commença Hoppie, plus grand que le rugby même. » Il leva les yeux, prêt à défendre cette dernière déclaration, mais vit que j'étais disposé à accepter son entrée en matière. « L'art de l'autodéfense est le plus grand de tous et la boxe est l'art de l'autodéfense par excellence. Regarde, moi par exemple, un poids welter, il n'y a pas un homme dont je doive avoir peur, pas même une énorme bête telle qu'un pilier de rugby. Je suis rapide, je cogne dur et dans un combat de rues un petit type comme moi peut se battre contre n'importe quel gros gorille. » Il envoya un ou deux directs dans le vide pour prouver qu'il était rapide comme l'éclair.

« Un petit comment peut battre un grand comment ? demandai-je, de plus en plus excité.

— Aussi grand que tu veux, mon bonhomme. Si tu te déplaces vite et que tu peux balancer un bon coup de poing en dégageant. La synchronisation, la vitesse et le jeu de jambes, c'est tout dans la boxe. Etre un poids welter, c'est parfait. Pas trop gros au risque d'être lent, pas trop petit au risque de manquer de punch. Un poids welter est le boxeur idéal, je t'assure ! » Les yeux de Hoppie brillaient de conviction.

Me dressant sur la banquette, je levai la main à une vingtaine de centimètres au-dessus de ma tête. Ce qui représentait, naturellement, la taille du Juge. « Un petit comme moi contre un grand, grand comme ça ? »

Hoppie s'arrêta un instant ; il semblait réfléchir. « Ja, avec les enfants, c'est un peu différent. Ils n'ont pas le punch. Ils peuvent peut-être être assez rapides pour éviter les attaques, mais il suffit d'un coup perdu d'un gros gorille et on n'en parle plus, mon bonhomme. Les gosses, il vaut mieux qu'ils restent dans leur catégorie. » Il m'observa. « Contre qui tu veux te battre, hein ? Qui est le grand qui t'en a fait voir ? Dis-le-moi, Peekay, et il devra compter avec Hoppie Groenewald. Ça, je te jure, personne ne fait de mal à mes amis.

— Des garçons à l'école », répondis-je, ravi à l'idée que j'avais désormais quelqu'un de fort à mes côtés en ce monde, même si le lieu et l'heure étaient mal choisis. J'avais envie de lui parler du Juge et de ses sections d'assaut nazies. Cependant, je n'étais pas prêt à aller jusqu'au bout, Hoppie Groenewald ne savait pas que j'étais un rooinek, il risquait d'avoir une autre opinion s'il l'apprenait.

« Eh ben, dis-leur que la prochaine fois, ils devront compter avec moi, grommela Hoppie.

— Tout est fini maintenant », affirmai-je en lui tendant la sucette.

Il la prit et commença à la sucer d'un air distrait. « Peekay, suis mon conseil. Lorsque tu arriveras à Barberton, cherche quelqu'un qui t'apprenne à boxer. » Il me regarda en louchant légèrement. « Je vois que tu ferais un bon boxeur, tu as les bras musclés pour un petit bonhomme. Hé, lève-toi, montre-moi tes jambes. »

Je m'exécutai. « Pas mal, Peekay, jolies jambes bien légères, tu pourrais être rapide. Pour un boxeur, la vitesse c'est tout. Cogner et se déplacer. Cogner et se déplacer, un deux un, un gauche, un autre gauche et un droit. » Il s'entraînait dans le vide, balançant des coups fulgurants à un adversaire invisible. C'était tout à la fois excitant et terrifiant.

« Attends une seconde », dit-il brusquement. Sur ce, il quitta le compartiment. Il revint deux minutes plus tard avec de drôles de gants en cuir.

« Ce sont des gants de boxe, Peekay. Les égalisateurs. Quand tu t'en sers bien, tu ne crains plus personne. Dans le wagon de marchandises, j'ai un punching-ball, demain je te montrerai comment on fait. » Il m'enfila les énormes gants qui m'engloutirent jusqu'à mi-bras. « On se sent bien, hein ? » s'exclama-t-il en les laçant.

Mes mains étaient aussi perdues dedans que mes pieds dans les tennis lorsque Mevrou me les avait fait essayer la première fois. Sauf que c'était différent. J'avais l'impression que c'étaient de vieux amis, des copains sûrs, très malcommodes mais pas des étrangers.

« Allez, petit, frappe-moi », dit Hoppie en me tendant la mâchoire. Je lui envoyai un direct, il écarta la tête si bien que mon gant fendit l'air. « Vas-y, recommence. » Prenant de l'élan, je lui assenai un terrible coup qui atterrit en plein sur le menton. Hoppie tomba à la renverse sur la banquette en cuir en face de moi, grognant et se tenant la mâchoire. « Ça alors ! Tu es un tueur. Un boxeur-né. Tu m'en as flanqué un bon là, hein. » Il s'assit en se frottant le menton, je me mis à rire. « Voilà, c'est bien, petit *boetie*, je commençais à me demander si tu savais rire », lança-t-il avec un large sourire.

Et je me mis à pleurer, pas à pleurer comme un veau, ce n'étaient que des larmes qui n'arrêtaient pas de couler sur mes joues. Hoppie Groenewald me prit sur ses genoux, je glissai mes bras avec les gants de boxe autour de son cou et enfouis mon visage dans son gilet en serge marine. La grosse chaîne qui maintenait le sifflet me semblait froide contre ma figure.

« Parfois, ça fait du bien de pleurer, murmura-t-il. Parfois, on se bat mieux quand on a pleuré un bon coup. Alors, raconte au vieux Hoppie. »

Je ne pouvais rien lui dire évidemment. C'était idiot de pleurer comme ça mais je ne voulais pas aller plus loin. Je me redressai. « Ce n'est rien, je vous jure », déclarai-je en allant m'installer de mon côté du compartiment.

S'emparant de la sucette que j'avais posée sur la table avant le début de l'entraînement, Hoppie me la tendit. « Finis-la, toi. Ça va me couper l'appétit pour mon mixed grill. Tu vas quand même manger un mixed grill avec moi, hein ? Enfin, c'est moi qui paie et tout. »

Je saisis la sucette, j'avais toujours les gants, on rit ensemble de la plaisanterie. Il me les retira et me la donna.

« T'en fais pas, Peekay. Lorsque tu seras grand, tu seras le meilleur poids welter d'Afrique du Sud et personne... et quand je dis personne, c'est personne, n'embêtera Kid Peekay. Je te le jure, mon bonhomme. »

Une fois arrivé à Tzaneen, Hoppie tira une couchette cachée dans le mur au-dessus de ma tête qui, à ma grande surprise, s'avéra être un vrai lit avec des draps et des couvertures. D'un recoin aménagé derrière, il sortit un oreiller recouvert d'une taie ainsi qu'une petite serviette. Il posa ensuite ma valise sur le lit pour réserver la place au cas où d'autres gens entreraient dans le compartiment.

Il me prit par la main pour traverser le quai qui ressemblait fort à celui qu'on avait quitté, sauf qu'il était plus long et les bâtiments plus importants. En face se dressait un édifice éclairé avec une baie vitrée où était écrit Café de la Gare. A l'intérieur, étaient disposés des tas de chaises et de petites tables. Plusieurs personnes étaient assises, qui mangeaient et buvaient du café. Il y avait apparemment beaucoup de fumée dans la pièce.

Une jolie demoiselle derrière le comptoir leva les yeux à notre arrivée et fit un beau sourire à Hoppie. « Ça alors, mais regardez-moi qui est là. Ce serait pas Kid Louis, le champion des chemins de fer », annonça-t-elle. Une femme plus âgée émergea du fond. S'essuyant les mains sur son tablier, elle s'approcha de Hoppie et le serra bien fort dans ses bras.

« Votre effrontée de fille me maltraite déjà, *ounooi*, affirma Hoppie. Il faudrait qu'elle fasse trois rounds sur le ring avec Hoppie Groenewald, ensuite on verrait bien qui rirait le dernier. » Il avait le sourire jusqu'aux oreilles.

« Alors, pour quand est prévu ton prochain combat, champion ? s'enquit la dame derrière le zinc.

— Demain soir au club des chemins de fer de Gravelotte, un poids mi-lourd de la mine. Enfin la gloire pour moi ! » Hoppie sourit.

La jolie demoiselle pouffa. « Mets deux shillings sur l'autre type pour moi. » Un ou deux autres clients s'esclaffèrent à leur tour, d'un rire bon enfant cependant. L'autre femme nous débarrassait une table, s'agitant autour de Hoppie. Il se tourna vers moi puis, me prenant la main, leva mon bras en l'air. « Bonjour la compagnie, je voudrais vous présenter Kid Peekay, le prochain prétendant au titre des poids welter », déclara-t-il en gardant son sérieux. Je baissai les yeux, ne sachant que faire.

« Ça suffit avec tes bêtises, Hoppie Groenewald. Viens t'asseoir, sinon tu n'auras pas mangé avant que le train reparte », dit la dame en s'affairant.

La jolie demoiselle me sourit. « Ça lui plairait, au prétendant au titre, un milkshake à la fraise ? » s'enquit-elle.

Je regardai Hoppie. « Qu'est-ce que c'est un milkshake, Hoppie ?

— C'est le paradis, répondit-il. Fais-en deux, espèce de paresseuse mal fagotée. » Il se tourna vers l'autre femme qui se démenait toujours. « Deux mixed grill sensas, s'il vous plaît, ounooi. Mon coéquipier et moi, on meurt de faim. »

Hoppie avait raison une fois de plus : un milkshake à la fraise, c'est le paradis. Quand la viande arriva, je n'en crus pas mes yeux. Côtelette, steak, saucisse, bacon, foie, frites, un œuf sur le plat et une tomate. Quel festin ! Je n'avais jamais mangé de meilleur repas. Je fus incapable de le finir. Hoppie prit ce qui restait dans mon assiette, mais je bus à grand bruit et jusqu'à la dernière goutte le milkshake qui faisait des glouglous dans son shaker en aluminium.

La jolie demoiselle vint s'asseoir avec nous. Hoppie avait l'air de l'aimer beaucoup. Elle s'appelait Anna. Ses lèvres étaient rouges et brillantes. L'horloge au-dessus du comptoir marquait dix heures. Elle était encastrée dans un tableau représentant une belle dame vêtue d' une longue chemise de nuit blanche moulante. Elle aussi avait une bouche toute rouge et fumait une cigarette ; la fumée s'envolait en volutes vers la pendule où elle se transformait en lettres anglaises. L'inscription disait : « Joue contre joue pour le plaisir. » Je n'avais jamais veillé si tard, j'avais l'impression d'avoir les paupières en plomb.

Je me souviens ensuite de Hoppie me bordant dans ma couchette entre les draps propres et frais, l'oreiller sentant bon l'amidon. « Dors bien, mon pote », l'entendis-je dire.

Enfin, dernière image avant de me rendormir, je me rappelle la sensation intense et réconfortante de mes mains dans les gants de boxe. « Les égalisateurs », les avait appelés Hoppie. Peekay avait trouvé le moyen d'être à la hauteur.

5

Réveillé de bonne heure, je restai allongé dans ma couchette à écouter le cliquetis des rails. Dehors, dans la lumière du petit matin, s'étendaient les herbages gris de la savane ; de temps à autre, un baobab se dressait, énorme sentinelle, dans le ciel bleu sale où se dessinait la tache plus sombre de la chaîne Murchison qui pointait à l'horizon. La porte du compartiment s'ouvrit et Hoppie, vêtu uniquement de sa chemise blanche et d'un pantalon dont les bretelles enroulées pendaient à la taille, entra avec une tasse de café fumant.

« Tu as bien dormi, Peekay ? » Il me tendit le breuvage.

« Ja, merci, Hoppie. Je suis désolé de m'être endormi.

— T'en fais pas, petit boetie, il arrive toujours un moment où on n'arrive plus à se relever de son coin. »

Je ne comprenais pas le langage de la boxe mais ce n'était pas grave, apparemment. Soulevant le dessus de la tablette du compartiment, Hoppie découvrit alors un lavabo caché sous mon regard médusé. Il ouvrit les robinets, l'eau chaude sortit du premier et la froide du second. Il passa les doigts dessous, déclarant enfin que la température était « juste bien ».

« Quand tu auras bu ton café, tu feras un brin de toilette et je t'emmènerai prendre le petit déjeuner, annonça-t-il.

— Il n'y a pas de problème, Hoppie, je l'ai dans mes bagages », répliquai-je aussitôt.

Hoppie m'observa avec un large sourire. « Hum, je voudrais bien voir ça. Dans ta valise, tu as des fourneaux, une poêle à frire, du beurre, des œufs, du bacon, des saucisses, de la tomate, des toasts, de la confiture et du café ? » Il poussa un sifflement sans fin. « C'est une valise magique que tu as là, Peekay.

— Mevrou m'a donné des sandwiches pour les trois premiers repas parce que mon oupa n'a pas envoyé assez d'argent. Sauf qu'hier soir, on a eu un mixed grill alors que j'aurais dû manger celui à la viande », expliquai-je d'un débit précipité.

Hoppie regarda un moment par la fenêtre, il avait l'air de se parler. « Des sandwiches, hein ? Je déteste les sandwiches. A l'heure qu'il est, le pain s'est retroussé aux quatre coins et la confiture a percé au milieu. Je suis sûr que c'est de la confiture de pêches. Ils ont toujours cette saleté de confiture de pêches. » Il se retourna vers moi : « Où ils sont, ces sandwiches ? » Je lui montrai ma valise sur la banquette au-dessous de ma couchette. Il se pencha, l'ouvrit d'un coup sec et en sortit le paquet en papier kraft noué d'une ficelle grossière.

« En tant que manager, c'est un devoir sacré pour moi de surveiller ton petit déjeuner. Les boxeurs doivent être très prudents sur la nourriture, tu sais. » Il déballa le sac, des taches de graisse avaient maculé le papier. Il avait raison : le pain s'était retroussé aux quatre coins. S'emparant du premier sandwich, il retira la tranche du dessus et renifla les fines tranches de viande marron, puis la reposa. Il sortit les deux du fond ; la confiture avait suinté au milieu du pain noir et les bords, secs et durs, s'étaient racornis.

« De la pêche ! s'exclama triomphalement Hoppie. Toujours de la pêche ! » Il me regarda, les yeux vides. « J'ai de tristes nouvelles à t'annoncer, Peekay. Ces sandwiches sont morts dans des souffrances atroces, très probablement d'une maladie qu'ils ont prise dans une institution. Il faut s'en débarrasser immédiatement avant de l'attraper. » Sur ce, il baissa la vitre et les balança dans la campagne qui défilait. « Les boxeurs de première classe mangent des choses de première classe. Dépêche-toi de te laver, Peekay. Je meurs de faim et le petit déjeuner est offert avec les compliments des chemins de fer d'Afrique du Sud. »

Je repoussai les draps et la couverture pour descendre de ma couchette. Avec horreur, je découvris que mon serpent sans tête était nu. Hoppie m'avait retiré mon pantalon avant de me mettre au lit. Mon cœur battit la chamade. Peut-être faisait-il noir et n'avait-il pas remarqué que j'étais un rooinek. S'il le découvrait, tout était gâché alors que je vivais la plus grande aventure de ma vie.

« Allons, Peekay, on n'a pas toute la journée devant nous. » Hoppie mit ses bretelles.

« Je n'ai pas encore digéré le mixed grill d'hier soir, Hoppie, je ne pourrai rien avaler. » Je tirai aussitôt la couverture sur moi.

« Hé, c'est à moi que tu parles, mon bonhomme, à moi, Hoppie Groenewald Qui tu essaies de bluffer, là ? » S'approchant d'un pas, d'un geste vif, il arracha draps et couverture. La preuve du délit était là, à moins de quinze centimètres de son visage. Je posai les mains dessus, mais c'était trop tard : je savais qu'il avait compris.

« Je ne suis pas le prochain prétendant au titre des poids welter, Mr. Groenewald, je ne suis qu'un verdomde de rooinek », avouai-je, ma voix se brisant en tentant de réprimer mes larmes. C'est toujours comme ça : juste au moment où tout va bien, tombe le châtiment.

Hoppie resta devant moi, sans un mot, jusqu'à ce que son silence m'oblige à lever les yeux vers lui. Il avait un regard triste et secoua la tête en parlant. « C'est pour ça que tu seras le prochain champion, Peekay, tu as une motivation. » Il s'arrêta, puis me sourit. « Je ne te l'avais pas encore dit, mon bonhomme. Tu sais, le type qui m'a battu pour le titre à Pretoria ? Eh ben, il était anglais, un rooinek comme toi. Il avait un crochet du gauche, chaque fois qu'il m'en balançait un, j'avais l'impression qu'un train de marchandises me rentrait dedans. » Hoppie leva les bras, me souleva de ma couchette et me posa gentiment à côté du lavabo. « Cependant, je crois que tu seras encore meilleur que lui, petit boetie. Lave-toi et allons manger, mon bonhomme. »

Pour sûr que tout allait bien ! Hoppie m'emmena au wagon-restaurant où il y avait une nappe blanche comme neige sur chaque table, des couverts en argent et des serviettes en lin amidonné pliées en forme de bonnet d'âne. Même le café arriva dans un pot en argent où était gravé d'un côté en lettres anglaises SAR et, de l'autre, SAS. Un homme vêtu comme Hoppie, mais sans casquette et avec une serviette sur le bras, nous dit bonjour avant de nous conduire à une petite table. Il demanda à Hoppie si le mi-lourd contre lequel il se battait ce soir comptait effectivement vingt-sept combats dont dix-sept gagnés par knock-out... un vrai tombeur.

Hoppie répliqua qu'il ne fallait pas croire tout ce qu'on racontait, surtout dans un wagon-restaurant. Que c'était la première fois qu'il en entendait parler. Puis il haussa les épaules et fit un grand sourire. « Faudrait d'abord qu'il m'attrape, mon vieux. »

Il l'interrogea sur une chose qui s'appelait « la cote », l'autre répondit deux contre un en faveur du malabar. Hoppie s'esclaffa, lui donna dix shillings, l'autre écrivit quelques mots dans un carnet.

Il se retira pour revenir bientôt avec des toasts accompagnant deux énormes assiettes d'œufs au bacon servis avec des saucisses et une tomate, exactement comme l'avait annoncé Hoppie. Je décidai que quand je serais grand, je deviendrais un grand amateur des chemins de fer.

« Vous avez peur pour ce soir ? » demandai-je à Hoppie. J'imaginais que rien ne l'effrayait, je tenais cependant à ce qu'il sache que j'étais de son côté. Il m'avait expliqué ce que représentait un combat contre un mi-lourd, manifestement son adversaire était pour lui aussi grand que le Juge par rapport à moi.

Hoppie m'observa un moment, puis arrosa la saucisse qu'il mâchait d'une rasade de café. « C'est bien d'avoir un peu peur. C'est bien de respecter ton adversaire. Ça te laisse ton mordant. Dans le jeu, la tête mène le cœur. Mais au bout du compte, le patron c'est le cœur », affirma-t-il en se frappant la poitrine du manche de sa fourchette. Je remarquai qu'il la tenait de la mauvaise main. Il m'expliqua ensuite : « Etre gaucher, ça aide lorsque tu te bats contre un gros gorille comme le type de ce soir. Tout lui arrive à l'envers. Ça réduit son allonge, te permettant ainsi de te rapprocher. Un direct du gauche se transforme en coup droit, ce qui le laisse à découvert pour lui envoyer un crochet du gauche. »

Hoppie aurait aussi bien pu parler chinois, ce n'était pas grave toutefois : à l'instar de la sensation de mes mains dans les gants, le langage me plaisait. Un crochet du droit, un crochet du gauche, un coup droit, un uppercut, un direct du gauche. Termes et expressions avaient un sens : s'en sortir. Un groupe de mots qui pouvait se transformer en action. « Tu le travailles comme un piston, pour moi c'est le droit, tu le cognes dans la figure toute la soirée jusqu'à lui fermer l'œil, ensuite il essaie de se défendre contre ce qu'il ne voit pas et c'est là que le gauche entre en jeu, pan, pan, pan toute la soirée jusqu'à ce que l'autre œil commence à se fermer. Et là, vlan ! L'uppercut du gauche. Pour un gaucher, c'est la clé du knock-out.

— Vous croyez que j'y arriverai, Hoppie ? » Je tenais désespérément à ce qu'il m'accorde sa confiance.

« C'est du gâteau, Peekay. Je te l'ai déjà dit, mon bonhomme. Tu es fait pour ça. » Ses paroles étaient comme des graines en pot qui auraient eu des ailes : elles s'échappaient de sa bouche pour entrer dans ma tête où elles germaient dans le terrain riche, fertile et réceptif de mon esprit.

Hoppie consacra le reste de la matinée à rédiger des comptes rendus dans le fourgon du contrôleur où il avait une couchette, une table et un lavabo ainsi qu'un placard pour lui tout seul. Accroché au plafond se trouvait une chose qu'il appelait un punching-ball destiné à avoir un punch à tout casser. J'étais trop petit pour l'atteindre mais Hoppie le frappait à une telle vitesse qu'il le faisait quasiment disparaître. Je commençais à aimer ce monde de la boxe.

Hoppie m'expliqua qu'à Gravelotte le train devait charger de l'antimoine. Il y aurait un arrêt de neuf heures avant qu'il ne reparte pour Kaapmuiden à onze heures du soir. « T'en fais pas, petit boetie. Tu seras mon invité au match, ensuite, je te remettrai dans le train. »

Au déjeuner, les yeux faillirent me sortir de la tête. On s'installa à la même table. Le monsieur du petit déjeuner, qui s'appelait Gert découvris-je, apporta un énorme steak à Hoppie et un petit pour moi.

« Avec les compliments du chef, Hoppie. Contre quatre mineurs, il a mis toute sa paye de la semaine sur le grand favori. Il a dit que c'était du rumsteck bien rouge au milieu pour faire de toi un méchant. » Gert éclata de rire. « C'est sa femme qui va tourner au vinaigre si tu ne gagnes pas. »

Hoppie le lorgna du coin de l'œil. « Je me fais défoncer la tête, le cuistot perd son argent mais le type qui tient les comptes gagne toujours, hein, Gert ? »

Celui-ci parut indigné. « Pas toujours, Hoppie. J'ai perdu un gros paquet le jour où tu as perdu contre ce sale rooinek à Pretoria.

— Tu vas me faire pleurer, mon vieux. Quinze combats, quatorze victoires et tu as toujours donné les meilleures cotes à mes adversaires. Bon Dieu, tu es devenu riche grâce à moi ! » répliqua Hoppie. Sur ce, il attaqua son plat.

Au petit déjeuner, on était venus trop tôt pour qu'il y ait beaucoup d'autres voyageurs alors que maintenant le wagon-restaurant était plein. Tout le monde parlait du match. Gert circulait de table en table et, tout en faisant le service, prenait à qui dix shillings, à qui des billets d'une livre tout en griffonnant dans son carnet.

Hoppie me regarda, le manche de sa fourchette posé sur la table, un morceau de viande rouge piqué au bout. « Tu es un parieur, Peekay ? »

Je l'observai, déconcerté. « Qu'est-ce que c'est qu'un parieur, Hoppie ? »

Il se mit à rire. « Un sale imbécile surtout, petit boetie. « Puis il m'expliqua ce qu'il en était. Il fit signe à Gert d'approcher. « Quelle cote donnerais-tu au prochain prétendant au titre des poids welter ? » dit-il en me désignant.

Gert me demanda combien j'avais.

« Un shilling, répondis-je nerveusement.

— Dix contre un, déclara Gert, c'est le mieux que je puisse faire.

— C'est un cas d'urgence ? m'enquis-je, n'en menant pas large avec le shilling de grand-père.

— A dix contre un ? Sûrement ! » rétorqua Hoppie.

Il fallut véritablement une éternité pour détacher l'épingle nourrice de ma poche, puis pour dénouer le doek où était enfouie la fortune de grand-papa. Je tendis la pièce à Gert, une fois de plus, il nota quelque chose dans son calepin. Hoppie vit l'inquiétude se lire sur mon visage. Ce n'était pas vraiment mon argent, il le savait bien.

« Parfois dans la vie, quand on fait ce qu'on ne devrait pas, c'est ça le cas d'urgence, Peekay », déclara-t-il.

On arriva à Gravelotte à deux heures et demie précises. C'était une vraie fournaise, une brume de chaleur miroitait sur les rails. Hoppie affirma qu'il faisait 42°, que ce serait un bain de vapeur ce soir. Il y avait des tas de rails que Hoppie appelait les voies de triage, notre train fut dévié sur une voie de garage.

« C'est là que tout va se jouer. Quand le minerai arrive de Consolidated Murchison et qu'il faut assembler des wagons par cette chaleur, je te jure que tu sais que tu es en vie, Peekay », dit Hoppie en montrant une petite locomotive de manœuvres qui déplaçait des trucks.

On traversa les rails et les ateliers où on s'affairait sur un train. Les hommes s'arrêtèrent dans leur tâche pour bavarder avec Hoppie, lui souhaitant bonne chance en assurant qu'ils seraient là ce soir, pas question de faire des heures supplémentaires. Dans les salles en tôle ondulée, la température semblait encore plus insupportable, la plupart des types ne portaient qu'un short kaki et des bottes, leurs corps luisant de graisse et de sueur. Hoppie les appelait « les singes crasseux » et ajouta qu'ils étaient le sel de la terre.

On se rendit au foyer où vivait Hoppie. On prit une douche, puis Hoppie ouvrit une enveloppe kraft que lui apporta un domestique à notre arrivée. Il la lut un bon moment et, sans un mot, la rangea dans le tiroir du haut d'une modeste commode dans sa chambre. Il affirma qu'il valait mieux que je garde mes vieux vêtements car on prendrait une autre douche avant le match, je pourrais alors mettre une chemise et un pantalon propres.

« On va faire des courses, petit boetie. Ensuite, on ira au cercle des chemins de fer voir mes soigneurs et observer sous toutes les coutures le gros gorille contre lequel je me bats ce soir. Emporte tes tennis, Peekay, j'ai une idée. »

On se mit en route, mes chaussures sous le bras. La grand-rue n'était qu'à quelques mètres, il n'y avait guère d'animation. A chaque fois que passait un camion, il soulevait un nuage de poussière ; le temps de parvenir au magasin que cherchait Hoppie, je sentais le goût de la poussière dans ma bouche et les yeux qui me brûlaient. Pour faire chaud, il faisait chaud.

La boutique où on entra arborait un écriteau au-dessus de la porte : G. Patel & Fils, Magasin Général. Sur la véranda étaient entassés des sacs de farine de maïs et de haricots rouges, des paquets de rivelaines, une charrue entière et une douzaine de boîtes d'une vingtaine de litres de pétrole Vacuum Oil. A l'intérieur, où il faisait sombre et chaud, régnait une odeur particulière qui m'était totalement inconnue.

« Il y a une drôle d'odeur ici, Hoppie.

— C'est un truc de coolie qu'ils font brûler, mon bonhomme, ça s'appelle de l'encens. »

Une jeune femme enrubannée dans des volutes d'un tissu presque diaphane émergea du fond du magasin. Elle avait le teint assez foncé, des cheveux raides, noirs, séparés par une raie au milieu avec une longue tresse retombant sur son épaule qui lui arrivait quasiment à la taille. Et de grands yeux noirs superbes. Sur son front était peint un point rouge.

Hoppie me poussa du coude. « Donne-moi tes tennis, Peekay », chuchota-t-il. Je lui remis les deux chaussures en toile marron, qui après une vingtaine de pas avaient l'air de sortir de la boîte.

« Bonjour, Meneer, vous désirez ? » dit-elle à Hoppie.

Hoppie ne la salua pas. A la façon dont il la regardait, je vis qu'elle lui était inférieure. Je croyais que seuls les Cafres n'étaient pas égaux aux Blancs, ce fut une surprise de découvrir que cette belle dame ne l'était pas non plus. « Des tennis, vous avez des tennis ? » s'enquit-il.

La dame contempla les chaussures que tenait Hoppie. « Uniquement en noir et blanc, pas de marron comme celles-ci.

— Vous avez la taille du petit ? » demanda Hoppie d'un ton cassant. La dame se pencha pour inspecter mes pieds, puis se dirigea vers l'autre bout du comptoir. Elle rapporta tout un lot de tennis attachées ensemble. Elle en défit une paire qu'elle tendit à Hoppie. Celui-ci me lança : « Essaie-les, Peekay. Et vérifie qu'elles te vont bien, c'est compris ? »

J'enfilai les chaussures qui étaient blanches et magnifiques. Elles m'allaient à la perfection. « Mets les lacets, m'ordonna Hoppie.

— Je ne sais pas, Hoppie. Mevrou ne m'a pas montré comment m'y prendre. » La belle dame au teint sombre fit le tour de la caisse, s'accroupit et commença à les nouer. Ses cheveux de jais étaient huilés, la ligne au centre de son crâne droite comme un I. Lorsqu'elle eut fini, elle vérifia la longueur du bout de son pouce, m'appuyant sur les orteils, puis me regarda et sourit. Je n'en croyais pas mes yeux : elle avait un diamant au beau milieu d'une dent !

Elle se retourna vers Hoppie. « Elles vont bien », déclara-t-elle.

Hoppie attendit qu'elle revienne derrière le comptoir. « Bon, on fait un échange. Ces tennis contre les autres. » Il posa les vieux devant elle.

La dame contempla ceux d'Harry Crown, puis secoua lentement la tête. « C'est impossible », affirma-t-elle calmement.

Appuyant les coudes sur la caisse, Hoppie la regarda droit dans les yeux. Il avait le dos droit, la mâchoire saillante et la tête haute, tout son corps semblait la menacer. Il laissa son silence produire son effet, la forçant à reprendre la parole.

« Ce ne sont pas les mêmes, où les avez-vous achetés ? » Elle en prit un, examina la semelle, se retourna vers la porte derrière le comptoir et dit quelque chose dans une langue étrange. Peu après, nous rejoignit un homme avec les mêmes cheveux noirs et raides, le même teint foncé, mais vêtu d'une chemise et d'un pantalon comme tout le monde. La dame lui donna la chaussure, parlant de nouveau dans cette langue bizarre. Il avait l'air beaucoup plus vieux qu'elle, il avait l'âge d'être son père. Il s'adressa à Hoppie.

« On ne peut pas faire l'échange, ce tennis n'est pas le même. Vous voyez la marque, fabriqué en Chine. » Il tapota la semelle de l'index. Puis, se dirigeant vers le tas sur le comptoir, il en sortit un de la pile. « Regardez, sapristi, c'est complètement autre chose et ça ne vient pas de Chine, ça vient du Japon. C'est pas le même endroit, c'est pas le même tennis. Vous ne l'avez pas acheté chez Patel & Fils. Vous me devez trois shillings. »

Hoppie n'avait apparemment pas entendu ; se penchant par-dessus la caisse, il le tapa sur l'épaule. « Dehors, c'est écrit Patel & Fils ; c'est votre fille mais où est votre fils, Patel ? »

Patel abandonna son air chagrin. « Mon fils est très-très intelligent. Un étudiant très-très intelligent qui étudie à l'université de Bombay. Tous les mois, on lui envoie de l'argent et il nous envoie des lettres. Il va bientôt revenir avec son diplôme et son retour nous comblera de joie.

— Six pennies et ces tennis, Patel. Je ne peux pas être plus honnête, mon vieux », dit Hoppie d'un ton catégorique. Patel se pencha et tordit la chaussure dans sa main, une expression amère se dessinant sur son visage.

« Un shilling, annonça-t-il brusquement.

— Six pennies », répéta Hoppie. Patel secoua la tête.

« Je perds trop dans cette affaire », rétorqua-t-il.

Hoppie le regarda. « Patel, c'est ma dernière offre et je vous donnerai trois pennies de plus uniquement si le gosse a une *bansela*, c'est à prendre ou à laisser ! » Patel secoua la tête, claqua la langue, puis finit par acquiescer. Hoppie sortit la monnaie de sa poche et la posa sur le comptoir. La belle dame me tendit une sucette jaune.

« Voilà ta bansela », dit-elle avec un sourire ; j'aperçus de nouveau son diamant. Je la remerciai, me demandant quel goût avaient les jaunes. J'en avais encore une rouge ; avec celle-ci, cela m'en faisait deux pour le match de ce soir.

« Merci, Hoppie », lançai-je en contemplant fièrement mes nouveaux tennis blancs. Je vous jure qu'ils étaient superbes et j'étais drôlement à l'aise dedans !

« Vaut mieux que tu les enlèves, Peekay. Si tu es de mon côté ce soir, on ne voudrait pas que tu aies des chaussures sales, mon bonhomme », remarqua Hoppie avec un large sourire. Je les retirai, Hoppie fit un nœud avec les lacets et les mit autour de mon cou. Je me tournai vers Patel pour le remercier. Apparemment dans tous ses états, il montrait Hoppie du doigt.

« Meneer Kid Louis, je suis très-très honoré de faire votre connaissance ! Voilà une semaine, sapristi, que j'entends parler de vous et de cette histoire de coups de poing. Ce matin encore, le téléphone a sonné : c'était mon frère de Mica et celui de Letsitele qui voulaient parier. Bonté divine, et voilà que je vous rencontre en personne ! »

Hoppie éclata de rire. « Misez sur moi les neuf pennies que vous m'avez escroqués, ça paiera les études de votre fils, Patel.

— Non, non, on fait beaucoup, beaucoup mieux. Dix livres, on parie sur Kid Louis.

— Putain de Dieu ! Dix livres ! C'est deux fois ce que je vais toucher si je gagne. »

Patel offrit les trois pièces en sa possession. « Je vous en prie, reprenez-les, Meneer Kid Louis, ça me porterait grand grand malheur si je gardais cet argent. »

Hoppie haussa les épaules, puis me montra du doigt. « Donnez-les au prochain prétendant au titre des poids welter.

— Vous êtes boxeur aussi ? »

J'acquiesçai d'un air grave, dans ma tête cela semblait quasiment vrai. Plongeant la main dans sa poche, Patel en sortit une poignée de monnaie ; il mit les neuf pennies avec le reste et choisit une pièce. « Voilà un shilling pour vous », annonça-t-il craintivement. Se tournant vers Hoppie, il ajouta : « S'il vous plaît, vous devez vous battre très-très dur ce soir. »

Hoppie lui décocha un grand sourire. « Vous ne savez pas ce que vous venez de faire, Patel, mais c'est de très bon augure.

— Merci, Mr. Patel », dis-je, ma main se refermant sur la pièce en argent. La fortune de grand-père était sauvée, je dois avouer que cela me déchargeait d'un sacré poids.

En quittant le magasin, Hoppie me donna un grand coup de coude.

« Tu es un drôle de petit bonhomme, Peekay. On n'appelle pas ''Mister'' un sale coolie. Un coolie n'est pas un Cafre parce qu'il est intelligent et qu'il te roule à la moindre occasion. N'empêche que c'est pas un Blanc !

— La dame a un diamant dans la bouche, Hoppie.

— Ouais, ces salauds sont bourrés de fric. Jamais tu verras un pauvre *charah*. Derrière la boutique, il y a sûrement une grosse Pontiac.

— Et si jamais elle l'avalait ?

— Quoi ?

— Le diamant... s'il se détachait ou quelque chose ? »

Hoppie s'esclaffa. « Ils passeraient la merde au tamis pendant des jours et des jours ! »

On s'arrêta dans un café où Hoppie acheta deux bouteilles d'un machin rouge. La vieille dame du comptoir les sortit d'une glacière, les ouvrit, fourra une espèce de tuyau tout en papier dans le goulot, puis nous les tendit. Je regardai comment Hoppie s'y prenait et l'imitai. De minuscules bulles jaillirent dans la bouteille, me montant au nez, ça avait un goût merveilleux. D'un côté était écrit : Cream Soda américain. Le truc était comme une sucette framboise sauf que c'était différent. C'était la première fois que je buvais un soda.

On arriva au cercle des chemins de fer peu avant cinq heures. Le directeur, qui vint à notre rencontre sous la véranda, annonça qu'il faisait encore dans les 40°, qu'on attendait les pluies depuis bien longtemps et qu'une terrible sécheresse sévissait déjà dans le Kruger National Park à l'autre bout de la chaîne Murchison.

Le club était frais avec son sol en ciment rouge ciré et ses grands ventilateurs au plafond. Le directeur nous dit que les gars de la mine étaient déjà là et que ceux du rail, y compris les soigneurs de Hoppie, s'offraient quelques bières avec eux dans la salle de billard. Hoppie me prit par la main. On suivit le directeur.

La pièce comprenait trois grandes tables recouvertes d'un tissu vert où se trouvaient des tas de jolies boules colorées. Des hommes munis de longs bâtons les cognaient, les dispersant partout. Dans le coin du fond, une vingtaine d'entre eux étaient assis à une longue table couverte d'une toile de parachute où se dressaient plein de bouteilles marron. Ils s'arrêtèrent tous de parler à notre entrée. Deux hommes posèrent leur verre, se levèrent et s'approchèrent de nous en souriant. Hoppie leur serra la main, il semblait très content de les voir. Se tournant vers moi, il déclara : « Peekay, voici Nels et Bokkie. Nels, Bokkie, je vous présente Peekay, le prochain prétendant au titre des poids welter. » Ils me firent un grand sourire et me dirent bonjour, je les saluai à mon tour. On rejoignit le groupe qui n'avait pas bougé.

S'éclaircissant la gorge, Bokkie posa la main sur l'épaule de Hoppie. C'était un type corpulent à l'énorme ventre rond, à la figure très rouge, avec un nez aplati cassé plusieurs fois apparemment. Je remarquai que Hoppie observait un homme assis à la table, une pinte de bière devant lui. Il regardait Hoppie droit dans les yeux. Ils se dévisagèrent durant un long moment. Hoppie me tenait toujours la main ; bien qu'il ne resserrât pas son étreinte, je perçus une soudaine tension. Enfin, l'autre grimaça un sourire, baissa les yeux et s'empara de son verre.

« Messieurs, dit Bokkie, voici Kid Louis, le prochain champion des chemins de fer d'Afrique du Sud. » Ceux qui étaient installés de notre côté poussèrent des hourras et sifflèrent tandis qu'un gars, de l'autre côté, se levait, montrant du doigt l'homme qu'on avait fixé, Hoppie et moi.

« Voici Jackhammer Smit. Debout, Jackhammer, et tes bonnes manières, mon vieux ? » lança-t-il avec un large sourire. Les mineurs l'entourant le sifflèrent et l'acclamèrent exactement comme les cheminots un instant plus tôt. Jackhammer se redressa lentement. C'était une espèce de géant au crâne complètement chauve. L'étreinte de Hoppie se resserra une seconde sur mes doigts, puis se relâcha. « C'est un gros gorille, Peekay », murmura-t-il, la bouche er coin. Jackhammer fit deux pas vers nous. Ses épais sourcils ressemblaient à de sombres auvents au-dessus de ses yeux noirs comme du charbon. Une barbe de plusieurs jours dessinait une marque bleuâtre sur son menton, lui donnant l'air furieux. Il avait le nez presque aussi aplati que celui de Bokkie et une oreille qui paraissait écrasée.

Hoppie lui tendit la main, le balèze ne la prit pas. Tous les hommes sombrèrent dans le silence. Jackhammer Smit mit les mains sur les hanches puis, penchant un peu la tête en arrière, nous regarda Hoppie et moi de ses yeux d'anthracite et d'enfer. Il se tourna vers les mineurs. « Contre lequel de ces minus je vais me battre ? » Ses compagnons s'esclaffèrent, cognèrent la table du poing et sifflèrent. Jackhammer Smit se retourna vers nous. « Kid Louis, hein ? Dis-moi, mon vieux, comment un boxeur boer peut-il être affublé d'un nom cafre ? La vache, tu devrais avoir honte. Kid Louis, petit Louis ? Je n'ai pas l'habitude de me battre contre des gosses et je ne me bats pas contre les boeties cafres mais ce soir je vais faire une exception. » Il éclata de rire. « C'est toi l'exception, le cheminot. A chaque fois que je te frapperai, tu auras l'impression qu'un putain de train te rentre dedans ! » Il se retourna, souriant aux mineurs qui braillèrent et l'acclamèrent de plus belle, puis il parcourut les deux pas qui le séparaient de sa chaise où il s'affala avant de s'envoyer une lampée de bière.

Hoppie haletait à côté de moi, cependant il se calma dès que les hommes se retournèrent pour voir sa réaction après les sarcasmes de Jackhammer. Il fit un grand sourire et haussa les épaules. « Tout ce que je peux dire, c'est que j'ai de la chance de ne pas me battre contre ta gueule qui est un poids super lourd. »

Jackhammer explosa, arrosant de bière les cheminots assis en face de lui. « Bon, Peekay, allons-y, mon bonhomme », lança Hoppie en se dirigeant vers la porte sous les huées, les sifflets et les applaudissements de ses compagons.

Bokkie et Nels nous suivirent aussitôt. Hoppie se retourna sur le seuil. « Ne le soûlez pas, messieurs, je veux pas que les gens pensent que je l'ai battu parce qu'il était ivre mort ! »

Jackhammer Smit se leva à moitié comme pour nous tomber dessus. « Satané minus, je te ferai la peau ! beugla-t-il.

— Bravo, approuva Bokkie, le salaud va avoir besoin de deux rounds avant de ravaler sa colère. » Il conseilla ensuite à Hoppie de se reposer un peu, annonçant qu'il nous prendrait au foyer à sept heures et quart pour nous conduire au terrain de rugby où était dressé le ring. « Il y a des gens qui viennent de toute la région, de Letsitele, de Mica aussi, de Hoedspruit et de Tzaneen même. Je te jure qu'on a parié gros sur ce match, mon vieux, ces mineurs sont très joueurs.

— T'en fais pas, répliqua Hoppie. A tout à l'heure. »

On regagna le foyer non loin de là. Le soleil ne s'était pas encore couché derrière les cimes du Murchison, la fournaise était toujours aussi insupportable. « Si la chaleur continue, ça va changer la cote. » Hoppie lorgna le ciel couleur de plomb, la main au-dessus des sourcils. « Je crois que ce sera une sacrée soirée, Peekay. Une vraie soirée de Gravelotte, brûlante comme l'enfer. »

En arrivant, Hoppie m'exposa son projet. « D'abord, on prend une douche, ensuite on s'allonge un peu mais voilà le plan, Peekay : toutes les dix minutes, tu m'apportes un verre d'eau. Même si je te dis "j'en veux plus", même si je te supplie, tu continues à m'en donner un toutes les dix minutes, c'est compris ?

— Ja, Hoppie, j'ai compris », répliquai-je, ravi de jouer un rôle dans sa préparation. Hoppie sortit sa montre officielle de l'un des goussets de son gilet en serge marine accroché derrière la porte.

« Toutes les dix minutes, c'est compris ! Et tu m'obliges à la boire, d'accord, petit boetie ?

— Je vous le promets, Hoppie », assurai-je d'un ton solennel alors qu'il commençait à se déshabiller pour prendre sa douche. La fenêtre de sa chambre était grande ouverte et un ventilateur tournait lentement au plafond. Hoppie s'allongea sur le lit, vêtu uniquement d'un vieux short kaki. Je m'assis sur le ciment frais, le dos contre le mur, la grosse montre des chemins de fer dans les mains. Quasiment en moins de deux, tout son corps fut trempé de sueur ; au bout d'un moment, même le drap était mouillé. Toutes les dix minutes, j'allais à la salle de bain et lui apportais un gobelet d'eau. Après cinq doses ras bord, Hoppie se tourna vers moi, appuyé sur le coude.

« C'est un vieux truc que j'ai lu dans le journal *Ring*. Joe Louis se battait contre Jack Sharkey. Toujours est-il qu'il faisait une chaleur à crever, exactement comme ce soir. Le manager de Joe lui a fait boire de l'eau tout l'après-midi, exactement comme nous. Bref, au huitième round, ils étaient toujours à égalité. Et Sharkey commençait à s'essouffler dans la fournaise monstrueuse. Tu vois, Peekay, le match avait lieu en plein air, exactement comme ce soir, le ring cuisait sous les énormes projecteurs, il faisait plus de quarante. Dans un combat en quinze reprises, un type peut perdre un litre d'eau rien qu'en transpirant et s'il n'arrive pas à la récupérer, je te jure qu'il est dans la mouise. Je ne sais pas comment ça marche mais on peut emmagasiner de l'eau comme une espèce de chameau, c'est ce qu'a fait Joe et aujourd'hui, il est champion du monde des poids lourds.

— Lorsque Mr. Jackhammer a dit que vous aimiez les Cafres, qu'est-ce qu'il entendait par là, Hoppie ?

— Oh, mon bonhomme, ne fais pas attention à ce gros gorille, Peekay. Il essaie juste de me démonter pour ce soir. Tu sais, Joe Louis est noir. Pas un Cafre comme les nôtres, Un Noir d'accord, mais pas un idiot, sale et ignorant. Il est ce qu'on appelle un nègre, c'est pas pareil. C'est une espèce de Blanc avec la peau noire, noir au-dessus et blanc en dessous. Ce gros gorille est trop bête pour comprendre la différence. »

Tout cela était fort compliqué : de belles dames au teint de miel qui n'étaient pas aussi bien que nous, des Noirs qui étaient des Blancs sous la peau et qui étaient aussi bien que nous. Le monde était un endroit bien complexe quand il s'agissait des gens.

« J'ai une nounou exactement comme Joe Louis », dis-je à Hoppie en me levant pour aller chercher son sixième verre d'eau.

Il rit. « Alors, je suis content de ne pas me battre contre ta nounou ce soir, Peekay. »

Au bout d'un moment, Hoppie se leva de son lit, s'approcha d'une petite commode et revint avec un harmonica. On resta assis là, lui jouant de la musique boer sur son instrument. Il jouait très bien. La musique traditionnelle semblait le réconforter.

« Un harmonica, c'est le meilleur ami de l'homme, Peekay. Tu peux le glisser dans ta poche. Quand tu es triste, ça te rend heureux. Et quand tu es heureux, ça te donne envie de danser. Si tu as un harmonica dans ta poche, tu ne seras jamais en manque de compagnie ou d'un bon gueuleton. Tu devrais essayer, c'est un excellent remède contre la solitude. »

On entendit alors un martèlement. « C'est l'heure de ton dîner », annonça Hoppie, enfilant une vieille chemise et des chaussures sans mettre de chaussettes.

Le repas au foyer était drôlement bon. J'eus du rosbif accompagné de purée et de haricots ainsi que des pêches au sirop avec de la crème anglaise. Hoppie n'eut droit qu'à un autre verre d'eau. Des gens s'attroupèrent autour de notre table, souhaitant bonne chance à Hoppie et plaisantant quelque peu. Il me présenta à certains comme le prochain prétendant au titre. Tous lui déclarèrent qu'ils avaient parié sur lui et que Jackhammer était faiblard du bas. Ils dirent presque tous des choses telles que : « Boxe-le, Hoppie. Reste en retrait, épuise-le. » Ils ajoutèrent : « Il est plein de viande, rentre-lui dans le bide, mon vieux. Tu peux le cogner à la tête toute la nuit, alors que sa faiblesse c'est le ventre. » Après leur départ, Hoppie affirma que c'étaient des chics types mais que s'il les écoutait, il était foutu.

« Tu sais pourquoi on l'appelle Jackhammer, Peekay ?

— Qu'est-ce que c'est un jackhammer, Hoppie ?

— Une foreuse à percussion. On s'en sert dans les mines pour forer la roche, ça pèse soixante kilos. Il faut deux Cafres pour l'actionner, un qui le tient par le bout et l'autre au milieu pendant qu'ils forent le puits. Je t'assure que c'est un sacré boulot pour deux Cafres. Smit a été baptisé Jackhammer parce que s'il veut, il peut le maintenir en place tout seul en le poussant avec son ventre et en le tenant à deux mains. Qu'est-ce que ça fait à ses abdominaux, d'après toi ? Je te jure, frapper ce gros gorille au plexus solaire toute la soirée, ce serait comme de taper sur un mur de briques.

— Je sais, répliquai-je avec animation, tu le cognes dans la figure toute la soirée jusqu'à lui fermer l'œil, ensuite il essaie de se défendre contre ce qu'il ne voit pas et c'est là que le gauche entre en jeu, pan, pan, pan jusqu'à ce que l'autre œil commence à se fermer. Et là, vlan ! »

Hoppie se leva de table, me regardant d'un air étonné. « Où tu as entendu ça ? s'exclama-t-il.

— C'est vous qui me l'avez raconté, Hoppie. C'est vrai, non ? C'est ce que vous allez faire, non ?

— Chut... tu vas exposer mon plan d'attaque à tout le monde, Peekay ! Ça, par exemple, tu es drôlement malin, toi, dit-il alors que je le suivais pour quitter la salle.

— Vous ne m'avez pas expliqué ce qui est arrivé à Jack Sharkey ?

— Qui ça ?

— Dans la fournaise quand Joe Louis se battait contre lui et qu'il avait bu toute cette eau ?

— Oh, Joe l'a mis knock-out à je ne sais plus quel round. »

Bokkie et Nels vinrent nous chercher dans une camionnette une tonne à l'enseigne des « Chemins de Fer d'Afrique du Sud, Gravelotte. » On s'assit à l'arrière, Nels et moi, tandis que Hoppie s'installait à l'avant avec Bokkie. Auprès de moi se trouvait une petite valise où Hoppie avait mis ses chaussures de boxe, une culotte rouge d'un superbe tissu brillant ainsi qu'un peignoir bleu. Hoppie en était très fier; quelques instants plus tôt, il l'avait exhibé pour me montrer le « Kid Louis » brodé au dos en lettres cursives.

« Tu te rappelles la dame du café de Tzaneen, la jeune ?

— La jolie ? demandai-je, sachant pertinemment de qui il parlait.

— Ja, elle est vraiment jolie, non ? Eh ben, elle l'a fait de ses mains.

— C'est votre *nooi* ? Vous allez l'épouser, Hoppie ?

— Oh, mon bonhomme, avec la guerre et tout ça, va-t'en savoir. » Il s'était dirigé vers la commode pour prendre l'enveloppe kraft dans le tiroir du haut. Il tapota le coin du plat de la main. « C'est ma feuille de route. Elle m'attendait quand on a débarqué aujourd'hui. Il faut que j'aille me battre, Peekay. Un homme ne peut pas demander quelqu'un en mariage et partir à la guerre, ce n'est pas honnête. »

J'étais stupéfait. Comment Hoppie pouvait-il être aussi gentil et se battre pour Adolf Hitler ? S'il avait reçu sa feuille de route, Adolf Hitler devait être arrivé, Hoppie allait rallier le Juge dans l'armée qui repousserait tous les rooineks, dont je faisais partie, à la mer.

« Hitler est déjà arrivé ? m'enquis-je d'une voix craintive.

— Grâce à Dieu, non », répondit Hoppie d'un air absent, il va falloir écraser ce salopard avant qu'il se pointe par ici. » Levant les yeux, il dut voir mon expression affligée. « Qu'est-ce qu'il y a, petit boetie ? »

Je lui expliquai que Hitler allait débarquer pour repousser tous les rooineks à la mer par-delà les montagnes Lebombo et que les Afrikaners seraient très contents parce que les rooineks avaient tué vingt-six mille femmes et enfants du paludisme et de la dysenterie.

Hoppie s'approcha de moi ; s'agenouillant pour que sa tête soit presque à la hauteur de la mienne, il me serra contre sa poitrine. « Pauvre petit bonhomme. » Il me tint contre lui. Puis il me prit par les épaules et, s'écartant, me regarda droit dans les yeux. « Je ne prétends pas que les Anglais n'ont pas à répondre d'un tas de choses, Peekay, parce que c'est vrai, mais c'est de l'histoire ancienne. On ne peut pas entretenir sa haine pour le passé, ce n'est pas naturel. Hitler est un homme mauvais, très mauvais, il faut qu'on se batte contre lui pour que tu puisses grandir et devenir champion du monde des poids welter. Avant tout cependant, on doit aller dégommer le gros gorille qui me traite de vendu aux Cafres. Tu veux que je te dise une chose ? Smit Jackhammer va nous servir de mise en train pour ce salopard de Hitler. Ça te va ? »

On rit bien tous les deux, puis il m'enjoignit de me dépêcher et d'enfiler mes tennis. Il allait me montrer comment les lacer à la boxeur.

Brusquement, un coup de klaxon l'avait fait bondir sur ses pieds. Il avait rangé le peignoir dans la valise avec le reste. « Allons-y, champion, c'est Bokkie et Nels.

— Une minute, Hoppie, j'ai failli oublier mes sucettes. » Je les avais retirées précipitamment de leur cachette.

6

Le terrain de rugby se trouvait à la limite de la ville au bout d'une route poussiéreuse. Le temps d'y arriver, j'avais un goût de poussière dans la bouche. On gara l'engin à côté des autres voitures et des camions sous un bouquet de vieux eucalyptus, des lambeaux d'écorce grise zébrant leurs troncs dorés. Au milieu du terrain, les cheminots avaient construit un ring qui se dressait à un mètre vingt du sol. Les mineurs, responsables de l'installation électrique, avaient installé deux énormes projecteurs sur un fil qui s'étirait entre quatre poteaux, chacun planté par terre à trois mètres des quatre coins du ring.

D'immenses réflecteurs en fer-blanc étaient fixés dessus : dans la nuit tombante, la lumière se répandait sur l'estrade comme en plein jour. Des centaines d'insectes et de papillons de nuit tournoyaient et dansaient autour des projecteurs, de minuscules planètes gravitant de façon désordonnée autour de deux soleils artificiels éclatants. Les tribunes, composées en réalité d'une série de bancs en gradins de six mètres de long sur quatre de haut, étaient disposées en cercle. Tous les spectateurs étaient donc aux premières loges. Il devait bien y avoir deux mille hommes entassés là tandis qu'au-dessous, lorgnant entre les jambes des Blancs assis, les Africains, debout ou accroupis, s'efforçaient de voir le mieux possible.

Bokkie et Nels nous entraînèrent vers une immense tente ; sur les rabats était peinte au pochoir l'inscription : Propriété de Murchison Consolidated Mines Limited. On y découvrit Jackhammer Smit, ses soigneurs et quatre autres types dont trois avaient une taille normale, le dernier n'étant guère plus grand que moi. Hoppie me susurra qu'il s'agissait des juges et que « le nain était l'arbitre ». J'étais fasciné par le petit bout d'homme au gros crâne chauve. « Il a peut-être l'air idiot. Mais crois-moi, il connaît son affaire », me confia Hoppie.

Jackhammer Smit avait déjà revêtu une culotte d'un noir satiné et des chaussures souples assorties. Sous l'abri, éclairé par deux lampes tempête qui dispensaient une lumière bleuâtre, il paraissait plus imposant que jamais. A notre arrivée, il se retourna pour s'adresser à l'un de ses soigneurs. J'en fus découragé, Hoppie avait raison : j'avais vu ses abdominaux dans le mouvement, on aurait dit une corde tressée et il semblait dominer les autres de sa carrure impressionnante.

« C'est un salaud de première, Peekay, affirma Hoppie. Moïse pleurait encore dans le Buisson ardent du temps où il était mi-lourd. » Ouvrant sa petite valise, il sortit sa culotte et son maillot avant d'enfiler un suspensoir. Il avait l'air dur, costaud, bien rembourré des épaules et fuselé à la taille, les jambes minces mais fortes. Il enfila sa culotte rouge scintillante, puis s'assit sur l'herbe pour mettre ses chaussettes et ses chaussures de boxe.

Jackhammer Smit était à l'autre bout de la tente, en face de nous, à contre-jour. Silhouette noire et énorme, il n'arrêtait pas de cogner son poing droit dans sa main gauche. Ce bruit sec, violent et régulier résonnait sous la tente comme un métronome. L'arbitre, qui ne lui arrivait qu'aux genoux, appela les deux boxeurs. Je me demandai si tous les nains avaient une voix aussi profonde. Il les interrogea pour savoir s'ils voulaient enfiler leurs gants dans la tente ou sur le ring.

« Sur le ring, répondit aussitôt Hoppie.

— Qu'est-ce qui te défrise si on les met ici, mon vieux ? riposta Jackhammer.

— Ça fait partie du spectacle, camarade, répliqua Hoppie avec un large sourire. Il y a des gens qui sont venus de loin.

— Ja, mon vieux, pour voir un match expédié en moins de deux. Il faudra plus longtemps pour mettre ces putains de gants que pour ce foutu combat.

— Bon, les gars, du calme. » L'arbitre montra du doigt un carton assez grand. « Les gants sont là, des Everlast de 28 pouces de la salle de Solly Goldman à Johannesburg, envoyés spécialement pour l'occasion, les gars », annonça-t-il avec fierté.

Bokkie s'approcha de la boîte, en sortit les deux paires de gants puis, se dirigeant vers les soigneurs de Smit, les leur remit. Ils en prirent chacun une paire, les examinèrent et les pétrirent entre leurs genoux avant de se décider. D'un noir brillant, les gants accrochaient la lumière des lampes tempête ; même ainsi, la magie opérait.

Bokkie les tendit à Hoppie pour qu'il les inspecte. « Jolis gants, pas trop légers, murmura-t-il.

— T'en fais pas. » Hoppie se mit une serviette autour du cou, puis enfila son peignoir. Bokkie lui passa les gants autour du cou. « Que le spectacle commence », dit Hoppie en se dirigeant vers le rabat ouvert de la tente.

Brusquement Jackhammer glapit : « Alors, Groenewald, ça marche pour toi, le vainqueur ramasse toute la mise ? »

Hoppie se retourna lentement pour regarder le balèze. « Je ne voudrais pas te faire ce coup-là, Smit, comment tu te paierais l'hosto après ça ? » Il me prit par la main.

« Ton gamin sera un putain d'orphelin quand j'en aurai fini avec toi ce soir, sale boxeur vendu aux nègres », brailla Jackhammer dans son dos tandis que Hoppie se retirait.

Hoppie me serra la main et partit d'un petit rire. « Je pense que ça valait au moins deux autres rounds, Peekay. » S'arrêtant dans l'obscurité devant la tente, il me prit par les épaules. « N'oublie jamais, Peekay, que parfois, très souvent, tes meilleurs coups tu les fais avec les mots. »

Un étroit couloir divisait les tribunes de part et d'autre du ring violemment éclairé ; entraîneurs et boxeurs arrivèrent par là. Je m'aperçus aussitôt que la moitié des tribunes n'abritait que les mineurs alors que l'autre était réservée aux gars du rail. En dessous, des visages africains fébriles, tout sourire, se frayaient des percées entre les jambes des Blancs. Je n'avais jamais assisté à un rassemblement populaire, la tension parmi la foule était proprement terrifiante. Je m'agrippai à la main de Nels qui m'emmena vers le dernier gradin pour me confier à la Grosse Hettie.

C'était apparemment la seule dame de l'assistance. Chef cuisinière du foyer, elle m'avait été présentée au dîner. La Grosse Hettie m'avait donné une deuxième part de pêches à la crème anglaise. Hoppie m'avait fortement conseillé de la manger même si je n'avais plus faim car la Grosse Hettie était un vrai poids lourd qui pouvait soulever deux cheminots ivres d'une seule main pour les mettre sur son dos.

La Grosse Hettie tapota la place à côté d'elle. « Viens t'asseoir là, Peekay. Toi et moi, on est dans le même bateau. Si ce gros babouin abîme Kid Louis, on ira achever ce corniaud nous-mêmes», déclara-t-elle en tressautant de rire.

Hoppie était assis sur un petit tabouret dans un coin du ring tandis que Bokkie, penché vers lui, lui bandait les mains. Lorsque Jackhammer Smit entra, il ne leva pas les yeux. S'arrêtant au milieu, Jackhammer pointa deux doigts vers Hoppie, au grand bonheur des mineurs qui l'acclamaient à tout rompre.

«Ho, ho, ho, pour un combat, ça va être un combat!» s'exclama joyeusement la Grosse Hettie. Se levant, d'une voix qui portait jusqu'au ring, elle hurla : «Espèce de gros babouin, je vais te les mettre quelque part, moi, les doigts!»

Il faisait presque complètement nuit. La voix d'une femme semblait étrange en ce lieu; l'espace d'une seconde, le silence se fit dans les tribunes, puis les deux clans furent secoués de rire.

La Grosse Hettie se rassit. Plongeant la main dans un grand panier auprès d'elle, elle en sortit une demi-flasque de cognac. Elle fit sauter le bouchon de la fine bouteille plate, en prit une large lampée et grimaça en la retirant de sa bouche comme si c'était une très mauvaise *mooty*. «Ça va lui régler son compte au gros singe», affirma-t-elle, enfonçant le bouchon d'un grand coup du plat de la main.

Les boxeurs étaient tous les deux gantés. Tandis que Hoppie restait assis sur le petit tabouret, Jackhammer Smit était toujours debout, aussi dur et énorme qu'une montagne. Malgré ma foi et mon amour aveugles pour mon compagnon adoré, je connaissais d'expérience la loi des grands opposés aux petits. Les grands, me semblait-il, finissaient toujours par l'emporter. Aussi tremblais-je de crainte pour mon nouvel ami.

«Bon Dieu! Regardez-moi ce gringalet! s'exclama la Grosse Hettie en montrant le petit bout d'arbitre. Comment diable pourra-t-il les séparer?

— Hoppie affirme qu'il connaît son affaire, Mevrou Hettie», hasardai-je.

Jackhammer Smit se mit à arpenter le ring d'un pas traînant en donnant des coups dans le vide. Il semblait grandir de minute en minute alors que Hoppie, sur son tabouret, ressemblait à une grenouille recroquevillée dans son coin. Nels lui mettait de la vaseline sur les sourcils tandis que Bookie lui donnait apparemment ses dernières instructions.

L'arbitre miniature dit quelque chose, les soigneurs vidèrent les lieux et les boxeurs se dirigèrent vers le milieu du ring. La foule se calma brusquement. Se tenant entre les deux hommes, tête rejetée en arrière, l'arbitre leva les yeux vers eux pour leur parler. Ils acquiescèrent, s'effleurant de leurs gants avant de regagner leur place. L'assistance commença à les acclamer à tout rompre. L'arbitre leva les bras, décrivant un cercle au ralenti pour faire taire les spectateurs, son crâne dépassant à peine de la corde du haut. La lune dans son dernier quartier, décroissant, ne tarderait pas à se lever sur la chaîne Murchison bien que la nuit fût déjà d'un noir d'encre que trouait le carré de lumière étincelante du ring où se trouvaient les trois hommes. On aurait cru que les deux boxeurs et le nain étaient seuls, sous le regard d'un public composé d'un million d'étoiles.

L'arbitre s'adressa à la foule silencieuse, sa voix étonnamment profonde portant facilement jusqu'à nous. « *Dames en Heere*, ce soir, nous allons assister au grand drame biblique de David et Goliath. » Il s'arrêta un instant pour produire son effet.

« Doux Jésus ! Le Gringalet va nous donner une leçon de Bible », lança la Grosse Hettie à la ronde. Elle prit une preste lampée de sa flasque de cognac tandis que l'autre poursuivait :

« L'histoire va-t-elle se répéter ? David va-t-il encore une fois battre Goliath ? » Les cheminots se déchaînèrent alors que les mineurs sifflaient et huaient. L'arbitre leva les mains pour imposer silence. « Ou Goliath va-t-il avoir sa revanche ? » Les mineurs poussèrent des hourras ; cette fois-ci, ce fut au tour des cheminots de siffler et huer.

Le petit bonhomme leva de nouveau les mains, le public se calma.

« En culotte bleue, déclarant quatre-vingt-treize kilos, de chez Murchison Consolidated Mines, l'ex-champion des poids milourds du Nord-Transvaal, Jackhammer Smit. Vingt-deux combats à son actif dont onze gagnés sur knock-out et onze perdus aux points ! L'équilibre parfait. Mesdames et Messieurs, applaudissez Jackhammer Smit ! » Les mineurs acclamèrent et sifflèrent.

« Qu'est-ce que ça veut dire onze perdus aux points, Mevrou Hettie ? demandai-je d'un ton pressant.

— Ça veut dire que c'est une brute, un zigoto qui n'a qu'un coup dans sa manche, un cogneur, répondit-elle en prenant une autre lampée avant d'essuyer le goulot du plat de la main. Ça veut dire que ce n'est pas un boxeur. »

L'arbitre se tourna vers Hoppie qui leva les mains pour saluer la foule. « En culotte rouge, accusant soixante-cinq kilos, de Gravelotte, Kid Louis des Chemins de Fer d'Afrique du Sud, champion des poids welter du Nord-Transvaal et challenger du titre du Transvaal qu'il a perdu dernièrement ; quinze combats dont quatorze victoires, huit knock-out et une défaite. » Il s'éclaircit la gorge avant de poursuivre : « Permettez-moi de vous rappeler que l'adversaire contre lequel il a perdu de très près aux points à Pretoria a gagné ensuite le titre de champion d'Afrique du Sud au Cap. » Il éleva légèrement la voix. « Vos applaudissements pour le seul et unique Kid Louis ! » Ce fut notre tour de l'acclamer jusqu'à ce que l'arbitre nous impose silence. Hoppie s'était de nouveau assis tranquillement sur le minuscule tabouret tandis que Jackhammer Smit grognait en donnant des coups à un adversaire imaginaire qui n'allait pas tarder à devenir Hoppie.

« C'est un match en quinze reprises, que le meilleur gagne ! » L'arbitre s'était déjà attribué le pouvoir, il n'avait plus l'air petit. Manifestement, le public l'acceptait. Il se dirigea vers le bord du ring où la lumière donnait suffisamment pour découvrir trois hommes assis à une modeste table. « Messieurs les juges, vous êtes prêts ? » Ceux-ci acquiescèrent, il se retourna vers les boxeurs. « Au coup de gong, venez vous battre, messieurs. »

Dans les ténèbres, le gong sonna le début du premier round.

Hoppie se leva d'un bond tandis que Nels retirait le tabouret, Jackhammer Smit se rua vers lui. Dans la chaleur oppressante, l'air était aussi figé que l'haleine d'un cadavre, le torse de l'énorme boxeur luisait déjà de sueur. J'avais ouvert ma première sucette, léchant comme d'habitude la cellophane jusqu'à la dernière miette. C'était la jaune que la belle dame indienne au diamant dans la bouche m'avait donnée, le papier avait un vague goût d'ananas, sauf que c'était encore plus sucré qu'un vrai ananas.

Hoppie dansait autour du balèze, Jackhammer Smit lui décocha deux directs du gauche et un uppercut du droit ; à chaque fois, il rata Hoppie de trois kilomètres. Il enchaîna avec un direct du gauche qu'Hoppie amortit dans son gant en se retirant. Hoppie fit une feinte à droite alors que Jackhammer tentait de le toucher de deux directs du gauche puis, esquivant le dernier, il mitrailla le visage de son adversaire des deux poings. Deux gauches, suivis de deux droits à la tête. Les coups partaient avec la rapidité de l'éclair ; Hoppie était hors de portée le temps que Jackhammer Smit se remette en garde. Hoppie continua à faire marche arrière quasiment sans arrêt, forçant Smit à le poursuivre autour du ring. De temps à autre, il fonçait sur lui pour lui asséner une rafale de coups à la tête avant de s'écarter en dansant.

Jackhammer le poursuivait avec obstination, tentant de se placer pour un grand coup, mais Hoppie se contentait de lui envoyer un gauche rapide suivi d'un droit et se dégageait aussitôt. Au cours du premier round, il porta une douzaine de bons coups, visant surtout l'arcade sourcilière gauche de Jackhammer, alors que le balèze ne réussit à placer qu'un long direct du gauche qui toucha Hoppie à l'épaule au moment où le poids welter se dégageait.

Il était évident que Jackhammer Smit avait des problèmes avec le gaucher. Le gong annonça la fin du premier round, les boxeurs regagnèrent leur place. Cette fois-ci, à l'image de Hoppie, Jackhammer s'assit, haletant. Il but une large lampée, directement au goulot d'une bouteille d'eau que l'un de ses soigneurs porta à ses lèvres. L'autre l'épongea, l'essuya et passa de la vaseline au-dessus de son œil gauche.

Hoppie avait l'air calme, respirant tranquillement. Il but aussi, à la paille, se rinçant la bouche avant de recracher l'eau dans un seau que lui tendait Bokkie. Nels lui massait les épaules, Hoppie acquiesçait aux paroles de Bokkie.

« Est-ce que Hoppie gagne, Mevrou Hettie ? demandai-je anxieusement.

— Ce n'est que le début, Peekay. Dans les premières reprises, le Kid sera trop rapide pour le mastodonte mais il y a une chose qui est sûre, les coups de Hoppie sont trop courts pour faire mal à Smit. »

Le gong annonça le deuxième round, un round qui allait être très semblable au premier sauf que Jackhammer Smit décocha trois coups à la tête de son adversaire, des coups obliques à chaque fois, ce qui n'empêcha pas les mineurs de se déchaîner. A la fin de la deuxième reprise, une tache rouge commença à se dessiner au-dessus de l'œil gauche de Jackhammer. Les trois suivantes virent Hoppie entraîner Smit tout autour du ring, l'obligeant à tenter des attaques qui rataient presque toujours leur but, puis fonçant sur lui pour lui assener une rafale de coups rapides avant de se dégager d'un bond.

Le gong annonça le sixième round. Jackhammer se traîna vers le centre du ring, ses gants tournant lentement devant sa poitrine. Désormais, il avait saisi le truc du gaucher, il avait l'intention d'obliger Hoppie à se battre là où il était, planté au beau milieu du ring.

Jackhammer baissa la garde, laissant sa tête à découvert car il savait qu'il pouvait tout encaisser de Hoppie. Hoppie dut s'approcher au point que Smit le frappa au ventre et aux reins. Ainsi, Hoppie était condamné à prendre deux coups bas chaque fois qu'il rentrait dans le jeu pour cogner Jackhammer au-dessus de l'œil gauche. Jackhammer émettait un grognement à chaque fois qu'il assenait un gauche ou un droit à Hoppie et la foule répondait comme un seul homme en poussant un cri de douleur. A la fin de la sixième reprise, Jackhammer avait l'œil gauche presque fermé mais de profondes marbrures rouges zébraient les côtes de Hoppie à l'endroit où Jackhammer l'avait touché. Les deux hommes haletaient quand ils rejoignirent leur coin.

« Ça ne se présente pas bien pour le Kid. Le gros singe a trouvé ses marques et il va l'user en le frappant au corps. J'aurais pu me faire avoir, il a plus de cervelle que je n'aurais cru », dit la Grosse Hettie. Elle ne montrait aucune émotion, appréciant le déroulement du match comme si elle n'était qu'un spectateur informé mais indifférent.

« Pourvu qu'il n'ait pas de cervelle, Mevrou Hettie. C'est ce qu'il faut pour gagner », répliquai-je avec angoisse. La Grosse Hettie s'éventait avec un éventail chinois en papier aux couleurs vives, la sueur lui dégoulinant le long du visage et dans le cou. « Il frappe comme une brute, Peekay », ajouta-t-elle d'un air distrait.

Le gong annonça le septième round, Jackhammer retourna d'un pas traînant vers le milieu du ring. Il accusait les effets de la chaleur, la garde de plus en plus basse. Il était suffisamment à découvert pour que Hoppie lui assène des coups de longue portée, avec beaucoup plus de force dans ses attaques. L'œil gauche était fermé, Hoppie commençait à travailler sur le droit, décochant à chaque fois des directs du gauche juste sur le coin. Quasiment à la fin du round, il tenta un crochet du droit à la mâchoire à l'instant où Jackhammer avait légèrement reculé pour riposter. Hoppie rata son coup et fut un peu déséquilibré alors que Smit enchaînait avec un uppercut qui atteignit le plus petit sous le cœur. On entendit son grognement au moment du coup et ses jambes se dérobèrent sous lui alors qu'il s'effondrait sur le tapis.

« Oh, merde ! Ce zigoto qui n'a qu'un coup dans sa manche l'a trouvé. Goliath gagne à la septième reprise », dit la Grosse Hettie d'un air consterné sous les huées déchaînées des mineurs. L'arbitre miniature se dressait au-dessus de Hoppie, hurlant à Jackhammer Smit de regagner le coin mais le balèze restait planté là, haletant, attendant que Hoppie se relève pour l'achever. L'arbitre ne pouvait commencer à compter, de précieuses secondes passèrent tandis que l'énorme mastodonte se tenait d'un air agressif au-dessus du poids welter tombé à terre. Les soigneurs de Jackhammer lui beuglaient de dégager ; lorsqu'il s'exécuta enfin, il s'était écoulé une bonne trentaine de secondes.

L'arbitre commença à compter. Se redressant sur un genou, Hoppie demeura ainsi jusqu'à huit avant de se remettre debout. Puis l'arbitre donna le signal de la reprise, Jackhammer Smit déboula d'un pas lourd pour finir Hoppie. Le répit, qui avait duré près de quarante secondes, avait suffi pour éviter la catastrophe. Hoppie se contenta de rester à l'abri des coups tandis que Jackhammer, l'énergie suintant de lui à chaque attaque, n'arrêtait pas de le charger tel un taureau en colère. Le gong résonna à l'instant où Hoppie décochait un sévère uppercut du gauche sur l'œil de Jackhammer alors que le mastodonte tentait une nouvelle attaque désespérée.

« Nom d'un chien, Peekay ! Ça, c'est de la chance. Merci au Seigneur Jésus, le Gringalet connaît les fichues règles, le Kid en était pour dix à tous les coups. » La Grosse Hettie prit le torchon qui recouvrait son panier pour s'essuyer le visage et la poitrine. « Finalement, Smit n'est qu'un imbécile de Boer de plus. Tout dans les couilles et rien dans la tête. Hoppie peut remercier sa bonne étoile. »

Dans la fièvre du moment, j'avais mordu ma sucette jusqu'au bâton et l'avais croquée en petits morceaux, réduisant son existence en moins d'une demi-heure. Je passai la langue dans ma bouche à la recherche des dernières saveurs d'ananas. Il risquait de s'écouler bien longtemps avant qu'une autre occasion ne se présente. La Grosse Hettie sortit une bouteille thermos de son cabas puis, se servant du bouchon argenté en forme de tasse, le remplit de café au lait chaud sucré et me le tendit. Elle déballa ensuite un grand moule et m'offrit une énorme tranche de gâteau au chocolat. J'ouvris quasiment des yeux ronds, ce serait une soirée à marquer d'une pierre blanche. Si seulement Hoppie, ce cher Hoppie, arrivait à rester à l'écart du gros gorille. La façon dont il dansait autour du mastodonte, comme s'il n'échappait aux coups qu'à la dernière seconde, me rappelait la manière dont Grand-père Chook s'esquivait quand on lui jetait des cailloux. J'espérais simplement que Hoppie avait le même instinct de survie. L'espace d'un instant, la tristesse m'envahit. Au bout du compte, même l'instinct de survie exceptionnellement développé de Grand-père Chook ne l'avait pas sauvé, l'autre gros gorille avait fini par l'avoir.

Le huitième round marqua un tournant du match. Jackhammer Smit s'était acharné sur Hoppie trop longtemps et avec trop d'agressivité. La chaleur avait miné la force herculéenne du gorille, il parvenait à peine à se traîner, les deux yeux presque clos. Hoppie le cognait quasiment à sa guise et Jackhammer poussait le plus petit à s'accrocher à chaque occasion, l'arbitre miniature se dressant alors sur la pointe des pieds pour tirer sur ses énormes bras en hurlant « Break ! » d'une voix suraiguë.

La neuvième et la dixième reprises furent du même ordre, mais Hoppie ne semblait pas avoir assez de punch pour repousser Jackhammer. Au début de la onzième, Smit réussit à entraîner Hoppie dans un autre accrochage, pesant lourdement sur son adversaire plus léger. Lorsque l'arbitre s'approcha pour les séparer, Jackhammer Smit lui rentra dedans à reculons, envoyant le petit bonhomme valdinguer par terre cul par-dessus tête. Tenant toujours Hoppie, Smit lui donna un méchant coup de tête. Du côté des cheminots, on suivit parfaitement l'incident ; cependant les mineurs, comme l'arbitre, ne virent qu'une chose : les jambes de Hoppie se dérober et le poids welter s'écraser au sol tandis que Jackhammer Smit se dégageait.

Cette fois-ci, Smit regagna aussitôt le coin ; se levant d'un bond tel un ballon, l'arbitre commença à compter pour mettre Hoppie knock-out.

La salle se déchaîna. Les gars du rail braillant « C'est un coup en traître » descendirent des tribunes en agitant le poing. A six, le gong annonça la fin du round, Bokkie et Nels se ruèrent sur le ring pour aider un Hoppie hébété et tremblant à se traîner à sa place. Une vingtaine de cheminots étaient arrivés sur le terrain, hurlant des insultes à Jackhammer. Les mineurs beuglaient en abandonnant les gradins. Je vous jure que c'était une sacrée scène !

Jackhammer, assis dans son coin, vomissait dans un seau tandis que Bokkie et Nels tentaient désespérément de ranimer Hoppie, lui tenant un flacon sous son nez. Je m'étais mis à pleurer, la Grosse Hettie me serra contre son sein en lançant des injures à Jackhammer Smit. « Espèce de salaud, ignoble salopard, viens dans ma cuisine demain et je te ferai la peau, ordure ! » rugissait-elle.

J'entendais son cœur battre la chamade, boom, boom, boom, et son haleine qui empestait le cognac était suffocante. Je vous assure qu'en deux secondes, je m'arrêtai de pleurer, son bras me plaquait si fort contre sa poitrine que je crus étouffer. Dieu merci, elle me relâcha pour se lever et montrer le poing.

Des bagarres s'étaient déclenchées autour du ring, la table des juges était retournée. L'arbitre se dressait au milieu du terrain, mains en l'air, le crâne luisant comme un phare. Il ne bougea pas, cela parut produire un effet apaisant sur la foule. D'autres se précipitèrent pour séparer les combattants. L'arbitre attendit que le silence soit revenu pour faire signe aux deux boxeurs de venir au milieu du ring. Hoppie, entre-temps, paraissait parfaitement remis alors que Jackhammer, son énorme poitrine haletant encore et les yeux si gonflés qu'on ne les voyait plus, était dans un état lamentable. L'arbitre prit Hoppie par le bras et le brandit aussi haut qu'il put. « Kid Louis sur un coup irrégulier au onzième », hurla-t-il.

Les cheminots se déchaînèrent, en proie à une vive émotion, tandis que les mineurs descendaient de nouveau des tribunes. « Merde, ça va être la bagarre », dit la Grosse Hettie.

Se dégageant vivement, Hoppie se lança dans une discussion animée avec l'arbitre, pointant son gant vers un Jackhammer quasiment aveugle. Enfin, l'arbitre leva les bras pour demander le silence. « Le combat continue ! » tonna-t-il. Les boxeurs regagnèrent leur coin. Le gong résonna à plusieurs reprises ; très vite, la bagarre s'arrêta et, battant en retraite en se menaçant toujours du poing, les hommes retournèrent à leur place.

« Ce Hoppie Groenewald est complètement fou, déclara la Grosse Hettie. Il avait gagné ce fichu match et il veut tout recommencer ! » Elle essuya une larme de son torchon. « Bon Dieu, Peekay, il a du cran, c'est un vrai Irlandais, celui-là ! »

Dix minutes s'écoulèrent avant que le gong n'annonce le début du douzième round. A ce moment-là, Hoppie était sage comme une image ; les soigneurs de Jackhammer, entre deux vomissements, avaient réussi à lui ouvrir à demi l'œil gauche. A droite, sa paupière close était si enflée qu'elle lui mangeait le sourcil ; il ne lui restait plus qu'un œil bien mal en point pour donner la chasse à Hoppie.

Il n'y eut pas de combat. Hoppie se rua dans le match, balança deux directs du gauche juste sur l'œil demi-ouvert qui se referma. La fin du round fut un carnage, Jackhammer se contentant de cacher son visage derrière ses gants tandis que Hoppie lui rentrait dedans. Les années passées derrière un marteau-piqueur comptaient : s'appuyant contre les cordes, Jackhammer Smit encaissa tout ce qu'Hoppie lui servit. Il grogna lorsque Hoppie lui décocha un coup sous le cœur et écarta les mains par réflexe. Profitant de l'ouverture, Hoppie attaqua d'un parfait uppercut du gauche qui le toucha en plein sur la mâchoire. Le mastodonte s'effondra par terre à l'instant où le gong sonnait la fin du round.

Hoppie avait les épaules tombantes lorsqu'il regagna sa place. On voyait bien qu'il était épuisé, qu'il se battait plus par instinct que par volonté Les soigneurs de Jackhammer grimpèrent sur le ring, l'aidèrent à se lever, entraînant le boxeur quasiment aveugle vers son coin.

« Doux Jésus, ils doivent abandonner la lutte ! s'exclama la Grosse Hettie au comble de la joie. Hoppie a gagné faute de combattant. » Mon cœur battait à tout rompre. Désormais, il semblait certain qu'un petit pouvait battre un grand, il suffisait d'avoir de la cervelle, des compétences, du cœur et un plan. Un excellent plan.

On s'était trompés cependant. Le gong annonça la quatorzième reprise et Jackhammer se leva lentement, se traînant à moitié vers le centre du ring. Hoppie, trop exténué pour tirer grand-chose des temps de répit, était manifestement fini aussi. Il ne s'attendait pas à ce que Jackhammer Smit vienne disputer le quatorzième round ; de surcroît, trop exténué, il n'avait plus envie de se battre. On aurait dit qu'ils s'avançaient l'un vers l'autre comme dans un rêve. Hoppie assena un direct du gauche en pleine figure à son adversaire qui se remit à saigner du nez. Il enchaîna avec d'autres coups à la tête mais ils manquaient de force et Jackhammer, incapable de riposter, son orgueil seul le maintenant debout, encaissait encore. Il réussit à l'accrocher, se ployant violemment sur le plus petit pour tenter d'anéantir ses dernières forces. Quand l'arbitre hurla aux deux hommes de se séparer, il poussa Hoppie et, en même temps, le frappa à la tête de son bras replié, coup dérisoire. A notre grande consternation et à l'extraordinaire surprise des mineurs, Hoppie s'effondra. Il se redressa aussitôt sur un genou, la main droite posée sur le sol pour rester en équilibre. Jackhammer, sentant au grondement de la foule que son adversaire était à terre, baissa la garde et s'avança. Dans son brouillard ensanglanté, peut-être ne vit-il pas venir l'attaque. Le gauche de Hoppie partit du sol de tout le poids de son corps pour diriger le coup juste sur la mâchoire de Jackhammer Smit. Le géant vacilla un quart de seconde avant de s'effondrer sur le ring, inconscient.

« Attention ! » brailla la Grosse Hettie alors que le public devenait fou furieux. J'avais vu la dernière attaque comme un plan remarquablement élaboré où les petits l'emportent sur les grands. D'abord la tête, ensuite le cœur. Jusqu'à l'ultime seconde, Hoppie avait réfléchi. J'avais appris la règle la plus importante pour gagner : réfléchir sans arrêt.

Hoppie resta un moment dressé devant le corps de son adversaire, puis il leva son gant, saluant manifestement Jackhammer Smit. Il regagna tranquillement le coin et l'arbitre commença à compter. Arrivé à dix, Jackhammer Smit n'avait toujours pas bougé. Hoppie retourna à sa place puis, se tournant vers nous, leva les bras en signe de victoire. Ses jambes chancelaient lorsque Nels poussa le tabouret pour qu'il s'assoie.

Tout à ma joie, je faisais des sauts de cabri en hurlant comme un fou. C'était le plus beau moment de mon existence. J'avais espéré et assisté au triomphe du petit sur le grand. Je n'étais pas impuissant. M'attrapant, la Grosse Hettie me souleva au-dessus de sa tête. Sous le clair de lune éclatant, nos silhouettes devaient se découper nettement. Hoppie se redressa d'un pas vacillant et, faisant un large sourire, agita un gant vers nous.

Les soigneurs avaient aidé Jackhammer à se redresser. Soutenu par eux, il se tenait au milieu du ring quand l'arbitre appela Hoppie. Brandissant la main de Hoppie en signe de victoire, il cria : « Le grand livre dit la vérité, le petit David a gagné une fois de plus ! Vainqueur par knock-out au treizième round, Kid Louis ! » Les cheminots l'acclamèrent à tout rompre, les mineurs applaudirent très sportivement et les gens commencèrent à quitter les tribunes.

Tandis que les boxeurs quittaient le ring, Jackhammer toujours soutenu par ses soigneurs, Gert, le serveur qui prenait les paris au wagon-restaurant, arriva sur le terrain et se mit à l'ouvrage. Le combat avait été exceptionnel, même les mineurs avaient l'air assez contents, ils allaient rester pour les *braaivlies* et les *tickie-draai*.

Il fallut quatre cheminots costauds pour descendre la Grosse Hettie du haut des gradins. Après avoir englouti une demi-flasque de cognac, elle était bien partie et n'était pas en état d'arriver en bas toute seule.

« On va leur montrer ! Notre petit gars a flanqué une sacrée raclée au gros plein de soupe ! La vache, Peekay, quel combat, hein ? Un ange avec un cœur de lion. » La Grosse Hettie parlait dans un anglais au léger accent qui me surprit. « Oups ! » s'exclama-t-elle lorsqu'elle faillit trébucher et tomba lourdement sur deux de ses cavaliers qui riaient à s'en décrocher la mâchoire.

On regagna le ring où Gert réglait les paris. La Grosse Hettie avait une main sur mon épaule, se servant de moi comme d'une canne. « Je parle toujours irlandais quand j'ai bu un p'tit coup de trop. Mon cher père, que Dieu ait son âme, il m'disait : "Ma vieille, y a qu' l'irlandais qui glisse bien, quand un brave homme s'est envoyé quelques p'tits verres." Et il avait raison, on ne peut pas s'pinter convenablement et parler le *verdomde taal* ! »

Je ne répondis pas. Hoppie avait dû confier à la Grosse Hettie que j'étais un rooinek, je ne pris aucun risque cependant, mon camouflage resta intact. Je ne voyais pas l'intérêt de lui dévoiler qu'il y avait un ennemi auprès d'elle. Ou même un ami, qui sait ?

Autour du ring, les hommes faisaient la queue pour être payés. Lorsqu'on s'approcha, la Grosse Hettie, repassant à l'afrikaans, hurla à Gert : « T'es bon à rien, *skelm* ! Où sont mes cinq livres ? » Parler l'afrikaans semblait l'avoir dessoûlée. Elle se dirigea d'un pas autoritaire vers le début de la file et Gert sortit cinq billets d'une livre de son cartable pour les lui donner.

« Merci de ta confiance, Hettie », la remercia-t-il poliment.

La Grosse Hettie le regarda du coin de l'œil. « Et n'oublie pas non plus notre petite affaire, mon grand. Trois caisses de Crown Lager pour le foyer demain soir. Apporte-les de bonne heure que je les mette au frais.

— Tu avais dit deux, se lamenta Gert.

— L'Afrikaner en moi a dit deux mais ça a été un si beau match que l'Irlandaise en moi dit trois. T'as gagné gros de toute façon, la cote était contre Hoppie Groenewald.

— Tu parles ! Je n'ai pas gagné si gros, il y a eu un rush de dernière minute pour miser sur Hoppie.

— Sale porc ! Tu ne mangeras pas de steak avant Noël si je n'ai pas trois caisses pour mes gars. » La Grosse Hettie semblait complètement dégrisée maintenant.

« On ferait aussi bien de ne pas prendre de paris quand tu es dans les parages, Hettie. » Gert eut un large sourire, puis s'en retourna à ses clients.

Hoppie sortit de la tente au moment où on arrivait ; il fut aussitôt entouré par des cheminots. Il avait l'air en pleine forme en dehors du gros sparadrap au-dessus de l'œil gauche là où Jackhammer l'avait cogné. Enfin, pas si en forme que cela, dans la lumière on voyait son œil droit gonflé qui virait au pourpre.

Bokkie et Nels l'accompagnaient. Ils n'arrêtaient pas de parler, de boxer dans le vide en revivant le match. J'étais trop petit pour apercevoir Hoppie car de plus en plus de cheminots s'attroupaient autour de lui. M'empoignant, la Grosse Hettie me lança en l'air. « Laissez passer le prochain prétendant au titre », entendis-je hurler Hoppie. Des mains s'emparèrent de moi et me portèrent jusqu'à lui par-dessus les têtes.

Hoppie me serra contre lui et me prit par l'épaule. « On lui a montré, au gros gorille, hein, Peekay ?

— Ja, Hoppie. » Soudain les larmes me vinrent aux yeux. « Les petits peuvent battre les grands quand on a un plan. »

Hoppie éclata de rire. « Je te jure, mon bonhomme, que j'ai bien cru que le plan ne marcherait pas ce soir.

— Je n'oublierai jamais, d'abord la tête, ensuite le cœur. » J'enserrai ses cuisses. Hoppie me frotta la tête. La dernière fois que quelqu'un m'avait fait cela, c'était pour me mettre de la merde dans les cheveux. Alors que là, je me sentais réconforté et bien à l'abri.

Il restait près de trois heures avant le départ du train. Presque tous les spectateurs s'apprêtaient à retrouver leurs femmes au bal *tickie-draai* d'après-match. Mineurs et cheminots, ainsi que les voyageurs, tous ensemble, l'hostilité du combat oubliée. Seuls les Africains rentrèrent chez eux car ils n'avaient pas de laissez-passer ; ils n'auraient pas eu le droit de rester de toute façon.

Avec la tranche du gâteau au chocolat de la Grosse Hettie dans le ventre, je pus à peine avaler deux saucisses et une côtelette. J'en laissai même un peu que je donnai à une chienne qui dut penser que c'était Noël car, de cet instant, elle ne me quitta pas. C'était une vieille chienne bien gentille même si elle avait l'air un peu éreintée par de trop nombreuses portées et que ses tétons balayaient presque le sol. Elle marchait lentement, comme les vieilles chiennes. Au bout d'un moment, j'eus l'impression qu'on se connaissait depuis toujours. Elle avait une oreille déchirée et l'œil gauche affaissé, sans doute à la suite d'une quelconque bagarre. Elle était d'un joli jaune avec une tache marron sur le derrière.

La journée avait été longue, je commençais à être fatigué. Je n'avais jamais veillé si tard pour le plaisir. Hoppie me découvrit avec la chienne, endormi contre un gros gommier. Me prenant dans ses bras, il me porta jusqu'au camion. J'étais trop épuisé pour remarquer si la vieille chienne jaune nous suivait.

La Grosse Hettie était assise à l'arrière, son énorme corps occupant quasiment toute la place. Elle avait une nouvelle demi-flasque, s'en servant pour marquer le tempo. « Quand les yeux irlandais sourient, c'est comme la brise du matin ! » J'étais stupéfait de sa voix rauque. Je n'avais jamais jusqu'alors rencontré une femme qui sût chanter.

« Chut ! Hettie, le prochain prétendant au titre a envie de dormir », dit Hoppie.

La Grosse Hettie s'arrêta, la bouteille de cognac en équilibre au milieu d'une mesure. « Mon p'tit gars, viens faire un gros baiser à Hettie. » Ensuite, je ne me rappelle plus rien. La Grosse Hettie s'était remise à parler irlandais. Elle devait sans doute avoir ressombré dans les vapeurs de l'alcool.

7

Je fus réveillé à l'aube par le cliquetis désormais familier des roues du wagon. A la lueur du jour filtrant par la vitre, je vis qu'il était l'heure où Grand-père Chook venait à la fenêtre du dortoir pousser son stupide cocorico. Il m'avait sans doute habitué à me réveiller aux aurores.

La lumière qui inondait le compartiment était encore douce, d'un ton grisâtre ; bientôt le soleil se lèverait, la lustrant jusqu'à la faire étinceler. Le paysage avait subtilement changé. Les prairies ondoyantes d'hier étaient maintenant entrecoupées de temps à autre par une petite colline, des affleurements rocheux ourlés de massifs broussailleux vert foncé qui ne dépassaient pas une trentaine de mètres. Il y avait plus souvent des acacias à la cime plate et, au loin, une chaîne de montagnes pointue peignait l'horizon d'un pourpre d'aquarelle. On entrait vraiment dans le bas veld.

Me redressant, je remarquai un mot accroché sur ma chemise. Je défis l'épingle nourrice et découvris un bout de papier accompagné d'un billet de dix shillings accroché dessus. J'étais un peu ébahi. Je n'avais jamais eu de billet, il m'était difficile d'imaginer qu'il était à moi. Si une sucette coûtait un penny, je pouvais en acheter cent vingt-quatre avec cette fortune. Le papier renfermait une missive de Hoppie soigneusement rédigée en lettres majuscules.

Cher Peekay,

Voici l'argent que tu as gagné. On a montré au gros balèze de quel bois on se chauffe. Les petits peuvent battre les grands. Mais n'oublie pas qu'il faut avoir un plan... comme lorsque j'ai mis Jackhammer Smit knock-out alors qu'il me croyait au tapis. Ha, ha. N'oublie jamais, d'abord avec la tête, ensuite avec le cœur. Sans les deux, je t'assure, les plans ne servent à rien !

N'oublie pas que tu es le prochain prétendant au titre. Bonne chance, petit boetie.

Ton ami de la boxe et de toujours,

Hoppie Groenewald.

PS. Dis-toi toujours : D'abord la tête, ensuite le cœur, et tu es sûr de prendre un bon départ. H.G.

J'étais bouleversé d'avoir quitté sans même un au revoir le meilleur ami que j'aie jamais eu après Grand-père Chook et Nounou. Hoppie avait brièvement traversé ma vie, tel un train dans la nuit, je l'avais connu un peu plus de vingt-quatre heures, et pourtant il avait réussi à modifier le cours de mon existence. Il m'avait livré le secret de la puissance, une idée, un cœur, un esprit, un plan, une détermination. Hoppie avait senti mon besoin de grandir, mon besoin d'être convaincu que le monde qui m'entourait n'avait pas été spécialement conçu pour causer ma perte. Il m'avait suggéré un système de défense et, ainsi, il m'avait donné l'espoir.

Dans le petit matin, le cliquetis des roues semblait plus aigu et plus fort, comme s'il se ruait vers la lumière. Il me fallut me concentrer pour percevoir brusquement le rythme d'une respiration, d'abord une aspiration, profonde et lugubre, puis le silence complet durant quelques instants, enfin un terrible sifflement alors qu'un énorme volume d'air était expiré. Je crus que ce bruit était lié au train. Après tout, je n'étais pas très expert en la matière.

Je soupçonnai alors que le sifflement avait un rapport avec l'odeur qui régnait dans le compartiment. C'était si atroce que je devais me masquer le visage avec le drap. Me bouchant le nez, je regardai par-dessus le bord de ma couchette. Au-dessous de moi dormait la Grosse Hettie, encore complètement habillée. Elle soufflait dans son sommeil comme un cachalot échoué sur la rive. A chaque inspiration, sa poitrine et son ventre se soulevaient au point de toucher quasiment ma couchette. Terrible ! Atroce ! Quelle puanteur ! Le bras tendu, elle avait la main bien calée sur le tapis qui lui servait d'appui, l'empêchant de dégringoler par terre.

Sur la banquette juste en face d'elle se trouvait une valise assez petite et un très grand panier carré en osier. On avait le compartiment pour nous. Ce qui valait mieux car il était inondé par l'haleine aux relents de cognac de la Grosse Hettie et je savais que si je restais là, j'étais fichu. Je me glissai au bout de mon repaire et réussis à baisser la vitre. M'asseyant aussi près que possible, j'engouffrai des bouffées d'air frais. Puis, retirant la tête quand j'eus le nez pratiquement gelé, je sortis le doek de ma poche, pliai soigneusement le mot de Hoppie avec le billet de dix shillings et les nouai dans le coin avec la pièce de grand-père. Enfin, je rattachai le mouchoir dans ma poche, me sentant dangereusement riche.

Déboulant de mon poste, je réussis à éviter le corps de la Grosse Hettie en me balançant et atterris par terre dans un bruit sourd. Je tremblais à l'idée de la réveiller mais je compris vite qu'elle dormait à poings fermés. La porte du compartiment était entrebâillée ; des deux mains, je la fis coulisser pour me faufiler dans le couloir. La fenêtre qui se trouvait presque juste en face était à moitié ouverte ; en me tenant sur la pointe des pieds, je parvins à respirer l'air frais.

Je restai là à regarder l'aurore s'estomper. Il peut faire très froid dans le bas veld avant le lever du soleil ; sans couverture, je ne tardai pas à frissonner. Je m'efforçai de penser à autre chose, me concentrant sur le cliquetis des roues. Je m'aperçus qu'il me parlait : *Sers-toi d'ta tête, sers toi d'ton cœur et tu prendras un bon départ,* scandaient les roues sur un rythme lancinant jusqu'à me marteler le crâne. S'ébauchait le dessein que je suivrais pour le restant de mes jours, ce qui deviendrait le secret de la puissance de l'Ange.

Il faisait trop froid pour rester là avec la fenêtre ouverte, je me rendis donc au bout du wagon et m'assis sur les toilettes, porte close. J'eus alors envie de faire pipi, me soulageai et tirai sur la manette à côté du siège : une trappe ménagée au fond de la cuvette s'ouvrit directement sur les rails. Le bruit des roues monta vers moi, on apercevait l'image floue du gravier et celle des traverses qui défilaient en un éclair, comme le train roulait à vive allure. Je demeurai la main sur la manette ; depuis l'épisode du Juge, m'obsédait quelque peu tout ce qui se rapportait aux excréments. Au foyer, on faisait nos besoins dans des cuves en fer-blanc qu'on retirait toutes les semaines pour les remplacer par des propres qui sentaient le désinfectant. Je m'étais souvent demandé où on emmenait tout ça. Désormais, je savais au moins comment ça se passait dans les trains.

Il faisait trop froid même dans les cabinets, je regagnai le compartiment. En ouvrant la porte, je vis qu'il était arrivé une catastrophe à la Grosse Hettie. Le bras qui l'avait soutenue toute la nuit avait fini par s'effondrer ; elle gisait là, le haut de son corps massif par terre et les jambes sur la banquette. Le bas de sa jupe lui était remonté jusqu'au visage. A chaque fois qu'elle inspirait, il se collait contre sa figure et, quand elle soufflait, il se gonflait comme le cou d'un lézard à collerette. Ses énormes jambes, d'un blanc bleuâtre marbré de varices, sortaient d'une gigantesque culotte bouffante rose vif maintenue par un élastique qui lui arrivait juste au-dessus du genou. Elle portait apparemment la plupart de ses kilos sur le cou et les épaules, je remarquais que son visage s'empourprait à vue d'œil, des petites bulles se formant à la commissure des lèvres. Je tentai de la réveiller en la secouant de toutes mes forces. « Réveillez-vous, Mevrou Hettie », l'implorai-je ; elle se contenta de grommeler, inspirant profondément avant de sombrer dans le silence, puis de souffler une bouffée d'air fétide, suivie d'un bref grognement qui amena d'autres bulles. Je compris vite qu'elle ne pouvait rester moitié sur la couchette moitié par terre, complètement sens dessus dessous, mais la remettre en place m'était tout simplement impossible.

Je grimpai sur elle pour me hisser sur la banquette. De toutes mes forces et en appuyant les jambes contre le mur, je réussis à repousser les siennes qui atterrirent sur le sol dans un bruit sourd qui allait forcément la réveiller. Son énorme corps envahissait maintenant le moindre centimètre entre les deux couchettes comme si on l'avait mise en boîte dans une usine de sardines au Portugal. Cependant point de réveil. Son visage perdit son ton rouge vif ; de plus, alors qu'elle continuait à siffler, elle ne grognait plus, ce qui me parut bon signe. Bientôt, elle cessa même de baver.

A califourchon sur son ventre, je réussis à retirer la couverture. Je baissai sa robe, recouvris la Grosse Hettie et, avec quelque difficulté, parvins à lui mettre un oreiller sous la tête. Elle poussa un faible soupir, puis laissa échapper un énorme rot qui faillit m'achever. Bigre, qu'elle empestait !

La couverture n'était pas asez grande pour l'envelopper entièrement. Elle tombait comme une petite tente bleue, masquant sa poitrine, son estomac et le haut de ses cuisses. La tente de la Grosse Hettie était dressée au beau milieu du compartiment, inspirant, expirant et sifflant.

Emmitouflé dans l'autre couverture, je m'assis, le nez collé contre la vitre ouverte. Je ne savais tout bonnement pas quoi faire d'autre. Le soleil se levait sur les montagnes Lebombo qui se profilaient au loin, le veld africain scintillait comme renfermé dans un verre de cristal.

On entendit soudain du remue-ménage à l'entrée, suivi d'un mot cinglant : « Chef de train ! » Aussitôt, la porte s'ouvrit sur un homme frêle dans un uniforme en serge marine exactement comme celui de Hoppie. Sauf qu'il avait l'air très soigné et que ses bottes brillaient comme un miroir. Autour de l'insigne ovale en émail bleu et blanc sur sa casquette, une inscription annonçait : Chemins de Fer d'Afrique du Sud — *Suid Afrikaanse Spoorweg* —, mais, contrairement à celui de Hoppie qui arborait le titre de « Contrôleur », celui-ci portait la mention « Chef de train ». Je ne pense pas qu'il soit important de s'attacher aux titres ; cependant, lorsqu'on est petit, et tout seul de surcroît, il faut rassembler au plus vite tous les renseignements possibles. C'est la condition sine qua non d'un bon camouflage.

L'étranger à la porte avait une fine moustache noire qu'on aurait crue dessinée avec un crayon d'écolier. Son air lugubre évoquait une personne déjà aigrie par les fardeaux de l'existence. Il contempla la Grosse Hettie sous sa tente, sa tête ne se trouvait qu'à quelques centimètres de ses bottes cirées.

« Qu'est-ce qui se passe ici, mon p'tit gars ? s'enquit-il.

— Mevrou Hettie est tombée de la banquette, Meneer, répliquai-je d'une voix terrifiée.

— Mais pourquoi moi ? Pourquoi toujours moi ? Pourquoi toujours Pik Botha ? Pourquoi pas quelqu'un d'autre ? Qu'est-ce que j'ai donc fait aux autres ? » Il me regarda droit dans les yeux. « Elle est avec toi ? » lança-t-il d'un ton accusateur. Sans me laisser le temps de répondre, il posa le pouce et l'index sur son sourcil froncé puis, en grimaçant, se corrigea. « Non, bien sûr. C'est la Grosse Hettie. » Comprenant brusquement la situation, il en eut le souffle coupé. « Mon Dieu ! La Grosse Hettie est dans mon train ! » On aurait dit qu'il allait se mettre à pleurer. « Qu'est-ce que je vais devenir, mon p'tit gars ! gémit-il.

— Je… je ne sais pas, Meneer. Elle était là quand je me suis réveillé. »

Pik Botha renifla, rejetant violemment la tête en arrière. « Je t'assure qu'elle ne peut pas rester comme ça ! » Il observa la femme assoupie d'un air dégoûté, puis glissa la main dans le compartiment et se pencha légèrement vers la Grosse Hettie. « Où est ton billet ? Donne-le-moi, mon petit.

— Je l'ai là, Meneer. » Je tripotai précipitamment l'épingle nourrice avec laquelle Hoppie avait attaché mon billet à la chemise propre que j'avais mise pour le match.

« Apporte-le-moi, je ne peux pas grimper sur ce cadavre de vache pour l'attraper. » Je me faufilai le long de la couchette ; étirant le bras aussi loin que possible, je réussis à atteindre sa main.

« Ce billet n'est pas poinçonné, déclara-t-il d'un ton accusateur. Tu es monté dans ce train Dieu sait où. Je ne lis pas dans les esprits, moi, ce billet n'est pas poinçonné !

— J'ignorais qu'il fallait le faire poinçonner, Meneer, avouai-je, soudain craintif.

— C'est ce verdomde de Hoppie Groenewald ! Il l'a fait exprès pour me donner un surcroît de travail. Ne pas poinçonner les billets est un délit. Sous prétexte qu'il part à l'armée, il s'imagine qu'il peut circuler sans poinçonner les billets. Mais pour qui il se prend ? Qu'est-ce qui se passerait, d'après toi, si on en faisait tous autant ?

— Je vous en prie, Meneer, Hoppie a poinçonné les billets de tout le monde. Il a simplement oublié le mien, c'est la vérité, je vous jure ! le suppliai-je, dans tous mes états à l'idée que Hoppie allait s'attirer des ennuis par ma faute.

— Hum ! Je ne serais pas étonné d'apprendre qu'il a laissé de sales Cafres voyager pour rien et qu'il a ensuite fait des cochonneries avec leurs femmes. Il n'est pas marié, tu sais. Pour commencer, j'ai perdu une livre dix shillings en pariant sur ce gros singe des mines et voilà que cet énergumène qui a pris le surnom d'un boxeur nègre circule sans poinçonner les billets des gens. » Il s'arrêta un instant, puis s'éclaircit la gorge. « Je crains qu'il ne soit de mon devoir de le signaler », affirma-t-il, lèvres pincées, si bien que sa moustache au crayon dessina une ligne parfaitement droite au-dessus de sa bouche.

« Je vous en prie, Meneer, il déteste les Cafres autant que vous. Je vous en prie, ne le dénoncez pas.

— C'est facile pour toi. Tu es son ami, tu es prêt à dire n'importe quoi. » Il marqua une pause comme s'il réfléchissait. « Bon, je suis un homme équitable, tu peux le demander à qui tu veux. Mais écoute-moi bien. La prochaine fois, ce Hoppie Groenewald ne s'en tirera pas à si bon compte ou je ne m'appelle pas Pik Botha. » Il sortit un instrument de la poche de son gilet et poinçonna mon billet.

« Merci, Meneer Botha, vous êtes très gentil.

— Trop gentil pour mon bien, mon petit ! Quand on aide les autres, on ne reçoit que des coups en retour. Cependant je suis un chrétien de la Résurrection et pas du genre vindicatif. La Bible affirme : ''La vengeance est mienne, dit le Seigneur'', mais parfois, je t'assure, ajouta-t-il en poussant la Grosse Hettie du bout de sa botte cirée, la croix qu'Il veut me faire porter est très lourde. » Il donna d'autres petits coups à la Grosse Hettie. « Réveille-toi, vieille vache ! Ce compartiment est la propriété des chemins de fer d'Afrique du Sud et il est stipulé dans le règlement que les voyageurs ne doivent pas dresser le camp sur le sol des wagons. Réveille-toi ! Tu enfreins officiellement le règlement en traînant là comme une vache morte. »

Pour toute réponse, il n'eut droit qu'à une suite de grognements et de sifflements entrecoupés de silences.

« Allons, mon grand, je vais t'emmener au wagon-restaurant, ton billet mentionne que tu as droit au petit déjeuner. »

Le repas fut de nouveau un festin d'œufs au bacon accompagné de toasts, de confiture et de café. Il était trop tôt pour les autres clients. Un garçon du nom de Hennie Venter nous servit. Il était aux anges car il avait gagné cinq livres grâce au match. Oubliant ce qu'il m'avait raconté sur la livre dix qu'il avait perdue, Pik Botha se lança dans un long sermon : se battre était un péché et parier pire encore. Il finit en demandant à Hennie s'il avait honte et s'il était prêt à se repentir.

Celui-ci posa une assiette de pain grillé couvert d'une serviette en lin pour le garder au chaud. « Non, Meneer, jouer est un péché uniquement quand on perd parce qu'on a parié pour le clan adverse au lieu de soutenir les siens. » Prenant la cafetière en argent, il commença à remplir la tasse du chef de train.

« Hum ! Ce n'est qu'un cheminot échelon 2, et regarde pour qui il se prend. Les jeunes ne savent plus rester à leur place. Redonne-moi du café, mon garçon, tu ne vois donc pas que celui-là a refroidi ? » hurla Pik Botha.

On regagna le compartiment pour découvrir la Grosse Hettie qui sifflait et grognait toujours. Pik Botha, un peu radouci après le petit déjeuner, ne la poussa pas du bout de sa botte cirée. « Ce n'est pas une vraie Afrikaner. Son père était un Irlandais trop porté sur la bouteille, l'alcool est un péché héréditaire. La Bible dit que les péchés des pères rejailliront jusqu'à la troisième ou la quatrième génération. » Il donna un coup à la Grosse Hettie. « Voilà un bon exemple de la terrible vengeance de Dieu.

— Mon cul ! » lança brusquement la Grosse Hettie, ouvrant un œil et nous regardant par-derrière. « Sale porc ! Tu es un misérable qui maltraite la Bible, un salaud à deux visages, Pik Botha. Tu t'es sans doute déjà bien rincé l'œil sous ma robe, hein ? Redresse-moi, espèce de petite merde vaniteuse ! Relève-moi tout de suite !

— Absolument pas ! Comment aurais-je pu, d'ailleurs ? Pour cela, il faudrait monter sur toi. En plus, tu as une couverture, gémit Pik Botha.

— Sainte mère de Dieu ! Que j'ai mal à la tête ! Il faut que je boive, j'ai la bouche comme le garde-boue d'un cabinet indien à la saison des mangues.

— "Tu ne citeras pas le nom du Seigneur ton Dieu en vain" », bredouilla Pik Botha.

La Grosse Hettie l'ignora. « Il me faut un verre d'eau, Peekay, sinon je vais mourir.

— Je vais devoir grimper sur vous, Mevrou Hettie. Le verre et le lavabo sont de l'autre côté.

— Grimpe, grimpe, chéri. Retire-moi aussi la couverture, je crève de chaleur. » Je m'exécutai. Arrivé à la couchette vide, je lui enlevai la couverture. Puis, me faufilant au fond, je pris le verre sur le support en métal chromé contre le mur et, soulevant le couvercle du lavabo, le remplis. Je dus m'asseoir sur la poitrine de Hettie pour le lui donner ; elle le vida goulûment. Elle en avala trois avant que sa soif soit étanchée. « Merci, chéri, déclara-elle en souriant, tu m'as bel et bien sauvé la vie.

— La mort est le salaire du péché ! » cracha Pik Botha.

Tournant à demi la tête vers lui, la Grosse Hettie répliqua : « Mon Dieu, dire que je vais peut-être mourir au fond d'un compartiment de deuxième classe des chemins de fer d'Afrique du Sud sous la direction parfaitement incompétente de ce trou du cul pleurnichard de Pik Botha. » Elle observa un temps. « Qui, soit dit en passant, se dit un homme alors qu'il parie contre son camarade du rail dans les matches de boxe !

— On est libre ! Comment pouvais-je deviner que le gros gorille avait la mâchoire en cristal ? protesta-t-il de sa voix geignarde.

— En cristal ! Qu'est-ce que tu entends par là ? Je t'en fiche ! Hoppie Groenewald l'a mis knock-out à la loyale ! » D'indignation, la figure de la Grosse Hettie avait viré au pourpre et son crâne tressautait sur l'oreiller. « Oh, oh, ma tête, donne-moi une serviette humide, Peekay, je crois que je vais exploser. »

Je m'approchai tant bien que mal du lavabo. Prenant la serviette pendue à côté, je la rinçai à l'eau froide.

« Essore-la bien, c'est compris, brailla Pik Botha, je ne veux pas de linge trempé. Ces serviettes sont la propriété des chemins de fer d'Afrique du Sud. On est censé s'en servir pour se sécher, non pour se mouiller.

— Ja, Meneer Botha », répliquai-je. Je fus soudain reconnaissant au Juge pour ses tortures à la barre de fer car je parvins à tordre la serviette de toutes mes forces. Je m'assis sur la poitrine de Hettie, puis repliant le linge humide, le posai sur son front.

« *Dankie, liefling* », me remercia-t-elle. Elle tourna de nouveau la tête à moitié vers Pik Botha. « Alors ? Tu as trouvé une idée pour me redresser, domkop ?

— Je t'en prie, ne me parle pas ainsi, Hettie. Je suis un chef de train échelon 1 comptant dix-sept ans de service. Tout ce train est sous mes ordres et tout le monde doit faire ce que je dis. J'exige plus de respect ! » Pik Botha semblait au bord des larmes. « Je vais devoir entrer dans le compartiment, or c'est impossible sans monter sur toi.

— Enlève d'abord tes bottes. »

Pik Botha s'accroupit dans le couloir et entreprit de dénouer ses lacets. De là où j'étais, je le vis retirer ses bottes avant de les disposer contre la paroi extérieure, le bout dirigé vers le corridor.

Il étendit la jambe par-dessus le corps de la Grosse Hettie pour tenter d'atteindre la banquette sans avoir à grimper sur elle. Ses orteils, dans sa chaussette noire fort reprisée, se tortillaient comme le groin d'un porc, s'efforçant de trouver le bord de la couchette. Un homme plus costaud avec de plus longues jambes y serait peut-être parvenu mais son gros orteil sondant le terrain était très loin du compte. « Je ne peux pas, Hettie, avoua-t-il d'un ton lugubre.

— Fais-le à reculons, imbécile ! Entre à reculons, les jambes d'abord. »

Les mains à plat par terre dans le couloir, Pik Botha se faufila à reculons dans le compartiment. Il posa un pied sur l'un des seins de la Grosse Hettie, puis enchaîna avec l'autre. Il progressa petit à petit sur son ventre jusqu'à devoir mettre les deux mains sur ses épaules, sa tête à quelques centimètres à peine de son visage. La Grosse Hettie laissa soudain échapper un énorme rot. Devant cette rafale d'air vicié, les bras lui en tombèrent : Pik Botha s'effondra sur l'amas de chair au-dessous de lui.

La Grosse Hettie en eut le souffle coupé. « Oh, pardon ! » lança-t-elle puis elle se mit à glousser, tremblant comme une montagne de gelée. « Oh, bon Dieu ! Oh, nom de Dieu ! Ha... ha... ha, hé, hé, hé, Seigneur ayez pitié, hé, hé... ha... ha... tu essaies de me faire l'amour... ou de m'aider ? Hé... ha... Quoi qu'il en soit tu es... hé... hé... formidable ! » La Grosse Hettie émit deux autres grognements et sa tête retomba sur l'oreiller, épuisée. « Oh, oh, je meurs », gémit-elle. Levant le bras qui plaquait Pik Botha contre elle, elle essuya ses larmes. Sentant venir la liberté, Pik Botha repoussa les épaules de la Grosse Hettie des deux mains et redressa le torse. Il réussit à agripper le bord surélevé de la couchette de part et d'autre de la Grosse Hettie, puis glissa un pied entre ses chevilles tandis que l'autre se posait sur la banquette.

Soufflant comme un phoque, il parvint à se mettre debout. « Dieu te punira pour cela. ''Celui qui touche à un cheveu de la tête de mon enfant, c'est comme s'il me le faisait à moi, ainsi dit le Seigneur''. » Pik Botha agitait le doigt vers la Grosse Hettie, haletant comme la vieille chienne jaune que j'avais rencontrée la veille.

« Garde ton prêchi-prêcha pour le prochain service religieux de la Mission de la Foi apostolique, minable ! Allez, donne-moi la main. » La Grosse Hettie tendit le bras, offrant sa main à Pik Botha. Il s'effaroucha, affolé. « Attrape-la, nom de Dieu !

— Sûrement pas, tu vas m'attirer de nouveau contre toi, répliqua Pik Botha, terrorisé.

— Te fais pas d'illusions, mon gars. Sers-toi des deux mains, je ne peux pas rester comme ça toute la journée à moins que tu ne fasses un trou par terre », le menaça-t-elle.

Cela suffit à le décider. Il saisit la Grosse Hettie par le poignet tandis qu'elle s'accrochait à son bras. Grimaçant sous l'effort, il commença à tirer. L'épaule libérée de la Grosse Hettie oscilla légèrement mais aucune autre partie de son corps ne bougea. « Tire, mon gars ! » hurla-t-elle ; cependant, on comprit vite qu'il ne se passerait rien. « Donne un coup de main à Tarzan, Peekay. Montre-lui ce que peut faire un homme, un vrai », ajouta-t-elle un peu désespérée.

Il n'y avait aucun endroit où se mettre, je m'assis donc à califourchon sur les hanches de la Grosse Hettie, les pieds dans le vide. L'idée était de la redresser, ce qui nous permettrait peut-être de la prendre sous les bras par-derrière pour la soulever. Je l'attrapai par le poignet de mes deux mains qui ne se touchaient pas mais ceci me donnait tout de même une bonne prise. Pik Botha dut se pencher pour empoigner la Grosse Hettie plus haut. « Allons, un peu de nerf, les gars. Je vais compter jusqu'à trois, à trois mettez la gomme, c'est compris ? Un, deux, trois ! » On tira tous les deux de toutes nos forces. Après cinq minutes de tentatives répétées, elle n'avait pas bougé d'un centimètre.

« C'est inutile », souffla Pik Botha. On commençait à comprendre qu'on était dans un sacré pétrin. Son effort de coopération avait coûté cher à la Grosse Hettie : elle suffoquait, en eau, le visage aussi rouge qu'un vieux dindon. Un pied toujours en équilibre au bord de la banquette et l'autre entre les chevilles de la Grosse Hettie, Pik Botha essuya ses mains en sueur sur le dos luisant de son pantalon en serge marine. Il avait retiré sa veste pour la jeter sur la couchette supérieure. Sur son épingle à cravate en argent était écrit : « Témoin du Seigneur ». Je me demandai un instant ce que cela signifiait.

« Un dernier essai. Juste un. Cette fois-ci, ça va sûrement marcher », dit la Grosse Hettie le souffle court, d'un ton peu optimiste. Elle me fit joindre les mains, puis m'attrapa par les poignets, permettant ainsi à Pik Botha d'avoir une meilleure prise sur les siens. Il avait aussi réussi à coller son derrière contre le lavabo, ce qui lui donnait un bien meilleur point d'appui.

« Un, deux, trois. Tirez ! » ordonna la Grosse Hettie. On tira tous les deux comme des fous, Pik Botha grognant sous l'effort dans mon dos. L'idée de la Grosse Hettie n'était pas très bonne, car elle avait les mains en sueur. Je sentais les miennes se dérober à son emprise. Brusquement, elles s'échappèrent comme un pépin de citrouille et je fus projeté en arrière, le dos de mon crâne heurtant violemment Pik Botha à l'entrejambe. Poussant un terrible hurlement, il planta ses deux mains entre ses cuisses.

Malgré sa situation, la Grosse Hettie laissa échapper un cri de joie. « Tu l'as tué, mon grand ! rugit-elle. Tu as pris ce qu'il lui restait de virilité ! » Son rire envahit le compartiment, son énorme corps agité de soubresauts.

« Café ! Café ! Café du matin ! » C'était Hennie Venter, le garçon du petit déjeuner, qui faisait le service du réveil. Il s'arrêta devant la porte ouverte de notre compartiment. « Café ? » s'enquit-il en abaissant le plateau qu'il portait à l'épaule. Ses yeux s'écarquillèrent de stupeur lorsqu'il vit la Grosse Hettie secouée de rire et Pik Botha gémir en se tenant les testicules. Il ne parvint qu'à poser le plateau par terre avant d'éclater de rire. « Pik Botha ! Espèce de vieux salaud ! Eh ben, mon vieux ! La porte n'est même pas fermée. »

L'arrivée intempestive du serveur sembla ranimer la Grosse Hettie. « Hennie Venter, c'est pas trop tôt ! » déclara-t-elle.

Hennie, mort de rire, ne parut pas l'entendre. « Une tasse de café, Mevrou ? » proposa-t-il et il repartit de plus belle.

Ils se calmèrent puis, avec quelque difficulté, Hennie Venter réussit à tirer le pitoyable Pik Botha qui gémissait toujours sur le corps de la Grosse Hettie et à l'extirper par la porte. Il se retrouva dans le couloir, quasiment plié en deux, blanc comme un linge. Il grimaça, aspirant des goulées d'air entre ses dents noires, en se penchant plus avant pour récupérer ses bottes.

Je fis un ballot de son pardessus que je lançai à Hennie Venter. Il le passa sur la malheureuse épaule de Pik Botha. Portant ses bottes d'une main et serrant ses affaires de l'autre, il se dirigea clopin-clopant vers le fourgon du chef de train.

Hennie Venter se révéla du genre pratique. Il me demanda d'aller chercher un autre oreiller qu'il ajouta au premier pour maintenir la tête de la Grosse Hettie le plus haut possible. Il arriva même à lui faire boire une tasse de café toute seule. Enfin, après avoir soigneusement étudié la situation, il annonça qu'il était impossible de soulever la Grosse Hettie sans enlever les couchettes du bas.

« Désolé, Hettie », dit-il, on va devoir attendre d'arriver à Kaapmuiden. » Il voulut lui servir une autre tasse.

« Sûrement pas ! riposta-t-elle aussitôt. A moins que tu ne veuilles découper un fichu trou par terre. »

Hennie Venter se gratta le crâne en observant la Grosse Hettie d'un air perplexe. « Qu'est-ce que tu fous dans ce train de toute façon ? »

La Grosse Hettie se retourna à moitié pour le regarder parderrière avec une moue contrariée. « Tu imagines un seul instant que je laisserais ce pauvre petit voyager seul jusqu'à Kaapmuiden ? » lança-t-elle.

Hennie Venter insista. « Tu étais peut-être un peu ivre aussi ?

— Bourrée comme un coing, soûle comme un Polonais, reconnut-elle en gloussant. Quel match, hein, Hennie ?

— Ça, tu peux le dire, Hettie, répliqua joyeusement Hennie. J'ai gagné deux semaines de salaire en pariant dix shillings. *Magtig !* Quel boxeur, ce Hoppie Groenewald. Un vrai Blanc ! »

La Grosse Hettie leva les yeux vers moi d'un air penaud. « Je suis venue pour m'occuper de toi, Peekay. » Elle fit brusquement un large sourire. « Enfin, mon grand, tirons le meilleur parti d'un mauvais pas, hein ? Comme je dis toujours : si on ne peut rien changer, il faut s'efforcer de monter sur l'éléphant de tête au lieu de marcher au fond avec les pauvres gens. Il est l'heure du petit déjeuner et je dois avouer que je meurs de faim. » Elle s'adressa à Hennie Venter. « Allez, file, espèce de vaurien, apporte-nous six saucisses, six tranches de bacon, bien croustillantes surtout, cinq œufs durs pour me constiper et un demi-pain grillé coupé bien épais avec plein de beurre. Plus de café, tu sais ce que ça fait le café, je vais devoir croiser les jambes parti comme c'est. Et pour Peekay, la même chose mais divisée par deux.

— Nee, nee, Mevrou Hettie, j'ai déjà eu mon petit déjeuner, protestai-je.

— Ne dis pas de bêtises, petit, tu n'es pas plus gros qu'un moineau. Que va penser ta maman si je te rends dans cet état-là ? On doit t'engraisser, il n'y a pas à discuter. »

Hennie Venter nous quitta pour aller chercher le repas. J'imaginai la Grosse Hettie me gaver durant les huit heures à venir et arriver à Barberton aussi grand, si ce n'est plus grand que le Juge. Mon grand-père serait là, guettant un petit maigrichon à la descente du train, et je débarquerais, aussi imposant que le Juge. Quel terrible choc ce serait ! « J'ai déjà mangé une assiette entière, Mevrou Hettie, répétai-je.

— Ce n'est pas grave, Peekay, ça ne peut pas te faire de mal. Il faut vivre comme les bushmen dans le désert du Kalahari, ils mangent autant qu'ils le peuvent dans les périodes fastes jusqu'à ce que leur derrière ressorte comme leur ventre. Et quand viennent les périodes de pénurie, ils vivent sur leur graisse. » Elle eut un petit rire. « Je pense que quelqu'un comme moi pourrait tenir un an sur ses réserves, ou peut-être plus, mais toi, ma pauvre petite fleur, je ne suis pas sûre que tu arrives à Kaapmuiden. »

Hennie Venter revint avec un somptueux plateau qu'il posa en équilibre sur le ventre de la Grosse Hettie. Il nous laissa pour servir le petit déjeuner aux autres voyageurs du wagon-restaurant, refermant la porte derrière lui et nous promettant de revenir.

Le plateau oscillait au rythme de la respiration de la Grosse Hettie. Elle ne voyait son assiette qu'au moment où elle soufflait, quand elle inspirait le plateau s'élevait au-dessus de son regard. Je parvins à avaler une saucisse de plus. La Grosse Hettie ne parut pas le remarquer et liquida aussi ma part jusqu'à la dernière miette. Quand elle eut fini, cependant, elle affirma : « Tu ne joueras jamais au rugby pour les Springboks si tu manges comme un moineau, Peekay.

— Ce n'est pas grave, Mevrou Hettie, répondis-je, je vais devenir un poids welter, ce qui n'est pas si gros. »

Elle eut l'air amusé. « Comme ce bon à rien de Hoppie Groenewald, hein ? Tu pourrais sans doute faire pire. Il n'a pas un pouce de méchanceté, celui-là. Il aurait pu réussir une grande carrière mais il ne sait pas haïr. Même pas les Cafres, ce qui n'est pas normal. »

J'étais bouleversé. Hoppie ne m'avait pas touché un mot de la nécessité de haïr. Avait-il négligé de m'en parler ?

« Comment apprend-on à haïr, Mevrou Hettie ? » Je craignais qu'un enfant de cinq ans — qui en avait en réalité six — ne soit pas en mesure de pratiquer cette discipline. Peut-être était-ce pour cela que Hoppie ne m'avait rien dit de cette histoire. Mais n'avait-il pas affirmé que j'étais un boxeur-né ? En ce cas, je serais sûrement capable de m'initier à cet art.

« L'instinct du tueur, il n'a pas l'instinct du tueur. Ça se voit quand un boxeur l'a. C'est de la haine à l'état pur, comme les Boers à l'égard des rooineks. Il faut que ce soit une haine aveugle du genre ''c'est eux ou nous'', ''c'est lui ou moi'', rien de moins. Hoppie Groenewald n'a tout bonnement jamais appris.

— Alors, je vais m'y mettre », assurai-je avec conviction.

La Grosse Hettie se tordit de rire. « Tu as tout le temps pour ça, Peekay. Vaut mieux te concentrer sur l'amour, il y a déjà trop de haine sur notre terre. Ce pays a été privé trop longtemps d'amour. »

Je n'écoutais pas, je ne pensais qu'à ce talent indispensable qui me manquait. « Hoppie ne haïssait-il pas Jackhammer Smit ?

— C'était de l'orgueil, Hoppie en a à revendre. Du courage aussi et même de la cervelle. » La Grosse Hettie perçut soudain mon anxiété. « Écoute, mon grand, peut-être que ça suffit après tout. » Elle pouffa : « Pour l'avoir, il l'a eu, ce gorille de Smit ! »

Je repensais à l'époque où je faisais les devoirs du Juge, les doigts dans le nez. J'étais sûr d'avoir de la cervelle. Néanmoins, durant les séances de torture, je n'avais fait preuve ni d'orgueil ni de courage. Il fallait bien m'avouer cependant que mes idées n'étaient pas très claires là-dessus. J'étais peut-être condamné à ça ? Tout dans la tête et rien d'autre ?

« Comment apprend-on à avoir de l'orgueil et du courage, Mevrou Hettie ?

— Bonté divine, que de questions, Peekay. Voyons voir. » Elle réfléchit un moment avant de répondre : « L'orgueil, c'est avoir la tête haute quand tout le monde autour de toi a la tête basse. Et le courage, c'est ce qui te pousse à la redresser. » Levant les yeux, elle découvrit ma perplexité. « Ne t'inquiète pas, Peekay, tu comprendras brusquement le moment venu. »

Je n'en étais pas du tout convaincu. Les affirmations de la Grosse Hettie me semblaient carrément idiotes. Le camouflage était la seule solution, baisser la tête avec les autres était la meilleure façon de survivre. Prenez l'incident avec Miss du Plessis par exemple, n'avais-je pas redressé la tête et n'avait-elle pas failli me décapiter ? Quant à Grand-père Chook, s'il n'avait pas déféqué dans la bouche du Juge, on serait toujours ensemble. Il n'y avait pas le choix, lorsqu'on se détachait de la masse, on était sûr d'avoir des ennuis.

Peut-être y avait-il autre chose à comprendre, le monde des grandes personnes paraissait très compliqué. J'avais une bonne mémoire, je rangeai donc les paroles de la Grosse Hettie dans un coin. Elles risquaient un jour d'avoir un sens.

Nounou était la seule grande personne que je connaissais qui répondait correctement aux questions. Or elle n'était pas vraiment une grande personne puisqu'elle était une nounou. Lorsque vous lui demandiez quelque chose, elle vous répondait en vous racontant une histoire ou une chanson et lorsqu'elle n'avait pas de réponse, elle déclarait : « On verra ça plus tard. » Elle avait toujours raison, tôt ou tard la solution arrivait. J'avais l'impression qu'il fallait toujours que les Blancs aient une réponse sur-le-champ. A l'image de Pik Botha, ils passaient la majeure partie de leur vie à être malheureux, à se demander tout le temps : « Pourquoi moi ? » Alors que Nounou aurait dit : « Il est une saison pour la tristesse et elle passe. » Puis elle aurait ri, m'aurait serré dans ses bras, affirmant : « Mais ce n'est pas encore la saison de la tristesse. »

Je n'arrêtais pas de mouiller la serviette pour la Grosse Hettie. Je lui pris deux aspirines dans son sac. Elle m'exhorta à fouiller car elle devait avoir des pastilles de menthe dedans. Je trouvai un demi-sachet. Elle me dit : « Donne-m'en deux et prends-en une, Peekay. »

Je sortis deux grands bonbons blancs du paquet, les posai dans sa main et m'en fourrai un dans la bouche. Au début, rien. Et tout à coup, pan ! Je tins le temps de deux bons coups de langue, puis recrachai la pastille dans ma main : c'était comme d'avaler du feu ! Je regardai la Grosse Hettie sucer les siennes tranquillement. Pour du courage, en voilà du courage ! Je dois avouer cependant que cela lui rafraîchit l'haleine sur-le-champ.

On resta allongés là, la Grosse Hettie par terre, moi sur la banquette. Elle parla de sa vie qui semblait avoir été assez belle, bien que marquée aussi par la tristesse. Elle évoqua surtout les hommes.

« Les hommes, Peekay, sont la perte des femmes bien. La plupart sont moches mais il en faut tout de même. Sans homme, la vie d'une femme est encore plus moche. Rien ne sert de prétendre qu'on s'en fout, qu'on est plus forte qu'eux. Car, même si c'est vrai, ça ne mène qu'à la solitude. Ce sont des porcs qui couchent avec les Cafres, se soûlent et vous tapent dessus. Néanmoins, une bonne raclée n'a jamais fait de mal à personne et parfois c'est leur façon de montrer qu'ils vous aiment, ces imbéciles. C'est bête, hein ? »

Je tentai d'imaginer un monsieur tabassant la Grosse Hettie. « Mon grand-père ne ferait pas de mal à une mouche », assurai-je pour tenter de la réconforter. La Grosse Hettie mesurait deux mètres et pesait Dieu sait combien. Même le Juge entouré de toutes ses sections d'assaut n'aurait pu avoir le dessus.

« Autrefois, j'étais amoureuse de ce petit poids mouche, poursuivit-elle. C'est comme ça que j'ai découvert le monde de la boxe, Peekay. C'était pendant la grande dépression, on ne trouvait de boulot nulle part. Ensemble, on a parcouru tout le Transvaal, une fois on est même allés dans l'Orange Free State pour un match. Il n'y avait jamais d'autre poids mouche, les Boers aiment voir des hommes plus costauds, il était toujours obligé de se battre contre un type d'une catégorie bien supérieure. Un poids moyen en général. Quand il avait de la chance, il tombait sur un poids welter, mais ça n'arrivait pas bien souvent.

« Mon petit poids mouche avait du cœur au ventre et il adorait se battre, mais on peut pas compenser une telle différence, il prenait des dérouillées monstrueuses et perdait presque toujours. Ensuite, je recollais les morceaux, puis il me faisait parler du combat. Coup après coup, là où il avait été bon, là où il avait commis une erreur. Je lui expliquais qu'il gagnait toujours — ce qui était vrai, il avait un kilomètre d'avance aux points — quand le gros gorille lui flanquait un coup bien placé qui le dégommait. Il me regardait et disait : "La prochaine fois, Hettie, tu verras, je vais sûrement gagner."

« Puis on achetait une bouteille de cognac bon marché, on quittait la ville en voiture, on s'asseyait à l'arrière de la Ford T et on se soûlait la gueule. Lorsqu'il était ivre, c'était son tour de rejouer le match, sauf qu'il mélangeait tout dans sa tête, il se croyait encore sur le ring, il me prenait pour son adversaire et il me tabassait comme un fou. Et je le laissais faire, car il fallait bien qu'il gagne de temps en temps pour son orgueil personnel.

« Quand j'avais pris une bonne raclée et qu'il m'avait mise knock-out, on s'envoyait encore quelques verres avant de rejouer le match qu'il gagnait loyalement, cette fois-ci. On trouvait ensuite un joli coin derrière des buissons où on embarquait nos couvertures pour faire l'amour. Je te jure que la plupart des types n'en touchent pas une quand ils sont ivres, Peekay, mais pas mon poids mouche. Avec lui, ça durait toute la nuit. Quel bonhomme. C'était le bon temps. Oh, oui, c'était formidable. »

L'histoire de la Grosse Hettie me contraria au plus haut point. Il semblait que les grands gagnaient toujours sur les petits. Pourtant, il y avait une exception. « Hoppie était plus petit que Jackhammer Smit, or il l'a bel et bien battu, affirmai-je, quelque peu sur la défensive.

— Ja, c'est vrai, Hoppie a de la tête. Mon poids mouche, il avait de la purée à la place du cerveau. Pourtant, j'ai aimé cette puce jusqu'au jour où il est mort d'avoir encaissé un coup de trop d'un mastodonte. » Les larmes lui montèrent aux yeux. « Il venait de disputer le sixième round lorsqu'il a vacillé et s'est écroulé, la foule n'arrêtait pas de le huer, mais il n'avait jamais rien truqué dans sa vie et j'ai compris qu'il s'était passé quelque chose de très grave. Il faisait une hémorragie au cerveau, comme ça, tout d'un coup. Je l'ai pris dans mes bras, on a quitté la salle et on s'est assis sur l'herbe à l'air frais, entourés de tas d'imbéciles qui nous regardaient. Je ne les voyais pas, je ne voyais que mon petit poids mouche chéri. Et il est mort dans mes bras. » La Grosse Hettie sanglotait doucement.

« Ne pleurez pas, Mevrou Hettie, je vous en prie, ne pleurez pas. » Je citai Nounou : « Il est une saison pour la tristesse et elle passe. »

Elle s'arrêta au bout d'un moment, se tapotant les yeux avec la serviette humide. « C'était le meilleur. Le meilleur de tous les hommes. » Elle le murmura si bas que je compris qu'elle se parlait à elle-même.

On parla de choses et d'autres bien avant dans la matinée torride. La Grosse Hettie faisait les frais de la conversation car désormais j'écoutais, muet. Jadis, j'avais la langue bien pendue mais l'école avait changé tout cela. Vu mon statut, je n'avais pas intérêt à être trop bavard ; de plus, écouter est une bonne parade pour se protéger. Je découvris vite que c'est aussi un art. On n'apprend pas seulement à écouter ce que disent les gens. C'est ce qu'ils ne disent pas qui est important. Quand on prête assez attention, on perçoit les choses les plus étonnantes derrière les mots. Très souvent, il y a une rage sous-jacente. Il faut des années pour arriver à décoder le sens de ces non-dit ; en tant qu'enfant, je savais uniquement s'il s'agissait d'un propos gentil ou non. Pour les besoins du camouflage, cela suffit généralement.

Vers midi, Hettie s'assoupit ; cette fois-ci, sa respiration allait beaucoup mieux. Derrière la vitre, le veld grillait sous la fournaise. La lumière écrasait le paysage au premier plan, plongeant l'horizon dans une brume de chaleur. Il est une heure où les cigales s'agitent tant qu'elles remplissent l'espace plat et brûlant d'un bruit si régulier qu'il résonne comme le silence dans la tête. Même si je ne les entendais pas à cause du cliquetis des roues, je savais qu'elles étaient là, engouffrant la chaleur dans leurs ailes aux membranes vertes, emmagasinant de l'énergie en prévision du jour où leur chrysalide s'enfouirait dans les profondeurs de la terre pour un long sommeil qui pouvait parfois durer des années, jusqu'à ce que, d'une bonne conjonction de la lune et de la température du sol, naisse le moment opportun pour émerger et envahir de nouveau la fournaise de midi.

Dans la chaleur, le compartiment semblait flotter, décollant des rails argentés pour un voyage à travers le temps et l'espace. Un voyage au fil des heures et des jours, des semaines et des années, loin de la planète bleue, par-delà la lune et le soleil, m'emportant dans des siècles, des millénaires et des éternités. Evitant des planètes, serpentant à travers les étoiles pour arriver enfin dans un trou noir, encore plus loin que l'esprit ne peut imaginer, par-delà la courbe de l'infini et le cordon argenté qui entoure le cosmos. Et je resterais caché là, bien à l'abri, jusqu'à ce que je sois grand pour devenir le champion du monde des poids welter.

« Tu dors, Peekay ? » Ouvrant les yeux, je découvris la Grosse Hettie qui me regardait. « Un verre d'eau, s'il te plaît. » Elle passa la langue sur ses lèvres desséchées et retira la serviette de son front. Elle me la tendit, je lui donnai le verre d'eau qu'elle avala goulûment. Elle me le rendit, je le remplis de nouveau. « On en rencontre un sur mille comme toi, Peekay », dit-elle avec reconnaissance.

Ayant mouillé la serviette, je la repliai pour la reposer sur son crâne. « Un sur un million peut-être même », soupira-t-elle. Je vis qu'elle était agitée. Elle n'arrêtait pas de se passer la langue sur les lèvres. « Qu'est-ce qu'il y a pour déjeuner, d'après toi ?

— Meneer Venter n'est pas encore revenu, Mevrou Hettie, répondis-je.

— Non, mon grand, je ne parlais pas de ça. On ne peut pas déjeuner au wagon-restaurant. Le petit déjeuner est correct, le déjeuner minable et le dîner infâme. Ouvre mon panier, Peekay, et dis-nous ce qu'il y a dedans. » Elle se mit à rire. « Je vais t'avouer une chose, je n'étais pas très concentrée hier soir quand j'ai tout préparé. »

Tirant sur la fine baguette en bambou, j'ouvris l'immense cabas. Il y avait de quoi nourrir une armée. « Qu'est-ce qu'il y a là-dedans, chéri ? s'enquit anxieusement la Grosse Hettie.

— Deux poulets rôtis, un gigot de mouton presque entier, du corned-beef, trois mangues, des tas de pommes de terre, des patates douces, deux oranges et un immense moule aussi.

— Dieu merci, je ne l'ai pas oublié, s'exclama la Grosse Hettie, manifestement soulagée. Ouvre-le, Peekay. Vite, mon grand, ouvre le moule ! » Je fus surpris du ton pressant de sa voix. Je sortis le grand moule rond du panier puis, le coinçant entre mes genoux, me débattis pour ôter le couvercle. Il se détacha brusquement, m'envoyant valdinguer à la renverse sur la couchette tandis que le couvercle dégringolait par-dessus bord et que la moitié d'un énorme gâteau au chocolat se renversait sur le ventre de la Grosse Hettie. En deux temps, son bras se leva prestement puis retomba. Du tranchant de la main, elle brisa l'épaisse couche de glaçage au chocolat, coupant le gâteau en deux gros morceaux. La respiration difficile, le regard vitreux, elle l'enfourna dans sa bouche. A grand renfort de grommellements, de grognements et même de gémissements, elle liquida la première partie et s'empara goulûment de la deuxième. Son visage était couvert de glaçage au chocolat. Engloutissant les dernières parcelles, elle se lécha les doigts, deux par deux, comme un enfant. Puis elle se fourra plusieurs fois le pouce dans la bouche et passa la main sur sa poitrine, ses doigts remuant telle une énorme araignée à la recherche des miettes qu'elle aurait pu oublier. Elle me regarda, je baissai les yeux, cédant à la honte et à la peur. Pourtant, je devinai que j'étais témoin d'une maladie, d'un chagrin, d'un mélange des deux peut-être.

Quand elle eut fini, la Grosse Hettie était en nage, le devant de sa robe trempé de sueur était couvert de miettes et maculé de glaçage. Elle prit la serviette humide pour s'essuyer la figure et resta là, les yeux clos. Je regardai des larmes couler le long de son visage ; elle demeura cependant un long moment silencieuse.

Lorsqu'elle eut repris son souffle, elle ouvrit ses yeux, rougis, gonflés. « Je suis désolée, Peekay. Je suis vraiment désolée, dit-elle quasiment dans un murmure.

— Ce n'est rien, Mevrou Hettie, vous aviez faim, c'est tout. Le gâteau au chocolat me fait toujours cet effet-là à moi aussi.

— Je suis désolée d'avoir tout mangé, Peekay. Mais c'est toi qui vas choisir maintenant ! »

L'occasion ne s'était pas présentée depuis bien longtemps et je ris. « Il y a de quoi nourrir tout le train là-dedans, Mevrou Hettie. Je vais prendre des pommes de terre sautées, puis des patates douces, c'est ce que je préfère.

— Et peut-être un beau morceau de poulet, hein ? »

La mort de Grand-père Chook m'était encore beaucoup trop proche. L'idée de dévorer l'un de ses cousins éloignés, même si celui-ci n'avait été ni un être d'exception ni même un Cafre comme Grand-père Chook, m'était impossible à envisager. Je mordis dans une délicieuse pomme de terre bien dorée et secouai la tête.

« Pour devenir un poids welter, tu dois te nourrir correctement, Peekay. La viande te donnera des forces. Un peu d'agneau ? » proposa-t-elle d'un ton cajoleur.

Quand ma mère le poussait à se resservir, mon grand-père déclarait : « Une vache a huit estomacs mais moi, hélas, je n'en ai qu'un. Une vache ne doit pas s'arrêter de ruminer mais moi, ma chérie, je n'en peux plus. » Avalant la pomme de terre, je récitai cet adage à la Grosse Hettie. Ces mots allaient sûrement lui remonter le moral.

En réalité, elle se remit à pleurer.

« Je suis désolé, Mevrou Hettie, vraiment navré, je ne voulais pas vous faire pleurer, ce n'est qu'une bêtise que mon grand-père disait à maman pour la taquiner. »

La Grosse Hettie renifla, se moucha et s'essuya les yeux. Un morceau de glaçage au chocolat collé au tissu barbouilla l'arête de son nez. « Ce n'est pas ta faute, liefling. C'est la vieille Hettie. C'est à cause d'elle que je pleure. » Elle esquissa un petit sourire à travers ses larmes. « Oh, puis la barbe, Peekay, tu ne crois pas ? lança-t-elle en reniflant. Autant mourir repue qu'affamée. Passe-moi le gigot, mon brave petit ! »

Je le lui tendis, la moitié était tranchée quasiment jusqu'à l'os. Posant la partie charnue sur sa poitrine, elle commença à déchiqueter tranquillement la viande tandis que j'engloutissais une belle patate douce et une mangue.

Lorsqu'elle eut fini, l'os était presque à nu. A ma stupeur, elle me demanda de couper l'un des poulets en morceaux et de les poser sur son ventre en y ajoutant les tranches de corned beef. Elle déchira la volaille à belles dents comme si elle mourait de faim, allant jusqu'à croquer les os les plus mous. Les victuailles furent vite liquidées puis, poussant un petit soupir, elle essuya la graisse et la sueur sur son visage. Je me servis du moule à gâteaux pour ramasser les os éparpillés sur son ventre et les jetai par la fenêtre.

J'avais la figure et les mains barbouillées de mangue. Je me nettoyai avant de me mettre au travail, mouillant et essorant la seule serviette qui restait. Je la donnai à la Grosse Hettie, retirant l'ancienne que je lavai avec un peu de savon, rinçai puis étendis sur le rebord de la fenêtre du compartiment pour la faire sécher. J'avais vu Dum et Dee, nos filles de cuisine, procéder ainsi avec les torchons à la maison après le dîner, j'étais donc dans le vrai. Sauf qu'elles étendaient le linge sur une cordelette à côté de l'imposant poêle à bois noir, si bien que les torchons sentaient toujours un peu la soupe.

La Grosse Hettie posa la serviette propre, tel que, sur le devant de sa robe. « C'est si frais, si agréable ! La chaleur de mon corps ne va pas tarder à la sécher », affirma-t-elle. Je savais néanmoins qu'elle voulait masquer le chocolat et les taches de gras. J'imaginais que si j'avais à laver la robe de la Grosse Hettie, il faudrait toute la journée et une cuvette aussi grande qu'un tub.

Il y eut du bruit soudain quand la porte s'ouvrit sur Hennie Venter. « Je suis désolé d'avoir été si long, Hettie, mais Pik Botha prétend qu'il ne peut pas marcher, il boude dans le fourgon du chef de train et j'ai dû faire le travail du contrôleur parce que Van Leemin est ivre une fois de plus. En plus, il fallait que je serve le déjeuner, finit-il d'un ton contrit.

— Qu'est-ce qu'il y a à manger ? » s'enquit la Grosse Hettie.

Hennie parut surpris de sa question. « Du bœuf en ragoût avec de la purée et des petits pois comme d'habitude.

— Tu peux te le garder ! On préférerait mourir de faim, le gosse et moi, plutôt que d'avaler cette pâtée de cochon, déclara-t-elle avec arrogance.

— Aujourd'hui, crème à la banane comme dessert, poursuivit Hennie en se léchant les babines.

— Hum et ça a le même goût que du caca de bébé, répliqua la Grosse Hettie avec dédain.

— Si tu ne veux pas de mon aide, je vais t'envoyer au diable. » Hennie jeta un regard vers le panier ouvert et me fit un clin d'œil. « Je regrette que vous ayez décidé de mourir de faim tous les deux, vous êtes sûrs que je ne peux rien pour vous ?

— Tu peux me tirer de cette saleté de compartiment, mon vieux ! » riposta la Grose Hettie d'un ton désespéré.

Le serveur claqua la langue d'un air compatissant. « Très bientôt, Hettie. On arrive à Kaapmuiden dans deux heures. Ils sauront comment s'y prendre là-bas. »

Hoppie m'avait expliqué que de Kaapmuiden je devrais emprunter la ligne secondaire pour Barberton, un voyage de plus de trois heures « dans un vrai pot de yaourt », avait-il dit. Il m'avait raconté l'histoire d'une lavandière avec une énorme pile de linge fraîchement repassé sur la tête qui marchait le long de la voie ferrée quand le train de Barberton s'arrêta à ses côtés. Se penchant vers elle, le conducteur l'invita à grimper dans le wagon des Cafres. « Non merci, baas, répondit-elle, je suis très pressée aujourd'hui. » Une histoire drôle mais je savais bien qu'elle n'était pas vraie car jamais aucun conducteur blanc ne songerait à proposer à une Cafre de monter dans son train.

Il était près de quatre heures lorsqu'on arriva à la gare de jonction de Kaapmuiden. Dans la chaleur lourde, le train s'arrêta lentement, et se glissa timidement jusqu'à sa place, car toutes les voies étaient occupées. Kaapmuiden servait de liaison ferroviaire entre le Nord-Transvaal, le Sud et le port de Lourenço Marques au Mozambique ; elle s'enorgueillissait donc de son rôle capital.

La gare grouillait d'une activité plus intense encore qu'à Gravelotte, des locomotives étant aiguillées ailleurs, des wagons se cognant, s'entrechoquant et s'attelant sur des voies qui s'entrecroisaient partout comme un plat de spaghettis. Notre train gagna doucement le quai principal avant de s'arrêter dans un ultime grincement métallique.

« Qu'est-ce que je fais maintenant s'il vous plaît, Mevrou Hettie ? » m'enquis-je nerveusement. Je savais que je devais changer et que je n'arriverais à Barberton que tard dans la soirée ; malgré tout, j'avais mis mes tennis. Au début du voyage, les chaussures trop grandes avaient été un symbole dérisoire marquant la fin du Juge, de ses sections d'assaut nazies, du foyer et de Mevrou : un chapitre grotesque de mon existence était clos. Au même titre, cette deuxième paire, qui m'allait à merveille grâce à la ravissante dame indienne, semblait symboliser l'inconnu. Parfois, on vit une vie entière en deux jours. Les deux jours qui s'étaient écoulés entre les premiers tennis lamentables et les deuxièmes parfaits annonçaient les derniers moments de ma petite enfance, c'était un pont qui façonnerait mon avenir.

« On doit attendre ici, Peekay. Hennie Venter va amener quelques hommes pour m'aider et je te mettrai au train de Barberton. On a tout le temps, tu ne pars qu'à six heures. » Manifestement, la Grosse Hettie était fort mal à l'aise ; maintenant qu'elle était au bout de l'épreuve, son énorme corps s'était mis à trembler d'émotion.

Je regardais dehors alors qu'on détachait notre wagon avant de l'aiguiller, avec force agitation, sur une petite voie de garage où attendait un groupe d'hommes. Parmi eux se trouvait Hennie Venter. Quand on s'arrêta, il passa la tête par la fenêtre.

« C'est presque fini, Hettie, on va te remettre debout », lança-t-il joyeusement.

Je passai toutes nos affaires par la fenêtre et, plutôt que de grimper une fois de plus sur la Grosse Hettie, j'empruntai le même chemin, sautant sur la voie. C'était agréable de se retrouver au soleil. Deux des gars m'imitèrent pour monter dans le compartiment. Armés de clés anglaises, ils réussirent à dévisser les boulons qui fixaient la banquette à la paroi. Puis ils arrimèrent des cordes aux deux bouts de la couchette, les attachèrent à celle du dessus et retirèrent les boulons pour la maintenir suspendue en dégageant la Grosse Hettie. Grimpant sur la couchette supérieure, ils purent soulever suffisamment celle-ci qui était en équilibre pour que deux acolytes, accroupis dans l'embrasure de la porte, parviennent à asseoir la Grosse Hettie. Les quatre hommes essayèrent ensuite de la mettre debout, mais elle était trop lourde pour eux ; de plus, elle semblait incapable de se servir de ses jambes. La Grosse Hettie souffrait, son visage était tout rouge. Au bout d'un moment, il devint clair que toute cette aventure l'avait considérablement éprouvée ; elle était trop épuisée et trop faible pour se redresser. Elle s'assit par terre, en feu, le souffle court, le dos soutenu par une montagne d'oreillers. Le triste spectacle d'une énorme poupée de chiffon délabrée.

L'équipe partit chercher un palan. Regagnant le compartiment, je m'assis sur la banquette à côté de la Grosse Hettie. Hennie Venter resta dehors, surveillant ce qui se passait, les bras sur le rebord de la fenêtre.

La Grosse Hettie respirait avec de plus en plus de difficulté lorsqu'elle demanda à Hennie Venter d'aller jusqu'à son panier qui se trouvait sur le quai, de prendre le dernier poulet, les pommes de terre et les fruits, de les emballer dans le moule à gâteau et de le mettre dans ma valise. Il acquiesça et quitta son poste.

« Il sera tard avant que tu n'arrives à Barberton, liefling. Que pensera de moi ton oupa si tu n'as rien eu à dîner ? » déclara-t-elle, la main sur la poitrine.

J'étais trop poli pour avouer à la Grosse Hettie que manger du poulet n'était plus mon fort. Je me contentai de la remercier et lui demandai : « Vous n'allez pas m'accompagner au train comme vous l'avez dit, Mevrou Hettie ? »

Elle resta silencieuse un long moment comme si elle tentait de rassembler ses forces pour parler sans suffoquer. « Je crois que j'en suis arrivée au dernier round, Peekay. Je souffre terriblement. » Son visage avait perdu toute couleur, ses lèvres avaient viré au bleu. De la main gauche, elle pétrissait son sein gauche.

Je me ruai vers la fenêtre. Hennie Venter avait ouvert ma valise pour y placer le grand moule à gâteaux. « Meneer Venter ! Venez vite, Mevrou Hettie est malade ! » hurlai-je.

Je me retournai vers la Grosse Hettie. Sa voix n'était guère plus qu'un murmure. « Tiens-moi la main, Peekay », souffla-t-elle. Je me glissai sur la couchette. Elle prit ma main dans la sienne. Son étreinte était faible comme si elle n'avait plus aucune force.

« Je ne pense pas que j'arriverai à disputer le prochain round, liefling. » Les mots étaient entrecoupés de soupirs, fort différents de sa respiration sifflante du matin.

Hennie Venter passa la tête par la fenêtre. « Oh, mon Dieu ! Je vais chercher le médecin. » J'entendis ses bottes crisser sur le gravier lorsqu'il se mit à courir.

« Je vous en prie, ne mourez pas, Mevrou Hettie, l'implorai-je, terrifié brusquement.

— Tu sais, Peekay, c'était pas une vie depuis que mon poids mouche m'a quitté, je ne perds pas grand-chose. » Elle se tourna vers moi, une larme perla au coin de son œil puis roula doucement sur sa joue. « Peekay, tu seras un grand poids welter, je le sais. Tu as l'orgueil et le courage. Tu te rappelles ce que j'ai dit à propos de l'orgueil et du courage ?

— L'orgueil, c'est avoir la tête haute quand tout le monde autour de toi a la tête basse. Et le courage, c'est ce qui te pousse à la redresser, répétai-je, les lèvres tremblantes.

— Tu seras un grand boxeur, je le sais », chuchota-t-elle. La Grosse Hettie se crispa légèrement, la pression se resserra un instant sur mes doigts. Puis son énorme main s'ouvrit et elle s'affala contre les oreillers. Pour une femme aussi grosse, aussi bruyante, c'était une mort si petite, si calme.

Je me mis à pleurer. Ce n'était pas du chagrin comme pour Grand-père Chook, mais une vraie tristesse. Même à l'époque, je sentais que la gaieté est une qualité rare chez les êtres et que, l'espace d'un soir et d'un jour, j'avais connu ce qu'il y a de mieux dans la condition humaine.

Au bout d'un moment, j'entendis les gars revenir avec le palan. Ils riaient et bavardaient comme font les hommes lorsque quelque chose les change un peu du train-train. Maintenant, on pouvait transporter la Grosse Hettie.

8

Il était à peine dix heures passées quand le train entra en gare de Barberton dans un nuage de fumée. Le chef de train me réveilla avant l'arrivée. J'étais étourdi de sommeil et tourneboulé à la suite des événements de la journée.

Hennie m'avait mis dans le train ; d'un côté, il s'inquiétait de mon sort et, de l'autre, il avait hâte de regagner la scène où il jouait un rôle si important en ces tristes circonstances. « Mange quelque chose, c'est compris ? Voilà un sou pour t'acheter une boisson fraîche, ajouta-t-il en me donnant une petite pièce en argent.

— J'ai de l'argent, Meneer Venter. »

Il insista pour que j'accepte les trois pennies. « Allez, prends-la, prends-la, ce n'est qu'une pièce de rien du tout ! » fulmina-t-il.

Fort heureusement, il n'eut pas trop à s'attarder, on était arrivés juste à temps. Lorsqu'on partit au milieu d'un teuf-teuf qui semblait trop assourdissant pour le petit pot de yaourt de locomotive, Hennie hurla : « Je dirai à Hoppie Groenewald que tu t'es conduit comme un vrai Boer, un vrai Blanc ! »

Je descendis sur le quai en gravier de la gare de Barberton, me débattant avec ma valise qui pesait un âne mort à cause du cadeau de la Grosse Hettie. Je n'y avais pas touché, trop épuisé et trop dérouté pour manger. Le quai était bondé de gens qui se hâtaient en tous sens, tournant la tête de-ci, de-là, se saluant et faisant un tas de manières comme toujours à l'arrivée d'un train. Mon grand-père n'avait pas l'air d'être là. Je décidai de m'asseoir sur ma valise et d'attendre, trop fatigué pour envisager une autre solution. Je devais pleurer sans m'en rendre compte, sans doute à cause de la fatigue ou je ne sais quoi. J'avais connu des situations bien pires et j'espérais entendre d'un instant à l'autre le gros rire de Nounou suivi d'une série de « allons, allons », quand elle m'étreindrait contre son tablier. Et tout irait bien de nouveau.

Une dame s'approchait, je distinguais mal sa silhouette à travers mes larmes. Elle se pencha vers moi et me serra contre son sein décharné. « Mon chéri, mon pauvre chéri, dit-elle en sanglotant, tout sera comme avant désormais, je te le promets. »

Ma mère était là ! Elle était en vie. Aussi maigre que jamais, mais pas morte de la dysenterie ni du paludisme.

Je crois cependant qu'on savait bien que rien ne serait jamais plus comme avant.

« Où est ma nounou ? demandai-je en séchant mes larmes.

— Viens, chéri, le pasteur Mulvery nous attend dans sa voiture pour nous emmener chez grand-père. Quel grand garçon tu fais maintenant que tu as six ans, beaucoup trop grand pour une nounou ! »

La sensation de vide avait commencé à se creuser en moi, j'entendais les oiseaux de solitude caqueter au loin, leurs ailes huilées battant allégrement alors qu'ils se posaient sur leurs sombres nids de pierre.

S'éclaircissant la gorge et s'emparant de ma valise, ma mère se redressa. « Viens, chéri, le pasteur Mulvery va nous emmener chez grand-père », répéta-t-elle.

Sa réflexion quant à l'inutilité d'avoir une nourrice maintenant que j'avais six ans me frappa tant que j'eus l'impression de recevoir un coup de poing du Juge à la mâchoire. Ma nounou, ma nounou adorée était partie et j'avais six ans. Les deux nouvelles s'entrechoquèrent dans ma tête tels deux chiens se déchirant, se battant et roulant dans la poussière.

Ma mère m'avait pris par la main et m'entraînait vers une grosse Plymouth grise garée sous un réverbère à côté d'un poivrier. Un chauve grassouillet sortit de la voiture à notre arrivée. Ses dents du haut dépassaient de sa lèvre comme pour voir si le terrain était libre pour prendre la poudre d'escampette. Le pasteur Mulvery en semblait conscient et esquissa un bref sourire pour ne pas les laisser se sauver. Il déchargea ma mère de la valise. « Loué soit le Seigneur, ma sœur, Il a rendu l'enfant aux siens sain et sauf. » Il avait la voix douce et haut perchée comme une femme.

« Oui, que Son nom soit loué », répliqua ma mère. Je ne l'avais jamais entendue parler ainsi auparavant. Pour moi, il était incontestable que le camp de concentration devait avoir un rapport avec ce changement. Mon oreille aiguisée percevait toutes sortes de bêtises qui se tramaient derrière ses paroles.

Le pasteur Mulvery me tendit la main. « Bienvenu, mon garçon. Répondant à nos prières, le Seigneur t'a ramené sain et sauf. » Je saisis sa main qui était chaude et légèrement moite.

« Merci, monsieur », dis-je d'une toute petite voix. Cela me faisait un drôle d'effet de parler anglais. Je m'installai sur la banquette arrière à côté de ma mère. Tous les oiseaux de solitude ne formaient plus qu'un gros oiseau sur un gros nid de pierres et je sentais le poids de l'œuf en pierre éclore en moi.

Grand-père Chook était mort, Hoppie avait dû aller se battre contre Adolf Hitler et ne reviendrait peut-être jamais, la Grosse Hettie avait disparu et voilà que ma nounou bien-aimée était partie. A l'image de Pik Botha, ma mère avait apparemment noué des liens très particuliers avec le Seigneur qui n'allaient pas manquer de nous causer des problèmes. J'étais vraiment dans le pétrin.

On traversa la ville dotée de réverbères et de routes goudronnées. Il était tard, seules quelques rares autos circulaient dans l'imposante grand-rue. On passa devant une place remplie de vieux flamboyants énormes. La rue était bordée de très nombreux magasins : McClymonts, vêtements pour hommes, J. W. Winter, pharmacie, le café Savoy, quincaillerie de Barberton. Tournant à un coin de rue, on passa devant un somptueux édifice baptisé l'Impala Hotel ; l'entrée était monumentale et il semblait bourré de monde. Lorsque le pasteur Mulvery ralentit, on entendit les notes d'un concert.

« Le diable œuvre ce soir, ma sœur. Il faut prier pour leurs âmes, prier qu'ils voient la gloire en le Seigneur et que leur soit accordée la vie éternelle », déclara-t-il de sa voix efféminée.

Ma mère soupira. « Il y a tant à faire avant qu'Il ne revienne pour nous emmener vers Sa gloire. » Elle se tourna vers moi. « Nous avons une merveilleuse École du dimanche à la Mission de la Foi apostolique, tu n'es pas trop jeune pour rencontrer le Seigneur, pour renaître, mon fils. Le Seigneur a un endroit spécial en Son cœur pour Ses chers enfants.

— Alléluia, loué soit Son précieux nom, nous allons Le retrouver ! annonça le pasteur Mulvery.

— Pourrait-on Le retrouver demain, s'il vous plaît ? demandai-je. Je suis trop fatigué ce soir. »

Ils rirent tous deux et je me sentis mieux. Le rire de ma mère était celui que je connaissais, elle ne l'avait pas perdu au camp de concentration. « On va rentrer directement, chéri, tu dois être complètement épuisé », dit-elle gentiment.

J'avais failli baisser le masque mais le remis aussitôt. La Grosse Hettie avait affirmé que Pik Botha était un chrétien de la Résurrection et qu'il appartenait à la Mission de la Foi apostolique. Son ton impliquait que l'un comme l'autre laissaient fort à désirer. Comment ma mère en était-elle arrivée là ? Qui était cet homme étrange avec ses dents en cavale ? Quel était ce nouveau langage et qui était exactement le Seigneur ?

Retrouver grand-père et Nounou m'avait tout d'abord semblé un moyen d'échapper d'urgence à Adolf Hitler puis, quand Hoppie avait calmé mes craintes concernant son arrivée imminente, j'y avais vu le prolongement de mon existence d'autrefois à la ferme. Vivre dans une petite ville ne signifiait rien pour moi. Vivre avec ce vieil idiot de grand-père et la belle Nounou, c'était tout. Ma mère avait constitué un élément agréable par le passé, sans être essentiel toutefois ; c'était une femme frêle et nerveuse, Nounou avait donc endossé le rôle qui se partage entre les soins, les rires, les réprimandes et les apaisements, rôle que jouent les mères dans d'autres cultures. Ma mère avait très souvent mal à la tête. Le matin, à l'heure de ma leçon de lecture, lorsque je venais m'asseoir sur le ciment rouge de la véranda auprès de son fauteuil à bascule préféré, impatient de lui montrer mes progrès, elle disait souvent : « Pas aujourd'hui, chéri, j'ai atrocement mal à la tête. »

J'allais trouver Nounou et lui lisais mon livre puis, m'apportant un numéro d'*Outspan*, un magazine qui sortait tous les mois, elle me montrait des photos de femmes s'affairant à différentes choses. Je lisais les légendes et les traduisais en zoulou. Elle en restait bouche bée, stupéfaite que des femmes puissent se conduire ainsi. « Oh, oh, oh, je crois que c'est très dur d'être une Blanche », soupirait-elle en battant des mains.

Cela expliquait sans doute les terribles maux de tête de ma mère : elle était blanche et, comme disait Nounou, c'était très dur.

On s'arrêta devant une maison qui ne se trouvait qu'à six ou sept mètres de la rue. Un muret en pierre entourait le jardin de devant et des marches menaient à la véranda qui courait sur toute la façade. La demeure n'était éclairée que par un réverbère, il était donc impossible de distinguer les autres détails dans cette pénombre fantomatique. Deux carrés de lumière orangée filtrant par deux fenêtres rougeoyaient derrière des rideaux tirés ; ils n'éclairaient guère mais donnaient comme deux yeux au logis. La porte d'entrée formait le nez et les marches la bouche. Même dans le noir, ce n'avait pas l'air d'être un endroit inhospitalier. Derrière cette drôle de tête se cachait mon vieux grand-père efflanqué et il me dirait ce qu'il était advenu de Nounou.

Le pasteur Mulvery annonça qu'il n'entrerait pas ; il loua une fois de plus le Seigneur de m'avoir rendu aux miens et ajouta que je serais un nouvel élément charmant pour la petite congrégation du Seigneur à l'École du dimanche de la Mission de la Foi apostolique. Ma mère loua aussi Son nom et il m'apparut que le Seigneur était un personnage très important dans les parages.

On regarda les feux arrière de la grosse Plymouth clignoter avant de disparaître dans la rue en pente ; on était apparemment au sommet d'une côte. « Quel homme précieux », soupira ma mère.

Transbahutant ma valise à deux mains, je la suivis en haut des marches plongées dans l'obscurité. Ses souliers marron firent un son creux sur la véranda en bois et l'écran grillagé grinça violemment sur ses gonds. Le maintenant du bout de ses chaussures de marche, elle ouvrit la porte d'entrée. Une lumière éblouissante se déversa sur nous, heureuse d'échapper aux limites confinées de la modeste pièce carrée.

Celle-ci, au moins, ne différait guère du sombre salon de la ferme. Le même divan lourd et rembourré ainsi que trois hauts fauteuils recouverts de brocart passé, aux bras cirés et aux pattes de lion en bois laqué foncé, des têtières garnissant les dossiers, encombraient presque toute la pièce. La bibliothèque vitrée renfermait toujours les œuvres complètes de Charles Dickens reliées en cuir rouge et or, sans oublier les deux grands volumes bleu et or de *L'invasion de la Crimée*. La vieille horloge de parquet avait changé de place : elle se dressait à côté d'une porte donnant sur une autre partie de la maison ; il était bien agréable de voir le balancier en cuivre osciller tranquillement dans sa vitrine. Sur un mur se trouvait la tête d'antilope empaillée de grand-père, les cornes de l'animal géant effleurant le plafond. Au-dessus de la bibliothèque, de part et d'autre, étaient accrochés deux petits tableaux, l'un représentant une rose rouge et l'autre une jaune à tige longue, presque pareille. Les deux peintures exposées dans le même cadre vernissé d'un brun mat étaient l'œuvre de ma grand-mère qui était morte en mettant ma mère au monde. Les toiles avaient été faites sur des feuilles d'étain et la peinture avait sauté, formant des taches grisâtres là où le fond vert et saumon s'était détaché. Seule sur l'autre panneau se trouvait une gravure sur acier colorée à la main dans un gros cadre en noyer représentant des centaines de Zoulous morts et une poignée de soldats gallois qui se dressaient devant les dépouilles, baïonnette au canon. Ils avaient fière allure, le regard rivé vers le paradis, les jambes couvertes d'une bande molletière et la botte posée sur le corps d'un sauvage presque nu. J'avais toujours pensé qu'ils avaient l'air très propre et très chic pour avoir combattu toute la nuit au corps à corps ces hordes de Zoulous, chacun ayant apparemment causé, si on comptait les cadavres et les soldats du tableau, la mort de cinquante-deux Noirs. La légende, gravée sur une planche de cuivre, indiquait : « Au lendemain du massacre. L'honneur britannique est rétabli à Rourkes Drift, décembre 1878. Tous des braves. »

La vieille peau de zèbre fatiguée que j'avais toujours connue — comme le reste — recouvrait le sol ; on avait disposé les pattes de lion des meubles sur les trous qu'elles avaient faits dans les poils au cours de leur vie dans l'autre salon. Le seul changement, car même les rideaux en velours rouge usé étaient arrivés jusque-là, c'était un petit poste de TSF bien dodu en bakélite marron sur le haut de la bibliothèque où se trouvait autrefois le gramophone.

Peut-être seule l'apparence des choses avait-elle changé et l'intérieur, à l'image de cette pièce, était quasiment resté le même. L'espace d'un instant, je repris courage. A ce moment-là, mon grand-père entra au salon, grand et raide comme un tronc d'eucalyptus. Sa pipe recourbée sur la tache de tabac brun au coin de sa lèvre inférieure, il se découpait dans l'embrasure, son ample pantalon kaki attaché comme toujours avec un bout de ficelle, les manches de sa chemise sans col retroussées jusqu'au coude. Il avait l'air égal à lui-même. Il tira deux bouffées sur sa pipe : la fumée tournoya autour de sa tignasse de cheveux blancs ébouriffés et monta en volutes devant son long nez. « Voilà un bon petit gars », dit-il. Ses yeux bleu pâle brillaient de larmes et il cilla en me regardant. La fumée dégagea son visage lorsqu'il leva légèrement les bras, les mains ouvertes, comme pour montrer la pièce, la maison et la situation fâcheuse d'un seul geste d'excuse lourd de tristesse.

« La maladie de Newcastle, ils ont dû tuer toutes les Orpingtons, déclara-t-il.

— Ils ont tué Grand-père Chook», murmurai-je.

Posant la main sur mon épaule, ma mère me fit passer devant lui. «Exactement, chéri, ils ont tué toutes les poules de grand-père. Allons, viens, il est grand temps d'aller au lit.»

Je n'avais pas l'intention de parler de Grand-père Chook. Après tout, mon grand-père ne l'avait pas connu. Cela m'avait échappé, une histoire de poulet en entraînant une autre. Il tenait terriblement à ses Orpingtons noires. Même Nounou avait affirmé qu'elles devaient être zoulous car elles étaient si noires, si fortes, et les coqs ressemblaient à d'élégants généraux à plumes. Elle n'avait jamais fait aucun commentaire sur l'aspect bigarré de mon compagnon. Bien qu'elle ne l'eût jamais vu en pleine possession de ses facultés, elle savait, comme Inkosi-Inkosikazi, qu'il était différent, un être d'exception, un poulet magique à l'immense pouvoir sorti du chapeau du vieux singe pour veiller sur moi. Une seule fois, elle s'était permis de remarquer que c'était bien un tour du vieux sorcier d'avoir choisi une modeste bête cafre, shangaan de surcroît, alors qu'il aurait donné, de son point de vue, une certaine dignité à la relation en lui préférant l'un des magnifiques coqs Orpington de grand-père. Si un poulet devait abriter l'âme d'un grand guerrier, pourquoi ne pas choisir un spécimen exemplaire de la race? Elle avait fait : «Allons, allons», puis secouant la tête avec son fichu, avait déclaré : «Qui peut connaître le chemin d'un serpent sur un rocher escarpé?» Des paroles bien mystérieuses.

Nounou. Où était-elle? Était-elle morte? Demain, je devais parler de toute urgence à grand-père. Car, même si les grandes personnes ne parlaient jamais de la mort aux petits enfants, il me le dirait sûrement. Je le lui demanderais en lui rendant son shilling le lendemain.

Je me réveillai tôt comme d'habitude et, traversant à pas feutrés la maison endormie, me retrouvai dans la cuisine. Le fourneau en fonte était plus petit que celui de la ferme; à ma grande surprise, lorsque je me mouillais le doigt avant de le passer sur l'une des plaques chauffantes, je m'aperçus qu'il était froid. Là-bas, on ne le laissait jamais s'éteindre. Les deux jeunes orphelines, Dee et Dum, les filles de cuisine, dormaient sur des nattes à l'office; c'était leur travail de ranimer les braises quand le fourneau menaçait de s'éteindre. Il régnait ici un vague relent de savon au phénol mêlé de désinfectant; il me manquait l'odeur des êtres humains, le parfum des grains de café, l'arôme de l'énorme marmite de soupe en fonte qui bouillonnait et fumait sur le coin du feu en un cycle sans fin, les nouveaux os remplaçant les vieux. A la campagne, se nourrir est une préoccupation continuelle, pas une simple pause pour se revigorer. Les gens de la campagne savent combien de sueur renferme un épi de maïs, un seau de lait, une baratte de beurre, du pain chaud sorti du four ou des œufs au bacon qui grésillent dans la poêle du petit déjeuner. La pitance durement gagnée exige le respect qui lui est dû. Ce fourneau était vide en dehors d'une grosse bouilloire en émail à pois bleus et blancs qui avait l'air neuf et provisoire.

La porte de la cuisine menait à une large véranda qui, contrairement à celle de devant, était au niveau du sol et donnait sur un très grand jardin bien entretenu. Les effluves de centaines de roses envahissaient l'air vif du petit matin ; je remarquai que s'élevaient des terrasses en pierre, plantées de massifs de rosiers. Chacune se terminait par une volée de six marches et, au sommet, une charmille de rosiers grimpants retombait sur l'allée. Des fleurs blanches, roses, jaunes et orangées, chaque treillage étant paré d'un ton différent, dévalaient en cascades colorées vers le sol. L'allée montant au milieu du jardin évoquait le genre de galerie qu'Alice aurait fort bien pu découvrir au Pays des Merveilles. Six énormes vieux arbres, d'une espèce qui m'était inconnue, étaient plantés sur chaque terrasse. C'était un jardin bien arrangé et je me demandais comment il pouvait être celui de grand-père. A la ferme, rien n'avait jamais été bien arrangé en dehors des choses qui s'étaient disloquées à tout jamais.

Je m'aperçus que notre maison était située à flanc de colline, ce qui expliquait les marches du perron et les terrasses. Derrière la sombre rangée de mûriers au fond du jardin et un mur d'enceinte en pierre, qui partait à mi-hauteur de la dernière terrasse, s'élevait à pic la roche couverte de broussailles. Cette butte n'avait rien d'hostile : les coteaux étaient parsemés d'aloès, les hautes plantes broussailleuses portant un candélabre de fleurs à l'éclat rougeoyant. Au sommet se dessinait une couronne de grosses pierres rondes tels des raisins secs sur un petit gâteau.

En remontant l'allée, je vis que chaque terrasse s'ornait de parterres de roses entourés de pelouses impeccables. La dernière était différente, toutefois. D'un côté, s'érigeait le mur d'enceinte trop haut pour que je voie par-dessus ; de l'autre, elle était plantée de centaines de greffes de rosiers derrière lesquelles, comme pour les protéger du vent, se dressait la rangée de mûriers.

Hormis les beaux arbres étranges et ce qui se cachait derrière le mur de pierre, il ne poussait apparemment que des roses dans ce jardin très soigné. Seules les haies de chaque côté témoignaient du climat subtropical. Coins et goyaves, citrons et oranges, avocats, papayes, mangues et grenades se mêlaient aux lilas, aux poinsettias, aux hibiscus et, masquant un gros tronc mort, à une chute éclatante de bougainvillées. Au pied des arbres poussaient des hortensias, des agapanthes, des cannas rouges et roses. On aurait dit que la végétation locale était venue rendre hommage à l'élégant jardin de roses. Elle s'élevait au bord du jardin tels des paysans colorés, se bousculant et se frayant un chemin, trop polis pour envahir plus avant.

Je décidai de poursuivre plus tard mon exploration derrière le mur de pierre et plongeai sous la voûte sombre des mûriers. Sous les arbres, le sol était complètement privé de soleil : il était nu, légèrement mouillé et couvert de fruits tombés des branches. Des baies humides s'écrasaient sous mes pieds, les maculant de pourpre entre les orteils. N'ayant pas mangé depuis mon déjeuner de la veille avec la Grosse Hettie, je me régalai goulûment d'un festin de mûres succulentes. Les plus charnues, les plus foncées se défaisaient de leur mince pédoncule dès que je les touchais. Mes mains furent bientôt tachées de violet ainsi que mes lèvres, sans doute à force d'enfourner ces baies délicieuses dans ma bouche. Au-dessus de ma tête, les oiseaux, qui se nourrissaient de mûres, se chamaillaient et pépiaient à tout rompre, les feuilles et les branchettes s'agitant sous leur tapage.

Émergeant de la rangée de mûriers à la limite du jardin, les premiers aloès se dressaient presque à mes pieds, les fleurs en épi au ton orangé mêlé de jaune s'ouvraient à cinquante centimètres de ma tête. Devant moi, grimpant vers le ciel, le coteau africain s'élevait à l'état sauvage, tandis que derrière moi, brodé dans son giron, émotif et sentimental comme une peinture sur une boîte de chocolat, reposait le jardin de roses.

Sans réfléchir, j'avais commencé à gravir la colline, évitant les rocs et les taches sombres formées par les broussailles et les buissons d'épines. En une demi-heure, j'arrivai au sommet puis, escaladant tant bien que mal un énorme rocher érodé, je regardai alentour. Derrière moi dévalaient les collines, grandissant au fur et à mesure jusqu'à devenir, au loin, de véritables montagnes. Sur ma gauche, une benne suspendue reliant les contreforts aux montagnes était immobile, la journée n'ayant pas encore commencé. En contrebas, perchée à flanc de coteau, se nichait la petite ville. Elle donnait sur une vaste et belle vallée qui s'étendait dans le bas veld sur cinquante kilomètres jusqu'à une entaille d'un pourpre profond tranchant sur la ligne d'horizon pâle, un escarpement s'élevant sur six cents mètres vers les herbages du haut veld.

C'était le plus beau spectacle que j'aie jamais vu. Le soleil venait de se lever ; il n'était pas encore assez chaud pour laper la rosée sur l'herbe, assez vif cependant pour décaper l'air. Je voyais le monde en contrebas mais il ne me voyait pas. J'avais trouvé mon endroit secret ; beaucoup plus extraordinaire, me semblait-il, que le vieux manguier à côté de la cour du foyer. Au-dessus de moi, ne volant pas plus haut que le cerf-volant d'un enfant, un jeune faucon décrivait des cercles, sondant les arrière-cours douillettes à la recherche d'une mère poule qui aurait la négligence de laisser l'un de ses poussins bien dodus s'égarer, sans espoir de retour vers l'abri du giron maternel. La mort, dans un tourbillon de plumes, s'apprêtait à frapper, tombant du ciel bleu vif du petit matin.

Des cheminées commençaient à fumer, les domestiques arrivant des bidonvilles noirs cachés derrière l'éperon de l'un des contreforts pour préparer le petit déjeuner des Blancs. Les cris des coqs, sporadiques au début de mon ascension, résonnaient en chœur, plus stridents et plus pressants tandis qu'ils sentaient la cité s'éveiller. Une partie de la ville était encore à l'ombre des collines, je distinguais toutefois un écheveau de rues bordées de jacarandas. Je suivis du regard une longue ligne pourpre qui menait, par-delà les maisons rassemblées à la limite de l'agglomération, à de lugubres édifices formant un carré entouré d'un haut mur à plus d'un kilomètre dans la vallée. De mon côté, les murs avaient trois étages de haut et étaient troués d'au moins cent cinquante minuscules fenêtres sombres, toutes de la même taille. Les bâtiments étaient aussi construits en carré autour d'un quadrilatère de terre dure et brune. A chaque angle du mur extérieur se trouvait une petite tour soignée surmontée d'une pyramide en tôle ondulée qui brillait sous le soleil du matin. Je n'avais jamais vu de prison, je n'en avais même jamais imaginé, mais il est une mémoire de la race chez l'homme qui comprend instinctivement ces choses-là. L'architecture de la détresse a une allure et un air qui ne peuvent tromper.

Mon grand-père, qui était un lève-tôt, serait bientôt prêt ; il ne me fallut pas plus de vingt minutes pour dévaler la colline, me retrouver sous la voûte verte des mûriers et enfin dans le jardin de roses. Il élaguait le treillis de la troisième terrasse, coupant et retirant un long chapelet de fleurs sur la charmille pour le jeter sur un tas dans l'allée. Il leva les yeux vers moi quand j'approchai dans la galerie de roses.

« Bonjour, mon garçon. Parti en exploration, hein ? » Il coupa une autre guirlande de fleurs, puis l'arracha à la tonnelle. « Mrs. Butt est une vieille dame peu soignée si on la laisse faire et qu'on n'ébarbe pas son joli minois, elle a tendance à partir dans tous les sens », annonça-t-il joyeusement. Je ne dis pas un mot. La plupart du temps, grand-père parlait tout seul ; il était inutile de poser des questions. Je n'allais pas tarder à apprendre le nom de chacune des roses du jardin ; Mrs. Butt, s'avéra-t-il, était celui de cette cascade de minuscules fleurs roses.

Tirant sur la doublure de la poche de mon short, je défis soigneusement la grosse épingle nourrice qui maintenait le doek de Mevrou. Je m'accroupis par terre aux pieds du vieil homme et dénouai le mouchoir sale, découvrant le shilling de grand-père, la pièce de trois pennies que Hennie m'avait donnée à mon départ de Kaapmuiden et mon billet de dix shillings bien plié. Je pris le shilling de grand-père puis, une fois de plus, nouai le tissu et l'attachai à la doublure de la poche de mon short. « C'est la monnaie qui te revient sur les tennis, grand-père », déclarai-je, me redressant pour lui tendre la pièce étincelante. Il s'arrêta un instant, tenant les sécateurs telle une épée au-dessus de sa tête. « Tiens, prends-le, c'est ton argent, non ? » répétai-je. Il s'empara de la pièce et la mit dans la poche de son pantalon kaki. « Tu es un bon petit gars, ça me paiera mon tabac de la semaine. » Je crus qu'il avait l'air très content, j'inspirai donc un grand coup et me lançai.

« Grand-père, où est Nounou ? » Il s'était replongé dans ses roses, il se retourna lentement et me regarda. Puis il parcourut les quelques pas qui le séparaient des marches menant à la terrasse et s'installa sur celle du haut.

« Assieds-toi, mon garçon. » Il tapota la place à côté de lui. Je m'approchai et m'exécutai. Il retira sa pipe de sa poche, la cogna gentiment contre la marche du bas et un amas de cendres en tomba. Il souffla deux fois dans la pipe avant de prendre sa blague à tabac pour la remplir. Mon grand-père n'était pas de ceux qui précipitent les choses, aussi j'attendis, menton dans les mains. Frottant une allumette de cire contre sa cuisse, il alluma enfin sa pipe, tirant dessus jusqu'à ce que la fumée bleue s'envole en volutes autour de sa tête. Durant un long moment, on resta là ;

mon grand-père regardait dans le vide, sa pipe émettant des gargouillis quand il tirait dessus, moi, je contemplais le toit de la maison, peint autrefois, mais qui n'avait plus que des plaques d'un rouge passé s'accrochant à la tôle ondulée rouillée. J'entendis un camion gravir la colline devant chez nous, l'embrayage grinçant et rechignant pour monter la pente, puis marquer une pause arrivé en haut avant de passer à une vitesse supérieure, soulagé que la côte soit franchie.

« La vie n'est que débuts et fins. Rien ne reste pareil, mon garçon », déclara enfin mon grand-père. Puis il tira sur sa pipe et parut examiner ses ongles qui étaient cassés et sales à cause du jardinage. « Se séparer, perdre ce qu'on aime le plus, c'est toute l'histoire de la vie, cela consiste principalement en cela. »

Merde, je le sais déjà, me dis-je. J'eus brusquement un coup au cœur. Essayait-il de m'annoncer que Nounou était morte ?

Il refaisait le coup de regarder dans le vide et sa pipe s'était éteinte. « C'était une femme douce et gentille. L'Afrique était un endroit beaucoup trop dur pour un si petit moineau tremblant », affirma-t-il. Sur ce, il frotta une autre allumette et la glissa dans le fourneau. Une bouffée, une bouffée, une volute, une volute, une bouffée, une bouffée, un gargouillis, il ne poursuivit pas cependant. Bien que cette description ne ressemblât en rien à la grosse Nounou, mon grand-père était toujours un peu vague lorsqu'il s'agissait des gens et l'opinion semblait assez juste, j'attendis donc patiemment qu'il reprenne. Otant sa pipe de sa bouche, il montra d'un geste le jardin de roses qui nous entourait. « Je l'ai conçu et créé pour elle : les roses, en bouton, étaient celles qui poussaient dans le presbytère de son père au cœur de son village du Yorkshire, les arbres aussi, l'orme et le chêne, l'épicéa et le noyer. » Il reprit sa pipe, elle s'était de nouveau éteinte, il dut la rallumer une troisième fois. Ce coup-ci, il mit les mains autour du fourneau et lui donna une bonne chauffe si bien qu'à un moment sa tête disparut complètement derrière les nuages de fumée bleue. J'avais déjà remarqué que mon grand-père avait l'art de perdre un temps fou avec sa pipe lorsqu'il ne voulait pas répondre à ma mère ou qu'il avait besoin de temps pour réfléchir. Aussi, j'attendis et crus bon de ne rien dire, bien que tout cela n'eût aucun sens. Nounou, qui discutait de tout avec moi, n'avait absolument jamais évoqué les roses du jardin de la ferme ; de plus, je savais bien qu'elle venait d'un village du Zoulouland situé près du fleuve Tugela. Elle avait souvent parlé des récoltes, de la chanson du vent dans le blé vert, des citrouilles mûrissant au soleil qui étaient aussi grosses que les chopes de bière d'un chef, des melons Tsamma sucrés qui poussaient à l'état sauvage près des rives du fleuve, mais elle n'avait jamais, strictement jamais, fait aucune allusion à des roses.

Après avoir regardé dans le vide encore un bon bout de temps, mon grand-père poursuivit : « Quand elle est morte en mettant ta mère au monde, il m'a été impossible de rester ici dans son jardin de roses. » Il me regarda comme pour obtenir mon approbation. « Parfois, il vaut mieux s'éloigner de ses souvenirs, en mettre un devant l'autre et les chasser de sa tête. »

Je commençais à comprendre que Nounou n'avait rien à voir avec les propos de grand-père.

« Son frère Richard était venu d'Angleterre pour tenter de soigner son arthrite et avait décidé de rester. Un gars formidable, Richard, qui avait le sens des roses au bout des doigts. En trente ans, il n'a rien changé. Lorsqu'elles s'étiolaient, il les remplaçait par d'autres de la même espèce. » Il montra un rosier de haute tige sur la terrasse en contrebas. En jaillissaient deux fleurs parfaites, le bord de leurs délicats pétales orange ourlés de rouge. « Je suis prêt à affirmer que c'est le seul Imperial Sunset qui reste en Afrique », dit-il avec une profonde satisfaction. Il tapota le fourneau de sa pipe sur la marche jusqu'à ce que les cendres fumantes en tombent. Puis, prenant la cisaille de jardinier sur la marche du bas, il se leva et regarda alentour. « Maintenant que Dick est mort, je suis revenu à son jardin de roses. Le chagrin s'en est allé mais les roses, les douces roses du Yorkshire, aussi fraîches qu'au premier jour, fleurissent à tout jamais. »

Je n'avais jamais entendu mon grand-père prononcer tant de mots en une seule fois. Bien qu'il n'eût pas répondu à ma question pressante concernant Nounou, je sentais qu'il avait exprimé à haute voix une chose qui devait lui trotter dans la tête depuis longtemps.

« Tu es un bon petit gars, va jouer maintenant. » Il s'en fut reprendre la toilette de la vieille Mrs. Butt. Je me levai et me dirigeai vers la maison. De la fumée sortait de la cheminée, le petit déjeuner ne devait pas tarder. Le cliquetis de la cisaille s'arrêta brusquement. « Mon garçon ! » lança-t-il dans mon dos. Je me retournai vers lui, sa vieille tête hirsute touchait presque la voûte de la tonnelle. « Il faut que tu demandes à ta mère pour ta Nounou, ça a un rapport avec cette fichue bêtise de religion à laquelle elle s'est laissé prendre. »

Imaginez ma joie quand j'entrai dans la cuisine et découvris nos deux petites bonnes, Dee et Dum. Elles me virent arriver et, avec un cri de plaisir, se précipitèrent pour m'embrasser, chacune me prenant par la main pour m'entraîner dans un ballet endiablé. « Tu as grandi. Tu as toujours les cheveux rasés. Il faut qu'on lave tes vêtements. Ta bouche est barbouillée de fruits. Tu dois manger. On va s'occuper de toi maintenant que Nounou est partie. Oui, oui, on sera ta nounou, on a appris toutes les chansons. » Les deux fillettes étaient transportées de joie. C'était agréable, si merveilleux de les avoir auprès de moi. Quoiqu'elles n'eussent jamais eu qu'un rôle secondaire dans ma vie avec Nounou, qui les réprimandait sans arrêt et les traitait de gourdes, de Shangaans écervelées, mais qui les aimait malgré tout, je comprenais combien elles étaient importantes dans mon lien avec le passé. Elles symbolisaient la continuité dans un monde qui avait été brisé, modifié et qui évoluait encore. Maintenant que ma mère suivait le Seigneur et qu'on ne pouvait plus compter sur elle, mon grand-père et les deux petites étaient mes seuls points de repère.

« Moi, Dum », dit l'une d'elles en anglais, se tapant la poitrine d'une main tout en cachant son gloussement derrière l'autre.

« Moi, Dee », fit écho la seconde, le blanc de ses yeux montrant sa joie et illuminant son petit visage noir. Elles étaient de vraies jumelles et me rappelaient les noms que je leur avais donnés quand j'étais beaucoup plus petit. Cela avait commencé par Tweedle Dum et Tweedle Dee, bonnet blanc et blanc bonnet, pour se transformer en Dum et Dee tout simplement. Je ris devant leur démonstration d'anglais.

La pièce embaumait le café chaud ; Dee s'approcha d'une haute cafetière en émail brun au fond du fourneau, Dum apporta une tasse, la mit sur la table ainsi qu'une biscotte, puis alla chercher un pot à lait dans une glacière sur la véranda. Elle revint avec et Dee versa le café, chacune se concentrant sur sa tâche en gardant le silence. Dee reposa la cafetière sur la cuisinière, ajouta deux cuillerées de sucre mesurées avec soin dans le café chaud et se servit de la même cuillère pour le tourner. C'était un travail fait avec amour, un témoignage de leur dévotion. Dum m'apporta un tabouret *riempie* et le plaça au milieu de la cuisine. Je m'assis, Dee posa la tasse par terre entre mes jambes pour que je puisse m'installer sur le modeste siège en cuir brut et plonger dans le café la biscotte dure comme du bois comme j'avais toujours fait à la maison. Puis les deux fillettes s'assirent devant moi sur le ciment ciré, leurs jambes cachées sous leurs robes.

A la ferme, elles avaient simplement un bout de coton fin drapé sur elles et noué sur une épaule. Leurs poignets comme leurs chevilles étaient encerclés de bracelets de cuivre et de fils de laiton qui tintinnabulaient au rythme de leurs pas. Ces ornements avaient disparu. Masquant leur corps mince de jeunes filles de douze ans prépubères, elles portaient les deux mêmes robes droites sans manches en toile à matelas bleu marine rayée qui leur arrivaient presque aux chevilles.

Tandis que je trempais ma biscotte et buvais mon café à petites gorgées, on bavarda en shangaan. Elles m'interrogèrent sur mes eaux nocturnes, je leur dis que la magie d'Inkosi-Inkosikazi avait marché et que le problème était réglé. Elles accueillirent la nouvelle avec force gloussements et soupirs, puis on parla des récoltes et des hommes qui étaient venus dans un grand camion, avaient allumé un énorme feu et tué tous les poulets noirs. L'odeur de plumes brûlées et de poulets rôtis avait persisté pendant trois jours mais personne n'avait eu le droit de manger les volailles. On n'avait jamais vu un tel gâchis. Elles me racontèrent que mon grand-père était resté assis sous la véranda durant un jour et une nuit, regardant le feu se réduire en cendres, tirant sur sa pipe en silence, ne touchant pas aux plats qu'on lui apportait et laissant refroidir le café à côté de lui.

Enfin, on sombra dans le silence car la question de Nounou planait sur la conversation depuis le début et elles savaient qu'on ne pouvait plus l'éviter.

« Où est celle qu'on nomme Nounou ? » demandai-je, présentant la chose sous une forme officielle pour qu'elles ne puissent l'éluder. Les deux fillettes baissèrent la tête et portèrent leurs mains à leur bouche.

« Ah, ah, ah ! s'exclamèrent-elles en secouant lentement la tête.

— Qui vous interdit de répondre ?

— On ne devrait peut-être pas le dire », répliqua Dee spontanément. Elles laissèrent échapper un soupir pitoyable.

« C'est la maîtresse ? » m'enquis-je, connaissant déjà la réponse. Elles me contemplèrent d'un air implorant, les larmes aux yeux.

« Elle a beaucoup changé depuis son retour, affirma Dum.

— Elle nous a obligées à enlever nos bracelets, qui faisaient trop femme, et ces robes nous donnent très chaud », ajouta Dee en reniflant tristement. Elles se levèrent et s'approchèrent du fourneau où elles restèrent à sangloter dos à moi.

« Je lui poserai la question moi-même, déclarai-je, paraissant plus courageux que je ne l'étais en réalité. Dites-moi au moins si celle qu'on nomme Nounou est vivante. » Elles se retournèrent, soulagées de pouvoir me confier quelque chose sans trahir les instructions de ma mère.

« Elle est vivante ! » s'exclamèrent-elles en chœur, les yeux écarquillés. Elles séchèrent leurs larmes et me sourirent, retrouvant le bonheur à l'idée de me donner de bonnes nouvelles.

« On va faire chauffer de l'eau et te laver. » Dum prit à côté du fourneau un bidon de pétrole vide d'une vingtaine de litres dont on avait coupé le haut, aplati les bords à coups de marteau et auquel on avait rajouté une poignée en fil de fer pour en faire un réservoir d'eau chaude.

« Tu vois, l'eau nous arrive par un serpent de fer qui entre dans la maison, annonça Dee en s'approchant de l'évier pour ouvrir le robinet.

— Je suis trop grand pour être lavé par deux gourdes, protestai-je, indigné. Mettez l'eau et je me débrouillerai tout seul. » En dehors d'un coup de gant humide sur le visage et les mains, ma mère m'avait laissé monter au lit sans me laver ; je n'avais pas fait ma toilette depuis la douche avec Hoppie à Gravelotte.

Les petites me montrèrent une modeste pièce donnant sur la véranda du fond où se trouvait un vieux tub. Portant le gros bidon à pétrole entre elles, elles versèrent l'eau bouillante dedans. Puis elles se chamaillèrent pour savoir qui allait ouvrir le robinet d'eau froide installé au-dessus. Dum gagna et Dee, faisant mine de bouder, quitta la salle de bain. Elle revint peu après avec une chemise fraîchement lavée et un short kaki. Je leur ordonnai de quitter les lieux. Se tordant de rire, elles sortirent de la petite pièce sombre en se bousculant.

Pour un bain, ce fut un bain, je vous jure. Il me soulagea d'un tas de misères. L'idée que Nounou était encore en vie me ragaillardit fort et me facilita beaucoup la tâche pour demander de ses nouvelles à ma mère.

Après le petit déjeuner, elle se retirait dans sa salle de couture et des gens venaient la voir. C'étaient des femmes de la ville, je l'entendais parler avec elles de vêtements. Quand j'avais interrogé les bonnes sur la question, elles m'avaient dit : « La patronne fait des habits pour d'autres dames qui viennent sans arrêt pour des toilettes. » A la ferme, ma mère s'affairait souvent sur sa machine Singer, elle nous avait toujours habillés, grand-père et moi. Maintenant, elle le faisait aussi pour d'autres personnes apparemment.

En dehors d'un aide-jardinier qui venait seconder mon grand-père, Dee et Dum étaient nos seules domestiques. Elles nettoyaient, frottaient, astiquaient, s'occupaient du lavage et préparaient la majeure partie des repas bien que ma mère se réservât de cuisiner et de régenter la maison comme d'habitude. Les bonnes dormaient dans une petite pièce construite contre la resserre du jardin derrière le mur d'enceinte en pierre qui abritait aussi le potager et un poulailler vide, mon grand-père ne supportant pas l'idée d'avoir des poulets.

A l'époque, je ne me souciais pas de nos ressources, plus tard cependant je comprendrais que cette modeste maison avait bien du mal à s'en sortir. Mon grand-père vendait de jeunes rosiers tandis que ma mère s'échinait toute la journée et parfois jusque tard dans la nuit sur sa machine. Entre son travail de couturière et sa dévotion au Seigneur, il ne lui restait guère de temps.

J'occupai la matinée et, après le déjeuner, rassemblai mon courage pour m'aventurer dans la salle de couture. Ma mère avait une nouvelle machine Singer avec une pédale électrique. Ce n'était pas comme l'ancienne qu'on était obligé d'actionner à la main. Il suffisait de poser le pied sur le petit reposoir et la machine cousait gaiement en vrombissant. Dee m'avait donné une tasse de thé pour l'apporter à ma mère, je n'en avais presque pas renversé le temps de la lui remettre.

Ma mère leva les yeux et sourit à mon arrivée. « Je me disais justement que je mourais d'envie d'une tasse de thé et te voilà », remarqua-t-elle lorsque je la lui offris. Elle reversa dans la tasse les gouttes tombées dans la soucoupe, puis en but une gorgée, les yeux clos. « C'est le paradis, vraiment le paradis, il n'y a rien de tel qu'une bonne tasse de thé. » Elle était exactement comme avant son départ. L'espace d'un instant, je crus que j'avais grossi toute cette histoire avec le pasteur Mulvery car je savais que j'étais très fatigué. Je m'assis sur l'une des chaises et attendis. « Tu es venu bavarder un peu ? Tu dois avoir des tas de choses à me confier sur ton école et les gentils petits camarades que tu as connus. » Elle se pencha et m'embrassa sur le haut du crâne. « Écoute, ce soir après le dîner, pendant que ton grand-père écoutera la TSF, on s'installera dans la cuisine pour papoter tranquillement. Tu peux tout me raconter. Je brûle d'impatience, tu sais. Grand-père m'a appris que la grosse Mevrou Vorster à qui on a vendu la ferme lui avait dit que tu parlais afrikaans comme un Boer. C'est sans doute bien, chéri, mais Dieu merci tu n'en auras pas besoin dans cette ville. Le Dr Henny a écrit pour expliquer que tu avais eu une espèce d'égratignure à l'oreille. C'est fini ? » J'acquiesçai, elle poursuivit : « Je me sens mieux maintenant, beaucoup mieux. Le Seigneur m'a touchée de sa grâce et j'ai été guérie. C'est une chose magnifique que de découvrir la lumière du Seigneur. » Elle s'arrêta et prit une gorgée de thé.

« Maman, où est Nounou ? » demandai-je, incapable de me contenir plus longtemps. Il y eut un long silence, ma mère but une autre goutte de thé, puis baissa les yeux.

Enfin, elle me regarda et déclara gentiment : « Eh bien, chéri, ta nounou est retournée au Zoulouland.

— C'est toi qui l'as envoyée là-bas, maman ? » J'étais au bord des larmes.

« J'ai prié et le Seigneur m'a dicté ma conduite, Il m'a guidée dans ma décision. » Elle posa sa tasse, mit un morceau d'étoffe sous l'aiguille, fixa le pied-de-biche dessus et, faisant habilement glisser le tissu entre ses doigts, caracola grâce au moteur électrique. Puis, poussant un profond soupir, elle s'arrêta. Elle releva le pied-de-biche, coupa le fil de coton et posa les yeux sur moi. « J'ai tenté de l'amener au Seigneur, mais elle a durci son cœur contre Lui. » Elle contempla le plafond comme pour avoir confirmation. « Tu ne peux pas savoir les nuits que j'ai passées à genoux pour demander conseil. » Elle me regarda de nouveau et, se pinçant les lèvres, rejeta la tête en arrière. « Ta Nounou ne voulait pas retirer ses charmes ni ses amulettes barbares, elle insistait pour garder ses bracelets et ses anneaux aux chevilles. J'ai prié, sans relâche, et le Seigneur m'a envoyé le signe que je cherchais. Ton grand-père m'a parlé de la visite de cet affreux sorcier, il m'a dit qu'il était venu à l'instigation de ta Nounou. » Son visage s'enflamma de colère. « Ce vieil homme répugnant, immonde et mauvais touchait à l'esprit de mon fils de cinq ans ! On ne se moque pas de Dieu ! Comment pouvais-je laisser une Noire païenne pétrie de superstitions élever mon fils unique ? » Elle prit sa tasse et but une petite gorgée. « Ta Nounou était possédée par le mal », affirma-t-elle enfin, contente que la discussion soit terminée.

Je tentai désespérément de ne pas pleurer. En moi, les oiseaux de solitude pondaient treize œufs à la douzaine. Refoulant mes larmes, je me levai et regardai ma mère droit dans les yeux. « Le Seigneur est un merdeux ! » hurlai-je et je me ruai hors de la pièce.

Je m'engouffrai dans les galeries d'Alice au Pays des Merveilles, puis sous les mûriers vers le chemin de la liberté sur la colline, mes sanglots ralentissant mon ascension. Enfin, j'arrivai à l'abri du gros rocher et m'abandonnai à mes cris.

Le terrible soleil de l'après-midi était implacable ; en contrebas, la ville grillait dans la fournaise. Quand tout cela allait-il s'arrêter ? La vie consistait-elle à perdre ce qu'on aimait le plus, comme avait affirmé grand-père ? Les choses ne pouvaient-elles pas rester pareilles juste le temps que je grandisse et comprenne comment ça marchait ? Pourquoi fallait-il sans arrêt se cacher derrière un camouflage ? La seule et unique personne qui n'en avait pas besoin, c'était Nounou. Elle riait, pleurait, s'émerveillait, aimait et ne présentait jamais les choses sous un autre jour. J'allais lui écrire une lettre et lui envoyer mon billet de dix shillings, ainsi elle saurait que je l'aimais. Grand-père me dirait comment m'y prendre.

Assis sur le rocher en haut de ma colline, tandis que le soleil commençait à décliner sur le veld, je grandis. Comme ça. Les oiseaux de solitude s'arrêtèrent de pondre des œufs de pierre, ils quittèrent leurs nids de pierre, s'envolèrent dans un battement de leurs vilaines ailes et les œufs qu'ils laissèrent derrière eux s'effritèrent en poussière. Un furieux vent rugissant se leva, emportant les cendres jusqu'à faire le vide en moi.

Je savais qu'ils allaient revenir mais que, pour l'instant, j'étais seul. Que je m'accordais la permission d'aimer qui bon me semblait. Les liens qui m'attachaient au passé avaient été rompus. Le vide était une nouvelle forme de solitude, une forme libre de la solitude. Pas du genre qui pondait des œufs de pierre au fond de vous jusqu'à vous remplir de tristesse et de désespoir. Je savais que lorsque les oiseaux au bec d'os reviendraient, je serais maître de la situation, maître de la solitude et non plus son serviteur.

Vous risquez de demander comment un enfant de six ans peut penser ainsi. Je ne peux répondre qu'une chose : il en était ainsi.

9

« C'est un beau coucher de soleil, ja ? C'est toujours ici le meilleur endroit. » Je me retournai et découvris un homme grand et maigre, plus grand, beaucoup plus grand, peut-être même plus maigre que mon grand-père. Il avait un vieux chapeau de broussard défoncé, ses cheveux blancs comme neige retombaient sur ses épaules. Il était bien rasé, ridé. Dans son visage buriné, ses yeux d'un bleu intense semblaient trop jeunes. Il portait une salopette kaki sans chemise, ses bras et sa poitrine étaient aussi hâlés. Les jambes de sa combinaison, qui partait juste au-dessous des genoux, étaient glissées dans des bandes molletières qui plissaient dans des chaussettes roulées sur de grosses bottes de marche. Il portait un grand sac à dos en toile où, se dressant dans le vide à un mètre juste derrière sa tête, se trouvait un cactus, les pointes de ses dangereuses épines surgissant de son enveloppe vert foncé. Au creux de sa main gauche, il tenait un drôle d'appareil photo qui s'avéra être attaché à son cou par une lanière en cuir.

« Vous devez m'excuser, s'il vous plaît, je vous ai pris en photo. En d'autres temps, je ne ferais pas une chose pareille. Ce n'est pas poli. C'était votre expression. Ja, c'est toujours l'expression qui compte. Sans expression, l'être humain n'est qu'un tas de viande. Vous avez des problèmes, je crois, ja ? »

Au son de sa voix, je m'étais levé aussitôt ; je me tenais en face de lui, un peu penaud, le regardant de mon rocher, deux bons mètres au-dessus de lui. Il fit un geste vers mon perchoir et même plus haut vers le ciel.

« Je l'appellerai ''Enfant sur un Rocher''. » Il s'arrêta et dressa légèrement la tête d'un côté. « Je crois que c'est un bon titre. J'ai votre permission, dites-moi ? » J'acquiesçai, il eut l'air content. Abandonnant son appareil qui resta pendu à son cou, il tendit la main droite vers moi. Il était beaucoup trop loin pour que nos mains se rejoignent mais je l'imitai et on serra le vide devant nous. Ceci semblait une entrée en matière fort satisfaisante. « Von Vollensteen, professeur von Vollensteen. » Il retira sa main et me fit un petit salut raide.

« Peekay », annonçai-je, retirant ma main au moment où la sienne retombait. Son attitude amicale était contagieuse, aucune trace de condescendance n'entamait ses manières. Mieux encore, rien ne se cachait derrière ses propos.

« Peekay ? P-e-e-k-a-y, j'aime bien ce nom, il a une bonne consonance. Je pense qu'un nom pareil irait bien à un musicien. » Il me jeta un coup d'œil, l'air de réfléchir, puis inspira un petit coup comme s'il était arrivé à une décision importante. « Je crois qu'on peut être amis, Peekay, déclara-t-il.

— Pourquoi les épines de ce cactus ne vous piquent-elles pas le dos ? » Le sac en toile était beaucoup trop léger pour le protéger des vilaines épines de sept centimètres de long.

« Ha ! C'est une ponne question, Peekay. Je vais te donner une chance de trouver la réponse, sinon tu auras un gage.

— Vous avez d'abord retiré toutes les épines de la partie qui est dans le sac.

— Ja, c'est possible, une très ponne réponse aussi, reconnut-il en secouant la tête, toutefois ce n'est pas juste. Peekay, je suis désolé de t'annoncer que tu me dois un gage ; ensuite, tu referas un essai pour trouver la réponse. » Il se frotta le menton. « Alors, voyons... Ja ! Je sais ce qu'on va faire. Tu dois poser tes mains comme ça, m'expliqua-t-il en plaquant les siennes sur ses hanches, tout à coup on va se mettre sur une jambe et dire : ''Oublions le mauvais sort, aujourd'hui je ne suis plus triste. *Absoloodle !*'' »

J'étais perché sur une jambe en haut du rocher, les mains sur les hanches mais, à chaque fois que je tentais de répéter les mots, le rire me prenait et je perdais l'équilibre. Bientôt, on rit tous les deux comme des bossus. Moi sur mon repaire, le professeur von Vollensteen dansant à mes pieds, se tapant sur les cuisses, le cactus se cramponnant dans son dos comme un bébé peau-rouge tout vert. J'arrivais à dire la première partie sans problème mais le « Absoloodle ! » à la fin était impossible ; cédant à l'hilarité, je basculais.

Épuisé, le professeur von Vollensteen finit par s'asseoir. Prenant un grand mouchoir rouge dans la poche de sa salopette, il s'essuya les yeux. « Mon anglais n'est pas très pon, ja ? » Il me fit signe de venir m'installer à côté de lui. « Allez, fini les gages, c'est trop dangereux, peut-être que je vais mourir de rire la prochaine fois. Viens, Peekay, je vais te montrer le secret. » Il me montra le cactus en agitant le pouce par-dessus son épaule. « Avant tout, tu dois te présenter à mon ami piquant qui loge gratuitement sur mon dos. »

Je descendis tant bien que mal de mon rocher et vins à ses côtés.

« Peekay, voici Euphorbia Grandicornis, c'est un cactus très timide et très difficile à trouver dans les parages.

— Bonjour, lançai-je au cactus, ne sachant pas quoi dire d'autre.

— Pon, maintenant que tu as été présenté, tu peux voir pourquoi Mr. Euphorbia Grandicornis ne me gratte pas le dos. » Je passai derrière lui et regardai dans le sac en toile. Il y avait une petite pelle pliante dedans, les racines de la plante étaient emmaillotées dans du jute et attachées avec une grosse ficelle. La partie de la besace reposant sur le dos du professeur von Vollensteen était d'un cuir trop épais pour que les longues épines pussent le transpercer. « Pas si bête, hein ? déclara-t-il avec un large sourire.

— Aah ! Si vous m'aviez donné une autre chance, j'aurais trouvé, assurai-je, m'en convainquant aussitôt.

— Ja, sûrement ! C'est toujours facile d'être un Monsieur Je-Sais-Tout quand on connaît déjà le truc.

— Franchement, Mr. le professeur von Vollensteen, je pense que j'aurais trouvé la réponse, protestai-je, voulant l'impressionner.

— D'accord ! Je te donne une chance de plus alors. Un professeur n'est pas un monsieur mais un monsieur peut être un professeur. Résous-moi ce problème, Monsieur Je-Sais-Tout. »

Je m'assis sur un petit rocher pour tenter de percer cette énigme ; j'en eus un coup au cœur car je compris presque aussitôt qu'il l'avait emporté. J'avais cru simplement que son prénom, comme Peekay, n'était pas très courant. Je n'avais jamais entendu parler de quelqu'un qui s'appelait professeur, cependant je n'avais jamais rencontré de Peekay non plus, comment pouvais-je donc juger ?

« Je donne ma langue au chat, monsieur, dis-je, me sentant assez bête. Qu'est-ce que c'est, un professeur ? » Il avait retiré le sac en toile et tenait l'appareil au creux de sa main.

« Peekay, tu es un génie, mon ami ! Regarde ce qu'on a trouvé sous le rocher où tu es assis. C'est de l'Aloe Microsfigma ! » Je me levai et me mis aussi à genoux pour regarder dessous. Un petit bouquet de minuscules aloès tachetés, chacun n'étant guère plus grand qu'une pièce de deux shillings, poussait dans l'herbe au pied du rocher. Même de près, il aurait été difficile de les voir et, pour un œil inexpérimenté, quasiment impossible. Le vieil homme dégagea l'herbe alentour, puis, se mettant à plat ventre, braqua son appareil sur les cactées miniatures. Dans son dos, le coucher de soleil baignait les plantes d'un éclat rougeoyant. « La lumière est parfaite, toutefois il faut faire vite. » Ses mains, tripotant l'appareil, tremblaient d'émotion. Enfin, il prit la photo et se redressa lentement sur ses genoux. Sortant un Joseph Rogers de la poche de sa salopette, il se servit du canif pour couper quatre des aloès, en laissant deux fois plus. Il tint les minuscules plantes dans sa main pour que je les voie. « *Wunderbar*, Peekay, petites mais si admirables, un pon signe pour notre amitié. »

Je dois avouer que je n'étais pas très impressionné, j'étais néanmoins content de son bonheur. « Vous n'avez pas dit ce qu'est un professeur. »

Il enveloppa les cactées naines dans son mouchoir et les posa soigneusement dans son sac en toile qu'il remit sur ses épaules. « Ja, ça me plaît, tu es bien concentré, Peekay. Qu'est-ce qu'un professeur ? C'est une ponne question. » Il contempla le soleil couchant. « Un professeur, c'est une personne qui boit trop de whisky et qui jouait pien jadis Beethoven, Brahms, Mozart, parfois même, quand ce n'était pas sérieux, Chopin. Le genre de personne qui pouvait imposer le respect à Vienne, Leipzig, Varsovie, Budapest et à une occasion, ja, à Londres. » Ses épaules s'affaissèrent très nettement. « Un professeur est aussi une personne qui ne peut plus imposer le respect à deux petites filles qui ne savent même pas taper sur un piano. »

Je m'aperçus que son allégresse avait passé, il se déroulait une étrange conversation dans sa tête. Cependant, aussi brusquement, ses yeux retrouvèrent leur éclat. « Un professeur est un maître, Peekay. J'ai l'honneur d'enseigner la musique. » Il posa la main sur mon épaule. C'était la première fois qu'il me touchait, son geste était spontané et amical, comme un autre enfant qui vous attrape en jouant. « Tu peux m'appeler Doc. Tu sais, je suis aussi docteur en musique, c'est la même chose tout cela. Je suis trop vieux et tu es trop jeune pour les Monsieur ceci ou les Professeur cela. Toi et moi, on ne va pas se cacher derrière des grands mots si dérisoires. Peekay et Doc, tout simplement. Je pense que c'est une ponne idée ? »

J'acquiesçai quoique je fusse trop timoré pour prononcer le nom à haute voix. Il parut sentir ma réticence. « Comment je m'appelle, Peekay ? demanda-t-il d'un ton désinvolte.

— Doc », répondis-je timidement. En dehors de lui, Hoppie était la seule grande personne avec qui j'avais eu des rapports aussi familiers, je trouvais cela un peu effrayant.

« Formidable ! Je te donne onze sur dix pour ça. Absoloodle ! » s'exclama-t-il et on se mit à rire.

Le soleil se couche vite dans le veld, on dévala précipitamment la colline, des pierres roulant devant nous alors qu'on se hâtait pour gagner la nuit de vitesse. A nos pieds, les premières lumières s'allumaient, les cheminées commençaient à fumer tandis que des domestiques fatigués préparaient le dîner de leurs maîtresses blanches avant de laver la vaisselle et de regagner leurs foyers.

« Alors, c'est toi maintenant qui vis dans le jardin de roses anglais, dit Doc quand on arriva à la rangée de mûriers. Je te montrerai mon jardin de cactus bientôt. » Bien qu'il fît trop sombre pour distinguer son visage, je devinai son sourire. « On se reverra, mon pon ami Peekay. » Il m'effleura, je regardai sa haute silhouette, prolongée par l'Euphorbia Grandicornis qui dépassait derrière sa tête, s'éloigner d'un pas traînant dans la nuit qui tombait.

« Bonne nuit, Doc ! lançai-je puis, l'idée me venant, je hurlai : « Euphorbia Grandicornis et Aloe Microsfigma ! »

Le vieil homme se retourna dans le noir : « Magnifique, Peekay. Absoloodle ! »

Euphorbia Grandicornis, je tournai le nom dans ma tête. Un nom si chic pour un bête cactus plein d'épines. Je me demandai un instant s'il conviendrait bien à un boxeur mais repoussai l'idée presque aussitôt. Euphorbia Grandicornis, ce n'était pas un nom pour le futur champion du monde des poids welter.

Lorsque j'entrai dans la cuisine, Dum et Dee détournèrent les yeux. Dee annonça : « La maîtresse veut te voir, Inkosikaan. » Elle me regarda d'un air bouleversé. Dum s'approcha et me fit une caresse.

« On a mis un peu à manger sous ton lit dans le pot des eaux nocturnes », murmura-t-elle et elles se pelotonnèrent l'une contre l'autre, gémissant de peur d'être découvertes.

Je frappai à la porte de la salle de couture. « Entre », dit ma mère en levant les yeux vers moi. Puis elle se replongea dans son travail, appuya le pied sur la pédale et cousit pendant un bon moment.

Elle ignorait naturellement qu'elle avait affaire à un habitué des interrogatoires et des punitions ; de plus, ayant brusquement grandi sur la colline, j'étais inattaquable. Un vrai roc.

Elle finit par s'arrêter ; retirant ses lunettes, elle se frotta l'arête du nez entre le pouce et l'index et poussa un profond soupir. « Tu m'as blessée et tu as gravement offensé le Seigneur, déclara-t-elle enfin. Tu ne sais donc pas que le Seigneur t'aime ? » Elle ne me laissa pas le temps de répondre. « L'Évangile dit : Celui qui touche à un cheveu sur la tête de l'un de mes enfants me fait aussi du mal. »

J'avais entendu les mêmes propos de la bouche de Pik Botha, ce qui ne faisait que me conforter dans mon opinion sur le Seigneur. Pik Botha, ma mère et le pasteur Mulvery travaillaient tous pour la même personne.

Ma mère poursuivit : « Quand j'ai eu un moment d'intimité avec le Seigneur cet après-midi, Il m'a parlé. Tu ne recevras pas de correction mais on ne se moque pas de Lui et tu vas monter immédiatement dans ta chambre sans dîner.

— Oui, maman, répliquai-je et je m'apprêtai à sortir.

— Un instant ! Tu ne t'es pas excusé auprès de moi pour ta conduite. » Ses yeux étaient soudains durs de colère.

Je baissai la tête comme devant Mevrou. « Je suis désolé, maman, affirmai-je.

— Pas assez, si tu veux mon avis. Tu crois que c'est facile pour moi d'essayer de joindre les deux bouts ? Je ne suis pas censée être fatiguée. Je ne suis que ta mère, la bonne de service. La seule chose qui compte pour toi, c'est cette Noire, cette ignoble Zoulou ! » Sa colère l'abandonna brusquement ; s'apitoyant sur son sort, ses yeux se remplirent de larmes. Attrapant la robe qu'elle cousait, elle la porta à ses yeux, ses frêles épaules tremblant, et se mit à sangloter. « Je crois que je n'en supporterai pas davantage, d'abord ton grand-père, ensuite ces deux-là dans la cuisine et toi maintenant ! » Elle me regarda, son beau visage déformé par les larmes. Puis, poussant soudain un petit gémissement, elle se replongea dans la robe et se remit à sangloter comme une folle.

Je me sentis fort soulagé. Cela ressemblait beaucoup plus à ma mère. Elle avait une de ses crises et je savais exactement comment m'y prendre. « Je vais te préparer une bonne tasse de thé avec un Aspro, ensuite tu iras te reposer », proposai-je. Sur ce, je quittai la pièce.

Dum et Dee furent ravies que je n'aie pas reçu de correction. Elles me préparèrent hâtivement du thé, puis tournèrent la théière sans relâche sur la table de la cuisine pour le faire infuser plus vite. Dee me tendit deux aspirines qu'elle prit dans un grand flacon rangé dans un placard au-dessus de l'évier, je les glissai dans ma poche car je craignais de renverser du thé dessus si je les mettais dans la soucoupe.

Ma mère était devant sa machine, à découdre quelques points, lorsque j'entrai dans la pièce. Elle avait les yeux rouges mais, en dehors de cela, semblait parfaitement calme. Je posai soigneusement la tasse à côté de la machine et pris dans ma poche l'Aspro que je mis à côté. « Merci, dit-elle d'une voix tendue sans me regarder. Maintenant, va directement dans ta chambre et qu'on ne te voie plus avant demain matin. »

C'était une légère punition, je m'attendais à bien pire. Dans le pot de chambre, Dum et Dee avaient laissé trois saucisses froides, deux grosses pommes de terre sautées et deux mandarines, un vrai festin. Il n'y avait plus grand-chose à faire que d'aller dormir après cela. La journée avait été longue et bien remplie. Les oiseaux de solitude s'étaient enfuis, j'avais grandi, rencontré un nouvel ami qui s'était baptisé Doc et m'avait appris plusieurs choses. Euphorbia Grandicornis était un affreux cactus vert aux longues épines qui avaient l'air dangereux, Aloe Microsfigma un minuscule aloès tacheté qui aimait se cacher sous les rochers et un professeur, un maître qui enseignait la musique. De plus, il y avait une rose qui s'appelait Mrs. Butt et une autre Imperial Sunset.

Demain, j'écrirais une lettre à Nounou et je lui enverrais mes dix shillings. Cela lui ferait plaisir, elle saurait que quelqu'un l'aimait. Je m'endormis en songeant qu'il faudrait un très grand trou pour enterrer la Grosse Hettie, en pensant à Hoppie qui se battait contre Adolf Hitler, combat qui serait sans doute plus facile que celui qu'il avait disputé contre Jackhammer Smit, et à mon avenir de champion du monde des poids welter.

Deux jours plus tard, j'étais assis sous la véranda à regarder les camions de l'armée qui passaient devant la maison car j'avais découvert qu'on installait un camp dans la vallée à cinq kilomètres de la ville. Les gros camions verts Bedford, Chevrolet et Ford, couverts d'une bâche, passaient depuis deux jours. Certains transportaient des soldats assis à l'arrière avec des fusils 303. Mais la plupart transportaient des tentes, du bois de construction et d'autres choses nécessaires à l'édification d'un camp.

Mon grand-père, lorsqu'il apprit les nouvelles sur le poste de TSF, avait dit que c'était bien un coup des pontes de l'armée d'installer un camp militaire au bout d'une ligne secondaire qui ne pourrait pas transporter des troupes assez vite où que ce soit, surtout pas à Lourenço Marques où on ne pouvait pas compter sur les Portugais pour maintenir leur neutralité une seconde.

Mes peurs d'Adolf Hitler revinrent aussitôt. Lourenço Marques, découvris-je, se trouvait à moins de treize kilomètres s'ils venaient par le Swaziland. J'étais content que mon grand-père ait eu l'adresse de Nounou au Zoulouland, content de lui avoir envoyé un mandat de dix shillings, exprimé tout mon amour dans une lettre et joint une ancienne photo où elle me tenait dans ses bras. Si elle n'arrivait pas à trouver quelqu'un pour lui lire mon billet, elle saurait qu'il était de moi et mon plan d'évasion serait sauvé.

J'étais aussi content que l'armée fût tout près. Lourenço Marques, le port le plus proche, était manifestement l'endroit où Adolf Hitler avait l'intention de repousser tous les rooineks de cette région à la mer. Une armée, même au bout d'une ligne secondaire, valait mieux que pas d'armée du tout.

Ma mère ajouta que Lourenço Marques grouillait certainement d'espions allemands à l'heure actuelle et qu'ils utilisaient sans doute des mots codés sur Radio Lourenço Marques pour transmettre des messages aux Boers nazis qui complotaient pour saboter le pays de l'intérieur. Je songeai au Juge, à Mr. Stoffel et à leur habitude d'écouter sans arrêt la TSF. Quand mon grand-père affirmait que c'étaient des balivernes, tout ça, je n'en étais pas si sûr.

Je pensais a cela en regardant passer un convoi de cent cinquante camions de l'armée, le plus important jusqu'à présent, je ne vis donc pas Doc gravir la colline jusqu'au moment où il arriva quasiment devant la grille.

« Ponjour, Peekay. » Il était vêtu d'un costume de lin blanc et portait un panama si bien que je faillis ne pas le reconnaître. Il avait un filet à provisions, une canne à pommeau d'argent et, sous le bras, une grosse enveloppe kraft.

« Bonjour, Doc », répliquai-je en me levant d'un bond. Cela me fit un drôle d'effet de prononcer son nom à haute voix bien que je me le sois répété mille fois dans ma tête.

« Je peux entrer, ja ? » Je déboulai les marches pour ouvrir la grille. « Il s'agit d'une visite officielle, Peekay. Je suis venu voir ta mère. »

Je me sentis bêtement déçu. J'ignorais qu'il connaissait ma mère. Je le suivis en haut de l'escalier. Arrivé à la véranda, il ajouta : « Tu vas nous présenter, s'il te plaît. »

Incroyablement content d'être son premier ami, j'ouvris la porte et l'introduisis au salon. A la ferme, les invités étaient rares mais le cérémonial était toujours le même. Tout d'abord, on faisait asseoir les gens, puis on leur offrait du café accompagné d'un gâteau. Je priai Doc de s'asseoir, il s'exécuta, non sans être resté un moment posté au milieu de la peau de zèbre pour regarder alentour. Quand il en arriva à l'horloge, il observa une pause avant de déclarer : « Anglaise, Londres, vers 1625, une très belle pièce. » Sortant une Hunter en or de son gousset, il l'ouvrit d'un coup sec et l'examina un instant. « Quatre minutes par mois », annonça-t-il en remettant la montre dans sa poche. J'étais stupéfait qu'il sache de combien de minutes retardait notre horloge, car il avait raison. Je me dis que grand-père le lui avait peut-être confié.

« Vous connaissez mon grand-père ? m'enquis-je.

— Je n'ai pas encore eu ce plaisir mais on s'entendra bien, on est tous les deux des amateurs d'épines, moi avec les cactus et lui avec les roses. Les Anglais et les Allemands ne sont pas si différents. Il n'y aura pas de problème, tu verras. » Il prononça ces mots au moment où je m'apprêtais à sortir pour demander à Dum et Dee d'apporter le café et le gâteau.

Je n'en revenais pas, le professeur von Vollensteen était allemand ! Que devais-je faire ? Mon grand-père était allé en ville à la bibliothèque pour changer ses livres, c'était mieux ainsi de toute façon. On ne pouvait pas savoir quelle serait sa réaction s'il se retrouvait en face d'un Allemand, bien que je ne lui eusse guère donné de chances même contre Doc. Je décidai de n'en rien dire à ma mère, elle risquait d'avoir une crise de rage sur le coup.

Dum et Dee avaient deviné qu'on avait un invité ; elles disposaient ce qu'il fallait pour le thé ainsi qu'un gâteau jaune sur un plat. J'entendais la machine galoper en me rendant au fond de la maison pour prévenir ma mère qu'elle avait une visite. Je frappai avant d'ouvrir la porte.

« Il y a quelqu'un pour toi, maman », hurlai-je pour couvrir le bruit du vrombissement. Elle s'arrêta de coudre et leva les yeux.

« Dis-lui d'entrer, chéri, ce doit être Mrs. Cameron pour sa jupe.

— C'est le professeur von Vollensteen. Il veut te voir, annonçai-je à voix basse.

— Le professeur qui ? demanda-t-elle, retirant ses lunettes et me regardant dans les yeux.

— C'est un maître, un maître de musique», ajoutai-je avec insistance pour tenter de cacher mon trouble. Elle se leva, se passa la main dans les cheveux et s'empara de son sac. Elle en sortit un poudrier puis, regardant dans le petit miroir sur le rabat du sac, se repoudra précipitamment le nez.

« Il ne peut pas donner de leçons de musique ici, on n'a pas d'argent pour cela », déclara-t-elle, remettant la houppette dans le poudrier et le refermant d'un coup sec. Je la suivis, me demandant quel accueil serait réservé à Doc.

Cependant, ma mère étant une femme de la campagne, tous les visiteurs étaient traités avec courtoisie quelles que soient leurs intentions. A son arrivée Doc se leva du canapé et tendit la main. « Madame*, dit-il, s'inclinant légèrement, Professeur von Vollensteen. »

Ma mère lui offrit sa main, Doc la saisit délicatement et se pencha en claquant les talons. « Je vous en prie, asseyez-vous, professeur, vous prendrez bien un café avec nous ? » Elle ne lui arrivait qu'à la taille mais, lorsqu'il s'assit, sa tête était au même niveau que la sienne.

« Vous êtes très aimable, madame. Aujourd'hui, nous avons deux choses. » Il plongea la main dans le filet à ses pieds et en sortit une boîte à confiture qui contenait une petite plante. Elle n'avait que deux feuilles qui dépassaient de son abri, deux feuilles teintées de rose sur les bords. On aurait cru deux oreilles de lapin vert clair. « Permettez-moi de vous présenter Kalanchoe Thyrsiflora, très rare dans ces régions, souvent prise à tort pour une plante, mais un vrai cactus, je vous assure, madame. » Doc tendit la boîte à confiture à ma mère qui fit observer qu'elle ne pouvait vraiment pas se rappeler le nom et rit de son rire nerveux. « Ja, c'est un nom difficile. Si vous voulez toutefois, vous pouvez l'appeler Oreilles de lapin », proposa charitablement Doc, bien qu'il donnât l'impression qu'un nom aussi courant avilissait le petit cactus.

Dum et Dee entrèrent, Dee portant un plateau avec les tasses ainsi que le gâteau et Dum la cafetière en porcelaine réservée aux visites. Dee posa le plateau sur la table roulante, puis la voitura soigneusement vers ma mère qui la renvoya chercher un couteau

* En français dans le texte, comme tous les mots suivis d'un astérisque.

pour la pâtisserie. Dum, le dos droit et le bras raide, s'agenouilla quasiment jusque par terre pour poser la cafetière sur la table roulante sans risquer de la renverser. Elle fut aussi renvoyée à la cuisine pour rapporter la passoire.

« On peut leur répéter cent fois, ça ne sert à rien. Je ne sais pas ce qu'elles ont dans la tête », soupira ma mère en posant la plante miniature sur le rayon du bas de la table roulante. Je me tenais à côté de son fauteuil, elle se tourna vers moi : « Allez, sauve-toi. »

Doc leva les yeux. « Avec votre permission, madame, j'aimerais que Peekay reste, s'il vous plaît.

— Qui ça ? s'enquit ma mère.

— Votre fils, madame, j'aimerais beaucoup qu'il reste. »

Ma mère s'adressa à moi : « Que diable es-tu allé raconter au professeur ? Qui est Peekay ?

— C'est mon nouveau nom. Je... je ne t'en ai pas encore parlé », répliquai-je, troublé. Ma mère rit mais je savais qu'elle était contrariée.

« Voyons, tu as un très beau nom, mon chéri. » Elle me regarda d'un drôle d'air et se tourna vers Doc. « Il peut rester naturellement, cependant je crains que notre famille n'ait guère l'oreille musicale et des cours seraient beaucoup trop chers pour nous. »

Sans regarder Dee et Dum, qui étaient revenues et se tenaient à côté d'elle, elle tendit la main pour récupérer le couteau et la passoire, puis les congédia d'un signe de tête impatient.

« Je vous suis très reconnaissant, madame. » Ma mère s'empara de la cafetière. « Noir, sans sucre », précisa Doc, se penchant vers la table.

Ma mère lui servit son café. « Un beau morceau de gâteau, professeur ? » Doc leva la main pour décliner l'offre. « Merci », répondit-il. C'était un tic de langage auquel j'aurais du mal à m'habituer de dire « Merci », pour « Non, merci » ; de toute évidence, ma mère se méprit car elle mit une part de gâteau sur une petite assiette et la lui offrit avec son café. Il l'accepta sans autre protestation.

Doc posa l'ensemble sur la peau de zèbre entre ses jambes et s'empara de l'enveloppe kraft. « Maintenant, voyons la seconde chose. » Ses yeux brillaient lorsqu'il la tendit à ma mère.

« Seigneur, qu'est-ce que ça peut bien être ? » s'exclama-t-elle en ouvrant le rabat rentré de la grosse enveloppe marron. Elle en retira la plus grande photo que j'aie jamais vue et qui, à ma stupéfaction, me représentait sur le rocher en haut de la colline. « Bonté divine ! » Ma mère la contempla, à court de mots sur le moment. Le cliché montrait tous les détails, même le lichen sur la roche, plus distinctement que je ne l'avais remarqué. Des rayons de soleil brillant à travers un nuage aux bords argentés paraissaient pointer directement sur le repaire où j'étais assis. Mon corps, à moitié dans l'ombre, semblait ne faire qu'un avec le rocher. Je l'ignorais à l'époque mais c'était une œuvre extraordinaire. Ma mère reprit enfin la parole. « Où avez-vous pris cela ? C'est d'une telle tristesse ! Pourquoi avez-vous pris une photo de lui quand il avait l'air si triste ? »

Doc se frotta le menton, ce n'était manifestement pas la réflexion qu'il attendait, il avait besoin de temps pour réfléchir. Eludant la première question, il se pencha pour répondre à la seconde. « Ja, c'est vrai. Seule une grande œuvre peut montrer un homme lorsqu'il sourit. Frans Hals, *Le cavalier riant*, 1624. » Il montra du doigt l'horloge. « A cette époque, on a aussi fait cette pendule. Les hommes, madame, se servent du sourire pour cacher la vérité, l'artiste ne s'intéresse qu'à dévoiler la vérité. » Il se renversa en arrière, visiblement satisfait de sa réponse.

« Seigneur, tout cela est beaucoup trop profond pour de simples gens de la campagne comme nous, professeur. Ce n'est qu'un tout petit garçon, vous savez ? Je préfère qu'il sourie.

— Bien sûr ! Toutefois la tristesse, comme la compréhension, vient très tôt chez certains. Cela fait partie de l'intelligence. »

Le dos de ma mère se raidit. « Vous semblez en savoir long sur mon fils, professeur. Je ne vois pas comment, il n'est rentré de pension que depuis trois jours. »

Doc claqua joyeusement des mains. « La pension ! Ha, ça explique tout, d'après moi. Pour un garçon comme lui, la pension est une prison, ja ? »

Ma mère commençait à montrer son impatience, ses doigts tambourinaient les bras de son fauteuil, signe que les choses allaient mal. « On n'avait pas le choix en l'occurrence, professeur. J'étais malade. On fait du mieux possible en fonction des circonstances. » Elle contempla sa tasse pleine sur ses genoux.

Doc parut comprendre brusquement qu'il était allé trop loin. « Pardonnez-moi, madame. » Il se pencha vers elle. « Je ne voulais pas vous mettre en colère. Votre fils est un enfant doué. Je ne sais pas pour quoi, je ne sais pas comment. Je prie que ce soit pour la musique. Aujourd'hui, je suis venu vous demander la permission, je vous en prie, madame, de lui enseigner la musique. » Il lui avait parlé doucement et avec beaucoup de charme, je la sentis se détendre.

« Hum ! Je dois avouer que vous semblez en savoir plus que sa mère sur lui. Je ne vois pas en quoi il est différent de n'importe quel enfant de son âge », répliqua-t-elle d'un ton froissé ; cependant, j'étais sûr que ce n'était qu'une attitude, qu'au fond elle appréciait le compliment. Ma mère était une femme fière, elle n'espérait la charité de personne. « C'est hors de question. Les leçons de piano ne poussent pas sur les arbres, professeur.

— Ja, c'est vrai. Mais peut-être sur les cactus, d'après moi. » Le regard d'un bleu profond de Doc trahit son envie de rire. « Depuis deux ans, je cherche l'Aloe Microsfigma par-ci, par-là, partout. Et là, pan ! Juste en s'asseyant sur un rocher, l'Aloe Microsfigma sort de son trou. Cet enfant est un génie. Absoloodle !

— Mais de quoi parlez-vous, professeur ? Qu'avez-vous en tête ? » Alors qu'elle était fâchée auparavant, elle était maintenant sous son charme.

« Madame, on s'est rencontrés en haut de la montagne avec Dieu pour seule présence au-dessus de nous, la photo immortalisera cet instant à tout jamais, affirma-t-il en haussant ses épaules décharnées. C'était le destin, le nouvel homme des cactus est arrivé. »

Ma mère ne semblait pas savoir comment prendre cela. « Je suis une chrétienne ressuscitée, professeur. Dans cette maison, on ne prononce le nom de Dieu que pour Le louer », déclara-t-elle, principalement pour cacher son trouble mais aussi pour éviter que Doc ne se permette pas des façons trop familières avec le Tout-Puissant.

« Nous ne sommes pas brouillés, Dieu et moi, madame. Le Tout-Puissant a conçu le cactus. Si Dieu choisissait une plante pour Le représenter, je pense qu'entre toutes il choisirait le cactus. Il possède tous les bienfaits qu'Il a tenté, sans y réussir vraiment, de donner à l'homme. Permettez-moi de vous expliquer ceci. Il est humble sans être soumis. Il pousse là où rien ne pousse. Il ne se plaint pas lorsque le soleil lui brûle le dos, que le vent l'arrache à la falaise, l'étouffe dans le sable sec du désert ou qu'il a soif. Quand viennent les pluies, il emmagasine de l'eau en prévision des temps difficiles. Dans les bons et les mauvais moments, il fleurit toujours. Il se protège du danger mais ne blesse pas les autres. Il s'adapte parfaitement presque à tous les environnements Il a de la patience et goûte la solitude. Au Mexique, il existe un cactus qui ne fleurit qu'une fois tous les cent ans et la nuit. C'est une forme de sainteté extraordinaire, vous ne trouvez pas ? Le cactus a des propriétés qui guérissent les blessures de l'homme, on tire des potions qui lui permettent de toucher la face de Dieu ou de plonger les yeux dans la bouche de l'enfer. C'est la plante de la patience et de la solitude, de l'amour et de la folie, de la laideur et de la beauté, de la dureté et de la douceur. Entre toutes, Dieu a sûrement fait le cactus à son image, non ? Il a mon respect de toujours et c'est ma passion. » S'arrêtant un instant, il montra la minuscule pousse verte dans la boîte à confiture. « Kalanchoe Thyrsiflora, une petite dame si timide. Voilà deux ans que je la cherche et aujourd'hui, elle pousse joyeusement dans mon jardin de cactées où ses grandes oreilles écoutent tous les potins.

— Je suis sûre que c'est très bien, professeur, mais que signifie tout cela ? » s'enquit ma mère. Je m'aperçus qu'elle était troublée, ne sachant, au bout du compte, si Doc avait loué ou blasphémé le Seigneur.

« Je n'ai pas de très pons yeux. Si l'enfant venait avec moi ramasser des spécimens, je lui enseignerais la musique. C'est un peau dessein, ja ? Les cactus contre Mozart ! »

Ma mère parut contente comme si une nouvelle idée lui était venue. « Sa grand-mère était très créatrice, une artiste. Cependant, j'ignore s'il y a jamais eu des musiciens dans la famille, peut-être papa le saurait-il. » Elle montra les deux tableaux de part et d'autre de la bibliothèque vitrée. « Son œuvre, dit-elle avec modestie, elle n'a jamais peint que des roses. »

Doc ne se retourna pas pour regarder les toiles. « Je les ai vues en entrant, très pon. »

L'idée d'un musicien dans la famille plaisait manifestement à ma mère. Les Boers étant un peuple très musicien, n'importe quelle réunion servait de prétexte pour sortir les concertinas, les guitares ou même un violon parfois. Aux yeux de ma mère, c'était le seul talent qui les rachetait. L'idée d'un fils qui jouait du piano, sans parler de la musique classique, représentait une victoire sociale qu'elle n'aurait jamais espérée. Même dans cette ville où on parlait majoritairement l'anglais, un pianiste de musique classique dans la famille vous mettait sur un pied d'égalité sociale presque au même titre que l'argent.

J'allais apprendre que la Mission de la Foi apostolique, qui croyait en la renaissance, le baptême par immersion, le don de s'exprimer dans des langues inconnues et de guérir par la foi, était très mal considérée dans l'échelle sociale. Barberton n'était pas le genre de ville qui encourageait les cris et les larmes dans la prière ni le sacré embrasement spontané du sol d'une église charismatique. Ma mère luttait constamment pour rester fidèle au Seigneur et à sa congrégation d'une dévotion ostentatoire tout en aspirant à faire partie des « gens bien ».

Ce brave Pisskop au piano promettait d'être l'instrument de poids pour équilibrer la position sociale de la famille. Le marché fut conclu au moment où arriva Mrs. Cameron pour son essayage. Contre mes équipées dans les collines comme fidèle compagnon de Doc, j'aurais droit à des leçons de piano gratuites. Je dus m'escrimer sur mon camouflage pour contenir ma joie. Je ne savais absolument pas ce que signifiait être musicien mais, depuis toujours, le diapason et l'harmonie étaient présents dans ma vie avec Nounou.

Je passai la majeure part des longs mois d'été en compagnie de Doc à gravir les hauteurs aux alentours de Barberton. On s'aventurait souvent dans les sombres *kloofs* où les collines formaient de profonds renfoncements au pied des vraies montagnes. Ces ravines verdoyantes et humides de fougères arborescentes et de hauts cladrastes, les branches drapées d'une barbiche de lichen et les vignes de raisin sauvage, formaient un contraste froid et sombre avec les collines arides, brûlées par le soleil, d'aloès, de broussailles épineuses, de rochers et d'herbes rugueuses.

De temps en temps, on apercevait un arbre de fer solitaire qui se dressait avec superbe au-dessus de la voûte. Ces reliques avaient échappé aux haches des mineurs qui avaient parcouru ces éminences cinquante ans plus tôt pour trouver de l'or. Les montagnes, parsemées de puits creusés dans les hauteurs et à flanc de coteau, de trous sombres et de couloirs soutenus par des étançons, auraient pu rester ainsi mille ans si on n'y avait pas creusé des galeries.

Doc m'enseigna les noms des plantes à fleurs. Le protée mellifère avec son débordement de fleurs blanches. Une tache d'un rouge orangé éclatant aperçu au loin témoignait généralement de la présence de grenadiers sauvages. J'appris à reconnaître les différences entre les espèces de fuchsias, à m'arrêter pour écraser les feuilles de camphrier et respirer leur extraordinaire parfum aromatique. Je reconnaissais les fleurs jaune pâle du gardénia sauvage et celles de l'aulne. Des lianes suspendues à de hauts arbres couverts de mousse avaient des noms tels que joie du voyageur, câpres au citron, safran grimpant, corde de lait ou racines de David. Rien n'échappait à la curiosité de Doc et il m'enseigna l'art inestimable de l'identification. Bientôt arbres et feuilles, broussailles, vignes et lichens commencèrent à s'assembler dans mon esprit en un ordre schématique tandis qu'il m'expliquait la nature des écosystèmes de la brousse, du kloof et de la montagne.

« Tout a sa place, Peekay. Rien n'est mystérieux. La nature est une réaction en chaîne. Une chose en entraîne une autre, tout dépend d'autre chose. Le plus petit est aussi important que le plus grand. Tu vois, disait-il en montrant une vigne minuscule enroulée autour d'un jeune arbre, c'est un jeune Ocotea bullata qui peut atteindre trente mètres de haut, mais la vigne va l'emporter et l'arbre sera étouffé bien avant même de voir le ciel. »

Il se servait souvent d'analogies à partir de la nature. « Ja, Peekay, dans la vie une idée commence toujours modestement, ce n'est qu'une jeune idée, cependant les vignes vont venir et elles tenteront d'étouffer ton idée pour qu'elle ne puisse pas se développer, elle mourra et tu ne sauras jamais que tu avais une grande idée, une idée si importante qu'elle aurait pu atteindre trente mètres à travers la sombre voûte du feuillage et toucher la face du ciel. » Il me regardait, puis poursuivait : « Les vignes sont les gens qui ont peur de l'originalité, des nouvelles idées ; la plupart des personnes que tu rencontreras seront des vignes, elles sont très dangereuses quand on est une jeune plante. » Ses yeux d'un bleu perçant plongeaient dans les miens. « Suis toujours ton chemin, Peekay. Il vaut mieux se tromper que de suivre simplement les usages. Si tu as tort, ce n'est pas grave, tu auras appris quelque chose et tu en seras plus fort. Si tu as raison, tu auras fait un pas de plus vers une vie vraiment satisfaisante. » Il soupirait et jetait un coup d'œil vers moi. « Les experts, qu'est-ce que je t'ai dit à propos des experts, Peekay ?

— On ne peut pas toujours se fonder sur l'avis d'un expert. Un poulet, si tu le demandes à un poulet, doit être farci de sauterelles, de maïs et de vers. » Même après l'avoir répété une centaine de fois, je continuais à trouver cela drôle.

Ou encore Doc me montrait comment un filet d'eau coulant d'une paroi rocheuse pouvait, goutte à goutte, rassembler autour de sa nappe d'humidité des fougères, puis des broussailles et enfin des arbres et des vignes jusqu'à ce que le kloof devienne un réseau interdépendant de vie végétale et animale. « Il faut toujours aller à la source, à la paroi rocheuse, au commencement. Plus tu en sais, plus tu peux maîtriser ton destin. L'homme est le seul animal qui puisse emmagasiner des connaissances en dehors de son corps. C'est ce qui lui a donné sa suprématie sur les créatures qui l'entourent. Tout s'est déjà produit ; si tu sais ce qui s'est passé avant, tu sais ce qui se passe aujourd'hui. Ton esprit, Peekay, a deux fonctions : c'est l'endroit de la pensée originale mais c'est aussi une bibliothèque de références, sers-t'en pour savoir où regarder, tu disposeras alors de tout l'esprit de l'humanité. »

Doc ne me parlait jamais comme à un enfant. Il me fallait un temps fou pour comprendre la majorité de ses propos ; malgré tout, je les absorbais, les emmagasinant dans mon jeune esprit maladroit où ils pourraient mûrir et me revenir par la suite. Il m'apprit à lire pour découvrir le sens et le savoir, à faire des notes dans la marge et à les exploiter grâce à des visites à la bibliothèque de Barberton où Mrs. Boxall poussait un grand soupir en nous voyant arriver tous les deux. « Voilà les cochons ! » Elle prétendait qu'elle était obligée de passer des heures à effacer les notes au crayon dans la marge des livres qu'on empruntait. Doc affirma un jour qu'ils n'en avaient que plus de valeur, Mrs. Boxall leva le sourcil : « Ecrit en allemand et en Kindergarten, professeur ? »

Levant les yeux de son ouvrage et retirant ses lunettes de vue à monture dorée, Doc haussa les épaules. « Kindergarten, c'est aussi de l'allemand, madame Boxall. »

Cependant, je crois que Mrs. Boxall ne nous en voulait pas en fait. Les volumes sur les oiseaux, les insectes ou les plantes étaient rarement empruntés ; de plus, la plupart des œuvres de la section d'histoire naturelle lui ayant appartenu, Doc adoptait une attitude de propriétaire à l'égard de la bibliothèque municipale. Au fil des années, son minuscule cottage était devenu trop petit pour les abriter tous ; il les avait légués à la bibliothèque qui servait, dans l'esprit de Doc en tout cas, d'avant-poste bibliographique de sa demeure. Doc m'enseigna aussi les racines latines pour que je n'aie plus à faire appel uniquement à ma mémoire, ainsi les termes de botanique commencèrent à avoir un sens pour moi.

On gravit les hautes *kranses* et les rochers à pic à la recherche de cactées. Vers la fin de l'été, sur le flanc d'une montagne pailletée de schiste gris argileux et de touffes rugueuses d'herbes brunes, je tombai sur l'Aloe Brevifolia, un minuscule aloès épineux.

Doc était fou de joie. « De l'or ! De l'or à l'état pur ! » Il fit un saut de cabri et, retombant sur ses pieds, glissa sur le sol argileux, puis déboula la pente les quatre fers en l'air, ne s'arrêtant qu'à une soixantaine de mètres d'un précipice. Il remonta avec précaution, les mains en sang à force de s'accrocher à la roche escarpée, un sourire penaud sur son visage buriné. Cependant, le triomphe de la grande découverte brillait tout de même dans son regard enflammé. « Un Brevifolia dans ces régions, si haut, c'est impossible ! Tu es un génie, Peekay. Absoloodle ! »

C'était la découverte de l'été ; selon Doc, elle justifiait toute la fatigue de ces heures passées dans les collines et les montagnes. On photographia la pièce rare et on recueillit six des plantes miniatures, en laissant le double se cramponner périlleusement à son abri inhospitalier.

Comme moi, Doc était un lève-tôt ; juste après l'aube, cet été-là, il me donna des cours de piano. « Dans un an, on verra, mais ce n'est pas le plus important. Ce qui compte, c'est l'amour de la musique. Tout d'abord, je vais t'apprendre à aimer la musique, ensuite, progressivement, on apprendra à jouer. »

Impatient de lui faire plaisir, je m'appliquais. Je pense toutefois qu'il sut quasiment dès le départ que je ne me révélerais pas un musicien d'un talent exceptionnel. Mes progrès, bien que plus encourageants que ceux des petites filles à qui il était obligé de donner des leçons pour vivre, démontraient un don fort mineur. Dans les années qui suivirent, cela suffit à berner ma mère et toutes les rombières qui menaient les familles comptant en ville. Aux concerts qui, je m'empresse d'ajouter, n'avaient pas lieu en mon honneur, je représentais l'élément culturel et elles m'applaudissaient de bon cœur.

Ma mère s'enorgueillissait de ces occasions, qui se reproduisaient au printemps et en automne, quoiqu'elles fussent aussi un compromis à l'égard du Seigneur. Les concerts étaient l'œuvre du diable et allaient terriblement à l'encontre des enseignements du Seigneur. C'était exactement le genre de choses, comme les prêteurs sur gages, que le Seigneur avait condamnées ouvertement lorsqu'Il avait chassé les pharisiens et les sadducéens du temple. Elle justifiait ma participation et sa présence en soulignant, à ses propres yeux surtout, que la plupart des grands musiciens classiques avaient écrit pour l'Eglise.

La volonté du Seigneur était tout aussi explicite quant à l'alcool et au tabac, au spectacle et à la danse, hormis le ballet. C'était l'un des numéros chers à ces dames aux effluves de lavande des grandes familles de la ville ; la représentation précédait généralement mon récital de piano. Ces deux prestations composaient l'élément culturel du concert bi-annuel. Chopin par votre serviteur et, sur le gramophone, *Le lac des cygnes* de Tchaïkovski dansé par des néophyptes de six ans dans des tutus blancs et des coiffures de canard à long bec en papier mâché.

Nous formions le noyau culturel pris en sandwich dans un programme populaire composé avec libéralisme de spectacles de variétés amateurs, de chansons en solo de style irlandais et de numéros en solo, ou en orchestre de concertina, d'accordéon et de guitare, de chansons afrikaans connues, interprétées généralement par les gardiens afrikaners de la prison. Pour redresser l'équilibre social, suivait habituellement un quartette masculin dans une œuvre de Gilbert et Sullivan. Le comité du spectacle comptait sur un air du répertoire d'opéra-comique anglais pour compenser vaguement une douzaine de mélodies traditionnelles afrikaans, même si elles risquaient de s'avérer agréablement syncopées et harmonisées en frappant des pieds et des mains.

Le concert se terminait toujours par la chorale de l'Eglise anglicane de tous les saints qui chantait *Les falaises blanches de Douvres* repris en chœur par le public. Pour montrer à la majorité des rooineks où se situait leur loyauté muette, les gardiens et leurs familles quittaient l'hôtel de ville avant l'interprétation collective des *Falaises blanches*. Leur départ était accompagné par les huées et les sifflets de quelques membres moins bien élevés parmi ceux qui restaient.

L'Allemagne avait officieusement aidé les Afrikaners durant la guerre des Boers. En dehors des armes et des munitions vendues par intérêt commercial, elle avait fourni de la nourriture et des médicaments et même envoyé des auxiliaires ainsi que des médecins aux Boers harcelés qui, à cause de la tactique de la terre brûlée adoptée par les Anglais, succombaient moins aux attaques des Lee-Metford britanniques qu'à la pauvreté d'une terre qui ne pouvait plus les nourrir. Aux yeux des Boers, l'Allemagne était un vieil ami de confiance dans un pays où un contrat se scellait par une poignée de main et où l'amitié ouvertement déclarée constituait un lien qui se poursuivait par-delà la tombe. L'antisémitisme, dans l'Eglise réformée de Hollande où les Juifs étaient considérés comme des assassins du Christ, avait toujours existé ; quant au concept de la supériorité de certaines races sur d'autres, il n'avait jamais fait l'ombre d'un doute. Dans ce contexte, pour de nombreux Boers, Adolf Hitler ne faisait que son boulot et, pour certains esprits, il le faisait fichtrement bien.

Une fois que les gardiens et d'autres sympathisants nazis s'étaient retirés, le public qui restait se levait, les bras le long du corps, et entonnait *Les blanches falaises de Douvres* au minimum à deux reprises pour confirmer doublement son amour à une Angleterre qui affrontait l'heure la plus noire de son histoire. Pour finir le spectacle sur une note larmoyante, les participants, sans la présence des gardiens et des autres Afrikaners, se rassemblaient sur scène, chacun de nous tenant une rose à tige longue livrée par mes soins pour preuve des bonnes manières de notre famille. Devant une salle aux yeux voilés de larmes à peine remise d'un voyage d'une sentimentalité exagérée vers un pays que la plupart de nous ne verraient jamais, on se tenait au garde-à-vous tandis qu'un 78 tours entonnait une version grinçante du *God Save the King*. Après quoi, les artistes lançaient les roses à longue tige vers le public.

On rentrait ensuite à la maison, mon grand-père, ma mère et moi, après avoir poliment refusé l'invitation du maire à la traditionnelle fête donnée pour la troupe, après le concert, au Phoenix Hotel. Les soirées mondaines dans le style de celle-ci, où sévissaient l'alcool, le tabac et la danse, étaient en très bonne place sur la liste des choses bannies par le Seigneur.

Le numéro suivant des *Goldfields News* donnait un compte rendu du concert avec le départ des gardiens qui s'étalait à la une. Les langues allaient bon train durant des jours et des jours. Des gens importants suggéraient qu'on fasse venir l'armée pour se débarrasser de ce nid de vipères nazies ou qu'on installe la prison à Nelspruit, une ville afrikaans à une soixantaine de kilomètres d'où venaient sans doute la plupart des prisonniers.

Mon grand-père, étant donné son expérience dans la lutte contre les Boers, avait été sollicité une fois par Mr. Hankin, le rédacteur en chef des *Goldfields News*, pour donner son opinion. Mais on n'avait pas imprimé ses propos. Il avait dit en substance : « Pendant la guerre des Boers, j'ai passé la majeure partie de mon temps à saloper mes hauts-de-chausses comme brancardier. Il n'y a qu'une chose qu'ils font mieux que la musique ces couillons, c'est de tirer. Sans eux, le concert ne vaudrait pas un clou. »

Peut-être Mr. Hankin estimait-il que son journal avait déjà fait assez de publicité à la famille, car il ne redemanda jamais son avis sur rien à mon grand-père alors que les gardiens de prison eurent la même attitude à chaque représentation durant toute la guerre. On pouvait toujours compter sur Mrs. Boxall, correspondant local en matière culturelle, pour consacrer une grande partie de sa colonne, « Le Jardin de la culture par Fiona Boxall », à mon récital. Pendant des jours ensuite, ma mère semblait être dans un état d'euphorie hébétée et j'étais recruté pour livrer un bouquet de roses à la bibliothèque deux fois par semaine durant un mois.

Pour tenir ses promesses envers ma mère, Doc m'insuffla un

éternel amour de la musique. Ce que mes mains maladroites ne pourraient jamais jouer, je l'entendais distinctement dans ma tête. Un amour de la musique qui, parmi tous les cadeaux qu'il me fit, était peut-être le plus important de tous ; il poursuivit son enseignement, même une fois que sa vie douce et sereine fut bouleversée et qu'on ravit à mon enfance la joie d'être seul avec lui sur les hautes falaises et les kranses.

10

On m'inscrivit à l'école de la ville au début du nouveau trimestre, fin janvier. Six ans était l'âge normal pour le cours préparatoire mais, au bout de quelques jours, il fut évident que j'étais bien au-delà du niveau des autres enfants après un an passé en pension dans une classe mélangée. On me mit en cours élémentaire deuxième année où je me défendais très bien face à des gosses qui avaient deux ans de plus que moi. Les devoirs de calcul du Juge, mes premières bases de lecture, mon approche approfondie de l'afrikaans dans une classe où des gamins parlant anglais découvraient sans enthousiasme une langue pour la première fois, ainsi que la discipline de Doc qui m'avait demandé dès le premier jour de consigner mes notes prises sur le terrain, tout cela me donnait un avantage terriblement injuste. On aurait même peut-être pu me faire sauter une classe de plus si ce n'est les complications que cela aurait causés.

J'acquis vite la réputation, assez arbitraire, d'être intelligent. Doc m'avait convaincu d'abandonner mon camouflage et de ne pas jouer les imbéciles. « Etre brillant n'est pas un péché. Par contre, être brillant et ne pas en profiter, ça, Peekay, c'est un péché. Absoloodle ! » Il ne m'avait pas fallu beaucoup d'encouragements. Sous sa direction, mon esprit avait acquis une soif intense de connaissances ; très vite, je trouvai le travail scolaire simpliste et ennuyeux. Doc devint mon véritable professeur, l'école ne représentait que le temps passé entre neuf et treize heures, quand je quittais la classe pour me ruer dans son cottage caché dans le jardin de cactus.

Son jardin plein d'épines était une source de joies intarissable. Une demi-acre sur le sommet plus ou moins plat d'une petite colline qui donnait sur la ville et la vallée. Une ascension de dix minutes vers la solitude sur un chemin de terre caillouteux qui ne menait nulle part. Son jardin de cactus était peut-être la plus belle collection privée de cactées au monde. Moi qui devins expert en la matière, je n'en ai jamais vu de plus beau.

La maison de Doc comptait trois pièces et une cuisine en appentis. Les trois pièces étaient baptisées la salle de musique, la salle de lecture et la salle de whisky, chacune ayant un but spécifique : la musique, l'étude, et boire à en sombrer dans le sommeil. Car en toutes choses, même dans la soûlerie, Doc était un esprit méthodique.

Au cours de la première année qu'on passa ensemble, je ne le vis jamais ivre, même si j'avais souvent à le réveiller quand j'arrivais juste après l'aube pour ma leçon ; il sortait de son lit en trébuchant, secoué de haut-le-cœur et de quintes de toux. Puis il venait s'asseoir à côté du Steinway, ses yeux bleus soulignés de rouge et ternis par le whisky de la veille, ses longs doigts serrés sur la tasse en émail de café amer que je lui avais préparée sur le réchaud à gaz. Doc ne parlait jamais d'alcool. Simplement, lorsque je commençais à jouer sur l'imposant Steinway, il disait parfois : « Pianissimo, Peekay, les loups hurlaient dans ma tête hier soir. » Je cherchais quelque chose de doux et de relaxant dans mes partitions. Peut-être est-ce pour cela qu'avec le temps et le doigté, je semblai plus attiré par Chopin. Il y a beaucoup moins de fortissimo dans une étude de Chopin que dans Wagner ou dans Brahms et les gueules de bois de Doc, au petit matin, m'ont peut-être poussé, au cours de cette première année, vers des musiques plus tempérées.

C'était le jardin de cactus qui témoignait de « son problème avec le Dr Bouteille », comme disait ma mère des gens qui portaient des boissons alcoolisées à leurs lèvres. De part et d'autre de l'allée, sur une centaine de mètres, se dressaient des bouteilles de Johnny Walker, leur pied carré brillant au soleil telles deux rangées parallèles de serpents argentés sinuant parmi les cactus, les aloès et les flamboyants pourpiers orange et roses. Chacune était une tentative pour parer à une torture personnelle. Doc ne s'excusait pas de boire. Il en parlait rarement et, quand cela lui arrivait, d'un ton posé et poli il en rejetait la faute sur les loups ; je les imaginais, hurlant à la mort, leurs grandes langues rouges pendues, leurs dents grinçantes lacérant la tête de Doc.

Le soleil se couchait en ce samedi après-midi de la fin janvier 1941, un peu plus d'un an après notre rencontre sur la colline derrière le jardin de roses. On avait passé la journée dans les hauteurs et on était presque arrivés au cottage de Doc. On avait trouvé un carré de Senecio Serpens dans un kloof sec qui poussait au bout d'une ancienne excavation. C'était une belle découverte bien que les bâtons de craie bleus, comme on les appelle communément, ne soient pas très rares sauf s'ils fleurissent d'une couleur inhabituelle. On avait décidé de les planter dans le jardin de cactus et d'attendre qu'ils refleurissent. C'était la magie de ce jardin, certains spécimens peuvent faire les imbéciles : un bête bâton de craie bleu peut se métamorphoser sous vos yeux de Cendrillon en princesse. Je remarquai le premier le véhicule militaire avec le signe Police militaire peint en blanc sur le capot. La camionnette était garée juste devant l'allée de bouteilles de whisky qui menait à la maison cachée parmi les grands cactus. Appuyés contre le garde-boue avant, deux hommes fumaient, leurs casquettes kaki soulignées d'un bandeau rouge posées sur le capot de la fourgonnette remise dans le sens de la pente. Doc m'expliquait les différences entre le genre du Senecio Serpens et le Glottiphyllym Uncatum aux couleurs plus claires, martelant le sol de sa longue canne en marchant et s'échauffant comme toujours lorsque son esprit était plongé dans des détails de botanique ésotériques.

Les deux inconnus nous virent approcher et, jetant leurs cigarettes, les écrasèrent par terre. S'éclaircissant la gorge presque en même temps, ils s'emparèrent de leurs casquettes, puis les remirent soigneusement en place comme font les hommes lorsqu'ils s'apprêtent à s'acquitter d'une obligation désagréable. Ils portaient tous les deux une chemise kaki, un short, des bottes marron, des bandes molletières et des bas kaki, bien que l'un d'eux arborât la ceinture Sam Browne bien astiquée d'un officier alors que l'autre, un sergent, en avait une en toile blanche. L'officier se posta juste devant Doc qui s'arrêta et le regarda, étonné. Doc le dépassait au moins de trente centimètres, le militaire était obligé de lever les yeux vers lui. Il avait une mince moustache noire comme dessinée au crayon tel Pik Botha et, quoiqu'il ne fût pas au garde-à-vous, il semblait raide comme un piquet. De la poche de sa tunique, il sortit un morceau de papier qu'il brandit.

« Bonsoir, monsieur. Vous êtes bien Karl von Vollensteen, le Pr Karl von Vollensteen ? demanda-t-il d'un ton sentencieux.

— Ja, c'est moi », répondit Doc, surpris qu'on pût mettre en doute une telle évidence.

L'officier s'éclaircit la gorge et se mit à lire le document qu'il tenait devant lui. « Au nom de la loi sur les étrangers de 1939 et par l'autorité dont je suis investi par le prévôt des Forces armées d'Afrique du Sud, je vous arrête. Vous êtes accusé de complot destiné à ébranler la sécurité d'un pays en guerre. » Il tendit la pièce à Doc. « Vous allez devoir me suivre, monsieur. La police judiciaire, sous la direction des autorités militaires, va fouiller votre domicile et vous serez détenu à la prison de Barberton jusqu'à ce que vous soyez jugé. »

A ma stupéfaction, Doc ne protesta pas. Il avait l'air triste lorsqu'il observa l'officier et lui rendit le bout de papier sans même y jeter un coup d'œil. Il leva la tête pour regarder par-delà l'officier, par-delà l'endroit où se tenait le sergent près du véhicule, son regard suivant la ligne du jardin de cactus. Il se tourna lentement, les yeux remplis de peine, embrassant les collines, les merveilleuses collines parsemées d'aloès, son jardin d'Eden depuis vingt ans dans cette Afrique qu'il aimait passionnément. Enfin, il contempla la ville et la vallée jusqu'au soleil qui commençait à sombrer derrière l'escarpement.

« La bêtise. Déjà la bêtise recommence », murmura-t-il, puis, se tournant vers moi, il me tapota l'épaule. « Il faut que tu plantes le Senecio Serpens pour profiter du soleil du matin, ils aiment cela. » Retirant son chapeau de brousse, d'un air distrait, il le posa sur le toit de la fourgonnette. Il sortit son mouchoir rouge de sa salopette, s'essuya le visage, renifla dedans et se frotta le nez avant de le ranger dans sa poche. Puis il s'empara de son chapeau sur le toit et le posa sur ma tête. Je le considérai, surpris, Doc n'avait pas l'habitude de ce genre d'enfantillages. Mais son regard était triste et sa voix douce, à peine plus qu'un murmure. « Bon, maintenant c'est toi le patron du jardin de cactus, Peekay. » J'avais envie de pleurer, Doc aussi, je crois. On s'en abstint cependant. On savait suffisamment à quoi s'en tenir tous les deux pour ne pas montrer nos sentiments devant des représentants de l'armée.

S'adressant à l'officier, Doc dit : « Permettez-moi d'abord, je vous prie, de me raser et de me changer. Un homme doit aller en prison dans ses plus beaux habits. »

Le militaire leva les yeux au ciel. D'après le nombre des mégots qui traînaient par terre, ils devaient attendre depuis un moment et, manifestement, il voulait en finir. « D'accord, professeur, mais grouillez-vous. » Se tournant vers le sergent d'un air officiel, il lança : « Sergent ! Escortez le prisonnier chez lui pour changer d'affaires et faire ses ablutions. »

On longea à pas lents l'allée de bouteilles de whisky et Doc abandonna son sac en toile à bandoulière sur la véranda. Je le suivis dans le petit cottage plongé dans l'obscurité. « N'allume pas les lampes, Peekay, la lumière est douce et on sera bientôt partis. » Je l'accompagnai jusqu'à la cuisine en appentis où il mit une cuvette en émail sur le sol en terre battue, puis versa de l'eau dedans. Je pris le broc et le remplis à la citerne d'eau de pluie derrière la maison. La demeure de Doc, séparée de la ville par une petite colline, n'avait pas l'eau courante. Il se déshabilla et, avec une éponge en luffa, se lava de la tête aux pieds. Je lui apportai un autre broc ; il sortit dans le jardin, s'approcha d'un grand cactus et le versa sur lui pour que la plante en profite aussi. Puis il s'essuya vivement avec une serviette dont on voyait la trame. Il était tanné partout car on s'allongeait souvent sur un rocher dans les collines pour lézarder au soleil après un bain dans un ruisseau de montagne. Son corps maigre était ferme, musclé et ses poils blancs comme neige sur sa poitrine semblaient déplacés. J'avais vu mon grand-père nu ; bien qu'il fût maigre aussi, il n'avait pas cette allure de roc.

S'impatientant à force d'attendre dans la cuisine, le sergent s'était aventuré dans la salle de musique où il tapait sur le Steinway. Apparemment, Doc ne l'entendait pas : il se rasait soigneusement, passant et repassant son rasoir de coiffeur jusqu'à ce que sa peau soit impeccable. Après quoi, il enfila posément son costume de lin blanc et ses bottes noires. Enfin, il glissa une chemise de rechange et de quoi se raser dans un sac de sucre vide puis, se rendant dans la salle de lecture, choisit un gros livre sur la toute dernière étagère des rayonnages qu'il avait construits lui-même avec des briques et des planches en pin. « Mets-le aussi dans le sac, Peekay. » Je m'emparai de l'important ouvrage relié en cuir et regardai le dos. C'était un vieux volume dont la reliure en cuir marron était éraflée et maculée de traces rugueuses tranchant sur la couverture lisse et lustrée. Le titre imprimé en relief au dos était difficile à lire car l'or avait presque disparu, il ne restait que les caractères effacés. Il indiquait : *Cactaceae. Afrika und Amerika. K. J. von Vollensteen*. J'ouvris le gros livre et découvris qu'il était écrit en allemand. J'entrai dans la salle de whisky où Doc avait laissé le sac ; avec le bord de la couverture du petit lit dur, j'essuyai la poussière et le rangeai. Sur la commode fabriquée avec des caisses à côté du lit, se trouvait une bouteille de Johnny Walker, je la mis aussi dans la besace. Puis, la portant à l'épaule, je rejoignis Doc devant la porte d'entrée. Il prit son panama sur un crochet au mur et sa canne à pommeau d'argent dans un coin derrière la porte. « On est prêts, monsieur », annonça-t-il, se tournant vers le sergent qui se tenait un peu plus loin dans la salle de musique.

Le sergent, assis sur le tabouret de piano, se leva. « C'est un sacré instrument que vous avez là, professeur. Un jour, au cinématographe, j'ai vu une vedette danser sur un piano comme celui-ci, sauf qu'il était tout blanc. Je crois que c'était Greta Garbo, mais je n'en suis pas sûr. » Il jeta un dernier regard sur la maison. « Bon, allons-y, mon vieux. » Il s'empara du sac que je portais à l'épaule et regarda dedans. « Hé, qu'est-ce que c'est que ça ? Vous ne pouvez pas emporter du whisky là-bas, vous êtes idiot ou quoi ? » Je voulus m'excuser mais il m'arrêta d'un signe et fit un large sourire. « Si vous voulez, on peut s'en offrir un petit coup, *oubaas* ? proposa-t-il à Doc. Qui sait quand l'occasion se représentera, hein ? » Il lui fit un clin d'œil complice et déboucha la bouteille. La portant à ses lèvres, il but une bonne lampée de whisky. Il grimaça en l'abandonnant, puis s'essuya la bouche du revers de la main et frotta le goulot du plat de la main. « La vache, il est drôlement bon, ce whisky ! Pas la peine de le laisser traîner, hein ? » Il tendit la bouteille à Doc qui la refusa d'un signe. « Allez, ne soyez pas idiot, mon vieux. Vous êtes pas près de boire un coup, vaut mieux en profiter. » Il la tendit à Doc après en avoir pris une bonne dose. En deux goulées, il en avait descendu plus d'un quart. Doc saisit la bouteille de Johnny Walker et la porta un instant à ses lèvres sans ouvrir la bouche avant de la lui rendre. Le sergent haussa les épaules. « Comme vous voulez, mon vieux, ça en fera plus pour moi, il est drôlement bon. Qui sait ? Peut-être qu'on sera tous morts demain. » Il en prit une autre lampée et s'approcha du piano. « Dans ce film, ce type jouait du piano comme à un enterrement, puis un ivrogne renversait du whisky dessus et il se mettait à jouer comme un fou. » Il renversa le reste de l'alcool sur les touches du Steinway. Doc, qui était resté à attendre sans un geste, parut se réveiller. Il leva sa canne et se rua vers le militaire.

« *Schweinhund !* Ne profanez pas l'instrument de Beethoven, de Brahms, de Bach et de Wagner ! » Sa canne s'abattit violemment sur le poignet du sergent : la bouteille lui tomba des mains et se brisa sur le sol en ciment. Serrant son poignet, le malheureux dansait la gigue parmi le verre cassé. De la manche de sa veste en lin, Doc tenta d'essuyer les touches et leur arracha des notes saccadées. Puis, se retournant, il se dirigea vers la porte d'entrée.

« Espèce de salopard de nazi ! » brailla le sergent. Je me hâtai derrière Doc, il nous rattrapa dans l'allée devant la maison. « Je vais te montrer, enfoiré ! » Il essayait de retirer une paire de menottes attachées à sa ceinture tout en courant. « Halte ! Vous êtes en état d'arrestation ! » Cependant, la tête haute, Doc poursuivait son chemin vers la fourgonnette. Le sergent le saisit par le bras et lui passa une menotte. Doc n'opposa aucune résistance, il ne sembla quasiment pas s'en apercevoir et continua à marcher comme si de rien n'était, obligeant le sergent à s'accrocher à l'autre menotte comme si on le traînait tel un prisonnier. Il décocha alors un terrible coup de pied à Doc, lui sciant les jambes, le vieil homme tomba à genoux dans l'allée. De rage et d'humiliation, il redoubla de violence juste au moment où, hurlant, je me jetai sur lui. La botte de l'armée qui s'apprêtait à frapper Doc aux côtes me toucha sous le menton et je perdis connaissance.

Je me réveillai à l'hôpital de Barberton, un homme en blouse blanche m'éblouissait avec une lampe de poche. Ma tête bourdonnait comme si des voix sortaient de l'autre bout d'un long tunnel. « Enfin, Dieu merci, il a repris connaissance, l'entendis-je dire.

— Merci, Jésus », déclara ma mère d'un ton larmoyant. Je regardai autour de moi et la découvris à mon chevet. Elle avait l'air pâle et inquiet, des mèches de cheveux pendaient autour de son visage car elle était sortie sans chapeau, elle portait encore sa blouse de couture rose. Mon grand-père était là aussi, assis sur une chaise de l'autre côté du lit. Je voulus parler mais n'y parvins pas : j'avais atrocement mal à la mâchoire. Je réussis à émettre un faible grognement sans ouvrir la bouche, rien de plus. J'avais un goût de sang dans la bouche ; passant ma langue gonflée sur mon palais, je m'aperçus que j'avais perdu plusieurs dents.

Le médecin s'adressa à moi. « Bon, mon garçon, je veux que tu me dises combien j'ai de doigts. » Il en leva deux, je l'imitai. « Encore une fois. » Il en leva quatre, moi aussi. Il répéta l'opération avec différentes combinaisons, puis déclara enfin : « Bon, c'est déjà ça, il n'a pas de commotion cérébrale apparemment. On va devoir lui faire une radio de la mâchoire, j'ai bien l'impression qu'elle est cassée. » Il se tourna vers ma mère et grand-père. « L'enfant souffre beaucoup, on va l'emmener en salle d'opération incessamment, il va peut-être falloir lui attacher la mâchoire et il a plusieurs dents cassées qu'on va devoir arracher. Il sera sous sédatif quand il sortira, il est donc inutile que vous restiez. »

Ils se levèrent, ma mère se pencha vers moi pour m'embrasser sur le front. « A demain matin, chéri. Sois courageux ! » Mon grand-père m'effleura l'épaule. « Tu es un bon petit gars », dit-il.

Je les regardai quitter la salle des urgences où j'étais apparemment le seul patient : les trois autres lits étaient vides. Ma mâchoire me faisait beaucoup souffrir, peut-être pleurais-je, mais je me rappelle seulement que j'étais très inquiet du sort de Doc.

Il s'avéra que j'avais une fracture. On m'attacha les deux maxillaires avec du fil de fer pour que j'aie la bouche fermée et que je ne puisse pas parler. Je ne pouvais poser aucune question sur lui. Les grandes personnes décident de ce qu'elles veulent dire aux enfants ; lorsqu'elle vint me voir, ma mère se contenta de ces mots : « Tu as eu un choc terrible, chéri, tu ne dois pas penser à ce qui s'est passé. »

En réalité, je ne pensais qu'à cela. Doc était la personne qui comptait le plus dans ma vie, l'idée de le savoir dans une sombre cellule, sans doute à l'agonie, m'était presque insupportable. Je réussis à faire comprendre à une jeune infirmière du nom de Marie, qui m'appelait son petit *skatterbol*, que je voulais du papier et un crayon. Elle m'apporta de quoi écrire et je griffonnai : « Qu'est-il arrivé au professeur von Vollensteen ? » Elle lut le mot, puis écarquilla les yeux.

« Ah, non, mon bonhomme ! L'infirmière en chef a déclaré qu'on ne pouvait rien te dire. » Elle voulut me reprendre mon bien mais je le glissai aussitôt sous l'édredon. « Rends-les-moi ! Sois gentil, je vais avoir des ennuis avec la chef ! » Je secouai la tête, c'était douloureux. « Je vais te dénoncer, tu entends ! » Je savais bien qu'elle n'en ferait rien. Je me sentais moins vulnérable maintenant que j'avais de quoi écrire. Je déchirai une feuille du petit bloc et la sortis de sous les couvertures. La posant sur le meuble à mon chevet, je me penchai et gribouillai : « Je ne m'appelle pas skatterbol, je m'appelle PEEKAY. » Je n'aimais guère le mot tendre ; de plus, je n'avais rien d'un caneton duveteux, qualificatif qu'on réserve aux tout petits. Je déchirai le bout de papier et le lui tendis. Elle le lut lentement, puis se rendit au pied de mon lit.

« Ce n'est pas ce qui est écrit ici, affirma Marie en regardant le bulletin de santé accroché au pied du lit. Tu ne connais pas ton vrai nom ? » me taquina-t-elle. « C'est faux », griffonnai-je en déchirant un autre billet pour le lui remettre. « Tu vois, mon bonhomme ! Tu ne connais même pas ton nom. Je n'ai jamais entendu un nom pareil, où es-tu allé chercher un sobriquet aussi bête ? » Sur la fin du morceau de papier, j'écrivis : « Je l'ai trouvé, c'est tout. »

Marie respira un petit coup. « De toute façon, c'est moche pour un héros qui a plaqué au sol un espion allemand alors qu'il tentait de se sauver. » Ecarquillant de nouveau les yeux, elle approcha son visage boutonneux du mien. « Dans le journal, on prétend que tu vas peut-être même recevoir une médaille ! » Elle s'écarta brusquement, craignant d'avoir eu la langue trop longue. « Ne va pas raconter à l'infirmière en chef que je te l'ai dit, c'est compris. » Elle porta un doigt à ses lèvres. « Je te promets de t'appeler Peekay si tu me promets de rester *stom*. » J'acquiesçai d'un signe tout en me demandant comment j'aurais pu en parler à quelqu'un, selon elle. Les larmes se mirent à couler sur mes joues. Je ne voulais pas pleurer, elles étaient venues toutes seules à cause des nouvelles de Doc. J'entendais encore sa voix lorsque l'officier lui avait tendu le document. « La bêtise. Déjà la bêtise recommence. »

« Ne pleure pas, Peekay. La chef saura que je te l'ai dit si tu pleures », m'exhorta Marie, bouleversée. Je séchai mes larmes, puis elle me débarbouilla avec un gant humide. « En fait, je ne pense pas que Peekay soit un nom idiot, reprit-elle gentiment. Qui t'a appris à écrire si bien ? Je suis allée à l'école jusqu'à l'âge de quatorze ans, pourtant je n'écris pas aussi bien que toi. »

Au bout de trois jours seul dans la salle, on me transporta dans la véranda où se trouvaient huit lits qui étaient tous occupés. En dehors de mon mutisme forcé, j'allais beaucoup mieux. J'avais fait quelques pas avec l'infirmière en chef et, hormis deux vieillards endormis, tout le monde m'avait applaudi en lançant des choses du genre de : « Bien joué, fiston ! » L'un avait déclaré que j'étais un vrai patriote. Dès que l'infirmière eut quitté la salle, j'écrivis sur un bout de papier aussi grand que possible : « Qu'est-il arrivé au professeur von Vollensteen ? » Je bondis de mon lit, l'apportai à mon voisin le plus proche et le lui donnai. Il lut le mot, puis me le rendit.

« Tu parles de l'espion allemand ? Désolé, mon gars, on n'est pas censé te le dire. » Il fit un clin d'œil à ses compagnons. « On a des ordres stricts. » Tous les autres opinèrent du chef. « Remarque, tu es un brave petit bougre, il faut le reconnaître. » Les autres semblaient de son avis.

Ma mère venait à l'hôpital le matin quand le pasteur Mulvery pouvait la conduire. Elle s'asseyait auprès de moi tandis qu'il faisait le tour des lieux pour prêcher la parole du Seigneur. Il passait d'abord me voir, il me décochait son bref sourire pour empêcher que ses deux dents de devant ne se sauvent et tenait ma main dans sa main moite pendant une éternité ; à la fin, j'avais l'impression qu'elle voulait s'arracher à sa douce emprise pour courir se cacher. De sa voix efféminée, il affirmait : « On prie tous que cette terrible épreuve te fasse accepter Jésus dans ton cœur. » Puis, sans me lâcher, il s'agenouillait à mon chevet ; ma mère l'imitait de l'autre côté et le pasteur Mulvery priait à haute voix. Ce faisant, sa voix était encore plus haut perchée et il s'enflammait.

Il commençait par quelques « Alléluia » lancés au hasard, ma mère lui répondait d'un : « Que Son nom soit loué ! Que Son nom adoré soit loué ! » Le pasteur Mulvery disait alors : « Seigneur, on s'est rassemblés ici en Ton nom afin de prier pour ce pauvre enfant. » « Amen », répliquait ma mère. « Dans son effroyable détresse, montre-lui le chemin du salut, ô cher Rédempteur qui es mort sur la croix pour qu'on puisse être libres. » « Alléluia, que Dieu soit loué », renchérissait ma mère. « Mon fils, ouvre ton cœur à Jésus, accepte-Le dans ta vie. Seigneur, ne le condamne pas aux terribles feux de l'enfer, accorde-lui la vie éternelle par Ton glorieux salut. » « Alléluia, béni soit Son nom ! » « Offre tes péchés à Jésus, mon fils, repose à Ses pieds pour qu'Il t'accorde Sa précieuse rédemption. Jésus adoré, réponds à nos prières, ouvre son jeune cœur, laisse-le Te voir dans toute Ta gloire. Seigneur, nous prions pour l'âme de cet enfant, nous T'implorons ardemment de l'amener des ténèbres à la lumière, du noir d'encre de la tombe sur le Golgotha au glorieux matin de la résurrection de notre doux Jésus-Christ ! » « Oui, Jésus ! Jésus adoré ! » disait ma mère de l'autre côté du lit. Ainsi en allait-il tous les jours.

Peu après ma rencontre avec Doc, assis sur notre rocher en haut de la colline derrière le jardin de roses, je lui avais demandé pourquoi j'étais un pécheur et ce que j'avais fait pour être condamné aux feux éternels de l'enfer à moins de renaître.

Il resta un long moment à contempler la vallée, puis répondit : « Peekay, Dieu a bien trop à faire afin que le soleil se lève et se couche ou à surveiller que la lune flotte au bon endroit dans le ciel pour s'intéresser à des bêtises pareilles. Seuls les hommes veulent toujours que Dieu soit là pour condamner celui-ci et sauver celui-là. Ce sont toujours les hommes qui veulent inventer l'enfer et le paradis. Dieu est trop pris à former les abeilles à faire du miel ou à ouvrir toutes les nouvelles fleurs le matin. » Il s'arrêta et sourit. « A Mexico, il y a un cactus qu'on pourrait croire oublié de Dieu parfois. Mais non, mon ami, il n'en est rien. Par pleine lune dans le désert, tous les cent ans il se rappelle et il fait éclore une seule fleur dans toute sa splendeur. Si tu étais là pour voir cette belle fleur de cactus argentée sous la lune qui rit aux étoiles, tu saurais que ça, Peekay, c'est le paradis. » Il leva les yeux vers moi, son regard d'un bleu profond vif et pénétrant. « C'est la foi en Dieu qu'a le cactus. » On resta assis un moment avant qu'il ne reprenne. « Il vaut mieux continuer à vivre et s'occuper de ses affaires ; peut-être alors, si Dieu aime ta façon de faire, il te laissera fleurir l'espace d'un jour ou d'une nuit. Mais ne Le harcèle pas, ne Le supplie pas, ne Lui raconte pas tous tes petits péchés stupides car ainsi, tu gâcherais Son grand jour. Absoloodle. »

J'avais encore un peu peur parfois à l'idée d'aller en enfer et je pensais très souvent à renaître. Cependant, mon cœur ne voulait pas s'ouvrir pour accueillir le Seigneur. Tous les gens que je connaissais qui avaient ouvert leur cœur à Jésus me semblaient vraiment pitoyables, ni bons, ni mauvais : rien, tout simplement. Je ne pouvais pas me permettre d'être rien alors que j'avais l'intention de devenir champion du monde des poids welter. Ma mère avait sans doute raison lorsqu'elle disait que si je continuais à rejeter le Seigneur et à durcir mon cœur, un jour il risquait de s'en aller et de m'abandonner à mon sort. C'est ce qui dut se produire car, au bout d'un moment, cela devint nettement plus facile, je ne m'inquiétais plus autant. Je décidai que j'aimais beaucoup plus le Dieu de Doc que celui de ma mère, du pasteur Mulvery, de Pik Botha et de tous les gens qui adoraient Jésus à la Mission de la Foi apostolique. Jésus, qui était le fils bien-aimé de Dieu, semblait régner là-bas. Il avait l'air très impatient de sauver les âmes, il était même mort pour leurs péchés ; pourtant, je ne pouvais m'empêcher de penser que c'était peut-être peine perdue. Néanmoins, ils paraissaient fort reconnaissants car ils parlaient beaucoup plus de Jésus que de Dieu. Jésus était vraiment le grand manitou à la Mission de la Foi apostolique.

Par la suite, je devais apprendre qu'il y avait dans cette histoire un troisième élément baptisé le Saint-Esprit, qui parlait dans des langues de feu invisibles et donnait aux gens une chose qui s'appelait « le don des langues ». Lorsqu'il en était ainsi, les gens se levaient d'un bond aux services religieux, agitaient les bras et se trémoussaient, les yeux clos. Apparemment, ils ne se cognaient jamais dans rien non plus, c'était très mystérieux. Ils bredouillaient et chantaient avec des mots étranges. Je m'y essayai ensuite mais ça ne sonnait jamais juste. C'était bel et bien un don.

Un pasteur de passage du Rassemblement de l'Eglise de Dieu en Amérique nous avait déclaré un jour, lors d'une semaine de renouveau, qu'il avait eu une preuve irréfutable qu'une femme, qui n'avait jamais quitté sa petite ville américaine, parlait le swahili quand le Saint-Esprit la visitait. Une missionnaire d'Afrique, qui comprenait le swahili, était présente dans la paroisse et elle avait compris chaque mot. Il ne nous révéla pas ses paroles, il précisa cependant qu'il y avait des tas d'exemples de ce genre et qu'il avait été personnellement témoin de plusieurs expériences. A partir de ce moment-là, j'avais tendu l'oreille mais, à la Mission de la Foi apostolique, personne ne parlait jamais zoulou ou shangaan. Peut-être ces langues n'étaient-elles pas assez exotiques pour le Saint-Esprit. Je me demandais ce qu'il y avait de si spécial dans le swahili.

Le pasteur Mulvery, installé à mon chevet, se leva, m'octroya un bref sourire et affirma que Jésus m'aimait de toute façon. Puis il sortit d'un bon pas, la Bible sous le bras, une poignée de tracts dans l'autre main pour rendre visite aux malades ; ma mère dit que c'était un homme précieux et resta auprès de moi.

Une fois que j'eus le bloc, je lui écrivis un long billet pour lui demander des nouvelles de Doc. Elle s'en empara et, sans le lire, s'enquit : « C'est au sujet du professeur ? » Elle pinça les lèvres lorsque j'acquiesçai. Puis elle froissa le mot. « Je ne veux plus t'entendre prononcer son nom, c'est compris ? C'est un méchant homme qui s'est servi de toi pour masquer les choses effroyables qu'il faisait et il a failli te tuer. » Des larmes perlèrent dans ses yeux. « Le docteur dit que s'il t'avait touché sur le côté du crâne, il t'aurait tué ! A cinq centimètres près, tu étais mort. Tu as traversé une épreuve terrible, j'ai prié sans relâche pour que le Seigneur te fasse oublier tout cela et que tu ne sois pas terrorisé à tout jamais. » Elle sécha ses larmes et se moucha.

« Non ! Non ! » m'arrachai-je. En réalité, il sortit deux espèces de cris du fond de ma gorge qui se frayèrent un passage sur ma langue gonflée et par ma bouche scellée. Je me mis à pleurer malgré moi devant ma mère. Ils accusaient Doc de mon infortune, j'étais le seul à savoir la vérité et je ne pouvais l'aider. C'était ma faute de toute façon. Si je n'avais pas glissé la bouteille de Johnny Walker dans son sac, cela ne serait jamais arrivé. Doc, que j'aimais tant, était une victime de plus à mettre sur le compte de Pisskop. Cette fois-ci, c'était bien pire qu'une dépression nerveuse.

Ma mère avait cessé de renifler devant mes larmes. « Mon

pauvre petit, tu as subi une chose affreuse. On n'en reparlera plus jamais. Mrs. Boxall, la bibliothécaire, a demandé à venir te voir mais le docteur et moi avons estimé que tu n'es pas assez bien pour recevoir des visites. » Elle ouvrit son sac et en sortit un carton vert plié en deux. « J'ai de bonnes nouvelles pour toi. Ton bulletin est arrivé, tu es le premier de ta classe. Nous sommes très fiers de toi, grand-père et moi. » Ses larmes oubliées, elle me contempla d'un air rayonnant. « Ils t'ont fait sauter une autre classe, tu vas être avec les garçons de dix ans. Tu te rends compte, à sept ans, tu vas être avec les grands de dix ans ! » Elle me tendit le bulletin ; à travers mes larmes, je le pris et le déchirai en quatre. Durant un long moment, ma mère resta silencieuse, les yeux rivés sur les bouts de papier vert sur mes genoux. Enfin, elle poussa un profond soupir. Je détestai ses soupirs plus que tout car ils me donnaient un épouvantable sentiment de culpabilité. « Le Seigneur t'a accordé un bon cerveau. Je prie tous les jours que tu L'accueilles en ton cœur et que tu te serves de ton esprit pour glorifier Son précieux nom. » Elle rassembla les morceaux, puis les fourra dans son sac en me lançant une espèce de sourire éméché. « Je suis sûre que ça va s'arranger, tu n'es pas toi-même en ce moment, hum ? » Cependant, son regard n'était pas souriant lorsqu'elle prononça ces paroles.

Cet après-midi-là, j'écrivis un billet à Mrs. Boxall. Ces quelques mots simplement : « Je vous en prie, venez ! Dans l'après-midi », et je signai. Je rédigeai aussi une lettre pour Marie lui demandant de bien vouloir porter le message à Mrs. Boxall à la bibliothèque municipale de Barberton. Marie était passée du service bi-hebdomadaire au service de nuit, elle venait à six heures pour notre dîner. Je lui remis la missive. Elle la lut et la cacha aussitôt dans la poche de son uniforme blanc amidonné de jeune infirmière. Puis elle prit sur le chariot mon plateau qu'elle m'apporta.

« Je le ferai uniquement si ça n'a aucun rapport avec cet espion », murmura-t-elle en posant mon plateau devant moi. Je lui tendis l'autre mot. Elle me jeta un regard soupçonneux en s'en emparant. « Il faut que je le lise avant d'accepter. » Après l'avoir parcouru, elle parut rassurée. « J'ai congé demain, je m'en occuperai. Maintenant, promets-moi que tu vas manger ton potiron, hier soir tu l'as laissé et tu n'as pas touché à tes petits pois. » Elle s'installa à mon chevet ; prenant une petite cuillère, elle la plongea dans le potiron et l'inséra dans le trou au coin de ma bouche. J'avais perdu quatre dents du même côté à l'endroit où j'avais reçu la botte du sergent, Marie l'avait baptisé mon « trou pour manger ». Elle réussissait mieux que personne à glisser dans l'interstice, sans me faire saigner les gencives, la nourriture écrasée qu'on commençait à me donner.

Je passai le reste de la soirée à écrire une longue description détaillée des faits à Mrs. Boxall. Lorsque je présentais mes notes à Doc, il soulignait toujours qu'un botaniste doit être soucieux des détails. « L'observation, c'est ça qui fait un scientifique, disait-il. Ce n'est qu'en voyant les choses dans les moindres détails qu'on apprend à découvrir leurs secrets. D'autres peuvent passer devant une plante toute leur vie sans même remarquer la couleur de ses fleurs alors que le botaniste connaît ses battements de cœur et la forme de ses pétales. » Je fis donc le récit complet des événements tels qu'ils s'étaient passés, sans oublier les gros mots, puis cachai les trois feuilles de papier dans ma taie d'oreiller. Mrs. Boxall vint dès le lendemain après-midi. Dans son filet, elle avait un nouveau *William* par Richmal Crompton, un livre qui avait pour titre *Fleurs des rives du Zambesi* par le RP William Barton de la London Missionary Society et trois numéros du *National Geographic*. « Tu es un enfant si précoce, Peekay, j'espère qu'ils seront orthodoxes pour tes goûts éclectiques. » A l'image de Doc, Mrs. Boxall ne me parlait jamais comme à un enfant. Conséquence, je ne la comprenais pas toujours et me demandais quel rapport pouvaient bien avoir les orthodoxes avec mon goût.

Je retirai mes notes de la taie d'oreiller et les remis à Mrs. Boxall. « Ah, voyons, qu'est-ce que c'est que ça ? » dit-elle, prenant les trois feuillets et plongeant la main dans son sac pour prendre ses lunettes. Elle mit un long moment à les lire, puis recommença tout depuis le début avant de lever les yeux vers moi. « Remarquable ! Tu es un enfant remarquable. Cela arrive juste à temps. Un tribunal militaire doit se réunir la semaine prochaine et les choses se présentent fort mal pour notre professeur, mon cher enfant. Toute cette joyeuse petite ville est partie en guerre à cause de lui. Les gens voient des Fritz dans leurs pots de chambre*. » Elle pouffa de rire de sa propre plaisanterie. « J'ai voulu aller le voir en prison, mais ces affreux Boers m'ont répondu que seules les personnes autorisées pouvaient lui rendre visite. Si une bibliothécaire n'est pas une personne autorisée, alors qui peut bien l'être, je te le demande ? L'imbécile de gardien à la porte n'a pas dérogé d'un pouce. J'ai lancé une pétition à la biblio-

* *Jerry* signifie tout à la fois Fritz et pot de chambre *(NdT)*.

thèque, jusqu'à présent toutefois je n'ai obtenu que douze signatures dont trois sont des Boers et on sait tous où vont leurs sympathies, non ? Cet épouvantable petit bonhomme, Georgie Hankin, a menacé de raconter des choses absolument horribles sur mon compte dans les *Goldfields News* ; de plus il m'a dit, en privé, que si je persistais dans cette voie, il ne pourrait accepter qu'un sympathisant nazi ait une rubrique dans son journal. Franchement, on aurait cru qu'il s'agissait du *Times* de Londres, vu la scène qu'il faisait à propos de cette effroyable feuille de chou ! » Elle s'arrêta dans sa diatribe, plongea la main dans son filet une fois de plus et en sortit un numéro des *Goldfields News*. La photo que Doc avait faite de moi en haut de la colline s'étalait à la une sur près de la moitié de la page. Au-dessus, en gros caractères noirs, le titre proclamait : « L'ENFANT QU'IL A VOULU TUER ! » Entre la manchette et le nom du journal, un placard annonçait : « Edition Spéciale Espionnage. » La légende de la photo indiquait : « Comme dans le sacrifice biblique d'Isaac par Abraham, l'innocent attend sur son rocher. » Très certainement, Georgie Hankin, qui comme d'habitude s'était trompé sur toute la ligne, devait considérer cela comme son heure de gloire.

L'arrestation de Doc avait eu lieu juste à temps pour l'édition hebdomadaire qui sortait le lundi. Elle rapportait les premiers événements et dans ces deux pages spéciales du milieu de la semaine, employant le précieux papier qui était rationné, Mr. Hankin s'efforçait de parvenir à l'immortalité dans le monde de la presse. Mrs. Boxall n'avait pu venir me voir car, en s'opposant aux tentatives d'approche de Georgie et de ses photographes, le Dr Simpson avait condamné toute visite. Etonnée que je n'aie pas encore vu le journal du lundi, elle promit de me l'apporter le lendemain après-midi ; cependant, en bibliothécaire expérimentée, elle n'eut guère de problèmes à me retracer l'essence et la saveur de l'article.

En substance, l'article des *News* rapportait que le prévôt et son sergent avaient attendu quasiment tout l'après-midi l'arrivée de Doc. Lorsqu'il était apparu suivi d'un petit garçon, il était dans un état de laisser-aller total, les deux militaires comprirent aussitôt qu'il avait bu. Le sergent, sur les ordres de son supérieur, le raccompagna à son cottage pour lui permettre de se rafraîchir. Sur ce, quand il eut le dos tourné, Doc l'attaqua avec une grosse canne au pommeau en métal et tenta de s'enfuir dans les collines. On soulignait que Doc connaissait bien les environs, qu'il lui aurait donc été facile de se cacher dans l'un des centaines de puits de mine abandonnés qui truffaient les montagnes. Il se serait ensuite rendu à Lourenço Marques, territoire neutre le plus proche.

L'article se poursuivait, affirmant que le sergent était sonné à la suite des coups qu'il avait reçus et, apparemment, Doc se serait bel et bien sauvé si, avec intrépidité, je ne l'avais plaqué au sol. Alerté par mes cris, l'officier avait déboulé l'allée et surgi juste à temps pour voir Doc me décocher un violent coup de pied à la tête. Il avait alors arrêté l'espion en braquant son arme sur le suspect.

L'éditorial soulignait ensuite que Doc étant un photographe réputé, il avait certainement, sous prétexte de s'intéresser aux cactus, pris des photos de pistes d'atterrissage éventuelles pour l'ennemi, de points de repère établis, de puits de mine pour stocker des vivres et des armes destinés aux espions s'infiltrant en Afrique du Sud à partir du territoire portugais. Le journal signalait qu'on n'avait retrouvé aucun cliché de ce genre, cela confirmant l'hypothèse qu'ils étaient déjà passés à l'ennemi et qu'un espion digne de ce nom ne laissait jamais traîner de preuves aussi flagrantes. Fortuitement, dans l'Hasselblad de grand prix, appareil suédois que l'espion avait utilisé l'après-midi même, se trouvait une pellicule impressionnée : des clichés d'un trou à flanc de montagne dont les déchets de minerai extraits de la mine étaient empilés directement devant le puits, en faisant une position de défense idéale. Dans le bloc de Doc, on avait retrouvé un relevé au compas ainsi que l'emplacement exact de la mine abandonnée. Sans oublier plusieurs photos d'une cactée, prouvant l'habileté et la prudence de Doc pour se couvrir.

Le cliché en question était naturellement celui du site où on avait découvert le Senecio Serpens, les bâtons de craie bleus. Les autres photos du film étaient celles de la cactée. Doc, comme il me l'avait appris, établissait toujours le lieu d'une découverte, la direction des vents dominants en étudiant les broussailles et les plantes plus importantes dans les abords immédiats, les conditions du sol ainsi que le type de roche des environs.

Pour les habitants de Barberton friands de ragots, tout cela était parfaitement vraisemblable, il s'en trouva fort peu pour réfléchir le temps d'examiner les preuves ou de s'interroger sur les liens qui unissaient Doc à cette ville depuis quinze ans. Mrs. Boxall disait que les gens racontaient à la ronde : « Un Fritz, ce sera toujours un Fritz ! », contents que cet axiome recouvrît une multitude de péchés. « Seigneur, je soupçonnerais mon cher vieux père avant de soupçonner le professeur. Il n'a aucun sens du patriotisme hormis pour l'Afrique et ce qui tient aux cactus. » Elle plia soigneusement mes notes et les rangea dans son sac à main. « Mon Dieu, j'ai failli oublier. Je t'ai apporté un paquet de bonbons. Oh, bonté divine ! s'exclama-t-elle d'un ton inquiet. Je n'ai plus pensé à ta mâchoire, quelle sotte je suis. » Elle remit les bonbons durs comme du bois dans son sac, le ferma, puis se pencha vers moi et me caressa le menton. « Courage, mon garçon, on a toutes les preuves requises pour sortir notre ami commun du pétrin. J'apporterai des nouvelles fraîches demain. » Elle s'en alla, ses chaussures de marche résonnant sur le sol en ciment ciré, le dos aussi droit qu'un I et la tête haute avec ses cheveux courts. J'entendis ses pas claquer sous la véranda bien après l'avoir perdue de vue.

Pour la première fois depuis une semaine, j'étais content. Mrs. Boxall n'était pas du genre à se laisser abuser, je lui faisais toute confiance pour résoudre le problème. Elle était l'amie de Doc au même titre que la mienne et, comme disait Doc si souvent : « Cette femme n'est pas une imbécile, Peekay. »

Cependant, je ne la revis pas le lendemain. Ayant eu vent de son passage, ma mère avait consulté le Dr Simpson qui, derechef, avait interdit toute visite. Je commençais à émettre des bruits à moitié cohérents à travers ma mâchoire attachée ; après quelques essais, Marie me comprit sans peine. Elle me confia que je lui rappelais un petit frère à elle qui ne tournait pas rond, ce qui lui facilitait la tâche. Il était bien agréable de pouvoir parler à quelqu'un de nouveau ; ce fut Marie qui m'annonça la conversation de ma mère avec le Dr Simpson, qu'elle avait surprise lorsqu'elle était à l'infirmerie. Ma mère ne me parla de rien le lendemain de sa visite au médecin ; une fois de plus, j'étais coupé du monde sans aucune nouvelle. Marie m'avait aussi appris que je retournerais à la maison le mardi ; elle en était fort chagrine. Agée de quinze ans, elle venait d'une ferme dans la vallée, n'avait qu'un week-end libre par mois pour rentrer chez elle, et vivait dans les quartiers des infirmières alors que toutes ses jeunes collègues habitaient en ville. Ni très jolie, ni très intelligente, couverte de boutons qu'elle appelait ses « affreuses taches », elle n'avait pas d'amis. Je lui dis que j'étais son ami, que si elle voulait, elle pourrait m'accompagner dans les collines. Apparemment un peu inquiète à cette idée, elle affirma que les filles ne devaient pas faire ce genre de chose mais qu'elle viendrait tout de même.

Le lundi soir, elle entra dans la salle et mit un gros sac en papier kraft sur le lit. Elle posa un doigt sur ses lèvres pour m'exhorter au silence. « Mrs. Boxall l'a apporté aux quartiers des infirmières, elle a dit que c'étaient les dernières nouvelles sur ce que tu sais », murmura-t-elle, grisée de faire partie du complot bien que terrifiée aussi. Ensuite cependant, alors qu'elle me donnait à manger, elle lança : « Je n'ai rien fait de mal, n'est-ce pas ? J'ai juste apporté ce sac en papier, rien de plus. Ce n'est que de la politesse de rendre service à quelqu'un, non ? »

J'avais jeté un coup d'œil dans le sachet qui, de prime abord, ne semblait renfermer que des bananes ; toutefois, sous les bananes se trouvaient un journal plié en tout petit ainsi qu'une lettre de Mrs. Boxall. Après l'extinction des feux, je fourrai les deux dans ma veste de pyjama et suivis le couloir jusqu'aux toilettes. Sortant la lettre, je commençai à la lire. Elle était rédigée de son écriture soignée de bibliothécaire.

Cher Peekay,

Des tas de nouvelles du front. Je suis allée voir Mr. Andrews. C'est l'avocat qui vient à la bibliothèque uniquement pour prendre des livres sur les oiseaux. Il a lu tes notes et s'est exclamé : « Sapristi ! Ça éclaire tout sous un autre angle. » Il avait l'air de penser qu'il obtiendrait un entretien avec le juge militaire quand il viendra de Pretoria mercredi prochain. Il a trouvé ton récit remarquable comme moi. « Trop bien, a-t-il dit, qui croira qu'un gamin de sept ans peut s'exprimer avec une telle précision ? »

Mon cher enfant, c'est là le problème qu'on risque d'avoir, selon lui. Il sait que tu ne peux pas parler. Il a toutefois eu une excellente idée. Il souhaiterait que tu te soumettes à un test d'intelligence, un test écrit devant le juge pour qu'il se fasse une opinion par lui-même. Mr. Andrews est allé voir ta mère mais elle a déclaré qu'il était hors de question que tu sois mêlé au procès. Elle a cependant ajouté qu'elle prierait : tout n'est donc pas perdu. C'est un peu ennuyeux, très franchement ; on n'est pas encore battus pour autant. Je suis sûre que Dieu est de notre côté et non du côté de Georgie Hankin ou des militaires. La justice britannique vaincra au bout du compte, même si on doit écrire personnellement à Mr. Winston Churchill.

Pourrais-tu venir me voir quand tu sortiras de l'hôpital ? Garde courage !

Bien à toi,
Fiona Boxall,
Bibliothécaire.

Je me demandais quel genre de test me ferait passer le juge. Mais si je ratais et que je n'arrivais pas à sauver Doc ? Si jamais le Seigneur ne donnait pas à ma mère la permission de me laisser voir le juge ?

Néanmoins le Seigneur, avec un petit coup de pouce de Mr. Andrews, qui venait de l'une des plus anciennes et des plus importantes familles de la ville, pencha en faveur de ma présence comme témoin à l'audience. L'avocat avait fait remarquer à ma mère qu'il en allait de son intérêt de laver le nom de la famille car les mauvaises langues risquaient de l'accuser de négligence pour m'avoir laissé vagabonder dans les collines en compagnie d'un espion allemand.

Je sortis de l'hôpital le mardi ; le lendemain matin, Mrs. Boxall passa me prendre avec Charlie, sa petite Austin Seven, pour m'emmener au palais de justice où devait siéger le tribunal militaire. Mr. Andrews nous attendait ainsi que Marie, à ma grande surprise.

« Apparemment, c'est la seule personne qui arrive à te comprendre, Peekay. On l'a donc amenée à titre d'interprète. L'idée est de moi et elle est excellente, si je puis me permettre », déclara Mrs. Boxall. Dans son uniforme d'infirmière fraîchement amidonné, Marie paraissait encore plus apeurée que moi.

Mr. Andrews nous quitta ; on dut patienter un long moment, assis sur un banc dans la salle d'attente. Lorsqu'il revint enfin, il annonça que le juge nous verrait en privé dans le cabinet des magistrats et que, en fonction des résultats, on me citerait ou pas comme témoin.

Tout cela ne signifiait pas grand-chose pour moi ; il fallut cependant suivre un long couloir recouvert de lino qui sentait la cire. Une femme, qui poussait un chariot rempli de tasses à thé, nous dépassa dans un cliquetis de faïence en me dévisageant. Je n'étais pas encore habitué à ce que les gens m'observent avec ma mâchoire attachée. Je regardais par toutes les portes ouvertes dans l'espoir de voir Doc. On arriva enfin à une porte où était écrit « Magistrat » en lettres d'or sur un panneau en bois vissé dessus. Mr. Andrews frappa un petit coup, une voix lança : « Entrez ! » et on le suivit. Derrière un bureau était assis un homme dans un vrai uniforme avec une cravate et une ceinture d'officier en cuir lustré. Il se leva à notre arrivée, je remarquai qu'il portait un pantalon long et un revolver à la ceinture. Mr. Andrews nous le présenta comme étant le colonel de Villiers. Il y avait quatre chaises disposées devant la table, on s'y installa. Mes notes se trouvaient sur le dessus d'un dossier attaché avec un ruban violet. Le colonel de Villiers mit des lunettes à monture dorée qui glissèrent sur son nez au moment où il leva les yeux vers nous : il regarda donc par-dessus tout en s'adressant à nous.

« Bien, jeune homme, Mr. Andrews ici présent m'affirme que vous êtes assez brillant pour avoir écrit ces notes. » Il les tapota de l'index. « Quel âge avez-vous ?

— Sept ans, monsieur », répondis-je d'une voix grinçante du fond de ma gorge. Le colonel, Mr. Andrews et Mrs. Boxall se tournèrent vers Marie. Elle ouvrit la bouche mais aucun son n'en sortit. Elle semblait paralysée de terreur, puis deux grosses larmes jaillirent de ses yeux. Elle refit une tentative sans résultat. Je montrai sept doigts au colonel qui, la mine sévère, s'éclaircit la gorge.

« Sept ans. Vous écrivez fort bien pour un enfant de sept ans. Quelqu'un vous a aidé, je suppose ? » Je regardai Marie qui reniflait dans un mouchoir que lui avait donné Mrs. Boxall, puis secouai la tête. « Hum ! » grogna le colonel en se tournant vers Mr. Andrews. « Ces soi-disant gros mots qu'aurait prononcés le sergent me semblent étrangers au vocabulaire d'un enfant de sept ans qui, selon vous, vit dans un milieu très croyant. Je m'étonne aussi de ses connaissances en latin, le Senecio Serpens et le Glottiphyllym Uncatum paraissent un peu ésotériques pour un petit garçon qui, comme tous les petits garçons, j'imagine, s'intéresse plus aux sucettes qu'aux substantifs latins. »

Mrs. Boxall intervint : « Le professeur est un botaniste amateur très compétent et il a habitué le petit à prendre minutieusement des notes. De plus, l'enfant a une mémoire quasiment infaillible.

— Hum... un peu trop infaillible, si vous voulez mon avis, madame », répliqua le colonel comme pour lui-même. Je vis Mrs. Boxall se hérisser.

« Il l'a fait tout seul, je l'ai vu écrire à l'hôpital, déclara brusquement Marie, la voix tremblant de terreur.

— Excellente nouvelle, Miss Florence Nightingale a retrouvé sa voix, remarqua le colonel. Peut-être pouvons-nous poursuivre, maintenant ? » Il se tourna vers moi. « Mon garçon, j'aimerais que tu me racontes toute l'histoire depuis le début, exactement telles que les choses se sont passées. » Je retraçai le récit des événements sauf que Marie n'aurait jamais pu prononcer les noms latins des deux plantes, j'y fis donc allusion en ces termes : « Les bâtons de craie bleus et un autre genre de cactée dont je peux vous noter les appellations, si vous voulez ? » Le colonel me passa un morceau de papier et j'écrivis les dénominations en latin.

« Extraordinaire, apparemment je vous dois des excuses, madame », s'exclama-t-il en s'inclinant devant Mrs. Boxall. Quand on en arriva aux gros mots, Marie refusa de les répéter. « Je vous en prie, monsieur, je ne peux pas dire ces mots-là, je n'ai jamais prononcé des mots pareils », s'offusqua-t-elle d'un ton craintif mais sans appel.

De temps à autre, le colonel me coupait pour me poser des questions telles que : « De quelle couleur étaient la casquette et la ceinture du sergent ? » Toutes ses questions avaient trait à un détail anodin, j'y répondais cependant sans aucun problème.

Lorsque j'eus fini, il déclara à Marie qu'elle avait été formidable, elle rougit jusqu'aux oreilles et ses boutons ressortirent. Puis il se tourna vers Mr. Andrews.

« La déclaration de l'enfant coïncide quasiment point par point avec celle du prisonnier. On a déjà établi qu'ils n'avaient pu se trouver en position de comparer des notes ou de faire appel à un tiers pour organiser un système de défense. Mrs. Boxall a bien essayé de le rencontrer mais n'y a pas été autorisée. Seuls des membres de l'armée ont vu et interrogé le prisonnier et je suis content que l'incident se soit passé selon les dires de l'enfant. Je suis convaincu que la cour conclura à la non-culpabilité sur tous les points hormis un seul. Je vais demander qu'on retire les accusations d'agression contre un mineur et de tentative d'évasion. De toute évidence, le sergent a agi sous l'effet d'une forte provocation émotionnelle, la cour devra sans doute considérer la chose sous cet angle. Les rapports de l'armée comme de la prison stipulent que le prévenu empestait le whisky mais on peut très facilement vérifier si la manche de son pardessus est tachée. »

Il tira sur le ruban violet entourant le dossier et l'ouvrit. Il renfermait deux numéros pliés des *Goldfields News*, la photo de moi assis sur le rocher, un certain nombre de clichés de Doc ainsi que l'un de ses petits blocs-notes à spirale. Le colonel prit l'un des journaux. « Sincèrement, ce genre d'inepties hystériques nous compliquent bien les choses. Juger des étrangers est assez pénible sans que toute la population s'acharne à transformer le boucher, le boulanger et le musicien en ennemis de l'Etat. La seule accusation dont devra répondre le professeur est d'ordre technique : il ne s'est pas déclaré comme résident étranger. » Il se leva de sa chaise et m'accorda un bref sourire. « J'aurais aimé être encore ici pour pouvoir bavarder avec vous quand votre mâchoire sera guérie, jeune homme. Je commence aussi à éprouver un respect salutaire à l'égard des enseignements de votre professeur. »

Il serra la main de Mrs. Boxall et de Mr. Andrews, puis dit un mot en privé à ce dernier qui nous poussa vers la sortie.

Lorsqu'on regagna la salle d'attente, on aperçut Mr. Hankin des *Goldfields News*. Mr. Andrews lui adressa quelques mots, puis fit un signe de tête vers le bureau du colonel. Mr. Hankin se leva pour s'y rendre. « Je crois que la carrière de Mr. Hankin dans son rôle de détecteur d'espions va mal finir, me déclara Mrs. Boxall avant d'éclater de rire. On a gagné, Peekay, on a gagné ! » s'exclama-t-elle d'un ton triomphal.

Il n'en était rien cependant. Doc fut acquitté de tous les motifs d'inculpation portés contre lui, comme l'avait prévu le colonel, mais fut accusé d'être résident non déclaré et la cour le condamna à la détention dans un camp de concentration durant toute la guerre. Les *Goldfields News* titrèrent à la une : « PAS ESPION MAIS QUAND MÊME ALLEMAND ! » Il s'écoula un an avant que Mrs. Boxall n'acceptât de reprendre sa rubrique : « Le Jardin de la Culture par Fiona Boxall. »

11

En attendant que des dispositions fussent prises pour envoyer Doc en camp de concentration dans le haut veld, on le gardait sous les verrous à la prison de Barberton. Deux jours après sa condamnation, je me rendis à la bibliothèque pour apporter un bouquet de roses à Mrs. Boxall de la part de ma mère. Mr. Andrews lui avait expliqué que mon témoignage avait évité le pire à Doc, une sentence qui aurait risqué d'achever un homme de son âge. Il avait aussi réussi à la convaincre qu'il n'y avait aucune raison d'avoir honte de quoi que ce soit. D'ailleurs, il ne regrettait qu'une chose : que ses deux fils, qui étaient en pension à Johannesburg, ne puissent avoir pour professeur un homme aussi remarquable. Ma mère estima que le Seigneur l'avait guidée dans les méandres de cette affaire et que Sa volonté s'était exprimée par ma bouche. En offrant des roses à Mrs. Boxall, elle voulait lui signifier par ce geste qu'elle lui avait pardonné d'être venue me voir à l'hôpital bien que les visites fussent interdites.

Mrs. Boxall parut enchantée lorsqu'elle me vit arriver. « Je suis si contente que tu sois venu, Peekay. J'ai une lettre pour toi. » Je lui tendis le bouquet. « Comme c'est gentil à elle. » Elle le posa sur la table où on triait les livres puis, s'esquivant un instant dans son minuscule bureau, revint avec une petite enveloppe bleue qu'elle me remit. L'enveloppe était scellée, je l'ouvris délicatement en tirant sur le rabat bien collé. « Dépêche-toi, Peekay, je n'y tiens plus », dit Mrs. Boxall en se penchant par-dessus mon épaule. Je sortis une simple feuille de cahier bon marché que je dépliai. Je reconnus l'écriture soignée de Doc. « Oh, mon Dieu, je suis d'une curiosité impardonnable ! Je peux la lire avec toi ? » En dehors du mot de Hoppie, je n'avais jamais reçu de courrier, encore moins une lettre dans une enveloppe fermée. J'aurais préféré la découvrir tout seul mais je ne pouvais pas refuser, naturellement ; j'acquiesçai donc d'un signe.

Cher Peekay,

Nous voilà dans le pétrin ! Moi bloqué ici, où on enlève toute dignité à l'homme, et toi la mâchoire cassée. Ce pourrait être pire cependant. Si j'étais noir, ce serait carrément l'horreur. Totale.

On m'a mis en état de détention simple, je peux donc circuler à ma guise dans l'enceinte de la prison et ma cellule n'est pas fermée à clé. Mais surtout, j'ai droit à des visites. Tu vas venir me voir ?

Demande à Mrs. Boxall d'appeler ici pour prendre les dispositions nécessaires. J'ai aussi de bonnes nouvelles en ce qui concerne le Steinway. Le Kommandant va me donner l'autorisation de le faire transporter dans la grande salle. C'est une bonne nouvelle, ja ?

Je ne me considère pas comme un Allemand. D'ailleurs, qu'est-ce qu'un Allemand ? Dire d'un homme qu'il est allemand, qu'est-ce que ça implique ? Qu'il est bon ? Qu'il est mauvais ? Non, mon ami, cela ne t'apprend rien d'affirmer qu'il est allemand. Un homme doit songer à son intériorité, l'enveloppe extérieure, en quoi cela peut-il être important ?

De plus, étant allemand, je suis bien traité par les gardiens. Ça aussi, c'est idiot. As-tu planté le Senecio Serpens ? Bien sûr que non, je me fais vieux et je ne pense qu'à moi. Peut-être Mrs. Boxall va-t-elle prendre les livres au cottage pour les mettre à la bibliothèque ? En attendant, je suis bien traité et le whisky me manque moins. Viens vite, je compte sur toi.

Ton ami, Doc.

« On va téléphoner tout de suite », déclara Mrs. Boxall, m'invitant à entrer dans son bureau.

Le directeur de la prison de Barberton, le commandant Jaapie Van Zyl, annonça à Mrs. Boxall que, selon les instructions du colonel de Villiers, le professeur von Vollensteen avait droit à voir l'enfant dans le cadre des règles de l'établissement. Il ajouta qu'il avait entendu parler de mes exploits et qu'il souhaitait me rencontrer, affirmant enfin que si Mrs. Boxall voulait que j'apporte les livres de la bibliothèque de Doc, il ne s'y opposerait pas. Le professeur était un musicien, un érudit de surcroît, et la prison de Barberton était honorée de sa présence.

Mrs. Boxall choisit trois ouvrages de botanique que Doc appréciait particulièrement et, avec un mot d'elle, je me mis en route.

J'arrivai à la grille en fer forgé fermée par une énorme chaîne et un cadenas. Je n'avais jamais vu une serrure aussi grosse : elle était quasiment deux fois plus grande que la main d'un adulte Je me demandai quelle devait être la taille de la clé qui l'ouvrait. La porte était surmontée de fil de fer barbelé. Sans avoir besoin de réfléchir, je reconnus les composantes de la roche : du feldspath et du quartz principalement, exploités dans la région de Barberton, qui contenait donc une forte dose de mica en plus. Après avoir passé un an auprès de Doc, identifier tout ce qui ne bougeait pas était désormais une seconde nature. J'étais devenu un expert en géologie locale.

Je me dis qu'il était impossible de s'évader. A côté de la grille tout en haut se trouvait une cloche au bout de laquelle pendait une corde qui arrivait quasiment par terre. Un panneau accroché au mur indiquait : « Prière de sonner. » Mon cœur battait à tout rompre quand je tirai sur la corde ; le carillon trouant le silence me parut assourdissant. Presque aussitôt, un gardien, fusil à l'épaule, émergea de sa guérite située à cinq ou six mètres de là et vint à ma rencontre. Ses bottes noires impeccablement cirées crissaient sur l'allée de gravier blanc. Je lui tendis mon mot à travers les barreaux, il l'ouvrit d'un air soupçonneux. Il y jeta un coup d'œil, puis leva les yeux vers moi.

« *Praat jy afrikaans ?* » s'enquit-il.

Je hochai la tête pour lui montrer que je comprenais l'afrikaans. J'avais toujours la langue gonflée ; de plus, je parlais d'une petite voix un peu rocailleuse mais j'arrivais tout de même à m'exprimer assez distinctement malgré ma bouche attachée. Apparemment soulagé, le jeune gardien s'adressa à moi en afrikaans. Il me demanda de lui lire le billet car, venant du Nord-Ouest Transvaal où on ne parlait que le *taal*, ses connaissances en anglais étaient limitées. « La lettre dit que je suis venu voir le professeur von Vollensteen et que j'ai la permission du commandant Van Zyl, expliquai-je.

— Je vais appeler pour me renseigner. Vaut mieux que vous attendiez ici, c'est compris ? » Il regagna sa guérite, je vis qu'il discutait au téléphone. Il était assez jeune et semblait nerveux. Reposant enfin le combiné, il passa la tête par la porte. « *Kom !* » Il me fit signe d'entrer. La porte était fermée cependant. Exaspéré, il secoua la tête puis s'éclipsa un instant. Il revint avec une énorme clé accrochée à un gigantesque anneau. A ma grande surprise, la grille s'ouvrit en douceur et se referma bruyamment lorsqu'il la verrouilla derrière moi.

Le jeune gardien m'enjoignit de me présenter au bureau dans le bâtiment administratif. Il me le montra du doigt. « *Totsiens* et merci de m'avoir lu le mot, tu es un gentil *kerel* », dit-il.

Entre la grille et le bâtiment administratif, il n'y avait strictement rien. L'allée en gravier était bordée d'une pelouse d'un mètre cinquante ; ensuite, la cour se transformait en un terrain de manœuvres d'argile durcie au soleil. La languette de verdure encadrant l'allée formait un contraste éclatant bien qu'incongru à côté de la terre brûlée du terrain de manœuvres et des lugubres édifices grisâtres. J'aperçus la tête d'un gardien à la fenêtre d'une tourelle saillant du mur, qui se dressait au milieu d'un chemin de ronde courant sur une quinzaine de mètres. Deux gardiens, fusil à l'épaule, l'arpentaient. J'étais apparemment la seule personne en contrebas et je me demandais comment ils allaient pouvoir deviner, lorsque je sortirais, que je n'étais pas un prisonnier qui tentait de s'évader. Peut-être me donnerait-on un drapeau blanc pour me repérer ?

J'avais l'impression que je n'arriverais jamais. Je sentais l'oppression qui régnait en ce lieu, le silence accablant. Il n'y avait pas un arbre et donc pas une cigale pour égayer le décor. Pas un oiseau ne venait ponctuer le silence. Mes pieds nus sur le gravier faisaient un bruit terrible. Sur trois étages se découpaient de minuscules fenêtres, chacune coupée en deux par des barreaux en acier à la verticale. J'imaginais des centaines d'yeux fixés sur moi qui, de leur sombre prison, enviaient avidement ma liberté.

La porte du bâtiment administratif était ouverte. Après un instant d'hésitation, je passai la tête. Je découvris un petit vestibule où régnait la même odeur de cire qu'au tribunal. Trois bancs, disposés comme à l'église, occupaient la moitié de la pièce et, sur l'un des murs, se découpait une fenêtre avec des barreaux. A travers, j'aperçus un bureau. J'entrai, m'assis sur le premier banc et attendis.

Je ne sais combien de temps je restai là, cela me parut fort long. Par moments, je voyais deux hommes en uniforme passer devant l'ouverture mais ils ne regardaient jamais vers moi. Je les entendais parler au téléphone. Au bout d'une éternité, j'entendis la voix d'un homme au téléphone derrière la grille, il braillait en afrikaans, apparemment très en colère.

« Il n'est pas arrivé, espèce de domkop ! Tu es sûr que tu lui as montré le bon bâtiment ? On ne peut pas se permettre d'avoir un fichu gamin qui se balade dans la prison. Ça fait presque une demi-heure et il n'y a pas trace de lui. On va être obligés de le chercher maintenant et c'est ta faute, nom d'un chien ! » Je perçus le bruit du combiné qu'on raccrochait brutalement. « *Kom !* » lança la voix à quelqu'un. Un instant plus tard, une porte s'ouvrit sur un gros type suivi d'un autre mastodonte qui paraissait plus jeune que le premier.

Le gros type me vit en entrant dans le vestibule. « Bon Dieu ! Où étais-tu passé ? me hurla-t-il.

— Je n'ai pas bougé, absolument pas bougé, Meneer, répondis-je d'une voix grinçante.

— Alors, pourquoi ne t'es-tu pas annoncé ? » demanda-t-il d'un ton un peu radouci, sans doute à cause de ma mâchoire.

Je lui montrai les deux notices accrochées au mur derrière les bancs. « C'est écrit : ''Prière d'attendre'' et sur l'autre ''Silence'' », répliquai-je, apeuré.

Le plus jeune se mit à rire brusquement. « Je crois que le gosse a gagné le premier round, lieutenant, affirma-t-il.

— Bon, d'accord, je reconnais que tu m'as bien eu, avoua son compagon en pouffant. *Kom*, on doit prendre ton nom et les renseignements habituels. »

Ils me conduisirent dans le bureau. Après avoir noté mes nom, adresse et âge, le plus vieux passa un coup de fil et demanda à parler au commandant. Puis il raccrocha. « Le commandant veut te voir mais il fait un tour d'inspection, on va devoir attendre une vingtaine de minutes. » Il se tourna vers son collègue. « Klipkop, va chercher une tasse de thé et un biscuit pour Peekay. » Je me demandai comment on pouvait s'appeler « Klipkop ». En afrikaans, cela signifie tête de pierre. Cependant, lorsque je regardai le grand type blond, je me dis que ses traits décharnés auraient bien pu être taillés dans le roc.

Klipkop se leva et me tendit la main. « Puisqu'on est là pour un moment, autant se présenter. Oudendaal, Johannes Oudendaal », déclara-t-il avec cérémonie à l'afrikaans, donnant d'abord son nom de famille, puis le répétant précédé de son prénom. « Et voici le lieutenant Smit. » Il me désigna l'autre gardien qui me tendit la main sans me regarder. Rougissant de gêne, je la serrai une seconde. Je me demandai si le lieutenant Smit était lié à Jackhammer Smit. Peut-être était-ce son frère ? Je n'avais pas le courage de poser la question. Après tout, Smit est un patronyme très courant chez les Afrikaners. Si j'étais dans le vrai, j'espérais qu'il valait mieux que le mineur. « Viens, je vais te montrer où on fait le thé, proposa Klipkop. Il y a un Cafre qui s'en occupe mais si on en veut en dehors des heures prévues, on le prépare nous-mêmes, c'est très pratique. Toutes les semaines, on donne un shilling pour le lait, le sucre et les gâteaux secs ; le thé, ce sont les autorités qui nous le fournissent. Le Cafre, il faut le surveiller, sinon ce salopard de nègre pique tout. Je te jure qu'il y a des voleurs partout ici. »

Je le suivis dans une petite cuisine aménagée derrière le bureau. Il mit de l'eau dans une bouilloire électrique qu'il brancha. « Peekay, c'est la première fois que j'entends ce nom-là.

— Je l'ai trouvé comme ça, mais c'est mon vrai nom maintenant, répondis-je.

— Ja, je vois. Moi, c'est la même chose. On m'appelle Klipkop parce que je fais de la boxe et que je peux en prendre plein la figure. Parfois, j'ai du mal à me rappeler mon nom de baptême. »

J'en fus abasourdi. « Vous faites de la boxe ? m'enquis-je.

— Ah ça oui, mon vieux. Ici, pour tenir le coup, il faut savoir boxer. J'aime ça de toute façon. Le week-end, on va dans toute la région disputer des matches, c'est beaucoup mieux que le rugby. » Il sortit trois tasses du placard au-dessus de l'évier. « L'entraîneur, c'est le lieutenant Smit, il était poids lourd. » Il s'arrêta un instant pour prendre dans une boîte fort usagée une cuillerée de thé bombée et la mettre dans la théière. « Maintenant, fini la rigolade, mon vieux. Le mois prochain, je vais disputer mon premier match professionnel. On peut gagner gros dans la boxe. J'ai une nooi à Sabie et on voudrait se marier. » Il versa l'eau de la bouilloire électrique dans la théière en étain, puis remua avec une cuillère à soupe avant de mettre le couvercle. « Tu fais de la boxe, Peekay ? » Il posa la question par politesse, ne s'attendant pas à ma réaction.

Mon cœur battait à tout rompre lorsque je répliquai : « Non, mais vous pourriez m'apprendre s'il vous plaît, Meneer Oudendaal ? »

Stupéfait, il m'observa. Il dut percevoir mon envie dans mon regard implorant. « Il faut d'abord que ta mâchoire aille mieux. De toute façon, je pense que tu es un peu trop jeune. Le lieutenant Smit donne aussi des leçons aux gosses des gardiens mais je crois que le plus jeune a dix ans dans l'équipe junior.

— Je peux avoir dix ans. Je les ai déjà en classe. Je pourrai les avoir facilement pour boxer et ma mâchoire sera guérie dans deux mois, répondis-je d'un ton suppliant.

— Holà ! Pas si vite ! Dix ans c'est dix ans. Sur le formulaire qu'on a rempli, tu n'en avais que sept.

— Lorsqu'on se bat d'abord avec la tête, ensuite avec le cœur, on peut avoir dix ans, affirmai-je.

— *Magtig*, tu n'es pas facile à suivre, toi. Il faudra que tu en parles au lieutenant Smit, c'est lui le patron. Mais si tu veux mon avis, je crois que tu n'as pas la moindre chance, Peekay.

— Vous lui demanderez quand même pour moi ? » m'enquis-je d'une voix rauque. J'avais la gorge serrée tant l'émotion me poussait à forcer sur ma voix.

« Oui, mon vieux, mais je t'ai déjà dit quelle serait sa réaction. » Il prit la théière, servit les trois tasses d'émail, ajouta du lait, trois cuillerées de sucre et remua. Puis il s'approcha du placard d'où il sortit une boîte en fer qu'il ouvrit. « Ce sale Cafre ! Il restait quasiment le quart d'un paquet de gâteaux Marie là-dedans et il n'y en a plus un seul. Il est temps que ce salopard de nègre retourne dans une équipe de travail. Prends ta tasse et apporte le lait, Peekay. Si tu reviens, la prochaine fois on aura droit à des biscuits.

— S'il vous plaît, Meneer Oudendaal, vous n'oublierez pas de demander au lieutenant ? Vous savez, il faut que je m'y mette parce que je dois devenir champion du monde des poids welter. »

Je prononçai ces mots sans réfléchir. J'exprimais mes pensées à voix haute plus que je n'affirmais un fait. Klipkop siffla. « Tu as raison, mon bonhomme, avec une ambition pareille, il ne faut pas perdre de temps. » Il s'arrêta, deux tasses fumantes dans une main et dans l'autre la théière surmontée du sucrier en équilibre à la place du couvercle. « Moi, je serai content si j'arrive à battre le frère du lieutenant à Nelspruit le mois prochain. » Il se retourna pour me regarder par-dessus son épaule. « Tu peux m'appeler Klipkop si tu veux, ça ne me dérange pas. »

Je regagnai avec lui le bureau où le lieutenant Smit était penché sur des papiers. Klipkop posa une tasse devant lui. « Peekay voudrait vous demander quelque chose, lieutenant, annonça-t-il, puis il se tourna vers moi : Vas-y, demande-lui. »

Le lieutenant Smit n'avait pas levé les yeux de son travail. Il poussa un faible grognement. « S'il vous plaît, monsieur, vous voulez m'apprendre à boxer ? » m'enquis-je, la voix si basse qu'on aurait dit un cri d'oiseau.

Il ne me jeta pas un regard ; il se contenta de porter le thé à ses lèvres puis, après avoir soufflé dessus, en but une gorgée. « Tu es trop jeune, Peekay. Reviens dans trois ans et on verra. » Même assis, il était plus grand que moi. Il baissa les yeux vers moi. « On a lu tes exploits dans le journal. Tu as du cœur au ventre, c'est un bon début mais, pour sept ans, tu n'es même pas aussi grand qu'un petit Boer. » Il m'ébouriffa les cheveux. « Bientôt, tu auras dix ans. Un peu de patience. »

A ce moment-là, un Africain entra dans la pièce. Très vieux, très maigre, il portait un pantalon court et une chemise en grosse toile grise de prisonnier. Il avait le couvercle de la théière à la main. « Je suis venu faire le thé, baas, mais la théière elle est pas là », dit-il en afrikaans d'un ton indolent. Il se tenait la tête baissée. En deux bonds, Klipkop arriva jusqu'à lui. L'attrapant par la chemise, il le souleva de terre et lui donna une gifle magistrale. Le coup résonna. Lorsque l'énorme main de Klipkop s'abattit sur l'arête du nez et la bouche, on aurait dit que le visage du Noir s'écrasait au ralenti. Klipkop relâcha son emprise ; gémissant, l'homme s'effondra à ses pieds.

« Sale nègre ! Tu as volé les biscuits Marie. Et pas qu'un, espèce d'ordure, non, tu as piqué tout le paquet ! » Il lui donna un coup de pied dans le derrière.

« Non, baas ! Je vous en prie, baas ! Moi, pas voler biscuits. Moi, gentil garçon, baas », l'implora le vieillard et, sans lâcher le couvercle de la théière, il s'accrocha aux chevilles de Klipkop de sa main libre.

Le gardien se tourna vers le lieutenant Smit. « Lieutenant, ne pourrait-on transférer ce sale nègre à la carrière de pierre ? D'abord, il fauche le sucre et maintenant ce sont les biscuits Marie. » Il regarda le prisonnier qui gémissait à ses pieds, le nez en sang. Des gouttes étaient tombées sur le bout rutilant de sa botte. D'un coup, Klipkop le fit dégager, envoyant valdinguer le Noir contre le mur où il se cogna le crâne tandis que le couvercle tombait par terre à côté de lui. « Il me saigne dessus, cet immonde nègre est en train de saloper mes bottes ! » Il balança son pied sous le nez de l'Africain vautré contre le mur, complètement ahuri. « Lèche-moi ça, sale Cafre, et que ça saute ! » Sonné, l'homme se pencha et se mit à lécher le bout de la botte puis, sans attendre les instructions, il s'attaqua à l'autre, se bouchant le nez en même temps pour éviter qu'il ne continue à couler sur les chaussures du gardien. « Et maintenant, nettoie ta bave de Noir répugnante, espèce de sale nègre, j'ai pas envie de choper tes microbes, moi ! » Le lieutenant Smit, qui n'avait même pas levé les yeux, sourit de la plaisanterie. L'Africain retira sa chemise en toile puis, tout en reniflant pour réprimer le flot, se mit à frotter les bottes de Klipkop. « Par terre aussi », ordonna le gardien, montrant plusieurs taches écarlates. Le Noir essuya les gouttes de sang sur le sol en linoléum vert. « Allez, debout et fous le camp, salopard ! » Le malheureux se redressa tant bien que mal ; aussitôt, Klipkop lui décocha un terrible coup de pied qui l'envoya bouler. A quatre pattes, serrant sa chemise d'une main, le prisonnier noir décampa.

Klipkop observa sa main. « Ils ont la tête dure comme du bois. » Il fit un grand sourire. « Tu as vu, j'apprends. Tu as remarqué, je ne l'ai pas frappé avec mes poings cette fois-ci. » Il se tourna vers moi. « N'oublie jamais cela : quand tu tabasses un Cafre, ne le touche jamais à la tête. Tu risquerais de te briser les doigts, rien qu'en tapant dessus. Frappe-le au visage, là il n'y a pas de problème, mais jamais à la tête. » Serrant le poing, il le cogna dans sa paume. « J'ai un grand match en perspective, ce n'est pas le moment de me casser la main sur la tête d'un sale Cafre. »

Le lieutenant Smit n'avait pas prononcé un mot. Il but une autre gorgée de thé. « On ne peut pas l'envoyer à la carrière, mon vieux. Il souffre de rhumatisme articulaire, il ne tiendrait pas huit jours. De plus, c'est la première fois qu'on a un Cafre capable de faire correctement le thé et le café. » Il désigna la tasse posée devant lui. « C'est pas comme cette lavasse. Je t'ai déjà dit de ne pas le remuer et d'ébouillanter la théière avant de mettre l'eau. » Il se tourna vers Klipkop, l'ombre d'un sourire aux lèvres. « La prochaine fois, renseigne-toi avant de frapper. C'est moi qui ai mangé ces fichus biscuits, je n'avais pas pris de petit déjeuner ce matin et je les ai mangés. »

Klipkop resta bouche bée, puis il sourit. « Ben disons que je l'ai tabassé parce qu'il fauche le sucre. Qu'est-ce que ça change ? »

A ce moment-là, le téléphone sonna. Le lieutenant Smit décrocha l'appareil et écouta son correspondant. « Bien », acquiesça-t-il avant de raccrocher. Puis il se tourna vers moi. « Le commandant est revenu. Allons-y, mon petit. »

Récupérant les livres de Mrs. Boxall, je suivis le lieutenant au deuxième étage. On arriva dans une petite antichambre où une dame, assise à un bureau, tapait sur une grosse machine noire au dos de laquelle était écrit en lettres dorées : Remington Corona. « Allez-y, entrez, lieutenant Smit, le commandant vous attend », annonça-t-elle en me souriant.

On pénétra dans un grand bureau sombre rempli d'animaux

empaillés. Une tête de koudou se dressait juste derrière la table du commandant à côté d'un égocère noir, leurs cornes élégamment recourbées touchant le mur. Il y avait un chamois et un élan du Cap pour compléter la collection des spécimens les plus grands et, à côté, groupée par cinq, était exposée la variété des mâles plus petits : un gnou, un chamois, un steinbock, un chevreuil et un springbok. Je me retournai pour regarder le mur derrière moi qui était aussi couvert de trophées. Un gros lion à la crinière noire me contemplait, crocs sortis. De part et d'autre, se dressaient un léopard et un guépard. Tous les carnivores se trouvaient d'un côté de la porte ; de l'autre, leurs proies habituelles : un zèbre et un gnou noir. Sous les bêtes, accrochés sur des supports, on reconnaissait un Mauser boer et un Lee-Metford britannique. Juste au-dessous de ces deux fusils de la guerre des Boers, une lance zoulou à la longue hampe. Le reste du panneau était occupé par de petites photos encadrées représentant pour la plupart des chasseurs devant leurs dépouilles.

La pièce était meublée de deux lourds fauteuils club en cuir assortis à un grand canapé. Il y avait une peau de zèbre et une de lion sur le plancher ciré. Juste derrière la tête du commandant, sous les deux antilopes empaillées, étaient accrochés deux grands portraits. L'un du roi George, l'autre du président Paul Kruger, le dernier président de la République boer vaincue. Le portrait de ce dernier était présenté dans un élégant cadre en noyer ovale. Quant au roi George, ce devait être le genre de photo officielle dans un cadre doré bon marché qu'on fournit aux établissements publics pour affichage obligatoire.

Le commandant Van Zyl quitta son bureau, une immense table de salle à manger aux pattes de lion avec une plaque de verre. Il n'y avait rien dessus hormis le bloc sur lequel il semblait écrire, un stylo plume et un cendrier.

« Bonjour, lieutenant Smit. Asseyez-vous, je vous en prie. » Il se tourna vers moi. « Alors, voici l'enfant en question, hein ? » Il contourna son bureau, puis me tendit une énorme main. « Bonjour, Peekay. » Il était encore plus imposant que le lieutenant Smit et son ventre encore plus proéminent que celui de Harry Crown. A l'instar du lieutenant et de Klipkop, il portait l'uniforme gris de style militaire des gardiens de prison. La seule différence, c'est qu'il arborait quatre étoiles et une croix sur les épaulettes ainsi qu'un ruban de velours bleu sur le haut de son revers. Je lui serrai timidement la main, ne sachant pas trop quoi dire.

« Assieds-toi, mon petit. » Il me montra le deuxième fauteuil en cuir. Je me glissai dans l'énorme siège. En restant au bord, mes pieds arrivaient presque par terre. Le commandant Van Zyl s'installa pesamment sur le sofa.

« Alors, tu veux voir notre professeur ? »

Je hochai la tête. « Oui, monsieur, s'il vous plaît. »

Le commandant se mit à son aise sur le canapé, il prenait presque toute la place. « La loi stipule qu'il doit être détenu et je dois suivre la loi, mais en ces lieux, je représente la loi. Il peut aller et venir à sa guise à condition de rester dans l'enceinte de la prison. De plus, il a le droit de recevoir des visites aux heures prévues à cet effet. » Il me regarda et sourit. « J'ai décidé de faire une exception dans ton cas. Tu peux venir quand tu veux, sauf le dimanche. » S'arrêtant dans son propos, il m'observa de nouveau. « Qu'en dis-tu, hein ? Deux vieux *maats* qui se retrouvent.

— Merci, Meneer Van Zyl, répliquai-je.

— C'est bien naturel, mon bonhomme. » Il regarda le lieutenant Smit comme s'il éprouvait le besoin de se justifier. « Il ne faut pas briser l'amitié qui lie un homme à un enfant. Ce garçon n'a pas de père, je sais ce que c'est. Le mien est mort à Spion Kop avec les Carolina Burghers quand j'avais son âge.

— Oui, mon commandant, acquiesça le lieutenant Smit en contemplant ses mains croisées sur ses genoux.

— Faites-lui un laissez-passer permanent l'autorisant à venir quand il veut sauf le dimanche, c'est compris ?

— Ja, commandant. » Smit observa son supérieur. « Et pour le piano du professeur ? »

Le commandant Van Zyl se tapa sur la cuisse. « J'avais complètement oublié. Merci, Smit. » Il se tourna vers moi. « Le professeur va avoir le droit d'avoir son piano, nous avons déjà de nombreux musiciens parmi nous. Les gens pensent que les Boers ne sont pas cultivés. Pourtant, je t'assure que question musique, on ne craint personne. Pour nous, c'est un honneur que de compter un homme tel que lui dans notre communauté. *Magtig !* Un vrai professeur de musique, ici, à la prison de Barberton. *Wonderlik !*

— Merci de me laisser lui rendre visite, Meneer.

— Cet enfant est bien élevé, j'en suis ravi, dit-il au lieutenant Smit. Ce n'est rien. Tu peux venir quand tu veux, c'est bien compris ? » Il hésita un instant. « Peekay, je voudrais juste te demander un petit service. Lundi, vers une heure, nous allons offrir une agréable surprise aux habitants de Barberton sur la place du marché. J'en ai déjà parlé au maire mais je ne peux pas compter sur lui pour l'annoncer. Tu veux bien en faire part à Mrs. Boxall qui a appelé à ton sujet et qui, d'après ce que je comprends, est aussi une amie du professeur ? Demande-lui de le dire à tout le monde, d'accord ? » J'acquiesçai, il eut l'air content. « *Dankie*, Peekay, je pense que nous allons bien nous entendre tous les deux. Bon, le lieutenant Smit va te conduire jusqu'au professeur. Je vois que tu as apporté quelques livres pour lui. » Il tendit la main. « Montre-les-moi. » Je bondis du grand fauteuil et les lui présentai. Il ouvrit celui du dessus qu'il feuilleta un moment. « Des plantes, je ne m'y connais guère en plantes. Ma spécialité, ce sont les animaux. Tu peux me demander n'importe quoi sur les animaux, tout ce que tu veux. » Il leva les mains comme s'il visait avec un fusil, appuya sur la détente et fit un bruit de détonation : « Je l'ai eu. » Abaissant son arme imaginaire, il me sourit. Il avait deux dents en or. « J'adore les animaux sauvages », affirma-t-il. Il reposa les mains sur les ouvrages qu'il me rendit, affichant un air de satisfaction affable alors qu'il promenait son regard sur les trophées accrochés aux murs.

Le lieutenant Smit s'éclaircit la gorge, le commandant se retourna vers nous. « Eh bien, j'ai été ravi de te rencontrer, Peekay. » Il me donna une petite tape sur l'épaule. « Si tu désires quoi que ce soit, il te suffit de t'adresser à moi, d'accord ? »

C'était comme le jour où j'hésitais à proposer mes services au Juge pour ses devoirs de calcul. Comme cette fois-là, tout marchait bien. Pourquoi tenter le sort ? Si je prenais le lieutenant à rebrousse-poil, je risquais de tout perdre, y compris la chance de devenir boxeur lorsque j'aurais dix ans.

« S'il vous plaît, Meneer Van Zyl, je pourrais apprendre à boxer ici ? » Le commandant s'était déjà levé, s'apprêtant à nous remercier. « Tu veux boxer ? s'étonna-t-il en m'observant. Ça, c'est le domaine du lieutenant.

— Je lui ai déjà dit qu'il devait attendre d'avoir dix ans. Peut-être alors, répliqua Smit, s'efforçant de ne pas prendre un ton brusque.

— Quand on en a sept, ça fait long. Quasiment la moitié de sa vie, remarqua le commandant.

— Les séances d'entraînement ont lieu à cinq heures et demie du matin. A moins de vivre ici, comment pourrait-il y arriver ?

— J'y serai, je vous le promets. Je ne manquerai jamais, absolument jamais. S'il vous plaît, Meneer Smit ? »

Le lieutenant Smit contempla ses bottes un bon moment. « On verra quand ta mâchoire sera guérie. Mais il me faut un mot de ta mère disant qu'elle accepte. » Il releva les yeux, demandant du secours au commandant. « Il est trop petit, commandant.

— Il va grandir, Smit. Si je me souviens bien, votre jeune frère et vous avez commencé très jeunes. Il combat toujours ?

— Oui, mon commandant. Son prochain match va l'opposer à Oudendaal.

— Ah oui, pour le titre des poids lourds du bas veld samedi prochain. Il faut que vous m'ayez des places, lieutenant.

— Oui, mon commandant, je les ai déjà données à votre secrétaire. »

Le commandant Van Zyl nous raccompagna. « Bonne chance, Peekay. »

Lorsqu'on arriva au bas de l'escalier, Smit s'arrêta, s'accroupit et m'attrapa par la chemise. Il n'avait pas dit un mot quand on était sortis du bureau du commandant ; cependant, je perçais trop bien les silences pour ne pas comprendre que les choses allaient mal. Je fermai les yeux, attendant le coup qui allait s'abattre sur ma tête. Je n'avais pas reçu de raclée depuis un an, en dehors des rares corrections de ma mère qui, vu son expérience, ne méritaient pas vraiment ce terme. Toutefois, je me souvenais fort bien des dérouillées à vous assommer un bœuf. A ma grande surprise, le coup ne tomba pas. Je rouvris les yeux et regardai droit en face le lieutenant Smit qui était rouge de colère. « Ecoute-moi bien, ne recommence plus jamais, c'est compris ? Quand je dis quelque chose, tiens-le-toi pour dit ! » Il me secoua comme un prunier, pensant que j'allais pleurer ; je soutins son regard au contraire. « Qui tu regardes, là ? Tu veux jouer les insolents ?

— Je vous en prie, Meneer, j'ai vu votre frère se battre à Gravelotte l'année dernière. C'est là que j'ai pris ma décision. »

Une expression de stupéfaction se peignit sur son visage. « Tu étais là ? *Wragdig ?* Tu as vu ce match ? »

J'acquiesçai. « Il s'est battu contre Hoppie Groenewald... Kid Louis », rectifiai-je. Le lieutenant Smit me libéra.

« Moi aussi, j'y étais ! *Magtig !* Pour un combat, c'était un combat ! Tu l'as vu ? Vraiment ? » Il se redressa. Brusquement, ses yeux s'écarquillèrent. « Le gosse qui était avec Hoppie Groenewald ! Ça y est, je m'en souviens. On croyait que tu étais son fils. »

On avait regagné le bureau. Klipkop faisait des tractions par terre. Il interrompit sa séance et se releva comme un idiot à notre arrivée. « Tu te rappelles le match de Gravelotte que mon frère avait disputé contre Groenewald, le poids welter, l'année dernière ? » Klipkop acquiesça. « Peekay y a assisté, c'est un ami intime de Groenewald. »

Le gardien éclata de rire. « J'ai perdu cinq livres sur ce match. Qui aurait pu imaginer qu'un welter battrait un mi-lourd ?

— Crois-moi, Groenewald n'est pas un welter comme les autres. Rappelle-toi ce que je te dis, s'il revient de la guerre il deviendra champion d'Afrique du Sud, c'est sûr et certain, affirma Smit. Il te soulèverait d'une seule main, mon vieux. »

Klipkop fit un large sourire. « A Pâques ou à la Trinité. N'y compte pas ! Samedi, je vais rendre à ton frère le coup qu'il a fait.

— Ne la ramène pas, Oudendaal. C'est pas de la tarte de se battre contre Jackhammer Smit, cette fois-ci il sera en forme. Vends pas la peau de l'ours avant de l'avoir tué ! »

Smit se tourna vers moi brusquement. « Bon, j'ai changé d'avis, tu vas rentrer dans l'équipe. Mais pas de match avant deux ans, c'est compris ? Uniquement de l'entraînement pour apprendre la technique et à placer tes coups, d'accord ? »

J'acquiesçai, fou de joie, les larmes aux yeux. Je venais de franchir la première étape sur le chemin du titre de champion du monde des poids welter.

« Klipkop, emmène Peekay voir le professeur. Je vais passer un coup de fil pour que vous le retrouviez à la cantine des gardiens. » Il s'adressa à moi. « Reviens quand tu auras fini, je te donnerai ton laissez-passer permanent. »

On quitta le bâtiment administratif, puis on traversa un autre édifice. « C'est le gymnase des gardiens », annonça Klipkop. On s'approcha d'un punching-ball et du ring monté au fond de la grande salle. Par terre, il y avait de gros ballons en cuir, Klipkop se pencha pour en ramasser un. « Voilà, Peekay, prends ça. » Je tendis les mains, il me le lança d'une pichenette et je me retrouvai assis par terre tandis que Klipkop riait devant moi. « C'est un *medicine ball*, il pèse quinze livres. Quand tu arriveras à m'en lancer un au-dessus de la tête, tu auras la force de te mettre à la boxe. » Je me levai, me sentant complètement idiot, puis me penchai pour tenter de soulever le gros ballon en cuir marron. Rassemblant toutes mes forces, j'y parvins mais je fus soulagé de le laisser tomber. « Pas mal, Peekay », observa Klipkop avec un large sourire. On était à côté du ring, l'odeur de la toile et de la sueur me plaisait. Je me demandais comment j'allais pouvoir attendre deux ans avant de monter sur le ring pour affronter un vrai adversaire.

Quittant le gymnase, on traversa l'immense cour intérieure,

grande comme la moitié d'un terrain de football, que j'avais aperçue du haut de la colline le jour de mon arrivée à Barberton. Les quartiers des détenus se dressaient autour de la cour carrée où deux vieux prisonniers ratissaient le gravier, chaque coup de râteau coupant le quadrilatère à la diagonale. « On est vendredi, les lignes sont en diagonale. Je préfère le lundi quand ils font une grande étoile au milieu », déclara Klipkop. Le sens de ces paroles m'échappa ; cependant, je n'allais pas tarder à apprendre que chaque jour correspondait à un motif différent. Ainsi, les détenus savaient quel jour on était.

« Où sont tous les prisonniers, Klipkop ? » m'enquis-je. En dehors des deux vieux qui ratissaient, je n'avais pas vu âme qui vive depuis qu'on était sortis du bâtiment administratif.

« Ben tiens, ils sont tous dans des équipes de travail. La plupart sont dans des fermes, certains aux carrières et d'autres aux scieries de Francinos Rust. Leurs employeurs doivent venir les prendre à quatre heures du matin et il faut qu'ils soient rentrés pour six heures du soir. Dans la journée, on ne croise que de vieux détenus dans le coin, trop vieux pour trimer dur, comme ce sale nègre qui nous fait le thé. Les assassins aussi, ils n'ont pas le droit de sortir de leur cellule, même pas pour manger. Mais on ne les garde pas longtemps, ceux-là. Ça ne vaut rien d'avoir des assassins dans les parages, les autres Cafres ça les rend nerveux. » Il fit un grand sourire. « Les gardiens n'aiment pas non plus qu'ils traînent par ici, alors on les pend vite fait bien fait !

— Et les prisonniers blancs, ils travaillent aussi en équipe ? »

Klipkop parut surpris. « Jamais de la vie ! C'est pas du boulot pour les Blancs. La plupart ne sont ici qu'en attendant d'aller à Pretoria. Ils n'ont pas à trimer comme des nègres parce qu'ils ne sont pas là pour longtemps. Quand ce sont des durs à cuire comme ce type qui a assassiné sa femme et ses trois gosses à Noordkaap, on l'enferme jusqu'à ce que le juge fédéral le condamne. Ensuite, on l'embarque sur le train de Pretoria. Les jours de chance, on l'escorte jusque là-bas et on a droit à un jour de congé à Pretoria plus dix livres six pence pour les frais. »

On avait traversé la cour en gravier et franchi une étroite voûte qui donnait sur l'arrière de la prison. Une longue remise en tôle ondulée était accolée au bâtiment principal, de la fumée s'élevait des trois cheminées. « Les cuisines. La cantine des gardiens est de l'autre côté », dit Klipkop.

Doc fut fou de joie de me voir. Il me serra dans ses bras, me caressa la tête et ses yeux d'un bleu perçant brillaient de larmes. « Maintenant que je t'ai vu, je vais pouvoir dormir. Montre-moi ta mâchoire. Allons, allons, j'aurais voulu recevoir le coup à ta place, ainsi tu n'aurais rien eu. C'est vrai, non ? Peekay, pourquoi les amoureux de la paix sont-ils toujours les premiers à souffrir de la guerre ? Tu peux parler ? » Je ne l'avais jamais vu si agité ; c'était un véritable moulin à paroles, je ne pouvais pas en placer une.

« Ce n'est pas si grave. On va me retirer le fil de fer dans six semaines, peut-être même quatre, mais j'ai appris à parler la bouche fermée. »

Doc se mit à rire. « Toi et moi, Peekay, même si on nous cousait la bouche, on arriverait à s'exprimer. » Il me caressait toujours la tête comme pour se convaincre que c'était bien moi.

Je lui donnai les livres de Mrs. Boxall, il les garda un instant dans les mains avant de les poser sur la table à côté de lui. « C'est une ponne femme et pas bête du tout. Elle et toi, Peekay, vous avez onze sur dix question cervelle. Ça, c'est sûr. Mr. Andrews aussi. Je n'aurais pas cru qu'ils prêteraient attention à un vieux professeur de musique allemand abandonné à son triste sort. Il y avait une épidémie de rubéole* dans l'air, vous êtes les deux seuls qui n'ont pas attrapé le virus, Mrs. Boxall et toi, ja ? » Il pouffa de rire de sa petite plaisanterie bien triste.

« Je peux venir vous voir aussi souvent que je veux », annonçai-je joyeusement.

Doc parut stupéfait. « Sans les collines, ce ne sera pas pareil. Qu'est-ce que je peux t'apprendre ici, mon ami ?

— Des tas de choses, dans les livres et ailleurs. Et je peux aller dans la montagne chercher des spécimens que je vous rapporterai pour qu'on en parle. »

Doc m'accorda l'un de ses sourires éclatants. « Tu as raison, Peekay. Un homme n'est libre que lorsqu'il est libre dans son cœur. On sera amis comme avant. Absoloodle. Autre chose aussi, ils m'ont autorisé à avoir mon Steinway. On va pouvoir reprendre tes leçons. Il faut que tu le dises à ta mère, je crois qu'elle en sera contente. Lundi, ils m'ont donné la permission de les accompagner pour aller le chercher. Si on le bouscule en le transportant, on risque de l'abîmer. Je verrai mon jardin de cactus une dernière fois. Tu pourrais peut-être t'arranger pour être là aussi, Peekay ? »

Le Dr Simpson avait estimé qu'il me fallait encore une semaine de convalescence. Mon grand-père m'avait fait un grand clin d'œil

* Jeu de mots intraduisible sur le nom de la maladie qui s'appelle « rougeole allemande » en anglais *(NdT)*.

en affirmant : « On ne peut pas discuter, hein ? » « Je vous attendrai, j'ai déjà planté le Senecio Serpens, en suivant vos instructions à la lettre, face à l'est. »

Doc eut l'air content ; cependant une expression de contrariété se peignit sur son visage. « Peekay, lundi, il va se passer une chose idiote. La décision n'est pas de moi, mais tu dois me croire, je t'en prie. C'est pourquoi je tiens à ce que tu sois là. J'ai l'impression que le commandant Van Zyl veut en mettre plein la vue aux gens en ville. Je suis trop vieux pour ce genre de jeux stupides. Tu vas m'aider, s'il te plaît ?

— Le commandant Van Zyl m'a demandé de dire à Mrs. Boxall qu'il fallait que tout le monde soit sur la place du marché à une heure mais il n'a pas précisé de quoi il s'agissait. »

A ce moment-là, Klipkop apparut à la porte menant à la cuisine avec un petit plat de pommes de terre sautées. « Tiens, sers-toi », proposa-t-il en me tendant le plat. Je lui montrai ma bouche attachée et il se mit à rire. « Désolé, mon vieux, j'avais oublié. » Il en offrit à Doc qui refusa d'un signe.

« Lundi, Peekay. Sois gentil d'être au jardin de cactus à midi, je t'expliquerai. Et demain éventuellement, cherche-moi la *Cinquième Symphonie* de Beethoven. Tu verras, sur la couverture, il y a mon nom et une date : Berlin 1925. J'ai annoté la partition. C'est celle-là que je veux. » Je savais où chercher car les morceaux qu'il se réservait étaient rangés dans son tabouret de piano. Je trouvai bizarre qu'il me demande de les lui prendre. Car enfin, il savait parfaitement où c'était. « Peekay, mets ce qu'il y a audessus de la partition dans ma gourde ; la clé du rabattant, tu la trouveras sous le pot où pousse l'Aloe Saponarie sur la véranda. » Il dit tout cela en anglais d'un ton très sérieux. Apparemment, Klipkop ne comprenait pas ses propos ou peut-être ne s'y intéressait-il pas. J'observai Doc d'un air perplexe, il posa un doigt sur ses lèvres et me désigna le gardien du regard.

Une sirène retentit dans la prison. « C'est l'heure du repas, Peekay. Il faut retourner chez le lieutenant et le professeur doit aller déjeuner. » Klipkop se fourra la dernière pomme de terre dans la bouche. « Si tu veux, tu peux rester déjeuner avec les gardiens.

— Merci, Mr. Oudendaal, mais je dois rentrer à la maison. Quelle heure est-il, s'il vous plaît ?

— C'était la sirène de midi. Appelle-moi Klipkop, d'accord ? » J'acquiesçai, je commençais à m'habituer à appeler les grandes personnes par leur prénom. J'allais devoir courir tout le long du chemin car j'aurais déjà dû être rentré de la bibliothèque à cette heure. Je me demandais de quel œil ma mère verrait mes éventuelles allées et venues à la prison de Barberton et je ne savais pas non plus comment lui annoncer la nouvelle. Cette préoccupation plus immédiate me fit oublier les étranges instructions de Doc.

Le lendemain, après l'école du dimanche, je me rendis au jardin de cactus. Dum et Dee avaient congé le dimanche après-midi ; elles avaient accepté avec enthousiasme de m'accompagner pour faire un peu de ménage avant le retour de Doc. Elles mirent des balais, des plumeaux et d'autres ustensiles dans deux seaux en fer galvanisé qu'elles portèrent sur leur tête, affirmant gaiement que la maison de mon ami serait propre comme jamais. Elles n'avaient pas grand-chose à faire de leur demi-journée de congé car elles ne parlaient toujours pas le swazi. Bien que l'idée ne m'effleurât pas à l'époque, elles devaient se sentir à l'écart de leurs semblables. A la ferme, elles étaient au cœur de tout. Elles jouaient un rôle important, comparé aux ouvriers agricoles, elles avaient une position de choix dans l'échelle sociale. Alors qu'ici, elles n'étaient que deux gamines solitaires qui, en dehors de la maison, n'avaient aucun contact avec autrui et ne connaissaient personne. On était leur famille et elles étaient aussi cloîtrées que des sœurs dans un couvent.

Quand on arriva au jardin de cactus, elles s'installèrent, ravies d'avoir carte blanche sans personne sur le dos. Je m'approchai aussitôt du gros pot en terre cuite sur la véranda où poussait l'Aloe Saponarie, connu aussi sous le nom d'aloès saponacé. Il avait des taches vert clair et rouille sur ses feuilles épaisses.

Il ne me fut pas aisé de repousser le pot pour découvrir la clé du tabouret de piano de Doc. Je me dirigeai vers le siège et l'ouvrit. Profond d'une trentaine de centimètres, le casier était rempli de partitions et de compositions rédigées à la main. Il y avait aussi une pile de programmes nouée d'un ruban. A l'époque cependant, je ne savais pas ce que c'était. Sur celui du dessus était écrit le nom de Doc, le reste était imprimé en allemand. Je plongeai la main dans les partitions sans trouver la *Cinquième Symphonie* de Beethoven. Puis, soulevant un autre tas de papiers, je découvris une bouteille de scotch Johnny Walker. Je m'en emparai, juste au-dessous se trouvait le morceau qu'avait réclamé Doc.

Le vendredi après-midi, après le déjeuner, j'étais allé voir Mrs. Boxall à la bibliothèque pour lui transmettre le message du commandant.

« Qu'est-ce qu'ils préparent, d'après toi ? avait-elle dit, l'air préoccupé. Tu crois que ça a un rapport avec le professeur ?

— Je ne pense pas. A midi, ils vont chercher le Steinway pour le transporter à la prison. Doc m'a demandé d'être là pour l'aider.

— Mon Dieu ! Il va donner un concert ! Le professeur va donner un concert sur la place du marché. Quel événement, c'est à marquer d'une pierre blanche ! » Je ne l'avais jamais vue dans cet état.

Tout s'éclaira brusquement dans mon esprit. « J'ai l'impression que l'idée ne lui plaît guère. Il a affirmé que Mr. Van Zyl essayait d'en mettre plein la vue aux gens en ville. Qu'il aurait besoin de moi. »

Toute à son émotion, Mrs. Boxall ne m'avait pas entendu apparemment. « Je me suis renseignée sur notre ami un jour, j'ai appris qu'il était très célèbre ! » Ses yeux brillaient. « Il y a quelque chose de très mystérieux dans tout cela, si tu veux mon avis. Pourquoi un célèbre pianiste européen renoncerait-il à tout pour venir s'enterrer dans un minuscule *dorp* africain où il gagne à peine sa vie en donnant des leçons à des petites filles ?

— Je crois qu'il aime collectionner des choses telles que les cactus ou les aloès et qu'il aime escalader les montagnes », répliquai-je bien qu'elle ne semblât pas m'écouter. Le coude sur la table, le menton dans la main, elle était plongée dans ses pensées. « Peekay, il t'a demandé de faire quelque chose ? Quand a-t-il dit qu'il avait besoin de ton aide ?

— Il m'a demandé de chercher la *Cinquième Symphonie* de Beethoven avec son nom et Berlin sur la couverture.

— Hip, hip, hip, hourra ! Quel spectacle ! Beethoven, hein ? On va avoir droit à du grand art. La première fois que j'ai entendu la *Cinquième*, j'étais jeune fille. On s'était rendus à Londres pour écouter le jeune et talentueux Arthur Rubinstein jouer à l'Albert Hall. » Applaudissant des deux mains, Mrs. Boxall contempla le ventilateur qui tournait par à-coups au-dessus de sa tête. « Oh, c'est merveilleux ! Absolument divin !

— Il a dit aussi que je devais mettre ce qui est au-dessus de la partition dans sa gourde.

— Qu'entend-il par là ? » s'interrogea-t-elle d'un air distrait. Manifestement, elle ne pensait qu'au concert de Doc sur la place du marché. Son rôle en tant que représentant culturel de la ville était clair. Ce n'était pas le moment de résoudre les devinettes de Doc. « Peekay, tu vas devoir m'excuser, mon petit. Je crois qu'on va être obligés de fermer de bonne heure aujourd'hui. J'ai un tas de coups de fil à passer. A une heure, tu es bien sûr que Mr. Van Zyl a dit à une heure ? » J'acquiesçai, me préparant à partir. « Tu remercieras ta chère mère pour ces ravissantes roses. Je lui écrirai un petit mot la semaine prochaine. » Elle avait déjà décroché l'appareil ; comme je franchissais le seuil, je l'entendis lancer : « Barbara, tu ne devineras jamais ce qui se passe ! »

Et voilà que je me retrouvais avec les partitions de Doc, les yeux rivés sur la bouteille de Johnny Walker. Doc ne buvait que dans sa chambre, pourquoi avait-il une réserve cachée dans le tabouret de piano ? Si Klipkop n'était entré au moment où il s'apprêtait à me le confier, tout aurait été clair. Je cherchai le mot de Doc dans ma poche pour le relire, peut-être quelque chose m'avait-il échappé. Je revenais sans arrêt aux derniers mots : « ... et le whisky me manque moins. » Si j'avais été plus grand, le mystère aurait été simple à résoudre, mais les enfants de sept ans ne sont pas forts en devinettes et ne connaissent généralement rien des usages éthyliques des grandes personnes.

Je me demandais si ma décision était la bonne. Cependant, le Johnny Walker se trouvait très exactement au-dessus de la partition qu'avait réclamée Doc ; de plus, parmi les divers éléments rangés dans le siège, c'était le seul qu'on pouvait transvaser dans une gourde. Je me rappelais fort bien que les répercussions avaient été catastrophiques la dernière fois que j'avais touché au whisky de Doc. Emportant gourde et bouteille dans le jardin de cactus, je creusai un trou par terre où je plantai la gourde, le col dépassant du sol. Je dois dire que c'était une bonne idée, je n'en renversai quasiment pas. Ensuite, j'enfonçai la bouteille, cul par-dessus tête, la dernière bouteille de Johnny Walker plantée dans le jardin de cactus.

Je remis la gourde dans le tabouret de piano, reposant les compositions par-dessus. Puis je le fermai et glissai la clé dans ma poche.

Le lundi matin, j'étais au cottage de Doc à neuf heures. Dee et Dum avaient tout nettoyé, c'était impeccable. Ciré, le Steinway brillait comme un miroir. Les filles avaient passé une heure à frotter les taches de whisky sur les touches. Assises sur les deux tabourets, elles avaient ri comme des baleines en entendant leur cacophonie. Je crois qu'elles ne s'étaient jamais autant amusées. Durant quatre ans, elles continuèrent à briquer la maison tous les dimanches après-midi. Elles en arrivèrent certainement à penser que c'était leur foyer dominical.

En attendant Doc, je passai la matinée à trier des cactées et à désherber une parcelle du jardin. Au bout de deux heures, j'entendis la plainte d'un camion et le grondement moins déchirant d'une fourgonnette qui montaient la route escarpée menant au cottage.

Le camion noir bâché de la prison était un Diamond T. La voiture cellulaire, qui suivait, attendit un peu en contrebas pendant que le premier faisait demi-tour pour se retrouver face à la pente. A l'arrière se trouvaient six prisonniers noirs escortés de deux gardiens armés de fusils. Le chauffeur et le troisième gardien étaient à l'avant. Je reconnus l'un d'eux : c'était le jeune qui m'avait fait entrer le vendredi précédent. Je le saluai. Il sauta du camion et me tendit la main. « Gert Marais, *hoe gaan dit* ? » Je lui serrai la main, répondant que j'allais bien puis, à l'afrikaans, m'enquis de sa santé avec cérémonie. A ce moment-là, la fourgonnette monta à son tour. Je vis que Klipkop était au volant, le lieutenant Smit à ses côtés. Ils s'arrêtèrent devant l'autre véhicule, Klipkop descendit. Se dirigeant vers l'arrière, il l'ouvrit. A ma grande surprise, en émergea Doc. Il avait une chemise blanche propre, une cravate bleue et son costume en lin blanc. On avait reprisé le trou qu'il s'était fait au genou quand le sergent l'avait envoyé à terre, le complet était lavé, repassé et ses bottes brillaient. Je ne l'avais jamais vu aussi chic. Le lieutenant Smit et Klipkop m'accueillirent comme un vieil ami.

Je notai que Doc était nerveux. Lorsque Klipkop et le lieutenant Smit se dirigèrent vers le cottage, il se tourna vers moi d'un air anxieux. « Il faut qu'on parle tous les deux, Peekay, ça va être une dure journée pour moi aujourd'hui. » On suivit les deux hommes dans la maison, Doc me montra du doigt le Steinway et le tabouret. Il était trop préoccupé pour remarquer l'état des lieux ; bien qu'un peu déçu, je ne dis rien.

Le ménage n'avait pas non plus une grande importance à mes yeux. Deux autres gardiens entrèrent, laissant Gert et un collègue surveiller les prisonniers. Ils discutèrent avec Doc de la façon dont ils devaient s'y prendre pour transporter le Steinway sans risques.

Klipkop s'en fut chercher les détenus. S'adressant au lieutenant Smit, Doc lui demanda s'il pouvait aller regarder son jardin car il ne pouvait supporter d'assister au déménagement Smit se mit à rire, ajoutant qu'il devait être escorté d'un gardien. « Je connais Gert Marais. Il peut venir, s'il vous plaît ? » m'enquis-je. Le lieutenant Smit haussa les épaules et fit signe à Gert de nous accompagner.

« Je ne voudrais pas que vous vous sauviez dans les collines, hein ? » lança-t-il en plaisantant. Cependant, j'allais apprendre par la suite que le lieutenant Smit était un homme prudent qui tenait à ce que le règlement soit respecté. Gert ne parlait pas anglais ; on pouvait donc bavarder tous les deux sans risquer d'être espionnés.

On marcha dans le jardin, suivant les bouteilles de Johnny Walker qui serpentaient parmi les hauts cactus et les aloès. Durant un long moment, Doc resta muet, s'arrêtant pour regarder les plantes, se penchant pour observer des cactées qui poussaient à ras de terre. On aurait dit qu'il tentait de graver cette image dans sa mémoire pour que ce souvenir l'aide à supporter sa captivité. On finit par s'asseoir sur un rocher rouge, dos à la ville, face aux collines. Gert se tenait non loin de là, mâchonnant un brin d'herbe, son fusil à la bretelle. Il avait l'air content d'être éloigné de ses supérieurs.

Doc prit enfin la parole. « Peekay, ces domkops veulent que je donne un récital en ville aujourd'hui. Je n'ai pas fait de concert depuis seize ans et voilà que je dois jouer. Peekay, je ne peux pas. Pourtant, il le faut. »

Je levai les yeux vers lui : il était bouleversé. « Vous n'êtes pas obligé, Doc. Ils ne peuvent pas vous forcer ! » m'écriai-je d'un ton provocant mais sans grande conviction. Ma faible expérience en matière d'autorité m'avait appris que le pouvoir gagnait toujours, qu'il parvenait toujours à imposer son avis.

Doc se tourna vers moi. « Peekay, je tiens à toi plus que tout. Si je n'accepte pas, ils ne t'autoriseront plus à venir me voir. » Je sentis le désespoir percer dans sa voix lorsqu'il poursuivit dans un murmure : « Je crois que ce serait plus que je n'en peux supporter. » Je l'étreignis, il me caressa la tête. On resta là à contempler les collines parsemées d'aloès en fleur et, au loin, les montagnes dans des tons de bleu et de pourpre. Il finit par reprendre. « C'était à Berlin en 1925. J'avais été malade pendant quelques mois et je reprenais les concerts en donnant une soirée à l'Opéra de Berlin. J'avais choisi la *Pathétique*, m'expliqua-t-il en me regardant, la partition que tu as trouvée dans mon tabouret. La *Cinquième Symphonie* de Beethoven, c'est de la grande musique mais pas difficile pour un bon musicien. Le maître était pianiste et ce n'est pas bourré de pièges ni de passages destinés à snober l'interprète. Ce soir-là, je jouai bien l'œuvre du maître, mieux que jamais jusqu'au troisième mouvement. Brusquement — qui sait comment c'est arrivé — je fus pris de panique. Pris de panique dans mes doigts, dans ma tête, dans mon cœur. Trente ans de discipline n'y changèrent rien. La panique me submergea, je ne pus exécuter ce morceau que j'avais dû travailler mille fois et interpréter quarante fois en concert. Rien. J'avais tout oublié. Rien que le public qui toussotait, puis des murmures dans la salle suivis de huées, et enfin le premier violon qui m'entraîna en coulisses. » Doc avait la tête baissée, les mains sur les genoux. « Je n'ai plus jamais joué en public, plus jamais depuis ce jour-là à Berlin. Tous les soirs depuis seize ans, je joue ce morceau, toujours le même et arrivé au troisième mouvement, il se passe toujours la même chose : la musique se bloque dans mes doigts, dans ma tête, dans mon cœur. C'est à ce moment-là que les loups hurlent dans ma tête et seul le whisky les calme. Aujourd'hui, dans une heure, je dois exécuter ce morceau. Je dois affronter le public. Sinon, mon ami, je vais te perdre. »

Je ne peux prétendre avoir compris dans toute son ampleur le dilemme qui déchirait Doc. J'étais trop jeune, trop inexpérimenté pour percevoir sa peine et son humiliation. Cependant, je savais qu'il souffrait et que je ne pouvais rien y faire. « Je serai là auprès de vous, Doc. Je tournerai les pages pour vous. »

Doc prit son mouchoir et se moucha. « Tu es un pon ami, Peekay. » Il eut l'un de ses petits rires comme autrefois, me passa la main dans les cheveux, puis observa mes paumes. J'avais les genoux et les mains sales après mon désherbage parmi les cactus. « Vaut mieux te laver à la citerne si tu dois être mon partenaire, on doit faire bonne figure. Ja, c'est vrai, le public attend depuis seize ans. » Il se leva et m'entraîna. « Allez, Peekay, on y va. »

Pour rentrer en ville, on s'installa à l'avant de la voiture cellulaire avec le lieutenant Smit et Gert à l'arrière. Klipkop conduisait le camion. On y avait chargé le Steinway qu'on avait arrimé avec des cordes. Malgré tout, on avait disposé cinq prisonniers autour de l'instrument avec ordre de le maintenir fermement en place sous peine de mort et un autre était assis, le tabouret de Doc entre les jambes.

A moins d'un kilomètre de la place du marché, le Diamond T s'arrêta. Les deux gardiens firent descendre les six Noirs. L'un des surveillants remonta à bord tandis que l'autre conduisait les détenus à la prison. On arriva en haut de Crown Street à trois cents mètres de la place. La grand-rue était déserte, aussi calme qu'un dimanche après-midi. « Mon Dieu, j'espère qu'on n'a pas saboté le projet du commandant », s'exclama le lieutenant Smit, presque comme s'il se parlait à lui-même. On roulait derrière le camion, on passa devant. Je remarquai que toutes les boutiques étaient closes, même le magasin de spiritueux Goodhead's et le Savoy Café qui ne fermaient jamais à l'heure du déjeuner. Tournant au coin de la rue, on déboucha sur la place. J'en restai bouche bée.

Il y avait là des centaines de personnes qui se mirent à applaudir à notre arrivée. Un gardien nous désigna un endroit qu'on nous avait réservé à l'ombre d'un grand flamboyant. Le lieutenant Smit enjoignit à Gert de rester dans la voiture cellulaire mais sans montrer son arme. Puis il descendit d'un bond et, marchant devant le Diamond T, le guida vers un emplacement délimité par des cordons au milieu de la place.

Plusieurs gardiens installèrent tant bien que mal un escabeau sur le camion et dénouèrent les cordes qui maintenaient le Steinway. L'un mit le tabouret de Doc en place tandis qu'un autre, un électricien de la prison, branchait un micro.

Dès qu'on aperçut la foule, Doc se mit à trembler. A moitié assis sur ses genoux, je le sentais frémir. « Peekay, tu as fait ce que je t'avais demandé pour la gourde ? s'enquit-il d'un ton anxieux.

— Elle est dans le tabouret de piano, Doc.

— Peekay, il faut que tu la prennes et quand je te le dirai, tu me la donneras, d'accord ? » J'acquiesçai.

Quand on s'arrêta sous le grand flamboyant, le commandant nous attendait. Il ouvrit la portière, Doc descendit, les jambes flageolantes.

Le prenant par le bras, le commandant Van Zyl le maintint fermement. « Professeur, rappelez-vous que vous êtes allemand, un représentant d'une glorieuse race de combattants. Nous sommes avec vous, nous les responsables des établissements pénitentiaires d'Afrique du Sud. Vous devez montrer à ces rooineks ce qu'est la vraie culture, mon vieux ! »

Doc jeta un regard craintif alentour pour voir si j'étais là. « N'oublie pas la gourde, Peekay », me recommanda-t-il. On se dirigea vers le centre de la place, Doc accroché à ma main et soutenu par le commandant.

On percevait l'émotion de la foule autour de nous. Il n'était rien arrivé de tel par un lundi comme les autres depuis la déclaration de guerre. En arrivant au camion, on découvrit des chaises sur une vingtaine de rangées, disposées derrière les cordons, de part et d'autre du véhicule. Elles devaient venir des boutiques et des bureaux car il n'y en avait pas deux pareilles mais, aux premières loges, ce parterre formait un public de choix, constitué par le gratin de la ville. Mrs. Boxall était au premier rang. Elle portait son chapeau et ses gants du dimanche comme la plupart des dames patronnesses qui comptaient dans la société de Barberton. Derrière le camion, sur trois rangées de sièges identiques, se trouvaient les gardiens de la prison accompagnés de leurs épouses, les hommes étant en uniforme et les femmes sur leur trente et un. Ils étaient manifestement très fiers d'eux.

Doc s'était un peu repris le temps d'arriver au camion. On monta l'escabeau sans le secours de personne.

Aidé par Klipkop, le commandant nous suivit sur la plateforme. Klipkop s'approcha ensuite du micro. « Un, deux, trois, quatre. » Sa voix retentit aux quatre coins de la place. Satisfait de son essai, il alla rejoindre le lieutenant Smit. Le commandant vint se poster devant le micro.

« *Damen en Heere*, mesdames et messieurs », commença-t-il. Puis il poursuivit en anglais. « Comme vous l'avez tous lu dans le journal, on a fait un tas d'histoires autour de l'un de nos concitoyens les plus éminents, le professeur Karl von Vollensteen, professeur de musique venu d'outre-mer. Ce bon professeur, qui vit dans cette ville depuis quinze ans et qui a enseigné le piano à nombre de vos enfants, est né en Allemagne. C'est pour cette raison, et uniquement pour cette raison, qu'il a été placé sous ma garde. » Plusieurs groupes de gens huaient l'orateur et quelqu'un hurla : « Un Boche sera toujours un Boche ! » Ces mots furent salués par des petits rires nerveux et des applaudissements. Le commandant leva la main. « Je suis un Boer, pas un Anglais. Nous autres Boers, nous savons ce qu'il en est de se voir lésé dans ses droits ! »

La foule gronda et le même quidam brailla : « Ta gueule, *Jaapie* ! »

Comme pour répondre au perturbateur, le commandant poursuivit. « Non, c'est la vérité, je dois bien l'avouer. Vous nous avez pris notre liberté et aujourd'hui, vous lui prenez la sienne ! »

Cette fois-ci, les clameurs se firent plus vives. Brusquement, Mr. O'Grady-Smith, le maire, se leva et hurla au commandant : « Finissez-en, mon vieux, sinon on va avoir une émeute. »

Oubliant le micro posé devant lui, le commandant se tourna avec colère vers le maire. « Je vous interdis de me parler sur ce ton ! Sous prétexte que vous êtes le maire de ce dorp, vous vous imaginez que vous pouvez mener tout le monde à la baguette, hein ? »

Les clameurs s'arrêtèrent car Mr. O'Grady-Smith n'était pas plus populaire que le commandant. Très gros aussi, il avait au moins vingt-cinq centimètres de moins que lui. Il se leva, s'avança a grandes enjambées puis, aidé par deux conseillers municipaux, gravit les marches de l'escabeau et s'approcha du micro. Dressé sur la pointe des pieds, il brailla dans le haut-parleur : « Il est grand temps de débarrasser Barberton de cette prison et du nid de nazis qui la dirige. Cette ville est dévouée au roi George et à l'Empire britannique. *God save the King!* »

La majorité du public salua ces propos par des applaudissements, des acclamations et des sifflets. Se tournant vers le commandant, Mr. O'Grady-Smith le regarda d'un air suffisant.

De mon poste sur la plate-forme auprès de Doc, j'aperçus une dizaine de types qui se frayaient un chemin vers nous. « Il y a des gens qui viennent », annonçai-je au lieutenant Smit qui montait la garde avec Klipkop au pied de l'escabeau pour décourager tout autre citoyen d'imiter le maire. Ils nous rejoignirent aussitôt, retirèrent l'escabeau et mirent le micro à côté du Steinway pour dégager l'arrière du camion. Sans autre façon, on poussa précipitamment le maire et le commandant vers le fond où nous étions assis Doc et moi.

Il y avait trois bons mètres entre le véhicule et le premier rang de spectateurs derrière les cordons, ceci permettant aux citoyens de marque d'apprécier pleinement l'exécution de Doc au piano. Les assaillants franchirent cette frange de terrain à découvert et s'abattirent sur l'arrière du camion. Le lieutenant Smit et Klipkop tenaient la plate-forme, ce qui aplanit les difficultés, tandis que les autres gardiens occupaient l'espace vide entre le véhicule et le premier rang. Tandis qu'ils tentaient de battre en retraite, les hommes envahirent la plate-forme et l'aire de dégagement, les cris des femmes résonnant alentour. Le commandant, à l'abri derrière le Steinway, s'aventura à découvert et reçut un coup de poing sur le nez. Ce gros lard de Mr. O'Grady-Smith était à quatre pattes, à moitié couché sous le piano dans l'espoir de passer inaperçu.

Seule Mrs. Boxall n'avait pas lâché pied ; elle agitait désespérément la main dans notre direction, ou plus exactement comprisje soudain, vers moi. « Saute, Peekay, sauve-toi, allez saute ! » hurlait-elle.

A ce moment-là, Doc me tira par la manche. « La gourde, Peekay. » Il avait la main tendue. Je lui tendis la flasque de whisky, il dévissa le bouchon, en prit une lampée et me la rendit. « Quand je ferai ça avec la tête, tu tourneras la page. » Se tournant vers la partition posée devant lui, il la feuilleta rapidement jusqu'au début du fortissimo qui, dans la *Cinquième* de Beethoven, débute à la fin du deuxième mouvement. Puis il commença à jouer. On avait renversé le micro dont le bout avait atterri sur le piano. Il capta la musique qui déferla sur la place.

Presque aussitôt, le silence se fit parmi le public et les combats s'arrêtèrent. La plate-forme se vida, les hommes attroupés autour de l'aire de dégagement se glissèrent parmi la foule. Le maire s'extirpa de sa cachette sous le Steinway. On l'aida ainsi que le commandant à descendre les marches de l'escabeau qu'on avait remis en place. Même les dames en émoi finirent par se calmer.

D'un seul élan, Doc joua la symphonie, exécutant le deuxième mouvement, puis attaquant le troisième et, après une très légère pause, se lançant dans le quatrième, hochant la tête à chaque fois qu'il voulait que je tourne la page. Une interprétation magistrale jusqu'à terminer le récital sous un tonnerre d'applaudissements.

Sur le plan intellectuel, cela avait sans doute échappé au public. Après tout, ce n'était pas leur style de musique. Sur le plan émotionnel toutefois, ils se rappelleraient le concert de Doc jusqu'à la fin de leurs jours. Mrs. Boxall, en larmes, suffoquait sous l'émotion ; les autres dames faisaient aussi semblant d'être bouleversées.

Le lieutenant Smit hurla des ordres à plusieurs gardiens qui commencèrent à dégager la voie pour le camion. Récupérant le micro, il cria à Klipkop de se mettre au volant et de filer, puis il bondit sur le siège du passager alors que le Diamond T démarrait. Après avoir été salué par la foule, Doc retomba sur son siège. Se remettant au clavier, il attaqua la *Sonate au clair de lune* de Beethoven.

Je ne l'avais jamais vu aussi heureux. Il joua pendant tout le trajet du retour. Il ne marqua même pas une pause lorsqu'on atteignit la grille, arrivant aux dernières mesures au moment où on s'arrêtait devant le bâtiment administratif. Puis il s'envoya une bonne lampée au goulot, se leva et, par-delà les murs de la prison, contempla ses collines qu'il aimait tant.

Ouvrant prestement le tabouret, je rangeai la gourde dedans avec la partition de la *Pathétique*. Puis je le refermai et glissai la clé dans ma poche.

Doc me passa la main dans les cheveux. « Fini les loups. Absoloodle », dit-il calmement en se tournant vers les collines.

12

Dee ou Dum me réveillaient tous les matins à cinq heures moins le quart en m'apportant un café et une biscotte. Peu après cinq heures, je mettais mon cartable en cuir sur mon dos et partais au petit trot jusqu'à la prison qui se trouvait à cinq kilomètres.

On me laissait entrer sans problème ; j'étais un habitué, au même titre que le laitier, et tout aussi inoffensif. Les gardes, qui en avaient encore pour une heure et demie avant la relève, me faisaient signe de leur chemin de ronde. L'ennui les gagnait et, après la grisaille de l'aube, mon arrivée représentait le premier signe tangible annonçant la fin de la longue nuit.

J'avais appris que la régularité est le meilleur des camouflages. Quand on fait quelque chose régulièrement, toujours à la même heure et de la même façon, on passe inaperçu. On fait partie des ombres. Tous les récidivistes le savent. En prison, pour avoir une chance de s'en sortir, il faut prévoir des plans à long terme. Etablir des habitudes petit à petit, progresser pas à pas vers son but au fil des jours, des semaines, des mois ou même des années. Une fois qu'on a enfin institué une routine, les autorités n'y voient que du feu alors qu'il y a duperie ; elles l'acceptent en se trompant sur la marchandise, croyant avoir affaire à une pratique tolérée. Le prisonnier a sur son gardien l'avantage de la stabilité. Les surveillants changent, ont des promotions, sont mutés ailleurs. Alors que les vieux détenus, ces hommes condamnés à de lourdes peines restent enfermés des années et ont le temps d'échafauder des plans. En prison, celui qui détient le véritable pouvoir, c'est le vieux détenu. Le gardien dépend malgré lui des anciens pour faire tourner la maison car ce sont eux qui empêchent les nouveaux venus de s'élever contre le système ou de faire exclusivement appel à la violence pour obtenir ce qu'ils veulent. Sans cette double institution du pouvoir, une prison risque d'être un endroit dangereux où tout peut arriver.

Je me retrouvai au milieu de ce monde d'ombres, introduit en son sein à force de temps et de patience par un vieux détenu édenté connu sous le nom de Geel Piet. Traduit de l'afrikaans, son nom signifiait simplement Pierre Jaune*. En réalité, c'était beaucoup plus qu'un nom. Geel Piet était un métis, un métis sud-africain, ni blanc ni noir, traité comme un Noir mais aspirant au plus profond de soi à être un Blanc. Geel Piet était le laissé-pour-compte de l'Afrique, méprisé par les deux bords. C'était aussi un récidiviste, un incorrigible criminel avouant volontiers qu'il n'avait aucune chance dehors. Geel Piet était le vieux détenu qui avait le plus d'influence en ce monde d'ombres.

Ma journée à la prison commençait vers cinq heures et demie au gymnase où se rassemblait l'équipe de boxe, sous l'égide du lieutenant Smit, pour la séance de gymnastique. On était une vingtaine en tout dont quatre enfants entre onze et quinze ans. La catégorie se calculait en fonction du poids, partant de Klipkop, qui avait battu Jackhammer Smit aux points en dix rounds et était devenu champion du bas veld des poids lourds, pour arriver à moi tout au bas de l'échelle.

Le lieutenant Smit se tenait sur le ring, sifflet en bouche ; à chaque coup, on exécutait une série d'exercices connus de tous. Ils étaient entrecoupés de tractions et d'abdominaux quand bon lui semblait. Chaque séance durait plus longtemps que la précédente. Le lieutenant Smit croyait beaucoup aux tractions pour renforcer les bras et les épaules et aux abdominaux pour les muscles du même nom. Il aimait aussi les bagarreurs, soutenant que le Boer était meilleur bagarreur que boxeur et que la plupart des gardiens de prison, agressifs par nature, étaient mieux outillés pour faire des bagarreurs. Il affirmait que, sur le ring, la dureté et la détermination l'emportaient sur la technique. Les boxeurs de la prison de Barberton étaient considérés comme de redoutables adversaires dans tout le bas veld mais aussi jusqu'à Petersburg et Pretoria.

Fidèle à sa parole, le lieutenant Smit ne me laissa pas monter

* En anglais, « yellow » signifie jaune mais aussi métis *(NdT)*.

sur le ring durant les deux premières années. « Quand tu arriveras à lancer un *medicine ball* par-dessus la tête de Klipkop, tu seras prêt », disait-il. Mon premier but était fixé. Aussi, après la gymnastique, alors que tous les autres se mettaient par deux pour s'entraîner, pendant un quart d'heure je travaillais jusqu'à ce que les bras m'en tombent.

Après cinq minutes sous la douche, je me présentais dans la salle de la prison pour ma leçon de piano avec Doc puis, à sept heures et demie, on allait prendre le petit déjeuner à la cantine des gardiens.

Doc avait droit à un statut spécial. Bien que détenu en cellule, il allait et venait à sa guise, prenait ses repas à la cantine des gardiens et n'était tenu à aucun travail particulier. « Vous jouerez simplement du piano, professeur, avait décrété le commandant Van Zyl, c'est votre boulot, d'accord ? »

Doc traînait souvent dans le gymnase pour assister à l'entraînement. Il savait que je mourais d'envie de boxer, d'affronter un adversaire sur le ring. Il ne me cachait pas qu'il ne comprenait pas pourquoi j'en avais tant envie, mais il respectait mon ambition et calmait mon impatience en usant d'analogies d'ordre musical. « En musique, il faut commencer par les gammes, il faut toujours commencer par les gammes. Si tu les fais bien, tu acquiers les bases. On ne peut pas former un pon musicien sans une ponne base. Ce doit être la même chose avec la boxe. Ja, je crois bien. »

Je me pliais donc à toutes les disciplines requises, m'entraînant sur le sac jusqu'à connaître aussi bien l'ensemble des coups que les gammes au piano. Ce bon vieux sac en prit pour son grade tous les jours durant ces deux ans. Je l'imaginais se recroquevillant à mon arrivée, parfois même gémissant : « Ne me balance pas trop de ces uppercuts sanglants aujourd'hui, Peekay ! » Ou encore : « Oh, non ! Pas le crochet du droit. Je ne peux plus en encaisser. » Ça, je vous assure, ce gros sac avait appris à me respecter bel et bien !

Cependant, ma préférence allait à la poire. Gert, le jeune gardien qui ne parlait pas anglais, faisait aussi partie de l'équipe et on était devenus bons amis. Il avait transformé un vieux punching-ball à l'atelier de la prison pour qu'il soit à ma portée.

Je me rappelle encore la première fois où, après des semaines d'entraînement, je réussis à enchaîner les coups, ne voyant plus qu'une trace floue s'estomper devant mes gants de boxe. Je pense que Fred Astaire ou Bojangles ont dû éprouver la même chose le jour où ils ont réussi leur premier numéro de claquettes.

Au bout d'un certain temps, le lieutenant Smit vint voir où j'en étais. Mon cœur battait à tout rompre alors que je me concentrais pour que la poire soit sans arrêt en mouvement : les coups rythmés, l'image de plus en plus floue des gants en cuir sur la balle en cuir. « Tu es rapide, Peekay. C'est bien », dit-il. Sur ce, il s'éloigna. Deux ans plus tard, quand je parvins à maîtriser un passage difficile d'un prélude de Chopin, je n'éprouvai pas plus de joie qu'après les compliments du lieutenant Smit. C'étaient les premiers mots qu'il m'avait adressés depuis six mois que j'étais dans son équipe.

Le Steinway de Doc se trouvait dans la salle de la prison, une pièce assez grande avec un plancher dont on se servait principalement pour les danses *tickie-draai* et autres événements notoires dans la vie des gardiens et de leurs familles. Il y avait aussi un piano droit français, un Mignon, car le Steinway de Doc était exclusivement réservé à la musique classique. C'était un ordre formel du commandant Van Zyl qui soulignait qu'on ne pouvait demander à un instrument de cette qualité de jouer des *tickie-draai* ou d'accompagner un banjo ou un accordéon. Naturellement, on respectait ses vœux ; le Steinway devint ainsi un symbole de supériorité absolue qui, aux yeux des gardiens et de leurs familles, les élevait dans la hiérarchie sociale, leur conférant un statut particulier. Doc et moi, qui étions les deux seuls à utiliser le Steinway, étions associés à ce concept. Alors que j'étais un débutant, on considérait mes balbutiements comme de la vraie musique, on parlait de mon don. Le fait que le grand maître allemand me donnait des leçons ne faisait que confirmer que j'étais un génie en herbe. Doc avait la gentillesse de ne pas démentir ce jugement. Bien qu'il fût d'une honnêteté scrupuleuse, ce n'était pas un imbécile. Il apprit vite que le moindre privilège obtenu dans le cadre du système pénitentiaire représentait un capital psychologique en réserve ; quelle honte cependant que ses dons pédagogiques fussent ainsi jetés aux orties.

Je me rendais quasiment tous les jours au jardin de cactus en rentrant de l'école. De plus, tous les dimanches après l'office, j'allais nettoyer le cottage de Doc en compagnie de Dum et Dee et m'occuper des plantes. Doc et moi discutions en détail de l'état de la végétation grâce à un tableau qu'il avait préparé répertoriant toutes les espèces de cactées cultivées. Vu qu'il y en avait plusieurs milliers, l'œuvre était considérable. En la corrigeant, ce qui me prit des semaines, je m'aperçus qu'il n'avait commis que onze erreurs. Chaque fois, je prenais une parcelle de terrain répertorié dans le tableau, lui faisant part des progrès enregistrés. Doc prenait note des floraisons, me disant quand élaguer ou bouturer les plantes. Je mettais ces boutures dans un sac en toile de jute que j'apportais à la prison où Doc avait aménagé un autre jardin de cactus. Parfois, des insectes dévoraient une fleur de cactus ; j'enfermais alors un spécimen dans une boîte d'allumettes que je remettais à Doc pour qu'il l'identifie. Si régler leur sort relevait de mes compétences, il me donnait ordre de les éliminer. Cela arrivait rarement. Doc pensait que toutes les créatures ont leur place dans le système et qu'au bout du compte tout s'arrange de soi-même. Il me demandait d'agir uniquement lorsqu'une espèce apparaissait en si grand nombre qu'elle risquait de déstabiliser l'ordre des choses. Il comparait cela à une invasion de sauterelles qui, bien que naturelle, représentait un dérèglement qu'il fallait réprimer. Dans ces cas-là, Doc fournissait le savoir-faire, Mrs. Boxall ou mon grand-père le matériel et Dee et Dum accomplissaient le travail. On parvenait généralement à vaincre l'ennemi. Les fillettes considéraient cette activité comme faisant partie de leur sortie dominicale, s'enorgueillissant de leur tâche. Elles aimaient travailler la terre ; d'après moi, cependant, elles devaient être sidérées qu'on consacre tant d'efforts à une chose aussi bête qu'un cactus.

Marie, la jeune infirmière de l'hôpital, avait été conviée chez nous peu après mon accident. Elle était devenue très amie avec ma mère. Elle aimait la couture et restait des heures à bavarder en sa compagnie, faisant des boutonnières, des épaulettes et autres petits travaux. Il semblait évident qu'elle n'allait pas tarder à tomber entre les griffes du Seigneur.

Etant de la campagne, elle comprenait Dum et Dee, n'exerçant son autorité qu'à l'occasion, ce qui m'étonna. Elle leur apprit à préparer de nouveaux plats dont les biscuits au potiron et le pain au maïs, qui devinrent mes péchés mignons. Un dimanche après-midi, je l'emmenai voir le cottage de Doc ; les deux Noires restèrent silencieuses durant la majeure partie du trajet. Lorsqu'on arriva, Marie commença à leur donner des ordres ; leur mine s'allongea au fil des heures. Je finis par comprendre mon erreur et, à la grande joie de Dee et Dum, Marie ne fut plus invitée. Selon moi, elles l'aimaient beaucoup mais il est certaines choses, entre les femmes, dont on ne doit pas se mêler. La maison de Doc ne lui appartenait plus, elle était devenue la propriété des deux fillettes et l'attitude autoritaire de Marie semblait celle d'un intrus ou d'un invité qui aurait oublié les bonnes manières.

Marie me rapportait des patates douces et des œufs frais de chez elle, parfois même une cuisse de porc, une baratte de beurre ou des kilos de bacon fumé à la ferme. Elle apportait toujours un gros bouquet de feuilles de tabac séchées pour mon grand-père. Il fumait un mélange rhodésien baptisé Tambour africain et détestait le goût âpre et piquant de celui de la ferme. Cependant, il était beaucoup trop poli pour le lui dire. Il accrochait les tiges au plafond de la remise. De temps en temps, il mettait deux grandes feuilles dans un bidon de deux cents litres rempli d'eau de pluie qui se trouvait juste devant la resserre. On se servait de cette décoction pour lutter contre les pucerons sur les rosiers. Cependant, il y fallait juste une pointe de tabac et la réserve pendue au plafond grandissait dans des proportions alarmantes. En fin de compte, cela allait jouer un rôle capital dans mon ascension au sein du système pénitentiaire.

La première année, Geel Piet, le métis, assista à mes leçons de piano du matin car il était toujours à genoux dans la salle à cirer le parquet. Très vite, il se fondit dans le décor, une ombre qui nous saluait Doc et moi d'un « *Goeie More, Baas en Klien Baas* ». Il accompagnait ses paroles de son sourire édenté et d'un petit rire comme si la journée s'annonçait sous les meilleurs augures, qu'il n'eût pu rêver meilleure situation. Doc, qui n'était pas raciste, et moi, qui avais toujours vécu parmi les domestiques, le saluions à notre tour. Il était interdit de parler à tout détenu non européen ; le vieil homme dut voir un encouragement implicite dans notre attitude insouciante.

Petit, Geel Piet avait un air déjeté. L'œil gauche plus bas que le droit, la paupière tombante qui découvrait la pupille plus que de coutume, les yeux toujours injectés de sang et un peu larmoyants. Son visage au nez complètement écrasé et au teint cireux était balafré de cicatrices. Une partie de la lèvre inférieure coupée, il avait toujours une espèce de moue comme s'il était contrarié, un morceau de peau violet pendant au coin de la bouche. Il faisait à peine un mètre soixante avec ses jambes tordues qui, cassées plusieurs fois et très probablement mal soignées, étaient plus qu'arquées. S'il avait pu les tenir droites, il aurait sans doute eu dix ou douze centimètres de plus. Pour survivre, Geel Piet en était arrivé à avoir une allure qui ne lui aurait pas permis de tenir très longtemps en dehors de l'univers carcéral. Il avait épuisé toutes ses chances de l'autre côté des barreaux, si tant est qu'il en eût jamais eu. Né dans le District Six, le célèbre quartier noir de Cape Town, Geel Piet avait passé quarante ans sur cinquante-cinq à entrer et à sortir de prison. S'enorgueillissant de connaître dans ses moindres détails le fonctionnement de tous les établissements pénitentiaires importants d'Afrique du Sud, il était passé maître dans l'art du camouflage. Quand un gardien le frappait pour une raison ou une autre, Geel Piet ne montrait ni animosité, ni haine. Il avait dépassé ces sentiments depuis longtemps et considérait cela comme un juste châtiment dû à une maladresse quelconque. Geel Piet n'avait aucune moralité, aucun sens du bien et du mal. Il n'avait qu'une raison de vivre : survivre au système et en triompher. En obtenir plus qu'il ne lui était dû. Il avait compris depuis fort longtemps que, dans son cas, la liberté n'était qu'une illusion. Après des années et des années d'incarcération — il ne savait plus au juste combien ou peut-être cela lui était-il égal —, il était suffisamment réaliste pour comprendre qu'à son âge et vu son état de délabrement physique, il avait peu de chances de survivre au système.

Après toutes ces années passées en prison, c'était un artiste accompli, aussi brillant dans son domaine que Doc dans le sien. Peut-être même plus car, dans son rôle de trafiquant, Geel Piet était un génie.

Geel Piet était à la tête du marché noir, troquant le tabac, le sucre, le sel et le *dagga* (le cannabis). Au bout du compte, il contrôlait aussi le courrier et par conséquent les rentrées d'argent. Il avait aussi une connaissance encyclopédique de l'art de la boxe doublée d'un don exceptionnel pour repérer les fautes de style et les faiblesses. Mon ambition n'était que trop visible ; cependant, c'est son sixième sens, inné chez les hommes qui, pour survivre, doivent compter sur leur astuce, prendre l'air du temps avant de faire le moindre geste et miser systématiquement sur une réflexion fortuite ou un bon flair, qui lui fit comprendre que j'étais une proie facile.

Il lui fallut à peine plus d'un an pour s'insinuer dans mes bonnes grâces jusqu'au jour où je me mis à son service sans même m'en rendre compte. Nos rapports, entièrement basés sur de brèves conversations grandissant au fil des semaines, aboutirent à un accord tacite qui me mena sur la voie du complot quand je me vis lui offrir une feuille de tabac.

J'avais porté mon dévolu sur un carré d'Euphorbia Pseudocactus, une plante ressemblant à un cactus qui poussait à ras de terre et était bourrée d'épines. Dans d'excellentes conditions, elle se développait rapidement ; or, elle commençait à envahir une partie du jardin de cactus qui ne lui était pas réservée. Vu les épines, j'avais mis la bouture de Doc dans un seau en fer galvanisé que j'avais récupéré dans notre remise. Presque inconsciemment, j'avais tapissé le fond d'une grande feuille de tabac masquée par le cactus destiné au jardin de Doc à la prison. Quelque chose avait dû m'y pousser : peut-être Geel Piet, à force de patience et grâce à ses fragments de conversation apparemment sans lien. Après tout, le tabac est le plus grand des luxes et la denrée la plus indispensable dans la vie carcérale. Avec la guerre, la pénurie était encore plus critique que de coutume derrière les barreaux, le tabac était donc plus prisé que jamais.

On ne me fouillait jamais à mon arrivée. Ce jour-là cependant, vu que j'avais un seau et non un sac comme d'habitude, un garde vaguement intrigué voulant savoir ce qu'il y avait dedans vint y jeter un coup d'œil. En réalité, je ne m'inquiétai nullement car j'avais complètement oublié la feuille de tabac. « C'est drôle sa passion pour toutes ces horribles plantes, hein ? » lança-t-il, car le jardin de cactus se trouvait juste devant la cantine des gardiens et faisait l'objet de moult plaisanteries, la plupart prétendant que le cactus était la plante idéale pour une prison. « Si les détenus se révoltent, on se cachera tous dans le jardin du professeur et ces sales Cafres n'auront pas le courage d'essayer de nous dénicher ! »

Après la séance d'entraînement au gymnase, j'avais embarqué le seau dans la grande salle où, comme toujours, Geel Piet, qui se rendait de plus en plus utile et qui, l'année suivante, s'attribuerait le poste de serviteur personnel de Doc, emporta le seau rempli de boutures dans le jardin de cactus. Il revint avec, son visage en morceaux rayonnant. « Je vais t'aider à devenir un grand boxeur », dit-il simplement. Et c'est ainsi que tout commença.

En rentrant de l'école cet après-midi-là, j'abordai le sujet avec mon grand-père. Je ne pensais guère aux aspects moraux de cette affaire. Au bout d'un an d'allées et venues quotidiennes à la prison, j'en étais arrivé à comprendre le système. Les questions morales étaient remisées au vestiaire, la guerre était déclarée entre les deux bords et, même si je n'avais que huit ans, je voyais bien que la balance penchait très fort d'un côté. Les gardiens étaient à l'image des enfants de la pension : ils représentaient une force brutale affrontant une communauté sans défense qui payait pour des crimes supposés ou réels. L'idée de commettre d'autres délits insignifiants dans ce genre de climat et d'être brutalement, souvent même sauvagement puni, était curieuse, pour ne pas dire inconcevable. On ne faisait partie d'aucun clan, Doc et moi ; nous étions les spectateurs qui, de temps en temps, décidions de jouer un rôle dans la pièce. Même si on n'avait pas le pouvoir de changer l'histoire, on pouvait dissiper l'ennui des acteurs.

Mon grand-père se méfiait généralement de la droiture inconditionnelle, préférant juger chaque sujet lorsqu'il se présentait ; aussi prêt à faire soigner ses calculs biliaires par Inkosi-Inkosikazi qu'à reconnaître aux Boers leurs talents de musiciens et de bons tireurs. On était assis sur une marche d'un escalier menant à une terrasse. Entre deux séances de pipe, la tassant, la tapotant et l'allumant, et force numéros de regards perdus dans le lointain par-delà le toit rouillé à la peinture défraîchie, et après s'être assuré qu'on ne me fouillait jamais, il décréta que les prisonniers auraient droit au tabac.

« Ces pauvres bougres de Noirs, leur sort est encore plus tragique qu'en Angleterre au XVIIe siècle. La plupart sont enfermés pour des crimes qui ne méritent pas plus que de sévères réprimandes. »

Il avait tort. Barberton était une prison de haute sécurité et la majorité des détenus, en dehors des prisonniers politiques, avaient commis des crimes qui auraient mérité un châtiment exemplaire dans n'importe quelle société. Le vrai crime, c'étaient les conditions de détention ; il n'était pas extraordinaire qu'un détenu soit battu à mort pour une infraction au règlement relativement mineure. Les gardiens discutaient de ce genre d'occasions en conciliabule, presque en secret, mais avec une certaine jubilation.

Selon moi, mon grand-père se laissa en partie influencer à l'idée que la réserve envahissante de feuilles de tabac que Marie rapportait de la ferme allait enfin diminuer et, que, fort modestement, il combattait aussi le genre d'injustice qui le révoltait. Il me donna des ordres précis sur l'utilisation de la décoction comme insecticide et me remit un mot pour Doc expliquant le mode d'emploi. Doc devait installer son bidon à côté du jardin de cactus et, de loin en loin, y plonger deux feuilles de tabac à faire infuser dans l'eau. Au cas où on découvrirait une livraison dans l'enceinte de la prison, Doc, qui ne fumait pas, pourrait justifier son emploi sans aucun problème.

Doc avait demandé à rester à Barberton plutôt que d'être envoyé dans un camp d'internement du haut veld. L'idée d'être séparé de ses chères collines, de son jardin de cactus et de son piano était plus qu'il n'en pouvait supporter. De surcroît, je suis convaincu que notre amitié joua un rôle important dans sa décision. Le commandant Van Zyl, qui en était arrivé à considérer Doc comme propriété personnelle de l'établissement et comme une épine perpétuellement enfoncée dans le flanc de la ville de langue anglaise, était plus qu'heureux de se montrer coopératif. Je crois que les autorités militaires avaient fini par renoncer à tenter de l'arracher aux mains des civils ; Doc resta donc jusqu'à la fin de la guerre sous la surveillance bienveillante du commandant.

Naturellement, Doc était complice de cette opération qui allait devenir un trafic de contrebande très élaboré. Comme il ne sortait jamais, il était présent lorsque les équipes de travail rentraient le soir ou repartaient à l'aube. Il était contraint de découvrir un aspect de l'Afrique qui lui était inconnu. Doc était un homme qui ne se laissait jamais dicter sa conduite que par l'esprit. Plutôt que d'affronter le problème de l'opposition divisant les Noirs et les Blancs ou la décision arbitraire accordant la supériorité à ces derniers, il avait choisi d'éviter ces questions en n'ayant pas de domestique ni aucun lien avec l'Afrique noire. Cependant, c'était un homme équitable et charitable ; aussi les violences incontrôlées des gardiens le scandalisaient-elles profondément. On était tous les deux aussi ignorants quant aux pulsions les plus primaires des individus ; toutefois, j'avais sans doute plus d'expérience que Doc en la matière. On ne considérait pas la brutalité qui nous entourait comme une question à juger d'un point de vue émotionnel, ou comme l'expression du bien contre le mal, mais comme le mal en soi, par-delà les valeurs mêmes. Intellectuellement, on était tout simplement obligés de prendre le parti des détenus. Quand ils sont maltraités, les hommes ne pensent plus qu'à leur survie. Geel Piet était aussi impitoyable que ses oppresseurs et, par nécessité, beaucoup plus retors. Le pouvoir que lui apportèrent le tabac et les autres denrées qui franchirent par la suite la porte de la prison était considérable ; il en usa pour assurer sa propre survie et pour servir ses propres intérêts avec une cruauté et une insouciance égales à celles des gardiens qui abusaient de leur supériorité.

Il s'avéra qu'il parlait anglais correctement ; il avait cependant choisi l'afrikaans pour s'imposer auprès de moi, car il savait qu'ainsi Doc ne comprenait pas ce qu'il disait et ne pouvait par conséquent percer à jour son plan méticuleusement préparé. Une fois qu'il m'eut mis dans sa poche, il s'attaqua à Doc. Il se transforma en parfait serviteur, en homme humble qui s'efforçait de deviner le moindre des désirs de son maître sans jamais empiéter sur le monde que Doc et moi, exilés d'un milieu social parfaitement compartimenté, nous partagions.

Geel Piet s'arrangea pour pénétrer au gymnase quand l'équipe s'entraînait. Rien qu'une ombre familière au début, qu'on remarquait à peine, affairée à cirer le parquet ou à nettoyer les vitres. Puis, en un an, il occupa les fonctions de blanchisseur, emportant culottes et suspensoirs trempés de sueur au vestiaire et chaussures maculées pour les rendre le lendemain lavés et cirées. Le temps que j'arrive à lancer un *medicine ball* d'exercice par-dessus la tête de Klipkop, Geel Piet faisait autorité en ces lieux. Le lieutenant lui confia la charge de surveiller les progrès de l'équipe des juniors ; il ne le remplaçait qu'à l'occasion lorsqu'il éprouvait le besoin d'affirmer sa supériorité en contredisant délibérément un ordre que nous avait donné Geel Piet.

Le niveau des jeunes boxeurs s'améliora considérablement sous la houlette de Geel Piet car, malgré ses origines, le vieux détenu était un entraîneur-né. Quand il n'était pas sous les verrous, il travaillait dans des salles de gymnastique et, dans un lointain passé, il avait été le champion métis des poids légers de la province du Cap. Il avait une façon de s'y prendre avec les enfants qui imposait le respect, même aux gosses boers qui, au début, n'avaient accepté d'avoir pour entraîneur un sale Cafre métissé que par crainte du lieutenant Smit.

De l'instant où le lieutenant Smit me permit de boxer pour de vrai, je fus sous la coupe de Geel Piet qui me façonna comme de la pâte à modeler. Dès le premier jour, Geel Piet se concentra sur les tactiques de défense. « Si un type ne peut pas te frapper, il ne peut pas te faire mal, disait-il. Un boxeur qui prend des risques se fait tabasser et en prend plein la figure. Boxe, ne te bagarre jamais. La bagarre, c'est bon pour les poids lourds et les imbéciles. »

Ce n'était pas ce que j'avais imaginé apprendre depuis deux ans que j'attendais. Cependant, Doc me convainquit que Geel Piet avait raison. De plus, la logique du raisonnement, même aux yeux d'un gamin de neuf ans, était irréfutable.

Ceci eut lieu quelques semaines avant d'avoir enfin l'autorisation de monter sur le ring avec un enfant de onze ans. Il avait pour surnom le Morveux, Bronkhorst le Morveux, car il avait toujours la morve au nez. Il était costaud, une vraie petite brute, mais il ne faisait partie de l'équipe que depuis peu et manquait de technique. Il m'avait écarté brutalement du punching-ball, j'avais trébuché sur un matelas en mousse et j'étais tombé par terre. Me redressant, je me mis en garde devant lui quand le lieutenant Smit, qui n'avait apparemment pas remarqué l'incident, annonça qu'il voulait nous voir sur le ring. Mon cœur battit à tout rompre lorsque je compris que le grand moment était enfin arrivé.

On monta sur le ring ; aussitôt, le drame de Hoppie contre Jackhammer Smit se répéta, côté taille si ce n'est côté talent. Toutefois, à ma grande satisfaction, j'avais beaucoup appris depuis deux ans et encore plus depuis six semaines que Geel Piet m'entraînait. Le Morveux me pourchassa tout autour du ring, me décochant des coups sauvages qui, s'il m'avait touché, m'auraient envoyé valser par-dessus les cordes. Durant trois minutes, je réussis à déjouer toutes ses attaques sans même paraître en placer une. Au bout de ce temps, le lieutenant Smit siffla l'arrêt de la séance d'entraînement.

Je m'aperçus alors que la majeure partie des membres de l'équipe s'étaient regroupés autour du terrain et, au moment du coup de sifflet, ils applaudirent tous. Ce fut l'un des plus beaux moments de ma vie.

Peekay avait terminé son apprentissage de deux ans. Désormais, j'étais sur le chemin qui me mènerait au titre de champion du monde des poids welter.

Je me retournais pour regagner mon coin avant de descendre du ring quand, sentant quelque chose de bizarre, j'esquivai de justesse un terrible coup de poing qui m'aurait assommé une seconde plus tôt. Sans réfléchir, je lui balançai un uppercut du droit en y mettant toutes mes forces. Je touchai Bronkhorst le Morveux en plein dans le plexus solaire et sentis mon gant s'enfoncer dans les muscles détendus de son ventre, le vidant de son oxygène. Il vacilla un moment puis, comprimant son ventre, s'écroula au tapis, le souffle coupé. Regardant par-dessus les têtes des spectateurs, j'aperçus Geel Piet, caché derrière eux, qui dansait la gigue au fond, sa bouche édentée et sa drôle de lèvre fendue en un sourire d'une joie sans nom.

Faisant fi de toute prudence, il hurla : « On en a un, on a un boxeur ! » Devant l'exclamation du métis au milieu de l'hilarité générale, le silence se fit autour du ring.

Le lieutenant Smit s'avança lentement vers Geel Piet. Brusquement, son poing s'abattit sur le visage du détenu. Le petit homme s'effondra à terre, du sang jaillissant de son nez écrasé.

« Quand je voudrai l'avis d'un enfoiré de Cafre pour décider qui est boxeur et qui ne l'est pas ici, je te le dirai, c'est compris ? » Puis, se frottant distraitement la main droite, Smit retourna vers les autres. « Néanmoins, ce sale métis a raison, affirma-t-il. Va te doucher maintenant, et que ça saute. Bronkhorst, tu es un imbécile », ajouta-t-il alors que le Morveux se redressait sur ses jambes flageolantes

J'étais toujours sur le ring, un peu dérouté devant le remue-ménage que j'avais provoqué. Je regardai Geel Piet ramper comme un crabe en direction de la porte. Lorsqu'il y arriva, il se leva, pas bien ferme sur ses jambes, et me regarda droit dans les yeux. Puis il esquissa un beau sourire et, sans lever les bras, me fit furtivement le signe de la victoire, pouce en l'air, un geste si imperceptible qu'on aurait pu ne pas le remarquer. A mon grand étonnement, son visage déformé affichait un air heureux.

En allant à l'école ce matin-là, le Morveux, planqué derrière un arbre, surgit de sa cachette et me flanqua une sacrée raclée. Je réussis toutefois à lui balancer un crochet du droit qui lui renversa la tête en arrière ainsi qu'un bon uppercut dans les parties qui l'obligea à me lâcher, si bien que je pus me sauver.

J'avais ainsi découvert que les Morveux ne manquaient pas en ce monde. Il me semblait donc ingénieux d'apprendre le combat de rue au même titre que la boxe. J'étais sûr que Geel Piet me montrerait aussi la tactique pour me battre comme un sagouin.

Eh bien, j'avais tort. Peut-être étais-je le premier débutant que Geel Piet avait pour mission de former. D'après moi, toutefois, c'était plutôt une question d'orgueil. Geel Piet était un puriste ; de plus, il savait comment on risque de transformer un boxeur en bagarreur et un bagarreur en petite frappe.

« Petit maître, si je t'apprends des trucs de voyou, tu vas perdre ta rapidité et ta prudence. Et quand on n'est plus prudent, on n'a plus d'adresse. » Son visage se fendit d'un sourire grotesque. « Il te faudra plus de temps pour gagner un combat digne de ce nom mais tu resteras propre. »

J'étais déçu. Devenir un dur était l'une de mes ambitions. Je n'en avais strictement rien à faire d'être propre ! Comment peut-on devenir un dur si on est obligé de frétiller comme une mouche à viande ? « Je t'en prie, Geel Piet, le suppliai-je, apprends-moi juste un sale coup, un seul. » Après l'avoir harcelé pendant des jours et des jours, il finit par céder.

« Si je t'en apprends un, tu me promets de ne plus rien me demander, c'est bien compris ?

— Il faut que ce soit le bon, le pire de tous, tu dois me le promettre.

— D'accord, mon vieux, je vais te montrer le Salut du Marin. C'est le meilleur de tous les sales coups. Mais il faut que tu synchronises bien tes mouvements pour y arriver. On peut connaître ce coup-là et être quand même un boxeur, un vrai.

— Tu me jures que c'est le plus vicieux ?

— Ja, mon bonhomme, je t'assure. C'est un coup tellement vicieux que la police s'en sert tout le temps pour déclarer dans ses rapports qu'ils n'ont pas posé la main sur toi. Ça s'appelle aussi le Baiser de Liverpool. » Il mit la main à huit centimètres de son front et, décochant un coup de tête à toute vitesse, s'écrasa le nez au creux de la paume. « Sauf que tu fais ça avec la tête de l'autre évidemment. » Il m'attira près de lui puis, au ralenti, me fit une démonstration. Même ainsi, j'étais sonné, les yeux remplis de larmes. C'était le coup dont s'était servi Jackhammer Smit pour mettre Hoppie au tapis. Maintenant, je comprenais pourquoi celui-ci s'était écroulé en moins de deux.

« Allez, fais-le-moi », proposa Geel Piet, se tapotant le front du plat de la main. M'exécutant, je reçus un autre choc assez sévère. Je commençais à avoir des doutes sur le combat de rue. C'était autre chose que de taper sur un sac !

Au cours des semaines suivantes toutefois, je réussis à parfaire ma technique du Baiser de Liverpool. Il fallait empoigner le sac et décocher un coup de tête fulgurant à un adversaire imaginaire. De temps en temps, Geel Piet me laissait m'entraîner sur lui ; lorsque j'y arrivais, il me félicitait d'un large sourire. « Une fois que tu as pigé le truc, c'est pour la vie. Mais attaque toujours à toute vitesse et par surprise. Si tu le fais bien, il suffit d'un petit coup de quatre sous pour envoyer ton adversaire faire de beaux rêves. Et hop, c'est dans la poche, mon bonhomme. »

L'école présentait un inconvénient. Etant deux classes au-dessus des enfants de mon âge, j'avais du mal à me faire des amis. Les gosses de mon âge me prenaient pour un genre de monstre ; d'ailleurs, vu ma formation précoce et ma vie à la prison, j'étais beaucoup plus dur qu'eux. Grâce à Doc et à ma fracture de la mâchoire, j'étais devenu une espèce de célébrité ; cependant, étant timide et le plus petit de ma classe, je me tenais à l'écart. J'avais acquis la réputation d'être un individu d'exception sans avoir à la conquérir et, la plupart du temps, on m'abandonnait à mon sort. Je n'étais pas agressif de nature. Aussi, quand un garçon du nom de John Hopkins et son copain Geoffrey Scruby, censés être les deux durs de ma classe, me cherchèrent, je tentai d'éviter la bagarre, principalement parce que j'avais l'arrogance de croire qu'il ne seyait pas à un futur champion du monde des poids welter de jouer les petites frappes. Le Juge et son jury s'étaient montrés bien plus cruels que ces deux-là réunis ; l'idée d'avoir peur d'eux ne me traversa donc jamais l'esprit. A l'école, les enfants de langue anglaise ignoraient tout de mon entraînement et de ma vie à la prison car le groupe d'Afrikaans se mêlait rarement aux Anglais et ne leur adressait quasiment jamais la parole, sauf pour les provoquer. Les deux gamins de dix ans me harcelèrent pendant plusieurs jours. Je finis par confier le problème à Geel Piet qui comprit aussitôt mon dilemme.

« Petit maître, c'est toujours comme ça. Voilà ce que tu dois faire. Tu dois leur faire sentir que tu as peur. Dis-le-leur, tu n'as pas le choix. Dis-leur que tu ne veux pas te battre. Qu'ils jouent encore plus les gros bras, qu'ils roulent encore plus des mécaniques. Laisse-les même te marcher sur les pieds. Mais fais-le uniquement quand il y a des témoins. Au bout de quelques jours, ils vont vouloir se battre contre toi, ils choisiront le lieu et l'heure. Essaie de faire comme si tu avais la trouille quand tu accepteras. Tu comprends ? » Geel Piet me prit par les épaules et me regarda droit dans les yeux. « La plupart du temps, on perd pour avoir sous-estimé son adversaire. N'oublie jamais, petit baas, que l'élément de surprise, c'est capital. »

Les choses se passèrent exactement comme il l'avait prévu. Ils me harcelèrent sans arrêt pendant la récréation, puis me bousculèrent devant tout le monde. Et moi de protester que je ne voulais pas me battre. Enfin, ils me demandèrent de les retrouver derrière le cinéma après la classe : j'aurais le choix entre eux deux.

Lorsque j'arrivai dans la petite cour derrière le cinéma de la ville, où se déroulaient les bagarres officielles des enfants de l'école, elle était bondée. Il y avait au moins une cinquantaine de gosses attroupés autour de John Hopkins et Geoffrey Scruby. Ils étaient tous de langue anglaise, hormis Bronkhorst le Morveux qui avait eu vent de l'affaire. A ma grande surprise, il s'approcha de moi et me déclara en afrikaans : « Je suis là pour être ton soigneur. Ce sont tous des rooineks, on ne peut pas se fier à eux. »

Je le regardai, étonné. « Moi aussi, je suis un rooinek.

— Oui, je sais, mais tu es un rooinek boer, c'est pas pareil. »

Je choisis de me battre contre Hopkins qui sembla ravi. Etant le plus costaud de mes bourreaux, il ne s'y attendait pas.

Les enfants formèrent un cercle et le Morveux, qui parlait très peu anglais, lança simplement : « Bon ! Silence ! Battez-vous ! »

Me balançant un terrible coup, Hopkins me rata de trois kilomètres et je lui en flanquai un bon dans les côtes. Il parut surpris, secoua la tête, puis repartit à l'attaque, me tabassant le crâne. J'esquivai le coup en me baissant et le touchai au nez. Il se figea sur place, portant la main à son visage. Je lui décochai un gauche suivi d'un droit au plexus solaire et, à mon grand étonnement, il se mit à pleurer.

« Terminé ! » Le Morveux me prit la main en signe de victoire tandis que Hopkins, reniflant la queue basse, se fondait dans la foule. Je pointai le doigt vers Geoffrey Scruby. « A toi maintenant, Scruby ! lançai-je, excité par son air terrifié.

— Excuse-moi, Peekay », murmura-t-il. J'avais gagné. Exactement comme l'avait prédit Geel Piet. Brusquement, le public m'adulait. Et cela me plaisait infiniment. Puis le Morveux intervint.

« Il y a un autre amateur parmi vous, bande de sales rooineks ? » s'enquit-il. Silence total. Personne ne bougea, pas même les plus grands. « Vous êtes tous des trouillards, vous entendez ! » gronda-t-il d'un ton hargneux, puis se tournant vers moi, il me regarda, un large sourire aux lèvres. Je lui souris à mon tour. Je ne me serais pas attendu à l'avoir pour allié ; pourtant, il était resté de mon côté. « Bon, j'y vais alors », dit-il. Un murmure d'appréhension parcourut la foule. Ils étaient manifestement renversés à cette idée, et ils n'étaient pas les seuls !

« Ce n'est pas juste. Tu es beaucoup plus costaud que lui, remarqua Geoffrey Scruby. Et plus grand, hurla un autre.

— La ferme, mon vieux, sinon je t'en fous une ! » Le Morveux s'approcha de Scruby et, de l'index, le frappa à la poitrine. Puis il se retourna et se mit en garde.

Il s'était écoulé quatre mois depuis notre première rencontre sur le ring ; il avait appris pas mal de choses depuis. Je m'efforçai de rester en retrait, dansant autour de lui, le poussant à l'erreur. Il réussit toutefois à me toucher deux fois ; il me fit un mal de chien. J'enchaînais mes coups plus que lui, les plaçant avec adresse, mais je savais que ce n'était qu'une question de temps. D'abord la tête, ensuite le cœur. D'abord la tête, ensuite le cœur. Les paroles de Hoppie résonnaient dans ma tête alors que j'essayais de sauver ma peau. Le Morveux avait tenté de se rapprocher à une ou deux occasions ; cependant, il comprit vite que ce n'était pas son jeu. De près, j'étais bien plus fort que lui.

Il garda donc ses distances et aligna les coups, sachant que tôt ou tard il en placerait un bon. Ma seule défense consistait à déjouer ses attaques. Les enfants, qui avaient rallié ma cause, braillaient comme des fous, s'égosillant pour que leurs encouragements arrivent jusqu'à moi. Néanmoins, ils savaient sans doute tous que le Boer était trop dur et l'issue inévitable.

« Rapproche-toi, sale Boer ! T'as peur ou quoi ? » le narguai-je. Le Morveux se figea sur place et écarquilla les yeux. Rugissant d'indignation, il fonça sur moi. Je m'écartai au dernier moment, échappant à l'assaut. Au moment où il se retourna pour revenir à la charge, il avait la tête baissée ; on était donc au même niveau. Il était dos au cinéma et moi, dos au public. J'avançai d'un pas puis, des deux mains, l'attrapai par la chemise et lui balançai un Baiser de Liverpool calculé à la seconde près. J'avais si bien préparé mon coup que je ne sentis rien. Le Morveux tomba sur le derrière, complètement sonné. Il resta là, assis dans la poussière, ne comprenant pas ce qui lui arrivait. Les spectateurs n'y avaient vu que du feu eux aussi. Ils étaient derrière moi et, à l'instant où j'avais levé les bras pour l'empoigner, on aurait pu croire que c'était une attaque à deux mains. Par la suite, c'est ainsi qu'on raconta l'histoire : « A ce moment-là, Peekay lui a dit : ''Rapproche-toi, sale Boer'', et, de deux coups fulgurants à la mâchoire, il a mis Bronkhorst le Morveux KO. »

A ma grande surprise, Le Morveux renifla, se redressa tant bien que mal puis, perçant la foule, longea le corps de bâtiment. Il s'arrêta à mi-chemin, hurlant en afrikaans : « Tu me le paieras, sale rooinek ! » Les Anglais s'esclaffèrent tandis qu'il s'éloignait. Moi, je m'en gardai bien. Quand un Boer perd la face à cause de vous, on ne peut pas espérer s'en sortir comme ça. Cependant, et j'en restai médusé, le Morveux finit par croire que je l'avais frappé de mes poings, lui aussi.

Après le combat contre Hopkins et Bronkhorst le Morveux, mon statut s'améliora considérablement à l'école. Alors qu'il n'y avait qu'une soixantaine d'élèves afrikaans, les enfants des mineurs de Noordkaap, des fermiers, des hommes qui travaillaient dans les scieries de Francinos Rust et les gosses des gardiens, ils avaient tendance à être beaucoup plus costauds que les Anglais et nettement plus agressifs. La plupart des Anglais en avaient pris pour leur grade un jour ou l'autre. On me considérait comme le seul et unique qui avait rendu la pareille à un Boer et avait triomphé. Seul navire victorieux au milieu d'un océan de défaites.

De temps à autre, un Boer plus ou moins de ma taille franchissait les lignes pour venir me défier. Après la classe, le terrain derrière le cinéma était bondé d'enfants. Les Boers d'un côté, les Anglais de l'autre, tandis que mon adversaire et moi étions pris en sandwich entre les deux. Les types de la prison formaient un clan à part, ne sachant pas très bien où se situer mais contents apparemment lorsque je gagnais. Geel Piet était un bon entraîneur ; de plus, n'étant jamais opposé à l'un des gosses de la prison, ma technique me permettait de l'emporter. Après quoi, l'un des grands Boers affrontait l'un des Anglais de sa taille, réussissant généralement à le battre, ce qui ramenait le score à zéro, rétablissant le statu quo racial.

Les gamins de la prison s'en tiraient avec les honneurs de la guerre, expliquant que j'étais une espèce de Boer honoraire qui parlait le taal et que je faisais partie de leur groupe. Ce fut ma première victoire. Même le Morveux me laissait tranquille, sauf quand on s'entraînait au gymnase où il ne me ménageait pas.

Cette position de semi-neutralité comptait nombre d'avantages. En temps de guerre, il faut toujours un médiateur, quelqu'un à qui les deux bords sont prêts à accorder leur confiance. Tout le monde me considérait comme un cerveau, je finis donc par mener les négociations entre les Boers et les Anglais : je réglais souvent les différends, répartissais les équipes pour les matches de rugby ou le *klei-lat*, les parties de billes et le *Bok-Bok*, un jeu très violent basé sur la force et l'endurance que les Boers, malgré leur nombre plus limité de joueurs, gagnaient toujours.

Parmi une quarantaine d'enfants de mon âge, je faisais désormais figure de chef incontesté, situation qui me plaisait fort, je dois l'avouer. Etre quelqu'un après avoir été personne pendant si longtemps était grisant ; parfois cependant, je trouvais cela un peu lourd à porter. Il fallait organiser les combats, réprimer les brutalités et remettre les petits dans le droit chemin lorsqu'ils faisaient des bêtises. D'autre part, il y avait la crise du tabac.

A la ferme de Marie, la récolte avait été mauvaise. Durant trois mois, la remise où on faisait sécher les feuilles resta vide. Marie n'arrêtait pas de s'excuser comme si c'était sa faute : plus grand-père protestait que ce n'était pas grave, plus elle se sentait coupable apparemment. Entre-temps, Geel Piet était devenu l'intendant de la prison au pouvoir incontesté. Outre le tabac, on fournissait du sucre, du sel et un service de courrier couvrant l'ensemble du territoire, qui transmettait les nouvelles de chaque côté des barreaux. Des mandats franchissaient les portes grâce à des contacts extérieurs. Les détenus commandaient sucre, sel et tabac, Geel Piet rajoutait trente pour cent sur le prix de l'épicerie et demandait trois pennies par cigarette. Rationné à cause de la guerre, le tabac était de loin le plus grand luxe. N'importe qui ne pouvait pas s'en procurer naturellement et un enfant de huit ans encore moins que quiconque. On roulait soigneusement les maigres rations que j'apportais sous forme de feuille pour en faire de minces cigarettes. Une cigarette en une semaine de dur labeur représentait un luxe qui dépassait l'imagination du prisonnier moyen. Je réussis à comprendre combien des choses aussi modestes qu'une cigarette, une cuillerée à soupe de sucre ou à café de sel peuvent vous faire franchir le fossé qui sépare le désespoir de l'espoir. Un détenu qui a une cigarette cachée dans une douille de 303 usagée enfoncée dans l'anus se prend pour un homme riche. Ces douilles n'avaient pas de prix : elles représentaient, à l'abri de leurs parties intimes, la seule planque dont disposaient les détenus pour entreposer leurs biens. Nous autres, les enfants, on les récupérait sur le champ de tir de l'armée. C'était le seul article dont Geel Piet faisait cadeau ; servant de garde-manger, elles étaient indispensables à son commerce.

Le courrier prit de l'ampleur dans l'enceinte de la prison. Doc écrivait la plupart des lettres que Geel Piet lui dictait. Le petit homme se rappelait des pages entières ainsi que les adresses d'une douzaine de détenus noirs en même temps, parfois même plus. Doc les rédigeait le soir. Il recopiait ensuite une feuille d'exercices musicaux à travailler à la maison et mettait les lettres au dos. Si on m'avait fouillé, on les aurait aussitôt découvertes ; cependant, Doc n'était pas fourbe de nature, et je crois qu'il considérait mon cahier de musique comme une chose au-dessus de tout soupçon, à l'image du Steinway.

Les billets étaient tous du même acabit. Des hommes qui n'ont pas l'habitude d'écrire sont enclins à réduire leur vocabulaire, dans n'importe quelle langue, à de simples formalités : dire à leur famille qu'ils vont bien ou demander des nouvelles de la santé, de la situation de leur femme et de leurs enfants, toutes ces petites choses importantes qui font qu'au bout du compte on est tous pareils. Certains réclamaient aussi de l'argent ; la plupart toutefois savaient que c'était impossible et étaient trop fiers pour imposer une telle charge à leurs parents. Il arrivait assez fréquemment qu'une famille ignorât qu'un mari avait été arrêté et où il était incarcéré. Il avait tout simplement disparu, envoyé souvent dans un établissement pénitentiaire éloigné du lieu de son arrestation. Le retrouver sans l'aide de la police était quasiment impossible ; aussi les lettres constituaient-elles un lien vital pour le moral des prisonniers.

Mrs. Boxall occupait les fonctions de receveuse des postes et je dois dire qu'elle menait son travail rondement. Je lui déposais les lettres en sortant de l'école. Avec le gros tampon carré dont on se servait pour marquer la page de garde des livres où était écrit : BIBLIOTHÈQUE MUNICIPALE DE BARBERTON, Villiers St., Barberton, on estampillait une enveloppe vierge, y joignant un timbre postal, qu'on glissait dans la lettre avec instruction au destinataire de l'employer pour la réponse. On écrivait aussi le nom de l'expéditeur à l'intérieur de l'enveloppe-réponse. Ceci car on recevait souvent des missives qui commençaient par : « Mon cher mari », sans autre précision. Enfin, l'un ou l'autre rédigeait l'adresse sur le courrier en partance, puis on le postait.

Elle m'expliqua le pourquoi de ces précautions subtiles. « Le monde est plein de fouineurs. Si on reçoit un tas de lettres mal écrites adressées à la bibliothèque, le receveur des postes risque de sentir le piège. Pendant des années, j'ai envoyé nos avis de retard à des membres de la région avec des enveloppes toutes prêtes pour la réponse estampillées du timbre de la bibliothèque, il n'aura aucun soupçon. » Effectivement, le système marchait à merveille. Les réponses franchissaient les grilles de la prison, puis étaient mises à l'abri dans le tabouret de piano de Doc dont nous étions les seuls à avoir la clé ; cependant, d'après moi, Geel Piet pouvait crocheter la serrure quand il le voulait.

L'argent que recevaient les détenus se présentait généralement sous la forme d'un mandat de deux shillings. Mrs. Boxall décachetant tout le courrier qui arrivait, elle encaissait les mandats, puis remettait l'argent dans les enveloppes et écrivait le nom du destinataire dessus. Je recollais ensuite l'enveloppe avec le gros pot de colle de la bibliothèque et une mince bande de papier de riz pour masquer l'incision due au coupe-papier de Mrs. Boxall malgré ses précautions. Il avait un manche rayé rouge et blanc comme l'enseigne d'un coiffeur ; sur la lame, d'un côté était écrit : « Avez-vous écrit à votre amoureux ? » et, de l'autre : « Souvenir de Brighton, 1924. » Je me demandais qui était l'amoureux de Mrs. Boxall mais je crois que, même à l'époque, je savais qu'elle n'en avait pas.

C'est ainsi que s'institua un service de courrier régulier qui franchissait les grilles dans les deux sens, Mrs. Boxall se chargeant volontiers de payer les timbres et le papier à lettres. Souvent, elle s'asseyait pour lire un billet adressé à l'un des détenus par sa femme, un billet rédigé par quelqu'un qui savait écrire l'anglais, et, tandis qu'elle me le lisait, des larmes coulaient sur ses joues. Les lettres se composaient la plupart du temps de trois ou quatre lignes, souvent transcrites d'une énorme écriture enfantine tout à fait maladroite.

Mon mari Mafuni Tokasi,

Comment vas-tu ? Les enfants vont bien. On n'a pas d'autre argent. Le baas dit qu'on doit partir. Il n'y a pas de travail et rien à manger. Le petit dernier a deux ans maintenant. Il te ressemble. On n'a nulle part où aller.

Ta femme Buyani.

Un mandat de deux shillings joint à la lettre signifiait que la famille n'avait sans doute pas mangé pendant deux jours ou même plus. Mrs. Boxall essuyait ses larmes, affirmant qu'elle avait la conscience tranquille et que, même si on l'arrêtait, elle était sûre d'avoir bien raison d'agir ainsi. Elle harcelait les amis et les gens qui venaient à la bibliothèque pour avoir des vêtements qu'elle envoyait aux familles dans le besoin, ajoutant parfois un mandat pris sur son argent personnel. Elle parlait des détenus en disant : « Ces innocents, de la viande atrocement prise en sandwich entre une société inhumaine et un Etat vindicatif. » Son mot de code lorsqu'elle faisait allusion à ces familles devint tout simplement : « sandwich. » « Il nous faut d'autres habits pour les sandwiches », disait-elle, ou : « Voilà un pauvre sandwich pour lequel on va devoir trouver une demi-couronne. » Elle avait installé à la bibliothèque un bidon de deux cents litres troué d'une ouverture de quinze centimètres sur presque toute la largeur du couvercle comme une énorme tirelire. Sur le côté était écrit : « Vêtements usagés pour la Souscription Sandwich ». Les gens apportaient des tas de choses et personne ne demanda jamais ce qu'était la Souscription Sandwich.

« Les gens s'imaginent qu'ils devraient le savoir, alors personne n'ose poser la question », disait-elle. Elle me raconta un jour que l'origine du mot venait du comte de Sandwich qui était un joueur invétéré et qui était si pris par le jeu qu'il n'avait pas le temps de se mettre à table. Pour résoudre le problème, son majordome lui avait préparé deux morceaux de pain avec quelque chose dedans. Ce fut le premier sandwich. « Si jamais quelqu'un pose la question, on lui dira qu'il s'agit de la fameuse Souscription du comte de Sandwich pour les pauvres. Ça lui clouera le bec, tu ne crois pas, Peekay ? »

Quelqu'un finit sans doute par s'informer, car la Souscription du comte de Sandwich devint à Barberton la plus populaire de toutes les œuvres en faveur de l'effort de guerre. Encore plus importante que les chaussettes tricotées pour les prisonniers de guerre. Aux fêtes de Pâques et de Noël qui se déroulaient dans Coronation Park, nous tenions un stand de sandwiches, Mrs. Boxall et moi, où on vendait les gâteaux et autres friandises offertes par les grandes familles de la ville. Ma mère nous faisait parvenir des biscuits au potiron concoctés par Dee et Dum qui avaient aussi le droit de travailler au stand. Arborant deux coiffes et deux tabliers identiques confectionnés par ma mère, elles s'échinaient, de l'aube au coucher du soleil, disposant les pâtisseries sur les tréteaux, coupant le pain, le tartinant et préparant des sandwiches.

Vu que je faisais partie de l'équipe de boxe et que j'étais considéré comme l'un des enfants de la prison, les femmes des gardiens cuisinaient pendant des jours et des jours pour le stand de sandwiches, jubilant lorsque leurs gâteaux et leurs sablés partaient les premiers. La pâtisserie des Boers était généralement meilleure que celle des dames de la haute société. Le stand assez snob de la Souscription du comte de Sandwich rapportait suffisamment pour assurer le service du courrier mais aussi pour envoyer de l'argent et des vêtements à de nombreuses familles sans ressources.

Lorsque sévit la crise du tabac, on résolut le problème grâce à la Souscription du comte de Sandwich. Mrs. Boxall envoya un mot au directeur de notre école pour demander aux enfants d'apporter les mégots de chez eux. Elle réussit même à récupérer ceux du mess des sergents au camp de l'armée. Tout le monde pensait que le tabac recyclé allait aux prisonniers de guerre car Mrs. Boxall parlait de ses protégés en disant tout simplement : « les prisonniers ». Certains gosses rapportaient la moitié d'un paquet de cigarettes pris sur la précieuse ration de leurs parents, sacrifice en faveur de l'effort de guerre. J'en donnai un à Geel Piet qui crut que le Père Noël était arrivé. On emportait les sachets de mégots au cottage de Doc où Dee et Dum, le nez masqué par un torchon, passaient leur dimanche après-midi à déchiqueter la livraison de la semaine. Jamais Geel Piet n'avait eu la vie ausi belle. Quand la nouvelle récolte arriva de la ferme de Marie, il fut fort marri de devoir revenir aux simples feuilles de tabac.

J'ignorais qu'au fil du temps les détenus avaient reconstitué les pièces du puzzle, me considérant comme leur bienfaiteur. Je fus très surpris le jour où, passant devant une équipe de travail qui creusait un grand massif dans les jardins de l'hôtel de ville, j'entendis le chanteur, qui donnait le rythme pour que toutes les pioches s'élèvent et retombent en même temps, changer d'air à mon arrivée.

« Regardez qui vient vers nous », chanta-t-il. « Dis-le-nous, dis-le-nous », répliquèrent les détenus à l'unisson. « C'est celui qu'on appelle l'Ange Têtard », scanda le meneur. « Nous le saluons, nous le saluons », reprit le chœur.

Je jetai un coup d'œil alentour pour voir de qui il parlait, l'endroit était désert. Le gardien, qui me reconnut, ne connaissait apparemment pas le zoulou. Il me lança : « Comment ça va, mon bonhomme ? » et je rétorquai : « Très bien, merci. » Le surveillant, qui s'ennuyait, avait envie que je m'arrête pour faire un brin de causette.

« Celui qui est un puissant boxeur et l'ami du métis », poursuivit le chef. « L'Ange Têtard, l'Ange Têtard », répondit le chœur, levant la pioche sur le premier temps et la baissant sur le second. Je compris avec stupéfaction qu'ils parlaient de moi.

« J'ai appris que le lieutenant va te laisser te battre dans la catégorie des moins de douze ans au championnat du bas veld de Nelspruit ce week-end.

— Ja, je serai le plus petit mais je crois que ça va aller. »

« Nous le remercions pour le tabac, le sucre, le sel, les lettres et toutes les choses qu'il envoie à nos familles au loin. » « Du fond de notre cœur, du fond de notre cœur », reprit le chœur.

« Neuf ans, c'est pas très grand, mon bonhomme. A onze ans, il y a des Boers qui sont drôlement costauds. »

Je haussai les épaules. « Je vais avoir dix ans dans deux semaines. » J'essayai de masquer mon embarras tandis que les détenus poursuivaient leur mélopée.

« Ja, et le gamin contre qui tu vas te battre aura sûrement douze ans dans deux semaines, dit-il d'un air lugubre.

— Il faut que j'y aille, je vais à la bibliothèque et je suis en retard. » Je ne pensais qu'à échapper au coup de chapeau des prisonniers.

« T'inquiète pas, mon vieux. Je t'ai vu à l'entraînement, tu es drôlement rapide. » Il m'observa de près et fit un grand sourire. « Tu es un drôle de type, Peekay. Pourquoi tu te mets à rougir comme une tomate tout d'un coup, hein ? »

« Il est l'eau douce qu'on boit, les nuages noirs qui viennent enfin après la sécheresse », chanta le meneur. Et les pioches de se lever sur « l'Ange Têtard ». Et les pioches de se baisser d'un seul geste sur le deuxième temps. « Nous le saluons, nous le saluons. » Ne sachant plus où me mettre, je m'élançai vers la bibliothèque et pris une suée.

Le lendemain matin, j'en touchai un mot à Geel Piet qui reconnut qu'on m'appelait ainsi. « C'est un grand compliment, petit baas. A leurs yeux, tu es vraiment un ange. »

Doc écoutait notre conversation car maintenant on parlait anglais en sa présence. « Ja, et à tes yeux, Geel Piet, on est tous des anges. » Il pouffa de rire. « Tu es un homme riche, j'imagine, ja ? »

Geel Piet ne tenta pas de nier. « Grand baas, ça se passe toujours comme ça en prison. Si je suis découvert, on me tuera. Faut bien que j'en tire quelque chose si je risque ma peau. Trente pour cent, ce n'est pas beaucoup. A Pretoria et Johannesburg, c'est cinquante, à Robben Island et Pollsmoor, soixante.

— Je trouve que tu es un vaurien, Geel Piet, mais n'en parlons plus. » Doc, tout comme Mrs. Boxall, avait fini par comprendre que les lettres avaient une importance capitale et que le modeste trafic de contrebande rendait la vie supportable à des hommes privés de toute compassion qui avaient droit pour régime quotidien à de la farine de maïs accompagnant un ragoût aqueux où baignaient surtout du chou et des carottes avec un petit bout de cartilage flottant parfois à la surface, régime qui leur permettait tout juste de ne pas mourir de faim mais qui était insuffisant pour les travaux de force qu'ils accomplissaient dans les fermes, les scieries ou les carrières de granit. Il en était aussi arrivé à accepter le rôle que jouait Geel Piet dans le système de distribution, sachant que sans cela, la violence aurait sévi. « En tout homme, il y a de l'amour mais aussi le besoin de s'occuper de son prochain, son frère. En tout homme, il y a un sauvage mais parfois aussi de la tendresse et de la compassion. » Doc soupira, prit son mouchoir et s'essuya le visage comme pour tenter de se débarrasser de l'atmosphère ambiante qui lui collait à la peau. « Quand l'homme est en butte aux brutalités comme ici, il recherche toujours des petits signes. Le moindre signe prouvant que quelqu'un s'inquiète de son sort tel un feu brûlant dans les ténèbres de la montagne. Quand un homme sait que quelqu'un s'intéresse à lui, il garde en lui un petit coin, peut-être un morceau de son âme, propre et lumineux. »

La ration allouée à chaque prisonnier étant insuffisante pour un homme effectuant de durs travaux, les employeurs qui engageaient une équipe devaient la nourrir à midi. C'était ce repas qui permettait aux détenus de survivre car le règlement stipulait qu'on devait leur servir un ragoût composé de légumes et de deux cent vingt-cinq grammes de viande par personne plus une livre de bouillie de maïs. Il m'arriva d'entendre des gardiens discuter le bout de gras pour tenter d'obtenir d'un employeur de diminuer les portions de moitié, verser dix shillings au surveillant et en économiser autant de son côté. Cela ne marchait que pour des contrats de courte durée, sinon les hommes n'avaient plus la force de travailler. C'était très risqué. Le lieutenant Smit opérait des rotations entre les gardiens pour qu'ils aient une équipe différente toutes les semaines et ne puissent monter leur coup. Les autorités comptaient sur cet unique repas correct fourni à l'extérieur pour pouvoir réduire les rations derrière les barreaux. Je dois cependant avouer que c'est Geel Piet qui m'a raconté cela, ce n'est donc pas forcément l'entière vérité. Si un surveillant se faisait prendre à ce manège, non seulement il était renvoyé mais en plus on l'incorporait dans l'armée. Dans l'équipe de boxe, personne ne s'essaya jamais à ce genre de manigance : les membres étaient tous des hommes du lieutenant Smit et, plus encore que les bons musiciens, ils avaient droit à un traitement spécial. Ils avaient rarement à escorter les équipes de travail et la plupart d'entre eux occupaient des fonctions de garde de jour.

Alors qu'il n'y avait pas plus d'un quart de Zoulous parmi les prisonniers, ils avaient le beau rôle. Les chansons accompagnant le travail étaient principalement composées dans leur langue, c'était un membre de leur tribu qui marquait la mesure et donnait la cadence. Le zoulou est une langue poétique ; de plus, même si la plupart des mélodies sont des airs traditionnels, c'était presque toujours l'un d'eux qui inventait des paroles pour relater un incident récent ou transmettre des informations, son don inspirant le plus grand respect.

Ce système de « téléphone arabe » était en usage même parmi les vieux détenus. Dans cette partie du monde, lorsqu'un gardien parlait une langue africaine, c'était rarement le zoulou, plus souvent le shona, le shangaan ou le swazi et ce, uniquement s'il venait de la campagne. Les gens des villes n'apprennent pas le parler indigène en dehors de l'afrikaans ou parfois une langue employée dans les mines, baptisée le fanagalo, qui est un mélange de plusieurs idiomes africains avec des termes empruntés à l'afrikaans et l'anglais.

Je demandai à Geel Piet pourquoi le mot « Ange » était suivi du mot « Têtard ». Tout d'abord, il sembla incapable de me répondre ou tout du moins fit semblant. Cependant, je connaissais suffisamment de noms zoulous pour savoir que rien n'est jamais dû au hasard, qu'un nom correspond toujours à une description précise du statut ou de tout autre trait particulier de la personne concernée.

Par exemple, Klipkop ignorait qu'on l'avait surnommé « Verge d'Ane ». Cela tenait à son habitude de se servir d'une longue baguette en caoutchouc qu'il employait sous le moindre prétexte. La plupart des gardiens frappaient les prisonniers de leurs poings. La logique en la matière était fort simple : les corrections administrées à main nue étaient officieuses ou, comme ils disaient, une forme de persuasion amicale, alors qu'on utilisait la matraque lorsqu'il y avait lieu de faire un rapport. Klipkop faisait exception à la règle. En tant que champion des poids lourds du bas veld, il devait prendre soin de ses mains ; il avait donc pris l'habitude de se servir de la verge pour les punitions courantes. Officiant aussi au service des réclamations, cela n'avait guère d'importance. « Un type de ma trempe ne peut pas se permettre de se casser le petit doigt ou je ne sais quoi sur le kop de l'un de ces sales Noirs », expliquait-il sur la défensive car, même en dehors de l'enceinte de la prison, c'était avec les poings qu'on frappait les Cafres, réservant le sjambok à des incartades de taille.

Je me rappelle un jour où je suivais un long couloir sinueux du bâtiment administratif où on rencontrait toujours cinq ou six vieux détenus à genoux, les rotules emmaillotées dans des chiffons, tandis qu'ils astiquaient le sol d'une propreté immaculée. Bien avant de les apercevoir, j'entendis l'un d'eux entonner : « Echine-toi et garde la tête basse, voilà Verge d'Ane qui arrive », et le chœur de reprendre : « Verge d'Ane, Verge d'Ane ». Quand on passa devant eux, ils s'arrêtèrent un instant dans leur tâche puis, joignant les mains en un geste d'humilité, nous saluèrent en souriant : « Bonjour baas, bonjour petit baas. »

Sachant que le mot « Têtard » accolé à « Ange » n'était pas dû au hasard, je continuai à interroger Geel Piet à ce sujet. « Voilà ce qu'il en est, petit baas. Le professeur a été baptisé Amasele (la grenouille), car il joue du piano le soir quand le silence règne dans la prison. D'après les Zoulous, c'est la grenouille qui chante le plus fort la nuit, beaucoup plus fort que le grillon ou le hibou. Donc, c'est très simple. Comme tu es le petit de la grenouille, tu es un têtard. » C'était un exemple parfait de la logique des noms donnés par les Zoulous.

13

Tandis que Geel Piet s'enrichissait et prenait même de la bedaine, il s'était aussi rendu indispensable à l'équipe de boxe. Il entretenait le gymnase, s'occupait du linge et faisait même confectionner les maillots jaune et bleu ainsi que les culottes blanches à l'atelier de la prison. Cependant, plus que tout, il connaissait la boxe sur le bout des doigts et était un entraîneur aussi exigeant qu'ingénieux. Il avait fait des gamins de l'équipe des boxeurs tout en finesse, alliant notre agressivité naturelle à une véritable technique. De la catégorie des moins de quinze ans à celle des moins de douze ans, le Barberton Blues n'avait pas perdu un seul match depuis deux ans.

Je réussis à disputer mon premier vrai combat uniquement sur un coup de chance. Les championnats de Nelspruit avaient lieu début août, quelques jours avant mon anniversaire, et je tentais de dire à qui voulait l'entendre que dix ans, c'était presque onze et qu'un an de différence, ce n'était pas grand-chose. Toutefois, le lieutenant Smit n'était pas du genre à revenir sur ses décisions et personne, surtout pas moi, n'avait envie de plaider en ma faveur. En réalité, les deux autres benjamins, Bronkhorst le Morveux et Fonnie Kruger, avaient presque douze ans et donc deux ans de plus que moi ; de plus, étant boers, ils étaient beaucoup plus forts.

Geel Piet prétendait qu'il percevait en moi des dons de finesse et de rapidité qui compensaient largement ma petite taille. C'était un farouche partisan du jeu de jambes. « Il faut que tu apprennes à boxer avec tes jambes, petit baas. Un bon boxeur est comme un danseur, il est toujours joli à regarder même si on ne fixe que ses jambes. » Il m'apprit à me placer pour balancer un coup de toutes mes forces ; malgré ma taille, vu ma vitesse, mes attaques étaient de nature à inspirer le respect d'un adversaire plus costaud. « S'ils n'ont pas de respect pour ta frappe, ils s'acharnent jusqu'à te mettre KO. C'est très important le respect pour un boxeur. »

Je rêvais de disputer un vrai match contre un adversaire inconnu. Depuis deux ans, je n'avais pas manqué une seule séance d'entraînement, j'avais travaillé de tout mon cœur en attendant le jour où je monterais sur un ring avec un vrai public pour affronter un adversaire dont chaque attaque, contrairement à celles de mes partenaires au gymnase, me prendrait au dépourvu.

La semaine des championnats, le Morveux ne se présenta pas au gymnase le lundi. A la fin de l'entraînement, le lieutenant Smit fit venir Geel Piet et ils discutèrent un bon moment avec le plus grand sérieux en me regardant de temps à autre. Enfin, Geel Piet s'approcha de moi. Il s'efforçait de réprimer un sourire. « Nom d'une pipe, je suis un homme heureux aujourd'hui, petit baas. Tu veux que je te dise pourquoi ?

— On va te laisser sortir de prison ? » hasardai-je.

Il éclata de rire. « Non, plus jamais. Je suis bien ici, moi. J'ai ma propre écurie de boxeurs, un bon petit trafic. Je mourrai heureux ici.

— Pourquoi, alors ? »

Il se baissa, se retrouvant face à face avec moi. Il avait l'haleine fétide. « Tu as décroché ton premier match, mon bonhomme ! Petit baas, Bronkhorst, il est au lit avec la maladie jaune, c'est toi qui le remplaces. »

Je n'en croyais pas mes oreilles. Le Morveux avait attrapé la jaunisse qui traînait à l'école. Je voulus embrasser Geel Piet mais il s'écarta aussitôt. « Non, non, petit baas, le lieutenant me battrait. » Il fit un large sourire. « Aujourd'hui, ce sale Noir est trop content pour se faire casser le nez. Tu ferais mieux d'aller remercier le lieutenant tout de suite. Dépêche-toi avant qu'il ne change d'avis, hein ? »

Je me précipitai vers le lieutenant Smit qui parlait avec Klipkop et restai là à attendre. Ils m'ignorèrent pendant un long moment, puis le lieutenant finit par lancer d'un ton brusque : « Qu'est-ce qu'il y a, Peekay ?

— Merci pour le match, lieutenant Smit, balbutiai-je. Je ferai de mon mieux. »

Il se massa les articulations des doigts. « Ça ne suffira pas, tu vas te faire assommer mais ça te fera du bien. Personne ne gagne son premier combat. » Sur ce, il se détourna et s'éloigna.

Geel Piet me demanda d'apporter mes tennis le lendemain matin pour qu'ils soient impeccables le jour du match. Avec un bout de ficelle, il prit mon tour de taille et de poitrine. En rentrant de l'école, j'annonçai à Dee et Dum qu'il fallait mettre mes chaussures à côté de mon cartable pour que je ne les oublie pas car Geel Piet devait les nettoyer. Assise à mes pieds tandis que je buvais une tasse de café, Dum se leva tranquillement. Elle revint quelques instants plus tard avec mes tennis. Ils étaient d'une propreté immaculée. « Pour qui se prend-il, ce métis ? » s'exclama-t-elle. « Il s'imagine qu'on laisse notre baas se balader avec des chaussures sales ? » Manifestement, elles étaient blessées. Je dus me lancer dans de longues palabres pour leur expliquer que Geel Piet s'occupait de tout pour les boxeurs et qu'il ferait de même pour moi maintenant que je faisais partie de l'équipe. « Il n'est pas question qu'il lave tes vêtements ou qu'il nettoie tes tennis », affirma Dee. « C'est un travail de femme et c'est nous qui nous occuperons des habits du baas de notre kraal », ajouta Dum.

Je me demandais quelle serait la réaction de ma mère lorsqu'elle apprendrait que j'étais entré dans l'équipe. On ne parlait jamais de boxe et, quant à elle, elle pensait que je me rendais à la prison tous les matins à l'aube pour suivre mes cours de piano. Ces derniers temps, elle avait été très prise par une commande de trois robes de bal pour une boutique de Johannesburg, on entendait sa machine Singer qui vrombissait jusque tard dans la nuit. Je frappai, puis entrai dans la salle de couture. Elle semblait envahie par une robe du soir en taffetas couleur prune qui était presque finie. Ma mère se leva et la mit devant elle : elle ressemblait à l'image que je me faisais de Cendrillon allant au bal. Un profond décolleté en V et des manches bouffantes. Serré à la taille, le bas de la toilette était largement évasé. Au rythme des pas, le tissu accrochait la lumière et froufroutait de la façon la plus luxueuse et provocante qui soit.

« Quelle folie ! Je me demande où ils ont bien pu trouver ce tissu en pleine guerre. » Elle donna un petit coup de pied dans le bas de la robe qui se souleva en volutes, découvrant une autre longueur de tulle bleu paon.

« Tu es belle », dis-je, sans songer à la flatter.

Ma mère rit puis, attrapant un cintre molletonné, suspendit la tenue à une tringle installée au mur. Même abandonnée ainsi, la toilette resplendissait, jetant son éclat sur la modeste pièce. « C'est bien le problème avec les tentations du diable, elles sont souvent très jolies et fort séduisantes », remarqua-t-elle en soupirant.

J'avais oublié un instant que la danse était en très bonne place sur la liste des choses condamnées par le Seigneur. J'eus un coup au cœur. Si le Seigneur réprouvait la danse, que pouvait-il penser d'un match de boxe ? Je me consolai aussitôt en me disant que, pour ce que j'en savais, Dieu était un homme. Par conséquent, la boxe Lui plairait beaucoup plus que le quadrille.

« Tu es venu me parler du match, n'est-ce pas ? lança ma mère en reprenant place devant la machine.

— Oui, maman. » Je fus incapable de cacher la surprise dans mon ton.

« Oui, le lieutenant Smit, un homme absolument charmant, est venu me voir ce matin. Toutefois, je ne suis pas sûre d'avoir apprécié ses propos. J'en ai discuté avec ton grand-père et j'y ai consacré mon moment d'intimité avec le Seigneur après le déjeuner. Je dois t'avouer qu'Il ne m'a pas éclairée de Ses conseils en la matière, mais ton grand-père semble penser que ça ne peut pas te faire de mal. » Elle renversa brusquement la tête en arrière d'un air contrarié. « Oh, comme j'aimerais que tu t'en tiennes au piano. C'est là manifestement le vœu du Seigneur, sinon Il ne t'aurait pas permis de l'étudier dans des conditions aussi difficiles. Apparemment, le lieutenant Smit estime que tu as un don naturel pour la boxe, ce qui est loin d'être le cas en ce qui concerne ton professeur de musique.

— Doc a dit que mon Chopin se présentait drôlement bien », répliquai-je en l'imitant un tant soit peu.

Ma mère cousait un bouton-pression sur une espèce de large ceinture pour la robe en taffetas. Elle leva les yeux vers moi. « J'aimerais que tu ne l'appelles pas par ce nom idiot. Dieu sait qu'on compte les gens bien sur les doigts de la main dans cette ville. De plus, c'est un vrai professeur de musique, il mérite ton respect. Le fait qu'il soit allemand n'est qu'un mauvais hasard. Après tout, on parlera sans doute tous allemand avec un drôle d'accent si Hitler gagne la guerre. Il faudra que tu dormes vendredi après-midi si tu dois veiller si tard samedi soir. »

Je bondis de joie. « Merci, oh merci, merci, m'exclamai-je, l'étreignant pour l'embrasser.

— Je ne sais absolument pas si le Seigneur approuve cette décision, dit-elle, mais elle était heureuse que je l'aie embrassée. Allez, file. »

Le vendredi matin, après la gymnastique, le lieutenant Smit nous rassembla autour du ring. « Je voudrais vous dire deux, trois choses pour commencer », annonça-t-il. Il se tourna vers les cinq gosses qui se tenaient d'un côté de l'estrade auprès de Geel Piet. « Pour les moins de quinze ans, le règlement stipule que si on est envoyé au tapis, on est hors jeu. Inutile de vous relever, les gars, vous êtes finis. Alors, ne vous faites pas dégommer, hein. » Il montra du doigt Klipkop qui était à sa droite. « Etant semi-professionnel, le sergent Oudendaal n'a pas le droit de participer au match ; c'est Gert qui défendra nos couleurs dans la catégorie poids lourds. Quant au sergent Oudendaal et moi-même, on fera office de soigneurs. Vous faites ce qu'on vous a dit, les gars, et pas de combines à la manque, c'est compris ? Ne vous avisez pas de jouer au plus fin. Vous connaissez tous les règles, ce sont les coups les plus propres qui sont gagnants, c'est ce que vous a appris Geel Piet. Vous autres des différentes catégories, battez-vous comme d'habitude. S'il faut que vous changiez de tactique, je vous le dirai. » Il s'apprêtait à quitter le ring lorsqu'il aperçut quelque chose à ses pieds. Il se baissa pour ramasser un petit maillot bleu où étaient écrites en jaune sur le devant les lettres BB, Barberton Blues. Il le retourna vers nous ; au dos, se détachait le nom : PEEKAY. « Bienvenue dans l'équipe, Peekay », lança-t-il et tout le monde applaudit. « Bienvenue au Barberton Blues. » Ma tête bourdonnait et j'avais mal à la gorge comme je refoulais mes larmes. Se penchant à nouveau, le lieutenant Smit prit une culotte bleue avec une bande jaune sur le côté ; faisant un ballot des deux, il me jeta le tout. Le paquet se défit en chemin ; de la main gauche, j'attrapai le maillot au vol tandis que j'essayais de récupérer la culotte de la droite. « C'est un rapide, ce petit bonhomme et il sait se servir de ses mains. Dommage qu'il n'ait pas huit kilos de plus », ajouta-t-il en descendant du ring.

Je montrai ma tenue à Doc, qui parut très content pour moi, et lui parlai des trois rounds. « Tu crois que tu arriverais à faire trois rounds avec Chopin, Peekay ? » s'enquit-il. J'acquiesçai, bien décidé à lui montrer que je ne reléguais pas sa chère musique au rayon des accessoires ; d'après moi, cependant, il savait que j'étais plus préoccupé à l'idée de rester sur mes jambes pour ne pas être envoyé au tapis que par l'étude sur laquelle je m'escrimais. Du coin de l'œil, je vis entrer Geel Piet. Je savais qu'il serait passé inaperçu s'il l'avait voulu, qu'il avait choisi l'angle précis pour se montrer sans déranger personne. Il n'avait pas l'habitude de venir dans la grande salle à cette heure. Je glissais toujours le courrier du jour dans le tabouret de piano, puis Geel Piet le récupérait lorsqu'il venait astiquer le Steinway. On avait estimé qu'on ne devait jamais nous voir ensemble près de la boîte à lettres. Je jetai un coup d'œil vers Geel Piet qui faisait semblant de nettoyer une vitre un seau à ses pieds. Doc finit par le remarquer ; il leva la main pour que je m'arrête.

« Tu ne dois pas venir quand on travaille, c'est le règlement », le tança-t-il. S'emparant aussitôt de son seau, le petit homme difforme se rua vers nous. Doc parut contrarié. « Qu'y a-t-il ?

— S'il vous plaît, baas, c'est très important. » Geel Piet posa son seau et sortit un paquet enveloppé dans un bout de tissu. « Les hommes ont tous donné de l'argent et on a fait faire un cadeau pour le petit baas chez le bottier. » Dépliant le tissu, il découvrit une paire de chaussures de boxe. J'en eus le souffle coupé. Elles étaient superbes, le cuir noir brillant délicatement tandis que les semelles avaient ce ton blanc bleuté du cuir neuf. « C'est de la part de tout le monde, un cadeau pour l'Onoshobishobi Ingelosi, de la part de nous tous pour que tu te battes comme un lion demain, petit baas. »

Je me relevai d'un bond, incapable de réprimer ma joie. « C'est pour ça que je t'ai demandé tes tennis, petit maître. » Il m'accorda un grand sourire édenté. « Pour connaître la taille. »

Je retirai prestement mes gros souliers et enfilai les autres. Le cuir était souple, les chaussures aussi légères qu'une plume et parfaitement à ma taille. « Geel Piet, c'est le plus beau cadeau qu'on m'ait jamais fait, je te jure.

— C'est de la part de tous les hommes, c'est leur façon à eux de te remercier. »

Brusquement, il s'agenouilla et, se servant du tissu qui emballait le présent, se mit à frotter le sol à mes pieds. Un instinct en lui, toujours en éveil, l'avait averti du danger. Cinq bonnes secondes s'écoulèrent avant que le gardien ne se dresse à la porte de la salle.

C'était un nouveau sergent qu'on n'avait croisé qu'une seule fois à la cantine. Il s'appelait Borman et avait été transféré de la centrale de Pretoria dans le bas veld parce que sa femme avait de l'asthme.

Une main sur l'encadrement, il se tenait devant nous. « Professeur, le commandant veut vous voir, présentez-vous au bâtiment administratif après le petit déjeuner, c'est compris ? » Il s'apprêtait à partir quand il aperçut Geel Piet. « *Kom hier*, le Cafre ! » lança-t-il.

Le petit homme se redressa d'un bond et se rua vers lui. « Ja, baas, j'arrive, baas, hurla-t-il.

— Qu'est-ce que tu fais ici ? » s'enquit le surveillant.

Doc se baissa et ramassa l'un de mes gros souliers. « Le gamin avait du kak sur ses chaussures, il est venu les nettoyer. » Il avait l'air d'examiner la semelle. « Ja, voilà », confirma Doc, montrant le soulier au gardien, puis le sol que Geel Piet avait frotté. « Il en avait aussi laissé par terre en entrant. »

Le sergent Borman fit un large sourire. « La prochaine fois, dites à ce sale Noir de les nettoyer à coups de langue, il a l'habitude de manger de la merde. » Il se tourna vers Geel Piet. « C'est vrai, hein, le Cafre ? Vous mangez votre merde entre vous, hein ? »

La tête basse, Geel Piet se tenait au garde-à-vous ; en réalité, ses maigres jambes arquées balafrées de cicatrices et émaillées de marques noires dues à d'anciennes blessures dans la brousse ne se touchaient pas aux genoux. « Non, baas », murmura-t-il. Sa voix ne trahissait pas l'ombre d'une peur, juste une espèce de résignation. Il semblait savoir ce qui l'attendait.

Le gardien l'attrapa par sa chemise en toile. « Quand je dis quelque chose, tu opines du bonnet, c'est compris ? Alors, le Cafre, tu manges de la merde oui ou non ?

— Oui, baas, répliqua Geel Piet.

— Plus fort ! Dis-le à haute et intelligible voix, sale nègre qui bouffe de la merde !

— OUI, BAAS !

— Oui, baas, quoi ?

— Oui, baas, on mange notre merde entre nous ! »

Le sergent de Pretoria se tourna vers nous. « Voilà, professeur. Je vous l'avais bien dit. La prochaine fois, demandez-lui de nettoyer à coups de langue, ce sera un vrai régal pour lui. » Et il s'en alla.

Geel Piet s'approcha de nous à pas feutrés, on n'entendait quasiment pas ses pieds nus sur le plancher. « Merci, grand baas, déclara-t-il en souriant. Il a raison ; en prison, on mange tous de la merde. » Il se tourna vers moi en ramassant son seau. « Tes jambes, petit baas, boxe avec tes jambes. De beaux coups pour marquer des points. Et pas d'accrochage, sinon tu risques d'être renversé par un plus balèze. Bonne chance, petit baas, on est tous avec toi.

— Merci, Geel Piet. Dis aux autres que je les remercie.

— Ouais, ce n'est rien. Les hommes t'aiment, c'est pour eux que tu te bats. » Et il disparut.

Doc s'éclaircit la gorge pour briser le silence. « On pourrait peut-être se mettre à Chopin maintenant, ja ? »

Je lui fis un gros baiser. « Vous avez réagi drôlement vite, Doc. »

Il pouffa de rire. « Pas mal pour un vieux pianiste en morzeaux, ja ? » Soudain, il se rembrunit. « Je me demande ce que veut le commandant. »

On devait partir pour Nelspruit, situé à plus de soixante kilomètres de là, à huit heures le lendemain matin. Je réussis à échapper à la sieste du vendredi après-midi mais je dus aller me coucher à six heures. Réveillé avant l'aube comme d'habitude, je restai au lit en tentant d'imaginer la journée qui s'annonçait. Et si jamais je me faisais dégommer tout de suite ? Comment cacher mon désespoir ? Avec sept équipes de l'Est-Transvaal en compétition, il me fallait remporter deux matches pour arriver en finale. Je n'avais jamais fait six rounds de ma vie et, même si je tenais le coup, il m'en resterait encore trois ! Et si jamais je me déconcentrais et que l'autre gosse me renversait ? Même si je gagnais, j'aurais perdu car j'aurais touché le tapis !

Je ne supportais plus tous ces « Et si jamais ». Je me levai, m'habillai et me ruai dans le jardin. A peine dix minutes plus tard, j'étais en haut de la colline, assis sur notre rocher.

C'était le début du printemps, le vent du petit matin était froid. Je frissonnai en regardant la lumière du jour rougeoyer dans la vallée pour se fondre à la ville sombre en contrebas, enveloppant les ténèbres jusqu'à ce que les toits, les rues et les arbres brillent comme des sous neufs. Les jacarandas n'étaient pas encore en fleur mais déjà, les taches rouge vif des flamboyants jaillissaient çà et là. Je me demandai comment Grand-père Chook aurait envisagé la situation. Il aurait pris les choses avec sérénité, à l'instar d'un jour comme les autres. Bien qu'il jouât un rôle moins important dans ma vie, Grand-Père Chook demeurait un point de référence. Une référence pour savoir comment me comporter dans des situations difficiles. Je songeai aussi à Hoppie. Si seulement il avait pu être là pour me voir. « D'abord ta tête, ensuite ton cœur, Peekay. » J'entendais presque sa voix gaie et rassurante.

Au bout d'un moment, je me sentis beaucoup plus calme. Je redescendis la colline tandis que le soleil se levait. Quelques aloès, surtout le grand Aloe Ferox, étaient déjà en fleur. Je regardai un rayon de soleil éclairer un tout petit oiseau brillant de tous ses feux qui voltigeait sur une branche orangée. Son long bec crochu fouillait le pistil à la recherche du nectar, ses petites ailes battant si vite qu'il restait perché à un endroit, trop vite pour laisser une traînée dans l'air. Je m'imaginais boxant aussi vite, mon adversaire racontant le match à un quidam : « Je m'apprêtais à décocher un direct du droit quand le champion du monde des poids welter m'a touché au menton. Une véritable avalanche de coups. » Même à mes yeux, ça semblait fort improbable.

Lorsque je regagnai la maison, Dee et Dum avaient préparé le petit déjeuner : du porridge au blé noir de la région et des œufs au bacon. Sur la table de cuisine trônait ma gamelle. Après avoir passé la journée à confectionner des sandwiches pour la Souscription du comte de Sandwich à la fête de Pâques, elles se prenaient pour des experts en la matière et mon déjeuner me réservait toujours des surprises. De temps en temps, j'avais droit à la composition carottes râpées et confiture ou bien avocat et beurre de cacahuètes. J'avais mis le holà devant le mélange oignon et papaye. Confiture de groseilles et moutarde faisaient aussi partie de leur répertoire culinaire.

Je me demandai ce qu'elles m'avaient mijoté pour me sustenter, en vue de neuf rounds avec un peu de chance, mais réprimai ma curiosité. Cependant, incapables de se contenir, elles finirent par ouvrir la gamelle pour me montrer les six biscuits au potiron bien enveloppés dans du papier sulfurisé. « On les a faits hier soir, tes gâteaux préférés ! » s'exclama Dum. Elles étaient très contentes d'elles toutes les deux.

Je mis toutes mes affaires dans mon cartable sans oublier mes superbes chaussures de boxe. Dee y avait redonné un coup alors qu'elles étaient d'une propreté immaculée. A sept heures et demie, j'avais déjà fait mes adieux à mon grand-père et ma mère ; assis sur le muret le long de la route, j'attendais la camionnette bleue qui devait passer me prendre. J'aurais pu aller à la prison mais Gert avait dit : « Il n'y a pas de problème, ce n'est qu'un petit détour. Garde tes forces pour le match ! » Gert ne ressemblait pas aux autres gardiens. En fait, tous les gosses pensaient qu'on n'avait rien vu de mieux depuis l'invention de la tartine. Il aimait rendre service. Un jour, il m'avait confié qu'il ne frappait les Cafres que s'ils faisaient une grosse bêtise. « Un Cafre peut souffrir aussi, peut-être pas comme un Blanc parce qu'ils tiennent plutôt du singe, mais ils souffrent quand même quand on les cogne. »

Lorsque j'étais allé saluer mon grand-père après le petit déjeuner, je lui avais exposé le problème qui me préoccupait : si j'étais envoyé au tapis, même si je gagnais, j'aurais perdu. J'eus droit au numéro de pipe habituel : bourrer, allumer et tirer une bouffée. Puis, clignant les yeux dans le nuage de fumée bleue, il me répondit enfin.

« Je crois que tu devrais faire comme moi pendant la guerre des Boers.

— Quoi donc ? m'enquis-je d'un air anxieux.

— Ben tiens, te sauver dès que tu peux. »

C'était là la difficulté avec grand-père : les conseils qu'il donnait quand on en avait grand besoin n'étaient pas toujours très utiles.

Je vis la camionnette bleue gravir la colline. Gert était au volant. A côté de lui, quelqu'un lisait un journal. Je ne le reconnus pas. Gert s'arrêta devant la grille. « Grimpe à l'arrière avec les autres gosses, Peekay », lança-t-il joyeusement. Avec l'aide de l'un d'eux, je m'exécutai. Quelle émotion quand Gert passa la première et qu'on démarra ! Un garçon de quatorze ans du nom de Bokkie de Beer était responsable du groupe ; il m'annonça que personne n'avait le droit de rester debout. Tous les autres gloussaient et parlaient dans leur barbe en me regardant.

« Qu'est-ce qu'il y a de si drôle ? » hurlai-je pour couvrir le bruit du vent et le grondement du moteur. Bokkie de Beer montra du doigt la vitre arrière de la cabine. Et, suivant son geste des yeux, je découvris, se découpant derrière la vitre, coiffé de son inimitable panama, Doc de dos. Je n'en croyais pas mes yeux, tous les gamins se tordirent de rire devant ma surprise. Je n'arrivais pas à croire à ma bonne étoile.

Depuis mon arrivée en train, trois ans plus tôt, c'était la première fois que je quittais la petite ville. C'était une belle journée de printemps. On traversa la vallée en direction d'un groupe de collines qui se profilaient au loin. Les aubépines et les acacias à la cime plate étaient déjà couverts de feuilles vert vif. Dans un mois, une masse de fleurs minuscules transformerait la vallée en un océan de jaune et rose.

La route de Barberton était entièrement goudronnée ; à neuf heures et demie, on était à Nelspruit. Fouettée par le vent, la peau des joues et autour des yeux me tirait ; je fus content de descendre de la camionnette quand on s'arrêta dans un parking derrière l'hôtel de ville. Je me précipitai vers Doc pour lui ouvrir la portière. Ses yeux bleus brillaient, je crois qu'il était aussi excité que moi.

« On se retrouve tous les deux en liberté, Peekay. C'est pien, ja ? Absoloodle.

— Comment vous êtes-vous échappé ? » demandai-je sans tact aucun.

Il pouffa de rire. « Avec la permission du commandant. C'est pour ça qu'il voulait me voir hier après le petit déjeuner. » Il me vit me rembrunir, on savait tous les deux qu'en prison on ne vous donnait jamais rien sans en attendre un service en retour. Doc haussa les épaules. « Il ne demande pas grand-chose. Il veut juste que je joue un peu de Chopin quand le général de brigade viendra de Pretoria le mois prochain. »

Je connaissais le sentiment de Doc à l'idée de jouer en public. Il refusait de participer aux concerts donnés en ville et avait arrêté sa carrière de musicien depuis fort longtemps. Même s'il avait surmonté sa peur le jour où il avait remporté un triomphe lors du récital Beethoven sur la place du marché, Doc était un perfectionniste et il souffrait beaucoup de ne pas se sentir à la hauteur de ses exigences. Lorsque je lui avais rapporté les propos de Mrs. Boxall affirmant qu'à Barberton tout le monde le considérait comme le meilleur des pianistes qu'ils aient eu l'occasion d'entendre, il avait répliqué : « Tu remercieras Madame Boxall de sa gentillesse mais je suis trop vieux et trop faible pour m'infliger du Beethoven ou du Mozart mal interprété. »

« Vous auriez dû refuser ! m'exclamai-je.

— Tss, tss, Peekay. Je n'aurais pas pu te voir faire tes débuts sur le ring. Un jour, je dirai : J'étais là quand le champion du monde des poids welter a fait ses débuts. Absoloodle !

— Quand même.

— Beethoven d'accord, Mozart d'accord, Brahms d'accord, mais Chopin... je me débrouille encore assez bien pour ne pas me traiter de tous les noms. Je jouerai du Chopin à ce général de brigade. Ce n'est pas si difficile, ja. »

On entra dans l'hôtel de ville par-derrière, puis on suivit un couloir jusqu'à une pièce où un bout de papier collé sur la porte indiquait : Barberton Blou. Il y régnait une odeur de poussière et de sueur alors que personne ne s'était encore changé. Le lieutenant Smit était appuyé contre le mur du fond, Klipkop à ses côtés.

« C'est là que vous allez vous changer aujourd'hui, mais pas tous en même temps, hein ? » Des gloussements fusèrent. « Ce matin auront lieu les éliminatoires des petits et cet après-midi celles des autres catégories. Ce soir, à partir de six heures, se disputeront les finales. Je ne veux voir personne sortir d'ici et si jamais j'en prends un à boire une bière, il aura de mes nouvelles, je vous préviens. On est là pour gagner et c'est ce qu'on va faire ! Bon, vous vous rappelez notre devise ?

— Un pour tous et tous pour un ! » brailla-t-on en chœur. Doc posa la main sur mon épaule, je me sentis fier comme Artaban. « J'aurais aimé que Geel Piet soit là », murmurai-je. La pièce se vida, Klipkop hurla aux gamins de rester. Doc, qui était responsable du service de secours, partit chercher les serviettes et la trousse à pharmacie sur le parking, promettant de revenir aussitôt.

Klipkop fit un grand sourire. « Aujourd'hui, les gars, c'est moi qui remplace Geel Piet.

— Ça veut dire qu'on peut vous taper dessus sans que vous répliquiez ? » s'enquit Bokkie de Beer avec insolence. Et tout le monde de rire.

Klipkop sourit. « Je vais m'occuper de vous. Le lieutenant et moi-même, on sera vos soigneurs. Bon, vous pouvez vous changer, je viendrai vous chercher dans un quart d'heure. Et que personne ne sorte, c'est compris ? »

Je trouvai un coin tranquille, pris mes chaussures dans mon cartable et les mis. Tous les enfants s'attroupèrent autour de moi. « Où tu as eu ça, mon vieux ? » s'exclama Bokkie de Beer. J'étais trop excité pour trouver une explication.

« C'est mon... mon grand-père qui les a faites, balbutiai-je.

— La vache, tu as de la chance d'avoir un grand-père qui sait faire les souliers, remarqua Fonnie Kruger.

— Oui, en fait, ce n'est pas sa spécialité. Il est plutôt jardinier.

— En tout cas, il est drôlement intelligent », renchérit Bokkie de Beer d'un ton envieux. Tous les autres avaient l'air de cet avis.

Je roulai mes chaussettes grises d'écolier pour qu'elles recouvrent juste le haut de mes chaussures. Puis j'enfilai mon superbe maillot bleu et la culotte assortie avec une bande jaune. Geel Piet avait eu l'œil pour mon tour de taille ; par contre côté longueur, il avait pris ses désirs pour des réalités : la culotte m'arrivait en dessous des genoux. Lorsque je me redressai, les quatre gosses se tordirent de rire. Maatie Snyman et Nels Stekhoven allèrent jusqu'à se rouler par terre. Je devais avoir une drôle d'allure avec mes jambes de moineau qui dépassaient ; malgré tout, je me sentais quand même très fier.

Etant dans les moins de douze ans, la catégorie des plus jeunes, on était les premiers à défendre les couleurs du Barberton Blues, Fonnie Kruger et moi. On attendit Klipkop qu'on suivit dans les dédales de l'hôtel de ville. Il y avait des groupes d'enfants d'autres grandes villes de l'Est-Transvaal avec des adultes. Eux aussi étaient prêts. Je regardai alentour, me demandant contre qui j'allais me battre.

Doc entra dans la salle et s’approcha de moi. On s’installa sur deux chaises, un peu à l’écart, mais à portée de vue tout de même. Doc me prit la main, j’ai l’impression qu’il était encore plus nerveux que moi. Il avait sorti son mouchoir et s’épongeait le front. « Je crois que les examens du conservatoire de Leipzig quand j’avais ton âge n’étaient pas aussi durs que ça, ja. Absoloodle.

— Ça va aller, Doc. Je vais danser et tout, comme Geel Piet me l’a conseillé. Le lieutenant Smit affirme que je suis drôlement rapide. Vous verrez, ils ne me toucheront pas, je vous jure.

— C’est gentil de dire ça, Peekay. Mais que se passe-t-il quand débarque un grand Boer qui te rentre dedans ? »

Je fis un large sourire, cherchant à le rassurer. Je citai la phrase de Hoppie : « Tu sais, plus ils sont gros, plus ils se font mal en tombant. » C’était une bêtise de dire une chose pareille ; je compris pourquoi Hoppie m’avait servi cette fadaise. Lui aussi avait dû se sentir très bébête.

Doc gémit et enfouit la tête dans son mouchoir rouge. « Peekay, je tiens à ce que tu sois très prudent. Ce ne sont pas des tendres, ceux qui sont sur ce ring. » A ce moment-là, Klipkop me fit signe de venir. Doc pressa ma main. « Sers-toi de tes jambes pour te sauver, Peekay. Dans ma tête, je n’entends que du Wagner. Pas du Mozart, juste du Wagner. »

Klipkop et le lieutenant Smit étaient en compagnie d’un chauve au gros ventre qui portait un pantalon blanc et un maillot assorti. A quelques pas d’eux se trouvaient deux grandes personnes et un enfant. Celui-ci était nettement plus costaud que moi, moins que le Morveux malgré tout. Il avait un maillot rouge où était écrit en blanc : Sabie. C’était la ville où habitait la nooi de Klipkop avec qui il s’était fiancé dernièrement.

Le gros au maillot blanc se tourna vers moi, puis vers le lieutenant Smit. « Il n’est pas bien grand. Vous voulez vraiment qu’il se batte ? »

Le lieutenant acquiesça. « Ça lui fera du bien. »

Le gros jeta un coup d’œil sur le gosse de Sabie, puis m’observa d’un air dubitatif. Il se retourna vers le lieutenant Smit. « Son adversaire a vingt centimètres de plus et sans doute une allonge de douze centimètres de plus, mon vieux.

— Si j’estime qu’il risque d’être blessé, je le retirerai de la compétition.

— Franchement, j’espère que vous savez ce que vous faites ! » lança le gros en secouant la tête. Les deux types de Sabie étaient tout sourire ; j’entendais les propos qu’ils se tenaient dans leur for intérieur. Ils étaient contents que leur gamin gagne son premier match en moins de deux.

Klipkop s'adressa à moi : « Voici Meneer de Klerk, Peekay. Il fait office d'arbitre et de juge. Il est arrivé de Pretoria hier soir.

— Bonjour, Meneer », dis-je en tendant la main. S'en emparant, il la serra délicatement.

« Tu es bien élevé, petit », remarqua-t-il. Dans son dos, j'apercevais l'un des deux types qui poussait le gosse de Sabie pour qu'il m'imite. Se retournant, Meneer de Klerk montra du doigt une grosse caisse posée par terre sous le ring. Il devait y avoir une cinquantaine de paires de gants de boxe dedans. « Je veux des gants de onze pouces. Je ne tiens pas à ce qu'un gamin se blesse. Choisissez vos gants et montrez-les-moi, c'est compris ?

— On a les nôtres, répliqua le lieutenant Smit.

— Alors, montrez-les-moi.

— Nous aussi », dit l'un des types de Sabie qui s'avança en brandissant une paire de gants.

Meneer de Klerk les examina tour à tour, puis déclara que ça allait. « Bon, mettez vos gants. On commence dans cinq minutes. » Il se tourna vers un homme assis à une table juste à côté du ring. « Cinq minutes, d'accord ? » L'homme acquiesça et consulta une grosse montre posée devant lui. Il avait aussi un gong. C'était le chronométreur.

Klipkop et le lieutenant Smit entreprirent de lacer mes chaussures. J'avais l'impression d'être un personnage très important car ils ne s'étaient strictement jamais occupés de moi jusqu'alors.

« N'oublie pas, Peekay, la boxe est un jeu de rapport de forces. Il suffit que tu frappes bien ton adversaire et plus souvent que lui. Pas d'accrochage, sinon il risque de te faire perdre l'équilibre. Ne reste pas dans les coins et éloigne-toi des cordes. »

L'homme installé à la table sonna le gong. On s'approcha du ring. Klipkop m'aida à passer entre les cordes. Le lieutenant et lui grimpèrent à leur tour. Il y avait un vrai tabouret dans le coin, le lieutenant Smit me dit de m'asseoir. Je me sentais un peu idiot car le gosse de Sabie était debout, donnant des coups dans le vide, alors que j'étais assis comme un mioche sur son pot de chambre.

« Bon ! Venez tous les deux au centre, lança Meneer de Klerk en montant sur le ring. Comment vous appelez-vous ?

— Du Toit, Meneer.

— Peekay, Meneer.

— Je veux un combat propre, vous entendez ? Pas d'accrochage. Quand je vous dis de vous séparer, vous vous exécutez.

Pas de coup en dessous de la ceinture ni derrière la tête. Si vous tombez à terre, le combat s'arrête. Vous avez compris, Peekay ? Du Toit ?

— Ja, Meneer, répondit-on en chœur.

— Bon, quand vous entendez le gong, vous venez au milieu du ring, vous touchez les gants et vous commencez. Bonne chance. »

Je regagnai mon coin puis, suivant les instructions du lieutenant Smit, m'assis. Ce match marquant le début des épreuves, toutes les équipes s'étaient rassemblées autour du ring ; il y avait même des gens de la ville venus en spectateurs. C'était la première fois que je boxais en public, j'avais le cœur qui battait. Du Toit était dans son coin, lui aussi scrutait les environs. Je crois qu'on préférait éviter de se regarder tous les deux. Vu de ma place, il semblait très grand ; cependant, j'avais attendu ce moment trop longtemps pour avoir peur.

Le gong retentit. « Vas-y, Peekay, tu entends », dit Klipkop comme je me levais d'un bond.

On toucha les gants au milieu du ring et, alors que Du Toit se reculait, je me ruai sur lui et lui balançai un gauche suivi d'un droit à la mâchoire. Surpris, il écarquilla les yeux. Je voyais bien que je ne lui avais pas fait mal mais mon attaque l'avait pris de court, il avait l'air étonné.

C'était un bon boxeur ; gardant son sang-froid, il décrivit des cercles autour de moi. Il décocha un direct du gauche qui passa par-dessus mon épaule et me frôla l'oreille. Je repartis à l'attaque d'un uppercut qui le toucha violemment aux côtes. Il tressaillit, je sentis que je lui en avais mis un bon. Il m'envoya un droit à l'épaule, je fis volte-face. Voyant le gauche venir, je l'esquivai et réussis à le frapper au corps exactement au même endroit. Il m'enveloppa de ses bras, je me retrouvai accroché alors que je n'aurais pas dû l'être. Je lui balançai une rafale de coups dans les côtes à deux mains, mais mes coups étaient trop rapprochés pour être efficaces et je n'avais aucune chance de lui échapper.

« Break ! » hurla l'arbitre ; Du Toit relâcha son emprise, je me dégageai aussitôt. Je le laissai me pourchasser jusqu'à la fin du round. J'étais de loin le plus rapide et mon jeu de jambes était bien meilleur. Vers la fin de la reprise, j'arrivais à prévoir les coups en fonction de la façon dont il se plaçait. Juste au moment où retentit le gong, je rentrai dans le jeu d'un droit court qu'il prit à la pointe du menton.

Je n'avais rien entendu durant le combat, je m'aperçus soudain que la foule était très bruyante et qu'on hurlait mon nom pour m'encourager. A la fin du round, il y eut un tonnerre d'applaudissements ; un ou deux sifflets aussi.

« Beau boulot, Peekay », dit Klipkop. Le lieutenant Smit m'essuya le visage avec une serviette. « Il te manque avec son crochet du droit mais pas de beaucoup. Fais attention, mon bonhomme. S'il ajuste son coup, il va salement t'amocher. Garde la tête dans les épaules. Comme ça, s'il arrive à en placer un, tu prendras presque tout à l'épaule. »

Le gong annonça la deuxième reprise. Je laissai Du Toit me pourchasser autour du ring. On avait dû lui conseiller d'essayer de me coincer dans un coin car il m'y poussait pas à pas ; toutefois, à la dernière seconde, je fis une feinte à gauche, m'esquivai à droite et il me rata de trois kilomètres avec son crochet du droit. Cependant, je le fis une fois de trop ; il me toucha au ventre d'un uppercut du gauche et, si les cordes ne m'avaient pas retenu, je serais peut-être tombé. Il sentait qu'il m'en avait mis un bon ; dans son impatience à en tirer parti, il téléphonait ses coups, tentant de m'achever. Il ne me restait qu'une solution : me dérober en attendant de pouvoir me servir de mes jambes pour m'en sortir.

A ma grande surprise, dans la seconde partie du round, il parut se fatiguer. Il avait balancé un tas de coups qui avaient presque tous échoué dans mes gants. Il avait tout de même réussi à me frapper au corps comme une brute. Je rentrai rapidement dans le jeu et le démolis. Vers la fin de la reprise, le public commençait à rire car je semblais le tabasser quasiment à ma guise. Il avait l'air de plus en plus désespéré. D'après moi, je ne lui faisais pas très mal mais je le fatiguais et l'usais moralement, comme Geel Piet me l'avait conseillé. Le gong retentit, j'étais sûr d'avoir gagné le round.

« Tu n'as plus besoin de le toucher pour l'emporter, annonça le lieutenant Smit. Contente-toi de rester en retrait, c'est compris ? Contre mais n'attaque pas. S'il n'a pas la chance de t'en flanquer un bon, c'est dans la poche !

— Tu suis les recommandations du lieutenant, Peekay. Ne cherche pas les ennuis, c'est tout », ajouta Klipkop avec un grand sourire.

Le gong annonça le dernier round, on avança au milieu du ring et on toucha les gants. On avait dû pousser Du Toit à me coincer car il me fonçait dessus sans arrêt, frappant comme une brute. Je le contrais d'un direct du gauche ou d'un crochet du droit au passage mais je m'arrangeais pour ne pas me placer de façon à devoir lui en balancer un sérieux. La foule riait tandis que je déjouais ses attaques, je commençais à me sentir très bien. Je l'avais dominé sur le plan technique, je n'étais pas blessé, le gong allait retentir d'une seconde à l'autre et j'allais gagner. Le crochet du droit s'abattit sur moi, je ne pus l'éviter. Je le pris en plein sur l'épaule et le visage, j'avais l'impression d'être rentré dans un poteau télégraphique. Je me sentis tomber et attrapai les cordes dans mon dos pour me retenir. Le coup suivant fusa, je réussis à me dérober, puis Du Toit décocha un autre droit qui m'effleura la figure. Cependant, je tenais sur mes jambes et j'avais repris mes esprits. J'esquivai un direct du droit et dansai pour me mettre à l'écart au moment où retentit le gong.

« Ouf ! »

Doc était à côté du ring, faisant des sauts de carpe. « Onze sur dix. Absoloodle ! » me hurla-t-il. C'était le plus beau moment de ma vie.

Je regagnais mon coin quand Meneer de Klerk nous demanda de venir au milieu du ring. On se serra la main et je remerciai Du Toit pour le match. Cependant, il devait savoir qu'il avait perdu : des larmes brillaient dans ses yeux et il ne me répondit pas. « Tu es bien élevé, Peekay », dit Meneer de Klerk une fois de plus. Puis il nous prit par la main et annonça : « Le gagnant par trois rounds à rien, Gentleman Peekay ! » Il leva ma main bien haut, le public applaudit en riant de mon nouveau nom. Toute l'équipe du Barberton Blues braillait et sifflait.

« C'était bien, déclara le lieutenant Smit. Mais ce n'est que le début, tu as eu de la chance de tomber sur un *Palooka*. Quand je te dis de rester en retrait, tu restes en retrait, c'est compris ? Il a failli t'assommer avec ce crochet du droit. Encore deux comme ça au début du prochain match et on jette l'éponge, tu te rends compte ! »

J'acquiesçai et tentai de prendre un air contrit. Tandis que Klip kop me retirait mes gros gants, je me sentis soudain léger comme une plume, on aurait dit que j'allais m'envoler. Sensation grisante. C'était la puissance de l'ange qui montait en moi. Aucun reproche du lieutenant Smit n'aurait pu me décourager. Je descendis du ring d'un bond. J'avais l'impression d'être un géant.

Doc me serra très fort contre lui, puis il me prit par les deux mains et on se mit à danser la gigue. Je devais avoir l'air un peu idiot mais il était tout content. « Peekay, je suis très fier de toi aujourd'hui ! Absoloodle ! » Il s'arrêta alors, chercha son mouchoir rouge dans sa poche et renifla, le nez plongé dedans. Puis il leva les yeux vers moi, le regard embué de larmes. « Quel danseur tu fais déjà. Absoloodle. » Je ne l'avais jamais entendu dire tant d'absoloodle à la fois.

Fonnie Kruger gagna son combat contre un gosse de Boxburg ainsi que Maatie Snyman dans la catégorie des moins de treize ans, Nels Stekhoven dans les moins de quatorze ans et Bokkie de Beer dans les moins de quinze ans. Je vous assure qu'on n'était pas peu fiers au Barberton Blues, on était tous arrivés en demi-finale. Comme moi, Fonnie Kruger était parmi les plus jeunes ; si on franchissait ce prochain stade, on se retrouverait en finale ensemble. Hélas, nos espoirs s'évanouirent bien vite. Il y avait un type de Lydenburg qui s'appelait Kroon. Je n'avais jamais vu un garçon de onze ans aussi grand. Il avait au moins trente centimètres de plus que moi et il était deux fois plus gros. Ce n'était pas un boxeur ; malgré tout, il liquida un gamin de Nelspruit au premier round en l'envoyant au tapis au bout d'une minute de jeu. On le baptisa aussitôt Kroon le Tueur. On était tous terrifiés rien que de le regarder. Quant à Bokkie, il affirma qu'il était bien content de se battre dans la catégorie des moins de quinze ans et pas dans celle des benjamins.

Fonnie Kruger tomba sur Kroon le Tueur en demi-finale. Il réussit à tenir un round avant de se retrouver sur les fesses quelques secondes après le début de la deuxième reprise. Je crois qu'il était ravi que ce soit fini. Kroon le Tueur lui avait fermé l'œil droit. « On a l'impression de se battre contre un satané gorille », dit-il en descendant du ring.

Juste avant le déjeuner, je remontai sur le ring pour affronter un gosse de Kaapmuiden. Il était trapu, une espèce de taureau, et très carré mais guère plus grand que moi. C'était la première fois que j'avais un adversaire qui ne me dépassait pas d'une tête. Ce fut un beau combat ; grâce à mon jeu de jambes, j'échappai à la brutalité de ses coups. Il cognait dur, sans demi-mesure ; cependant, je parvenais à m'écarter au moment où il frappait et ses attaques étaient déjà un peu amorties. Il en plaça quand même un certain nombre et marqua pas mal de points. Avant le début du dernier round, le lieutenant Smit m'essuya le visage.

« Tu ne te donnes pas assez pour t'assurer la victoire. Surveille son direct du gauche, il n'arrrête pas de baisser la garde à droite après une attaque du gauche. Esquive par-dessous et travaille-le au corps des deux mains. Je veux être sûr que tu aies suffisamment de points. »

On toucha les gants pour le dernier round. Le lieutenant Smit avait parfaitement raison. Le gosse, qui s'appelait Geldenhuis, balançait un gauche puis, curieusement, baissait la garde à droite. Contre-attaquant, je réussis à le frapper cinq ou six fois au corps avant qu'il ne me repousse. Le gong indiquant la fin du match retentit et la foule scanda : « Gentleman Peekay ! Gentleman Peekay ! » Ils étaient tous afrikaners ; manifestement, le mot anglais les amusait. Je remerciai Geldenhuis qui me remercia à son tour. Puis, pour la deuxième fois de la journée, Meneer de Klerk annonça : « Le gagnant par deux rounds sur trois, Gentleman Peekay ! » Le public rit et applaudit tandis que le Barberton Blues se déchaînait.

Doc ne pouvait quasiment plus se maîtriser. « Pas même une égratignure, pas même un œil au beurre noir. Parfait, tu devrais jouer Chopin aussi bien, ja ? » Il rit en me tendant une serviette. « Le lieutenant Smit a dit que tu devais prendre une douche et te rhabiller. Ce soir, à six heures, nous attend un autre match. » Il reprit son sérieux brusquement. « Peekay, en finale, tu vas avoir un gros Boer, il faut que tu danses très pien. Il y a trop de Wagner en lui. Tu dois boxer comme pour un concerto au piano de Mozart, avec rapidité, légèreté et une minuterie d'horlogerie, ja ? »

Doc dénicha une petite antichambre donnant sur le couloir où se trouvait un divan en cuir. Après le repas, il m'obligea à m'allonger. J'avais très envie d'assister aux éliminatoires des grands et me pliai à sa requête de mauvaise grâce. Malgré la chaleur, il jeta sur moi une couverture de la prison et, à ma grande surprise, je m'endormis. Il était cinq heures lorsqu'il vint me chercher ; je me sentais un peu courbatu. Il me fit prendre une douche chaude avant de remettre ma tenue. Le temps de regagner la salle, il était presque six heures ; les éliminatoires étaient terminées. Bokkie de Beer m'annonça que cinq membres du Barberton Blues étaient en finale dont Gert qui avait eu un combat difficile et un facile mais qui était en forme. Sur quatorze, on était neuf à disputer les finales. Je m'approchai de Gert pour le féliciter ; il eut l'air content.

« C'était pas trop dur, Peekay. Je crois que j'ai eu de la chance. Mais on est logés à la même enseigne tous les deux, mon vieux. En finale, j'ai un Boer qui est gros comme une montagne, un super poids lourd. Il a gagné ses deux matches sur knock-out au premier round.

— Vous avez la rapidité pour vous. La rapidité, c'est tout, déclarai-je en citant Geel Piet.

— Pas s'il me coince dans un coin, remarqua Gert d'un ton grave.

— Alors, restez pas dans les coins, mon vieux ! » répliquai-je cavalièrement. Toutefois, le conseil s'adressait autant à moi qu'à lui.

« Ça va bientôt être à toi. J'ai misé sur toi, Peekay. Tu peux y arriver, je te le jure. » J'entendis cependant les propos qui trottaient dans sa tête : il était très, très inquiet à mon sujet.

Fonnie Kroger s'approcha, m'annonçant que le lieutenant Smit voulait me voir.

Le lieutenant Smit et Klipkop étaient plongés dans une conversation du plus grand sérieux avec Meneer de Klerk. Apparemment, ils ne me remarquèrent pas. Je restai là à attendre.

« Le Boer a quinze, voire dix-huit kilos de plus que le vôtre. Ça ne me plaît pas. Ça ne me plaît pas du tout, affirmait l'arbitre en secouant la tête.

— Vous l'avez vu dans les deux autres matches. Ses adversaires ne l'ont quasiment jamais touché, notre poulain est un bon boxeur, rétorqua Klipkop.

— Mieux que ça même. C'est le meilleur boxeur que j'ai vu depuis longtemps. Mais c'est une plume à côté de l'autre. Kroon a descendu ses deux adversaires au premier round. C'est un sale mioche. Je travaille tous les jours avec des jeunes et je peux vous assurer que ce gosse n'est pas sport. » Meneer de Klerk eut un geste pour montrer sa bonne volonté. « Il a tout son temps, il n'a que dix ans. Laissez-le grandir un peu, attendez l'année prochaine. Il est de la race des champions, trop bien pour le gâcher à cause d'un mauvais match. »

Je vis une certaine hésitation se peindre sur le visage du lieutenant Smit. Son dialogue intérieur était empreint de perplexité. Mon cœur battait la chamade. Je n'arrivais plus à avaler ma salive, j'avais une énorme boule dans la gorge. Puis il dressa la tête et jeta un coup d'œil à l'arbitre chauve. « Je vous promets une chose, Meneer de Klerk. Si j'ai ne serait-ce que l'impression qu'il risque d'en pâtir, on jette l'éponge. Vous ne connaissez pas Peekay. Ça fait trois ans que ce gamin travaille en vue de ce combat. En trois ans, il n'a pas manqué une seule séance d'entraînement. Et pendant deux ans, il s'est contenté du sac et du punching-ball. Je ne peux pas le retirer sans lui donner sa chance.

— Je lui donne un round, Smit. Si j'ai ne serait-ce que l'impression qu'il est malmené à la première reprise, je déclare Kroon gagnant sur knock-out technique, c'est compris ? »

Le lieutenant Smit hocha la tête. « Ja, d'accord, c'est vous l'arbitre. » Il m'aperçut en se retournant, je lui fis un large sourire comme pour montrer que je venais juste d'arriver. Il fallait qu'ils me donnent ma chance. Il fallait que je me batte contre Kroon. A côté de moi, Kroon n'était pas plus balèze que Jackhammer Smit face à Hoppie. Je pouvais l'avoir, je le sentais. « Il est temps d'enfiler les gants, Peekay », annonça le lieutenant Smit. Il en prit un à Klipkop qu'il me mit à la main gauche.

Je montai sur le ring et m'assis sur le petit tabouret. Kroon le Tueur s'installa sur le sien. Il n'avait pas l'air d'être sur le pot, lui ! Il me regarda droit dans les yeux. Quelle armoire à glace ! Il affichait un grand sourire et j'entendais ce qu'il se racontait : « Je vais dégommer ce petit de rien du tout au premier round. » « Essaie d'abord de m'attraper, espèce de salaud », me dis-je en moi-même. Cependant, je sentais son énorme masse grandir et envahir le ring peu à peu.

Avec l'arrivée des gens de la ville pour les finales, la salle était bien à moitié pleine. J'avais contemplé une foule encore plus nombreuse le jour où j'avais joué du Chopin au concert de Barberton mais le public d'un match de boxe est différent, beaucoup plus primaire. Je me rappelai les mots de Doc : « Tu dois boxer comme pour un concerto de piano de Mozart. » Dans ma tête, j'entendais la façon dont Doc jouait un concerto de Mozart : ne faisant pas d'arpèges, allant droit au but avec une minuterie d'horlogerie. Cela paraissait une bonne idée de se battre ainsi contre Kroon le Tueur.

« Ne t'occupe pas de sa tête, Peekay. Frappe-le uniquement au corps. Des coups rapides des deux mains. Des points gagnants. Reste en retrait et ne te laisse pas coincer contre les cordes, surtout pas. Boxe au milieu du ring. Fais-le travailler, oblige-le à te pourchasser sans arrêt, c'est compris ? »

J'écoutais attentivement leurs conseils ; pourtant, je sentais que seul Geel Piet détenait la réponse : il fallait que je boxe avec mes jambes. Je ne savais absolument pas à quel genre de boxeur j'avais affaire. Le premier adversaire de Kroon le Tueur avait tenu moins d'une minute et Fonnie s'était écroulé quelques secondes après le début du deuxième round. Cependant, il avait sans arrêt battu en retraite durant le premier.

Tandis que j'attendais, assis sur mon tabouret, Kroon me dévisageait, un sourire mauvais aux lèvres. Je commençais à me sentir tout petit et quelque peu dérouté. Je me revis affrontant le Juge, le dortoir remplaça le ring et le jury le public.

Je fermai les yeux, comptant de dix à un. Je me dressais sur un rocher juste au-dessous de la pleine lune, le grondement des cascades résonnant à mes oreilles. Dans la lumière argentée s'étendaient à mes pieds la rivière, la gorge et le veld africain. J'étais un jeune guerrier zoulou qui avait tué son premier lion, je sentais le pagne en peau de lion sur mes hanches, la queue de l'animal enroulée autour de ma taille. Inspirant profondément, je sautai la première chute pour atterrir dans un bassin aux flots rugissants d'écume blanche, puis remontai à la surface, aussitôt entraîné au bord de la deuxième, plongeai dans l'abîme et ressurgis pour être emporté vers le troisième bassin où je m'engouffrai, jaillissant au pied des cascades où les eaux dansaient dans des reflets argentés et où brillait sous la lune la première des dix pierres de la rivière. Je m'élançai de pierre en pierre jusqu'à l'autre rive, ouvris les yeux et regardai Kroon bien en face. Kroon Le Tueur perçut dans mon regard quelque chose qui l'obligea à détourner les yeux.

L'arbitre nous demanda de venir puis, nous tenant par le poignet, leva nos mains en l'air. Il me présenta le premier : « A ma gauche, *Damen en Heere*... Gentleman Peekay du Barberton Blues. » La foule m'applaudit très fort, applaudissements ponctués de quelques rires devant ma taille à côté de celle de Kroon le Tueur. « A ma droite, de Lydenburg, Martinus Kroon. » Le public avait déjà choisi son camp ; en dehors de l'équipe de Lydenburg, il n'y eut que quelques applaudissements de politesse. Je regagnai mon tabouret. C'était le premier match des finales ; bien que le combat se disputât entre les deux benjamins de la soirée, il y avait de la nervosité dans l'air.

Le gong annonça le premier round. Je bondis de mon siège alors que Kroon le Tueur se levait lentement, presque avec mépris. On s'avança vers le milieu du ring et il me décocha un gauche à la tête qui manquait d'élan. Je le vis arriver de trois kilomètres et le laissai me frôler l'oreille. Il enchaîna avec un droit que j'esquivai. Il employait presque la même ouverture que Du Toit ; ma riposte fut la même : un gauche suivi d'un droit sous le cœur. J'y mis de la force et cognai dur ; pourtant, j'eus l'impression que ça ne lui faisait rien du tout. Je m'écartai en dansant, son uppercut maladroit du gauche me manqua de quinze centimètres. Le public frémit devant la violence du coup alors que ce n'était que du cinéma.

Je restai au milieu du ring, dansant autour de Kroon qui me balança quatre autres coups, tous ratés. Il m'envoya un autre droit qui me décoiffa mais il avait frappé trop fort : il perdit l'équilibre. Je rentrai aussitôt dans le jeu, visant le même endroit sous le cœur d'un gauche suivi d'un droit. Un doublé : quatre bons coups rapides et bien soutenus. J'avais été trop gourmand avec les deux derniers : ses énormes biscotteaux m'enserrèrent et, me soulevant à bras-le-corps, il me repoussa. Il m'envoya valdinguer, mes jambes s'échinant comme des pistons pour m'éviter de tomber. J'atterris dans les cordes et attrapai celle du milieu à deux mains pour me retenir. J'étais complètement à découvert quand le direct du droit me tomba dessus. Il aurait dû me balancer un uppercut : j'étais coincé contre les cordes et n'aurais pu esquiver un coup me prenant par en dessous. Pour mettre le paquet, Kroon le Tueur avait reculé l'épaule une fraction de seconde trop tard. Cela me donna le temps de détourner la tête à droite. Au lieu de m'envoyer dans les pommes, il me toucha à l'oreille. J'avais l'impression qu'on m'avait enfoncé un tison sur le coin de la tête. Cependant, j'en avais vu d'autres avec le Juge. Je fis une feinte à gauche et me dégageai, passant sous son bras droit. Il se retourna aussitôt, j'étais déjà placé et il eut droit à un crochet du droit préparé avec une minuterie d'horlogerie qui s'abattit sur lui de toutes mes forces. Il le reçut juste à la pointe du menton, sa tête se renversa en arrière. Je savais que je l'avais eu cette fois-ci. Mon plus beau coup, de très loin. Gert affirma par la suite que s'il n'y avait pas eu une telle différence de taille entre nous deux, Kroon le Tueur aurait été dans les choux pendant une semaine.

Eberlué, Kroon secoua la tête. Souffrant, fou furieux, il commença à me chercher. Je restai en retrait, prenant un direct du gauche à l'épaule alors que je m'éloignais, et réussis à placer au même endroit deux autres bons coups au moment où il me décochait un crochet du droit, téléphoné de trois kilomètres. Sous son cœur se dessinait une marque rouge. Le gong annonça la fin du premier round ; comme je regagnais mon coin, je vis que Meneer de Klerk affichait un large sourire.

Doc était au pied du ring de mon côté tandis que le lieutenant Smit et Klipkop montaient s'occuper de moi. Il avait son mouchoir dans les mains, le tordant à le déchirer, et les larmes coulaient sur ses joues.

« Beau boulot », s'exclama Klipkop avec un grand sourire. Le lieutenant Smit ne dit pas un mot ; il me passa de la vaseline sur l'oreille, là où Kroon m'avait décoché son coup magistral. Puis il mit sa main en cornet sur ma bonne oreille.

« Tu m'entends, Peekay ? » Il était placé du côté où j'avais été blessé.

« Ja, lieutenant, très bien, répliquai-je.

— Si on s'en tire avec une oreille amochée, on aura de la chance. » Il se tourna vers Klipkop. « Donne-lui encore un demi-verre d'eau. Rince-toi juste la bouche, n'avale pas. » Il me regarda droit dans les yeux. « Bon, écoute-moi bien, Peekay. Apparemment, ce gorille n'a que quatre coups dans sa manche : le direct du droit, le direct du gauche, le crochet du droit et l'uppercut du gauche C'est une brute et, jusqu'à présent, ça lui a suffi. Il cogne dur et place bien ses coups en dehors de l'uppercut du gauche qui est un peu maladroit et du crochet du droit qui est trop violent, si bien que tu le vois arriver. Tu as eu raison de biaiser par en dessous pour le frapper sous le cœur. C'est un sacré coup, ça ! Il est très costaud mais si tu parviens à lui en assener un certain nombre du même genre, ça comptera au bout du compte, il marquera le pas au troisième round. Déplace-toi, il faut que tu bouges sans arrêt, c'est compris ? Fais-le travailler, il n'est pas en aussi bonne forme que toi, fatigue-le et continue à le frapper au même endroit, d'accord ? »

Je n'avais jamais entendu le lieutenant Smit parler si vite. Ecoutant les propos qu'il gardait secrets, je compris qu'il pensait que j'avais une chance. « N'attaque plus, contre, c'est compris ? Contre uniquement. » J'acquiesçai, le gong annonça la deuxième reprise.

Kroon surgit de son coin comme un ouragan, je vis à son regard qu'il voulait en finir. Pendant la première partie du round, j'esquivai, me dégageai, fit marche arrière et le baladai. Il me balança bien cinquante coups sans réussir à en placer un. Le public commençait à rire devant ses échecs répétés, il devenait nerveux. Vers la fin de la reprise, il ralentit un peu le rythme et son crochet du droit n'était plus aussi rapide. Sa respiration était difficile et, à ma grande surprise, je sentais son odeur de transpiration. Un enfant n'a pas d'odeur avant d'avoir la taille d'un Bokkie de Beer. Pourtant, je sentais celle de Kroon le Tueur, bel et bien. Je me rapprochai un peu et contre-attaquai sous son crochet du droit, frappant sans relâche au même endroit. Sous le cœur. Son manque d'imagination me laissait pantois. Son crochet du droit tombait, avec la régularité d'une horloge, je l'esquivais et plaçais deux, voire quatre coups au même endroit. Sa respiration était de plus en plus difficile, il grogna lorsque je lui balançai un gauche suivi d'un droit ; je compris que mes attaques au cœur commençaient à porter leurs fruits. Moi aussi, j'étais très fatigué quand le gong annonça la fin du deuxième round.

La foule se leva et applaudit. Comme je regagnais mon coin,

je me tournai vers Doc. Il avait son mouchoir dans la bouche et le mâchonnait.

« Cette fois-ci, il va tenter de t'achever, Peekay. Tu as gagné les deux premiers, tu as une avance de trois kilomètres aux points. Il va essayer de te faire tomber. » Le lieutenant Smit avait perdu son ton posé, il parlait d'une voix haletante. « Reste en retrait, mon vieux. Si tu n'en places pas une, je m'en fous. Dégage et évite-le, c'est compris ? Evite-le, c'est dans la poche. *Magtig !* C'est du grand art, Peekay ! » Il avait les yeux brillants.

Le gong annonçant la dernière reprise retentit. On se retrouva au milieu du ring et on toucha les gants. Kroon le Tueur avait toujours la respiration difficile, sa poitrine se soulevant sous l'effort. Lorsqu'on s'éloigna, il me lança : « Je vais te tuer, espèce de sale rooinek ! »

Geel Piet disait qu'il fallait toujours répondre pour montrer qu'on n'avait pas peur. « Viens me chercher, ordure de Boer ! » ripostai-je. Il se rua sur moi, je m'écartai ; cependant il me toucha de son bras menaçant en passant et me fit perdre l'équilibre. Ce n'était pas un coup, c'était le gras du bras mais je me retrouvai sur le derrière. Je n'arrivais pas à y croire. Un knock-down et le combat était perdu ! J'avais perdu le match ! J'avais ouvert la bouche une seconde, je m'étais déconcentré et j'avais perdu le match ! Je n'arrivais pas à croire que c'était bien moi qui étais au tapis. Mes oreilles bourdonnaient et mon coeur fut pris de désespoir.

« Pas de knock-down, le combat continue ! » hurla Meneer de Klerk comme dans un rêve. Je me relevai, j'avais l'impression d'être sous l'eau. La vision de la défaite m'avait engourdi. Kroon le Tueur me fonça dessus et son malheureux uppercut du gauche rata mon menton de peu. Cette fois-ci, il aurait dû attaquer d'un crochet du droit car je ne pouvais me redresser et m'écarter en même temps. Un crochet du droit aurait pu m'atteindre en plein sur le menton et m'achever pour de bon. Alors qu'il me suffit de renverser la tête en arrière pour que l'uppercut passe comme une flèche et sans dégât à ras du visage. J'étais debout, je m'écartai en dansant, décrivant des cercles autour de lui. Cet espèce d'imbécile n'était pas fichu de boxer ! Il était hors de question que je lui donne une deuxième chance de m'avoir.

Déjouant ses attaques assez facilement, je commençais à comprendre qu'il avait des problèmes. Souffle court, poitrine haletante, ses coups ne sifflaient plus à mes oreilles. Je me rapprochai et, d'une attaque à deux mains, le cognai de toutes mes forces sous le cœur ; ses bras tombèrent le long du corps. Ses gants enserrèrent ma taille ; cependant, il n'avait quasiment plus de force : il s'appuya lourdement sur moi, ses poings s'échinant sur ma taille. Le pouce de son gant dut se prendre dans l'élastique de ma culotte car elle glissa sur mes hanches et tomba à mes chevilles. Je ne savais que faire. Je ne pouvais reculer de peur de vaciller ; de toute façon, vu son poids et l'étau de ses bras, il m'était impossible de bouger. Je restai donc là, le frappant sans relâche, mes fesses à l'air pointées vers le public, tandis qu'il m'enveloppait de ses bras. Puis, en une dernière tentative désespérée, il me repoussa, je me pris les pieds dans ma culotte et m'effondrai. J'essayai de la remonter avec mes gants de boxe mais en vain. Le public se tordait de rire et Kroon le Tueur se tenait au-dessus de moi, mains sur les genoux, tête pendante. La respiration rauque, sifflante, il tentait d'aspirer une goulée d'air.

« Pas de knock-down ! » hurla Meneer de Klerk. « Retourne dans ton coin, Kroon ! » Il m'attrapa par le poignet, me redressa brusquement et me remit ma culotte. J'avais caché mon serpent décapité de mes mains. A l'époque, personne ne portait de sous-vêtements et j'avais les fesses à l'air devant tout le monde. Mais ça m'était complètement égal ; la seule chose qui comptait, c'était Kroon le Tueur face à moi sur le ring. Je me serais battu contre lui tout nu si besoin était. Meneer de Klerk essuya mes gants sur son pantalon. « Continue », dit-il. Je me tournai vers le coin de Kroon le Tueur. Il était dos à moi, haletant toujours. Brusquement, une serviette vola par-dessus sa tête et atterrit à mes pieds. Je n'en croyais pas mes yeux, l'équipe de Kroon se retirait, le match était fini ! Meneer de Klerk s'approcha aussitôt de moi et, un large sourire aux lèvres, leva ma main en l'air. « Le gagnant sur KO technique, Gentleman Peekay ! » annonça-t-il. Pour la seconde fois, le public se leva parmi les acclamations et les applaudissements, tandis que le lieutenant Smit et Klipkop bondissaient sur le ring. Klipkop me prit dans ses bras et me porta au ciel, faisant le tour du ring. La foule se déchaîna.

Meneer de Klerk avait rejoint Kroon dans son coin. Il revint au milieu du ring et demanda le silence d'un geste. Le chronométreur sonna le gong jusqu'à ce que l'assistance se calme. Klipkop me reposa à terre. « L'équipe de Lydenburg tient à ce que je précise que Martinus Kroon s'est retiré à cause d'une crise d'asthme. » Une partie du public se mit à pousser des huées, le rire gagna la salle. « Plutôt une crise de rooinek ! » hurla quelqu'un. Une fois de plus, l'arbitre chauve leva la main. « Je voudrais simplement vous informer que j'ai donné le match par deux rounds à zéro à Gentleman Peekay et qu'il avait aussi de l'avance aux points dans le troisième. Le KO technique tient toujours. Permettez-moi de vous dire une chose, ce garçon va devenir un grand boxeur. Rappelez-vous son premier combat ! » Le public siffla, trompeta, applaudit de nouveau, le lieutenant Smit leva ma main et on quitta le ring. Doc pleurait, je dus m'asseoir et lui prendre la main, puis on se rendit ensemble aux douches. Avant tout cependant, on partagea les deux derniers biscuits au potiron.

« Je pense que Geel Piet et les hommes vont être très contents ce soir », déclara Doc en me tendant une serviette. « Je vais te chercher une boisson ? Tu la veux de quelle couleur ?

— Mais on n'a pas un sou, répliquai-je.

— Ça, c'est ce que tu crois, Monsieur Je-Sais-Tout ! » Plongeant la main dans la poche de son costume en lin blanc, il en sortit deux demi-couronnes.

« Cinq shillings ! Où avez-vous trouvé ça ? » m'exclamai-je, stupéfait.

Il eut un sourire espiègle. « J'ai fait ce pari avec un monsieur charmant de Lydenburg.

— Un pari ! Vous avez parié sur moi ! Et si j'avais perdu ? Si j'avais perdu, vous n'auriez pas pu le payer ! »

Doc remit dans la poche de son pardessus les pièces qui tintèrent, puis se gratta le nez de l'index. « Tu ne pouvais pas perdre, tu jouais du Mozart », affirma-t-il.

Je lui demandai un cream soda américain. C'était la boisson que Hoppie m'avait achetée au café de Gravelotte après l'échange des tennis au magasin de Patel et c'était toujours mon péché mignon. C'était aussi ma façon de partager ma victoire avec Hoppie. Si Geel Piet et Hoppie avaient été là, tout aurait été parfait. Non pas que j'aie eu à me plaindre. Mais encore mieux, disons.

14

Quand on en arriva au dernier match de la soirée, le Barberton Blues avait remporté cinq finales sur huit. Il ne restait plus que la catégorie poids lourds. Naturellement, c'était l'événement le plus attendu et le public ne fut pas déçu. Gert affrontait une espèce de géant du nom de Potgieter, un cheminot en grande forme de Kaapmuiden qui mesurait deux mètres deux et pesait cent trente et un kilos. Gert n'était pas un poids plume : avec son mètre quatre-vingt-cinq, il pesait cent kilos.

Potgieter était meilleur qu'on n'aurait pu le croire de prime abord. Au cours du premier round, à deux reprises, Gert fut envoyé au tapis, mais il finit par gagner en plaçant plus de coups réguliers. Dans la catégorie poids lourds, un knock-down ne mettait pas fin au combat. Pendant le deuxième round, Potgieter, très en retard aux points, le frappa d'un uppercut sous le cœur : Gert se plia en deux comme un pantin disloqué avant de s'écrouler. A cinq, le gong retentit ; cependant, la fête était finie pour lui apparemment.

A notre grande surprise, il revint disputer le dernier round et se mit à frapper son adversaire quasiment à sa guise. Le gros savait qu'il était en retard aux points ; il baissa donc la garde, pensant pouvoir tout encaisser. Et Gert lui en donna pour son compte : le géant avait le visage en sang et un œil complètement fermé. Il sourit durant le combat, un sourire grotesque, menaçant, avec sa bouche où manquaient les dents de devant. Gert balançait des séries de directs du gauche et du droit sur cette figure qui s'avançait implacablement. Potgieter se rapprocha, réduisant la distance de frappe, et réussit enfin à le coincer dans un coin. On aurait dit que l'uppercut était au ralenti quand il toucha Gert au bout de la mâchoire. Le gardien fut sonné avant même que ses jambes ne se dérobent. On crut qu'il était mort. L'arbitre le déclara knock-out. Klipkop et le lieutenant Smit le soulevèrent de terre, où il gisait inconscient, puis l'amenèrent dans son coin. Comme d'habitude, Gert y avait mis trop de cœur et pas assez de tête. Si seulement il avait connu Mozart.

Il était dix heures passées quand on quitta Nelspruit. Nous autres, on se pelotonna tous ensemble à l'arrière de la camionnette, nous partageant deux couvertures rêches de la prison. La nuit indigo était trouée d'étoiles glaciales. On avait épuisé nos dernières forces à se congratuler d'abondance, l'équipe junior et le glorieux Barberton Blues. Silencieux maintenant, on avait sommeil. Cette fois-ci, ce fut Klipkop qui conduisit car Gert, qui n'était guère en forme, était rentré dans la Chevrolet avec le lieutenant Smit.

Bokkie, Fonnie, Snels et Maatie ne tardèrent pas à s'endormir. De temps en temps, les secousses les réveillaient, leurs yeux ensommeillés s'ouvrant avant de se refermer, les paupières lourdes. Moi aussi, j'étais éreinté ; pourtant, je n'arrivais pas à m'assoupir. Dans ma tête, défilait chacun de mes combats. Je me les passais en séquences comme les scènes d'un film que je pouvais monter à ma guise, coupant çà, collant là, refaisant les matches, les voyant tels qu'ils auraient dû se dérouler.

A l'époque, je ne savais pas encore que ce pouvoir de mémoriser le scénario complet d'un combat me rendrait beaucoup plus dangereux lorsque j'affronterais un adversaire pour la seconde fois. Au cours des années suivantes, j'appris aussi à me battre comme un gaucher, changeant de tactique au beau milieu d'un match si nécessaire, comme si cela m'était parfaitement naturel.

Il était près de minuit quand la camionnette s'arrêta devant chez nous. La maison était plongée dans l'obscurité. Je me faufilai par-derrière car la porte de la cuisine n'était jamais fermée à clé. Sur la table se consumait une bougie ; par terre, chacune enroulée dans une couverture, dormaient Dum et Dee. Je voulus passer sur la pointe des pieds mais elles se redressèrent d'un bond, telles des momies égyptiennes ressuscitées, le blanc de leurs yeux se dilatant sous le choc.

Folles de joie de me revoir, elles allumèrent la lumière pour m'observer. Découvrant mon oreille enflée, elles éclatèrent en larmes. Il ne fut pas aisé de les calmer. Lorsque je leur annonçai que j'avais gagné, elles affichèrent une gaieté de pure forme. Elles gloussèrent et poussèrent des exclamations comme deux vieilles abafazi devant leur fourneau, déclarant qu'elles se lèveraient à l'aube pour chercher des graines de moutarde à appliquer sur les horribles contusions qui devaient se cacher sur tout mon corps. Malgré mes protestations, car j'avais à peine la force de tenir debout, Dum me fit asseoir et me lava la figure, les mains et les pieds avec l'eau d'une bouilloire qui restait au chaud sur le feu. Dee m'essuya avec une serviette rêche, puis on me laissa enfin gagner mon lit d'un pas chancelant.

Au catéchisme le lendemain matin, remarquant mon oreille gonflée, le pasteur Mulvery me fit un sourire à peine esquissé que déjà effacé qui découvrit ses dents de devant toujours prêtes à prendre la poudre d'escampette. « Tu as encore écouté la voix du diable, Peekay ? » Il poussa un tas de hi-han à la suite de sa plaisanterie subtile qu'il raconta certainement au Seigneur ensuite. Il faut tout dire au Seigneur, répétait-il toujours.

Une fois de plus, je ne fus ni sauvé ni ressuscité. Pourtant, toutes les dames de l'église me considéraient comme la croix qu'avait à porter ma mère. Si elles avaient su ce qui se passait à la prison, elles auraient sûrement organisé une campagne de renaissance complète pour tenter de m'amener au Seigneur. Un jour au catéchisme, je demandai si au paradis les Noirs étaient les égaux des Blancs. Le professeur, une dame à la lourde poitrine et au nez pointu du nom de Mrs. Kostler qui ressemblait à un gros pigeon, s'arrêta au milieu de sa phrase et envoya l'un des enfants chercher le pasteur Mulvery.

« Pas exactement, mais on ne peut pas dire le contraire non plus », déclara le pasteur Mulvery. Puis, feuilletant la Bible de Mrs. Kostler, il lut : « Nombreuses sont les demeures dans la maison de mon père, je vous y garderai une place. » Il reposa le volume. « Quand le Seigneur parle de nombreuses demeures, c'est sa façon de dire qu'Il aime l'humanité entière tout en reconnaissant qu'il existe des différences, comme les Noirs et les Blancs par exemple. Il a donc un endroit pour les anges noirs et un autre pour les blancs », affirma-t-il d'un ton suffisant. Il avait l'air très content de sa réponse.

Une fille qui s'appelait Zoe Prinsloo demanda : « Ça veut dire qu'on ne sera pas obligés d'avoir de sales Cafres dans notre demeure ?

— Exactement, Zoe, s'exclama Mrs. Kostler. Au paradis, personne n'est sale, tu comprends, pas même les Cafres !

— Mais ils continueront à travailler pour nous ? » m'enquis-je.

Ne sachant que répondre, Mrs. Kostler se tourna vers le pasteur Mulvery. « Bien sûr que non, personne ne travaille au paradis, déclara-t-il avec une certaine impatience.

— Mais si au paradis, personne n'est sale, personne ne travaille et que les Noirs et les Blancs sont égaux, pourquoi ne peuvent-ils pas vivre au même endroit que nous ? »

Le pasteur Mulvery poussa un profond soupir. « Parce qu'ils sont noirs et que ce ne serait pas bien, voilà tout. Le Seigneur en sait plus long que nous sur ce genre de choses. On ne doit pas mettre en doute la sagesse du Seigneur. Quand tu auras ressuscité, tu comprendras Son infinie sagesse et tu ne poseras plus de questions aussi stupides. » Je savais que Mrs. Kostler rapporterait tous ces propos au prochain service religieux des dames et qu'une fois de plus, j'aurais droit à une séance avec ma mère. Ce n'était pas rose d'être un pécheur.

Elle m'envoyait dans ma chambre, s'asseyait sur mon lit et soupirait à profusion. Puis elle disait : « Je suis très déçue de ton attitude, mon petit. Mrs. Kostler m'a appris que tu mettais en doute la parole du Seigneur. Pourquoi te moquer ainsi de Lui ? Tu n'es pas trop jeune pour subir Son courroux. "On ne me bafouera pas", dit le Seigneur. Je prie pour ta précieuse âme tous les jours, mais tu t'obstines à durcir ton cœur. Un jour, Il ne t'accordera plus Sa miséricorde ni Son pardon éternel et tu seras maudit. » Elle soupirait encore un peu. C'était ce qui me touchait le plus, je ne supportais pas l'idée de la faire tant souffrir. Cependant, je ne savais pas non plus comment y remédier. Poser des questions était pour moi une chose naturelle. Doc m'y poussait, m'ayant formé à rechercher la vérité. M'opposer à ces affirmations qui manquaient de logique ou allaient à l'encontre du bon sens me semblait aussi normal que de grimper aux arbres. J'étais un fin limier à la recherche de la vérité et, une fois sur la piste d'une incurie biblique, il m'était impossible de laisser passer une contradiction ou d'accepter une hypothèse sans la contester.

Je lui demandais son pardon et consentais à m'excuser auprès de Mrs. Kostler ou la personne que j'avais soi-disant offensée à la Mission de la Foi apostolique. Cela ne suffisait pas, toutefois. Ma mère exigeait une confession sans réserve. Elle voulait que j'abjure mes péchés, que je me rétracte, que je m'agenouille et que j'implore le pardon du Seigneur. Mais cela m'était impossible. Elle en était d'autant plus déçue.

Elle me confinait dans ma chambre et me privait de dîner.

Je gardais pour l'occasion un bâton de *biltong* sous mon matelas. Marie rapportait souvent de la ferme ces morceaux durs de gibier séché. Etant les seuls à ne pas avoir de fausses dents, il n'y avait que Dee, Dum et moi qui pouvions les manger. Je m'asseyais dans mon lit et lisais tout en coupant de délicieuses bandes argentées de venaison séchée au soleil avec mon canif Joseph Rogers. En réalité, c'était celui de Doc mais j'en prenais soin tant qu'il était en prison.

Marie avait fait don de sa personne à l'armée du Seigneur, compensant dans une certaine mesure mon attitude récalcitrante. Engendrer des chrétiens de la Résurrection, pour les fervents de la Pentecôte, c'était comme la chasse au scalp pour les Peaux-Rouges. De temps en temps, ils frappaient vraiment un grand coup, quand on amenait, tremblant, devant le Seigneur un ivrogne invétéré, un débauché incorrigible ou même un type qui fumait trois paquets de cigarettes par jour. Cette personne témoignait ensuite devant l'ensemble de la communauté. Je vous assure que certains de ces anciens pécheurs lavés dans le sang de l'Agneau entraient en transe lorsque la congrégation commençait à chanter les répons. Au milieu des alléluias, des Loué soit le Seigneur, des antiennes entonnées spontanément, des claquements dans les mains et des soupirs d'allégresse, le converti pleurait à chaudes larmes, reniflait et s'en donnait à cœur joie en racontant ses pires méfaits. Chaque fois que le récit devenait vraiment savoureux, un silence s'abattait sur l'assemblée tandis que les participants buvaient jusqu'à la lie les péchés du malheureux. Je dois avouer qu'il était fort impressionnant de voir un ivrogne repenti sauvé de l'abîme. Un jour, il fallait traverser la rue pour ne pas l'approcher et le lendemain, après sa résurrection, on lui donnait du « Mon frère », on lui serrait chaleureusement la main et tout le monde l'aimait. Il faut sans doute rendre grâce à Dieu pour cela.

Il arrivait parfois qu'une résurrection ne soit que temporaire. On disait alors de celui qu'on avait aimé qu'il était retombé dans le vice. Un relaps était la pire des choses aux yeux de la Mission de la Foi apostolique. Cela signifiait que tout cet amour accordé spontanément avait été gâché et que le diable l'avait emporté. Remarquez, on considérait généralement cela comme un échec provisoire. Aux yeux des fervents de la Pentecôte, les plaisirs de la chair, malgré leur caractère tentateur, n'étaient rien à côté de la promesse de la vie éternelle. Une fois qu'on était ressuscité, puis retombé dans le vice, on contestait cet axiome et on compromettait complètement la glorieuse hypothèse du « Payer d'abord, s'amuser ensuite». Les chrétiens de la Résurrection s'échinaient tous pour avoir droit au paradis, à leurs demeures édifiées à l'écart des quartiers noirs.

Je reconnaissais instinctivement, me semble-t-il, les gagnants des perdants. Or, j'avais l'impression que la Mission de la Foi apostolique recrutait plus souvent ses membres du côté des malchanceux. Apparemment, cette situation leur plaisait. « Bénis soient les pauvres car ils entreront tous au royaume des cieux. » Un ivrogne repenti ou un débauché qui avouait avoir commis le péché d'adultère était si manifestement un minable qu'il y avait sa place. C'est pourquoi on acceptait mal les relaps et il fallait consacrer toutes ses forces à ramener la brebis égarée au bercail. L'enjeu était de taille. Si on parvenait à ramener au Seigneur une âme vraiment perdue, on avait droit à un beau domaine au ciel, d'après le pasteur Mulvery. On pouvait espérer au minimum une mission construite sur deux étages bien à l'abri de la rue au milieu des arbres et des pelouses où la douce brise apportait la mélodie des harpes. Perspective nettement plus alléchante que le crépitement de l'enfer et les horribles plaintes des malheureux condamnés pour l'éternité.

Pour les ivrognes qui étaient assez malins pour ressusciter, puis retomber dans le vice, la Mission de la Foi apostolique était une espèce de clinique de désintoxication où ils trouvaient de temps en temps amour et réconfort, des vêtements propres et un nouveau départ. L'église résonnait des témoignages narrant les rechutes vraiment savoureuses, offrant à tous les membres présents un grand moment avec le Seigneur et arrondissant les quêtes du pasteur Mulvery. Les membres de la congrégation mettaient beaucoup plus de cœur à sauver un affreux pécheur qu'à accueillir quelqu'un comme Marie qui leur arrivait sans tache, aussi douce qu'un agneau, méritant à peine un alléluia mais sûrement pas un bon torrent de larmes versées en public à la gloire du Seigneur.

Son heure de gloire vint par la suite le jour où, témoignant devant l'ensemble de la communauté, elle raconta comment elle avait amené au Seigneur un vieux Boer de quatre-vingt-neuf ans sur son lit de mort. Effrayé devant la mort, il avait fermé les yeux quand elle l'avait amené à Jésus-Christ et, poussant un doux soupir, il était allé retrouver son créateur.

J'avais trouvé cette solution presque parfaite. Le vieil homme avait eu une vie de pécheur puis, à la dernière seconde, avait été arraché aux feux de l'enfer par une jeune fille au visage boutonneux et au cœur débordant d'amour et de compassion. Je m'étais demandé si cela lui donnerait droit à une demeure cent pour cent paradisiaque ou simplement à la remise au fond du jardin de Marie. Toujours est-il que la congrégation ouvrit ses bras à Marie. Sauver des âmes perdues au bord du gouffre embrasé était en très bonne place sur la liste des conversions de taille. Elle passa aussitôt du statut de jeune fille charmante à la situation enviable de soldat de l'armée du Seigneur, capable et ingénieux.

Comme moi, Dum et Dee tenaient bon. A leurs yeux, cependant, toute cette histoire était quelque peu déroutante et on ne détermina jamais clairement leur position. Ma mère les avait plus ou moins contraintes à ressusciter, elles avaient cédé à ses ordres naturellement. Elle leur avait aussi donné une bible en shangaan. Toutefois, la tâche m'était échue de leur apprendre à lire cet ouvrage et on s'était plutôt concentrés sur l'Ancien Testament où les histoires de guerriers, de sécheresse et de famine étaient beaucoup plus à leur goût. Elles avaient un penchant particulier pour celle de Ruth dans le champ de blé qui essaie de trouver de quoi nourrir sa famille après le passage des moissonneurs. Le concept d'un Blanc qui vient pardonner les péchés de tout un chacun, puis qui se fait clouer à un poteau pour sa peine leur semblait relever de l'inimaginable. Comme le soulignait Dum, les Blancs ne pardonnent jamais les péchés, ils ne font que vous en punir, surtout si on est noir. Accepter les péchés des Noirs, les prendre à son compte et aller jusqu'à se faire crucifier pour cela ne prouvait qu'une chose : il devait être fou. Dee demanda ensuite pourquoi les Blancs continuaient à punir les Noirs puisqu'Il était déjà mort pour leurs péchés. J'étais prêt à reconnaître qu'il y avait du vrai là-dedans et que je trouvais aussi les miracles fort suspects. On en resta donc à l'Ancien Testament qui présentait des guérisseurs comme Elie, de grands rois comme Moïse mais aussi des généraux féroces et indépendants comme Josué. Ce livre-là avait un sens ; il posait tous les problèmes et toutes les peurs dont parlaient leurs légendes.

Ma mère revendiqua la conversion de Dee et Dum, ainsi que celle de Marie, sur sa liste personnelle de ressuscités. Ce n'étaient pas les seuls car, le mercredi après-midi, elle abandonnait sa couture pour se rendre à l'hôpital avec une bible annotée et un plein sac de tracts. Ils avaient des gros titres du style « Le pécheur arraché à une condamnation certaine aux feux de l'enfer » ou « L'homme qui parla à Dieu du péché et du salut : la précieuse promesse de Dieu ». Celui qui, d'après elle, marchait très fort dans le cadre de l'hôpital s'intitulait : « La mort risque de frapper à tout moment. » Elle avait remplacé le pasteur Mulvery quand j'étais sorti de l'hôpital et trouvait de temps à autre des pécheurs intéressants cachés sous les draps amidonnés. Ils étaient généralement sous l'empire de l'inquiétude, à peine recousus après une hystérectomie ou une opération de la vésicule biliaire et mûrs pour les boniments. Ma mère commençait par s'enquérir de leur opération. Elle était experte en la matière, peut-être même championne du monde. On aurait dit qu'elle avait subi toutes les interventions importantes qu'une femme risque de connaître, plus quelques autres, histoire de compléter son expérience. A la moindre plainte sur le plan médical, elle pouvait vous rapporter dans tous les détails chacune des phases d'une opération depuis les tout premiers symptômes de douleur jusqu'à l'état de dépression postopératoire. Je devais tenir d'elle mon don à me rappeler un match coup par coup car elle faisait la même chose avec les opérations, sans oublier les moments où elle était sous anesthésie.

Après avoir évalué la durée du séjour du pécheur en ces lieux et par conséquent le temps où il serait sous sa coupe, elle commençait à leur casser les oreilles. Œuvrant pour le Seigneur, Marie prenait la relève, gardant le pécheur à l'écoute de Dieu jusqu'à la visite du mercredi suivant. Elles se partageaient le mérite des âmes qu'elles avaient sauvées, témoignant souvent ensemble au service religieux du dimanche matin où elles jouissaient du généreux amour spirituel offert par la congrégation. Le Seigneur avait trouvé en elles deux membres des sections d'assaut. Le pasteur Mulvery les appelait les « sœurs de la rédemption », ajoutant que le Seigneur les avait touchées d'une grâce toute particulière.

Marie se tourmentait toujours de ses boutons. Un beau jour, ma mère décréta qu'assez c'est assez : si le Seigneur se préoccupait du sort de tous les moineaux qui tombaient, il devait aussi s'inquiéter des boutons de Marie. Et de s'agenouiller toutes deux pour exhorter le Seigneur à chasser le démon des boutons. A ma stupeur, il s'exécuta. En un an, le visage de Marie devint aussi lisse que des fesses de bébé et elle s'avéra plus que jolie sous son masque. Le témoignage fut des plus bouleversants : Marie pleurait, gâchant son joli minois, tandis que ma mère faisait le récit dramatique de l'extraordinaire guérison des boutons par le Seigneur. Ensuite, le pasteur Mulvery fit un petit récapitulatif, disant que le Seigneur ne récompensait pas seulement ses brebis au paradis où on touchait le gros lot, mais aussi sur terre, comme par exemple en supprimant les boutons de Marie. Dieu lui-même avait récompensé la foi de ma mère ainsi que son travail sur Marie.

Lorsque j'avais parlé à Doc de la campagne de prières concertées destinée à vaincre les boutons de Marie, il m'avait dit de lui conseiller de manger beaucoup de salade, pas de graisse et de la viande maigre deux fois par semaine. Marie avait tenté l'expérience, et s'était aperçue qu'elle préférait cela aux repas lourds de l'hôpital ; elle respecta donc ce régime à la lettre. Quand j'annonçai à Doc la guérison par la prière, il déclara que le mystère de certaines choses dépassait les mots. Après y avoir réfléchi plus avant, je finis par faire le lien entre la diète et la guérison. Je lui demandai alors pourquoi il n'avait pas émis l'hypothèse comme quoi le changement d'alimentation avait joué un rôle dans cette histoire.

« Peekay, déclara-t-il, en ce monde, fort peu de choses découlent uniquement de la logique. Etre logique relève de l'illogique pour un homme. Il est certaines choses qu'on doit simplement accepter. Le mystère est plus important que toute explication plausible. » Il s'arrêta un moment, tapotant le bord du clavier. « Celui qui est à la recherche de la vérité doit le faire avec humanité. La logique impitoyable révèle une étroitesse d'esprit. La vérité ne peut qu'accroître la somme de tes connaissances alors qu'un mystère sans danger qu'on ne cherche pas à percer ajoute souvent au sens même de la vie. Quand la vérité n'est pas si importante à découvrir, il vaut mieux préserver le mystère. » Cette réponse me laissa perplexe durant des années car Doc vénérait la vérité et l'avait toujours exigée à tout prix entre nous.

Geel Piet ne pensait pas que j'irais jusqu'aux finales à Nelspruit. Il espérait au mieux que je me qualifierais pour les demi-finales. A la séance d'entraînement le lundi matin, il était fou de joie. « Les hommes sont très contents. Depuis qu'on a appris la nouvelle, ils ne parlent que de ça, je te jure ! Les Zoulous affirment que tu dois être un chef zoulou déguisé en Blanc car seul un Zoulou peut se battre avec un tel courage. » Il éclata de rire. « Quand on a appris la nouvelle, tous ceux qui avaient un *stompie* l'ont fumé et les gardiens n'ont pas pu empêcher les hommes de chanter dans la nuit. »

En fait, l'un des surveillants nous avait dit, le lundi matin au petit déjeuner, à Doc et moi, qu'il y avait eu une étrange atmosphère à la prison le samedi soir et qu'on avait mis sur le pied de guerre des hommes qui n'étaient pas de service. Il avait raconté que vers sept heures, alors qu'aucun gardien ne connaissait les résultats, l'un des vieux détenus lui avait annoncé que j'avais gagné. Or il n'avait appris officiellement la nouvelle qu'après minuit, nouvelle transmise par le garde en poste à l'entrée qui s'était répandue quelques minutes après le retour du lieutenant Smit. « *Wragdig*, mon vieux ! Les Cafres ont ce genre de bizarreries. Parfois, ils sont au courant des choses sans avoir besoin de téléphone ni rien. J'ai déjà vu cela à Poolsmoor quant il était question de pendre un prisonnier politique. La décision n'était pas encore prise qu'ils le savaient déjà, avant même que le commandant ne donne ses ordres. Un vieux détenu m'a raconté un jour qu'ils unissaient leur énergie pour découvrir le vrai. Je ne sais pas comment ça marche mais je t'assure qu'ils le savent bel et bien ! »

Durant ma leçon de piano le lundi, Doc trouva un prétexte pour que Geel Piet vienne dans la salle où je lui rejouai les trois matches coup pour coup. Il était quasiment mort de rire lorsque je lui parlai de ma culotte qui était tombée. J'ajoutai que j'allais demander à ma mère de la raccourcir et de resserrer l'élastique à la taille. Ce fut Geel Piet qui saisit pourquoi Kroon le Tueur avait eu une crise d'asthme.

« Il n'est pas habitué à tenir trois rounds. Ça ne lui est même sans doute jamais arrivé parce qu'il a toujours battu ses adversaires sur knock-out technique comme dans ses deux premiers matches. C'est là que tu es entré en jeu et il a dû te poursuivre autour du ring comme un fou alors que tu n'arrêtais pas de le frapper sous le cœur. Alors, qu'est-ce qui s'est passé, d'après toi ? Il respirait de plus en plus difficilement et l'effort a provoqué la crise d'asthme. J'avais une tantine à Cape Town qui n'arrivait même pas à monter l'escalier sans avoir une crise. Je te jure que c'est vrai ! Tu as trouvé son point faible et tu l'as matraqué. » Il sourit. « Dis donc, mon garçon, heureusement qu'il avait un mauvais crochet du gauche. Quand tu as contre-attaqué sur son crochet du droit, il aurait pu t'abîmer salement s'il avait eu un bon crochet du gauche. »

Ce matin-là, le lieutenant Smit avait fait un petit discours pour l'ensemble de l'équipe. « Je suis fier de vous tous, vous savez ? Il n'y en a pas un qui nous ait déçus, même ceux d'entre vous qui ont perdu se sont bien battus. » Il se tourna vers Klipkop. « Attends un peu que ce Potgieter devienne professionnel, je te jure que tu vas en voir de toutes les couleurs.

— Qu'il essaie toujours, marmonna Klipkop.

— Gert, tu as fait du bon boulot. Tu as dû le frapper dix fois plus que lui ne t'a touché mais cent kilos c'est pas cent trente. Ce gros singe, c'est dans la jungle qu'il devrait être. » Tout le monde rit et il poursuivit : « J'ai gardé le plus petit pour la fin.

La finale des moins de douze ans était le meilleur match que j'ai jamais vu. » Fonnie Kruger me donna des coups dans les côtes, je ne savais comment éteindre le feu qui empourprait mes joues. « Non, je vous assure les gars, si vous voulez prendre une leçon de boxe, regardez Peekay. » Il marqua un temps et regarda droit dans les yeux Geel Piet qui se tenait en retrait. « Geel Piet, tu n'es qu'un métis. Pourtant, je dois bien reconnaître que tu es un bon entraîneur. »

On se retourna tous, découvrant Geel Piet qui, le visage caché dans ses mains, dansait d'un pied sur l'autre comme s'il était sur des charbons ardents.

« Et c'est pas une raison pour la ramener, compris ? » lança le lieutenant Smit. Cependant, il y avait une trace d'amusement dans sa voix.

Geel Piet retira ses mains à la manière d'un masque comme pour effacer l'expression dissimulée dessous. « Non, baas, merci, baas. Ce métis est le plus heureux des hommes, baas. »

Le photographe de la prison fit son entrée dans la salle et le lieutenant Smit annonça qu'on allait prendre notre photo, pas nos empreintes. On rit tous. Le photographe nous mit en ligne, s'agitant jusqu'à trouver la bonne position. Il y eut un éclair de lumière lorsqu'il prit le cliché ; il dit qu'il voulait en faire un autre pour porter chance. Le lieutenant Smit jeta un regard alentour au moment où Doc entrait dans la salle. « Venez, professeur, venez ici », lui proposa-t-il puis, à la surprise générale, il fit signe à Geel Piet. « Toi aussi, le Cafre », ajouta-t-il d'un ton bourru.

Klipkop s'écarta aussitôt du groupe. « Pas question ! Je ne veux pas qu'on me prenne en photo avec un sale Cafre ! »

Portant la main à sa bouche, le lieutenant Smit émit deux notes aiguës en sifflant dans son poing. « Pas de problème, sergent Oudendaal, déclara-t-il d'un ton affable. Il y a d'autres amateurs ? »

Geel Piet, qui se tenait au bord du groupe, s'éloigna. « Je suis trop laid pour une photo joyeuse, baas, déclara-t-il avec un grand sourire.

— Reviens ici, le Cafre ! » lui enjoignit le lieutenant Smit.

Geel Piet regagna sa place. Sur ce, les autres adultes de l'équipe se retirèrent à l'exception de Gert, puis Bokkie de Beer se détacha à son tour, suivi des autres enfants. Ils avaient vraiment peur. Il ne restait plus que Doc, Gert, Geel Piet et moi lorsque le lieutenant Smit se joignit à nous. « Vas-y, prends la photo ! » ordonna-t-il.

Le cliché saisit l'instant précis où je compris avec certitude que le racisme est une force primaire du mal destinée à détruire les braves gens.

On nous offrit à tous une grande photo du Barberton Blues de vingt sur vingt-cinq centimètres et le photographe donna à Doc, Gert et moi un tirage de l'autre. Le lieutenant ayant refusé le sien, je suppliai le photographe de me le céder et le remis en secret à Geel Piet. Il le rangea dans le tabouret de piano, le regardant tous les jours quand il venait chercher le courrier des prisonniers.

Quelques semaines plus tard, le lieutenant Smit fut promu au grade de capitaine. Certains prétendaient même qu'il serait le prochain commandant. Un matin après l'entraînement, il me prit à l'écart pour me demander si je pouvais lui rendre le deuxième cliché et récupérer celui de Doc par la même occasion. Il ne me restait qu'à obéir. Gert fit de même. Le lieutenant Smit les déchira mais oublia l'autre exemplaire. Il obtint du photographe la plaque qu'il détruisit aussi. Un homme ne saurait être trop prudent quant à sa carrière, et cette photo était une aberration par rapport à sa conduite habituelle. Il n'avait pas l'intention de regretter son geste toute sa vie.

Entre Doc et Mrs. Boxall, mon éducation était en de très bonnes mains. Mrs. Boxall consultait Doc par écrit et ils décidaient de mes lectures. C'était elle l'experte en matière de littérature anglaise tandis qu'il tranchait en matière de sciences, musique et latin. En dehors des livres de botanique de Doc, la bibliothèque de Barberton avait aussi reçu deux collections privées d'un excellent niveau dont Mrs. Boxall disait qu'elles étaient bourrées de choses utiles à un esprit qui se développait. Doc et Mrs. Boxall étaient tous deux des pédagogues-nés qui ne perdaient jamais patience lorsque mon jeune cerveau n'arrivait pas à suivre. Doc préparait des compositions que Mrs. Boxall me donnait à faire à la bibliothèque ; j'en avais une tous les mardis et vendredis. J'appris à apprécier ces moments que je passais en compagnie de Mrs. Boxall qui s'élevait souvent avec véhémence contre une conclusion à laquelle Doc était arrivé. J'étais le messager de billets polémiques ; certaines de ces controverses se poursuivaient pendant des semaines. Je n'en étais jamais exclu ; c'est ainsi que j'appris la valeur de la discussion pour défendre son point de vue.

Depuis quelque temps, on jouait tous les trois aux échecs. Doc et Mrs. Boxall avait chacun un échiquier, Gert en avait fait faire un autre : les pièces avaient été fabriquées sur le tour à l'atelier de la prison et le travail de damier réalisé à la main. Il n'était pas aussi bien que le jeu en ivoire de Doc mais celui-ci affirmait qu'il était très original et bien fait. Les deux échiquiers étaient dressés, l'un avec mon jeu, l'autre avec celui de Mrs. Boxall. Tous les matins, j'indiquais à Doc le coup de Mrs. Boxall, qu'il jouait avant de jouer à son tour son propre coup que je transmettais à son adversaire. On y consacrait dix minutes à la fin de la leçon. Au début, il n'en fallait pas plus pour que Doc me batte ; cependant, au fil des mois et des années, il arriva souvent qu'une partie durât une semaine.

En quatre ans, je n'avais jamais battu Doc et, en deux ans, Mrs. Boxall n'y était parvenue qu'une fois. C'était la partie qu'avait jouée le Russe Lenchinakov lorsqu'il avait battu l'Américain Arnold Green en 1931, partie qu'elle avait étudiée durant trois semaines. Même ainsi, elle eut de la chance d'y arriver. Au huitième coup, Doc comprit qu'elle ne suivait pas sa tactique habituelle. « Demande à Mrs. Boxall qui joue à sa place », m'ordonna-t-il. Cependant, il était déjà trop tard ; il était tombé dans un piège audacieux, si bien prémédité qu'il ne l'en avait pas crue capable.

Quand je lui appris que Doc s'était avoué vaincu, elle bondit de son siège et, un grand sourire aux lèvres, se frotta les mains en jubilant. « Mince alors, ça fait drôlement plaisir de battre ce vieux pontifiant de Teuton, s'exclama-t-elle. Dis-lui d'être beau joueur. En amour comme à la guerre, tous les coups sont permis ! »

Deux personnalités se faisaient jour en moi : d'un côté, un petit garçon de près de onze ans qui montait aux arbres, avait un lance-pierres, roulait en charrette attelée à un bouc et menait une équipe avide de gagner au *klei-lat* et autres jeux contre les Afrikaners ; d'un autre côté, un enfant précoce qui à l'école faisait souvent le désespoir de ses maîtres que mes réponses laissaient sans voix et qui n'acceptaient pas l'idée que j'étais déjà bien avancé dans les matières qu'ils étaient censés me faire découvrir. Ils se contentaient de me mettre premier de la classe tous les trimestres, consacrant leurs efforts aux autres élèves.

J'avais dix ans quand une nouvelle maîtresse, Miss Bornstein, arriva à l'école. Elle enseignait aux plus grands, les préparant à l'épreuve du lycée et, bien que je fusse encore deux classes en dessous, un vendredi après-midi, elle m'avait fait venir après la classe.

« Bonjour, Peekay, entre », lança-t-elle comme je frappais à la porte. Assise à une table, elle lisait un livre.

« Bonjour, miss », dis-je, un peu intimidé. Elle leva les yeux et sourit : ma tête se mit à bourdonner comme si j'avais été assommé d'un direct du droit entre les yeux par le Morveux. Je n'avais jamais vu une dame aussi belle que Miss Bornstein. Elle avait de longs cheveux noirs, les plus grands yeux verts qu'on puisse imaginer et une bouche charnue qui brillait sous son rouge à lèvres. Légèrement hâlée, elle avait une peau très lisse. A dix ans, on n'est pas censé avoir des attirances sexuelles ; pourtant, tout mon corps exigeait de se rapprocher de cette femme ravissante. Elle était éblouissante et son sourire découvrait ses dents régulières d'une blancheur immaculée. Elle n'était pas aussi svelte que la dame à la cigarette peinte sur l'horloge au café de la gare à Tzaneen ; sans cela, elle aurait pu en être une reproduction en chair et en os.

« On m'a dit que tu étais assez brillant, Peekay.

— Non, miss », répliquai-je sans fausse modestie. Bien que je fusse considéré comme l'élève le plus brillant de l'école, Doc et Mrs. Boxall avaient pris soin de me détromper là-dessus. « La facilité est un faux ami, m'avait expliqué Doc. C'est comme d'être doué pour le patinage, on se préoccupe tant de faire des trucs pour impressionner la galerie qu'on ne voit pas l'endroit où la glace est mince et, sans s'en rendre compte, pouf !, on se retrouve dans l'eau glacée, aussi gelé qu'un hareng mort. L'intelligence est un don plus exigeant, il faut travailler pour l'acquérir, il faut s'entraîner, la défier et, vers la fin de ta vie, peut-être la domineras-tu. La facilité n'est que l'ombre alors que l'intelligence est la substance. »

Miss Bornstein me mit à l'épreuve en latin, d'abord sur le vocabulaire, puis sur les verbes. C'était tout simple. Mais, en Afrique du Sud, on ne l'enseignait qu'au lycée, aussi parut-elle impressionnée. Elle me fit ensuite asseoir à une table et me tendit le livre qu'elle lisait. « Fais-en le plus possible en dix minutes », m'ordonna-t-elle.

Le manuel comptait trente pages ; il était plein de petits dessins, de phrases avec des mots qui manquaient et de questions pièges proposant un certain nombre de réponses au choix. J'avais l'impression de retrouver mes devoirs d'antan. C'était le territoire personnel de Doc ; il avait un tas de livres sur la logique et le raisonnement « pas catholique », comme il l'appelait. L'ouvrage de Miss Bornstein s'adressait à des débutants, je finis le tout en moins de cinq minutes.

Je dus patienter tandis qu'elle corrigeait les résultats. Au bout de la première page, elle leva les yeux, mâchonna le bout de son crayon et le tapota sur ses belles dents blanches, ses longs ongles vernis en rouge tenant le crayon avec une telle délicatesse qu'il rebondissait en faisant un petit bruit régulier. Puis, le pointant vers moi, elle déclara : « Le moins qu'on puisse dire, c'est que tu es loin d'être bête, Peekay. » Elle passa à la dernière page qu'elle nota ; le livre devait aller du plus facile au plus difficile. Elle leva de nouveau les yeux. « Oui, très, très loin. »

Ensuite, elle me fit lire à haute voix et écrire puis, ouvrant sa mallette, elle en sortit un échiquier et le dressa. « Commence », annonça-t-elle. J'employai l'une des ouvertures préférées de Doc, elle siffla entre ses dents tout en l'étudiant. Au bout d'une heure, je m'avouai vaincu. Doc m'avait dit que c'était la marche à suivre quand on était condamné à être pat. Votre adversaire se montrait alors moins prudent et cela vous donnait un avantage pour la partie suivante. « Ne fais cela que dans une partie amicale, m'avait-il prévenu. Les échecs, c'est la guerre et à la guerre, on ne peut rien prévoir sauf la mort. »

Miss Bornstein me regarda, l'air légèrement contrarié. « Ne recommence plus jamais ! lança-t-elle. Quand je joue aux échecs, je suis ton adversaire, je n'ai pas à être traitée avec condescendance comme une bécasse ! »

Je rougis jusqu'aux oreilles. « Excusez-moi, miss, répliquai-je, mortifié, tout en m'interrogeant sur le sens de cette expression.

— Miss Bornstein, s'il te plaît, Peekay. "Miss", c'est bon pour les autres enfants qui ne sont pas très futés. Samantha Bornstein. Tu peux m'appeler Sam en privé, si tu veux. Je crois qu'on va avoir très souvent l'occasion de se voir tous les deux. »

L'idée d'appeler cette ravissante créature par son prénom était inconcevable. Et par un nom de garçon, un bête nom de garçon comme Sam, carrément impossible.

Miss Bornstein me remercia d'être venu, ajoutant que je devais me présenter le lundi dans sa classe. « Je ne sais strictement pas ce qu'on va faire de toi mais au moins, tu feras un bon adversaire aux échecs », dit-elle d'une voix de gorge qui m'opprima la poitrine.

Le lundi matin, je racontai toute l'histoire à Doc. A la fin de mon récit, il me posa deux questions. « Dis-moi, Peekay, tu es très amoureux ? »

Je lui avouai que je ne savais pas grand-chose sur le sujet. Cependant, j'avais l'impression d'avoir reçu un sacré coup de poing en pleine figure.

« Je crains que tu ne sois très amoureux, Peekay. Je ne connais guère les femmes mais il est une chose que je sais : je pense que ce ne serait pas très malin d'en parler à Madame* Boxall. Je vais y réfléchir. Peut-être Geel Piet pourrait-il aussi nous aider. » On en resta là dans l'immédiat.

« Autre point, je te prie ! Madame Bornstein, elle joue mieux aux échecs que Madame Boxall ? »

Je lui répondis qu'elle jouait bien et que si je n'avais pas employé l'une de ses ouvertures les plus diaboliques, elle m'aurait sans doute battu tout de suite. « Elle est beaucoup plus rusée que Mrs. Boxall, conclus-je.

— Rusée ? Hourrah ! C'est pien », grommela-t-il. Sur ce, il ouvrit mon livre de musique à la bonne page. A la fin de la leçon, il me tendit un billet griffonné à la hâte. « S'il te plaît, c'est à remettre avec mes compliments à ta Madame Bornstein et demain, tu m'apporteras la réponse, je te prie. » Je me gardai bien de regarder le mot.

« Doc, soyez gentil, ne lui dites pas que je suis amoureux d'elle », l'implorai-je.

Doc me regarda de travers. « Je ne ferais jamais une chose pareille, Peekay. Absoloodle. Etre amoureux est une chose strictement personnelle. »

A la suite de la promotion du lieutenant Smit au grade de capitaine, le sergent Borman l'avait remplacé à son poste. Sa nomination, bien que sans surprise, fut mal accueillie. Borman faisait de la lèche au commandant depuis le jour où il était arrivé de Pretoria. Il avait fait savoir que l'asthme de sa femme avait entravé une carrière prometteuse à Pretoria Central où, pour survivre, un gardien doit se montrer plus dur et plus malin que les pires des violeurs, criminels, voyous, voleurs et escrocs. Dans ces conditions, laissait-il entendre, un sergent valait bien un lieutenant dans une prison de troisième ordre telle que Barberton. Il prouvait à la moindre occasion qu'il était plus dur que n'importe lequel de ses collègues. Il suffisait d'un coup d'œil en passant pour le lancer.

« Qui tu regardes, le Cafre ? Tu veux jouer les insolents, hein ?

— Non, baas, non, inkosi, moi pas insolent, moi pas regarder.

— Viens pas me raconter que t'es pas insolent. Je sais bien ce que tu penses, le Cafre ! Un doux Jésus par-dehors et par-dedans un diable noir, voilà ce que tu es.

— Non, inkosi. Dedans pareil que dehors.

— La journée s'annonce mal pour toi, le Cafre. Viens ici. Viens, je te dis ! » Le prisonnier se précipitait vers Borman et, tête basse, se tenait maladroitement au garde-à-vous. « Regarde-moi droit dans les yeux, le Cafre.

— Non, baas. Moi, pas vous regarder.

— Regarde-moi, espèce de sale nègre ! Quand je te dis de me regarder, tu me regardes, c'est compris ? » Le détenu levait des yeux épouvantés pour affronter le regard du sergent. « Ja, c'est la vérité, dedans c'est répugnant. » Il flanquait à l'Africain un terrible coup dans le ventre et celui-ci se pliait en deux. « Debout, sale nègre, il faut qu'on se débarrasse de cette saleté immonde, il-faut-qu'on-s'en-débarrasse ! » Il tabassait le prisonnier sans relâche, frappant toujours au même endroit. « Allez, recrache la saleté, fais le ménage à l'intérieur ! »

La plupart des Africains du bas veld avaient des problèmes d'estomac car ils étaient atteints de la bilharziose. Un minuscule serpent qu'on trouve dans les eaux de la rivière entre dans l'organisme par le canal du pénis et finit par attaquer le foie et les reins. Trois ou quatre bons coups dans le ventre provoquent généralement d'effroyables vomissements et de terribles douleurs.

Borman contemplait le vomi répandu par terre et sur les mains du détenu alors qu'il s'efforçait de réprimer le flot. « Voilà ! Regarde-moi ce que tu as fait ! Pourquoi tu as sali ce beau parquet tout propre ? » Et la verge de s'abattre sur la nuque du malheureux. « Parce que tu es une sale bête, voilà pourquoi. » Et il le frappait jusqu'à ce qu'il s'effondre.

Provoquer un désordre inutile constituait un délit grave donnant au gardien le droit d'employer officiellement la baguette. Borman s'enorgueillissait de pouvoir justifier un interrogatoire en trois ou quatre minutes à partir du moment où il commençait à railler un prisonnier. En français, l'équivalent du nom que lui avaient donné les détenus était : « Merde à la place du cerveau. » Quand il était dans les parages, on entendait fuser le chant : « Va-t'en, va-t'en, voilà Merde à la place du cerveau qui arrive. Voilà celui dont la mère a jeté son enfant, gardé le placenta et l'a appelé Merde à la place du cerveau. »

Le lieutenant Borman était trop âgé pour entrer dans l'équipe de boxe ; cependant, il se vantait souvent de ses exploits d'autrefois. Gert affirmait qu'un type qui se prétend un dur est généralement un trouillard. Toutefois, même si les gardiens n'aimaient pas Borman, ils le considéraient comme un professionnel et le respectaient. Il parlait très bien le fanagalo et, la plupart des prisonniers apprenant cette langue véhiculaire, il terrifiait leur âme avec des images à l'africaine. Il lui arrivait souvent de réduire un détenu à un état de terreur pitoyable sans avoir recours à la torture. Pour régler les problèmes à la prison, le commandant avait vite appris à compter sur le sergent Borman. C'était ce pouvoir de terroriser les hommes, aussi bien physiquement que psychologiquement, qui avait poussé le commandant à lui confier le poste du lieutenant Smit lorsque celui-ci avait été promu.

Le lieutenant Borman n'appréciait pas du tout la liberté qu'avait acquise Geel Piet au gymnase sous l'autorité du capitaine Smit. « Donnez le petit doigt à un détenu et en moins de deux, il vous aura bouffé tout le bras », répétait-il sans arrêt. Geel Piet prenait soin de ne pas rester sur son chemin. Quand Borman arrivait, sauf s'il était sur le ring à entraîner l'un des enfants, Geel Piet s'éclipsait. Le lieutenant Borman le suivait des yeux tandis qu'il s'éloignait à pas de loup. « Il m'aura. Un jour, il m'aura, c'est sûr et certain. Tout ce que je peux dire, c'est que j'espère en sortir vivant », me confia le petit métis difforme.

Le capitaine Smit regardait Geel Piet quitter la salle à l'arrivée de Borman mais sans mot dire. Borman ne s'en laissait conter ni par Doc ni par moi. Il considérait l'alliance diabolique qui nous unissait, Doc, Geel Piet et moi, comme une dégradation fondamentale du système. Etant un vrai professionnel, il comprit vite qu'un tel manquement à la discipline risquait d'entraîner d'autres excès. Du temps où il était sergent, son influence n'arrivait pas jusqu'au bureau du commandant. Alors qu'avec son grade de lieutenant, son pouvoir s'était considérablement accru.

Si le commandant n'avait pas tenu à ménager Doc pour la visite bisannuelle de l'inspecteur des prisons, le lieutenant Borman aurait sans doute imposé son avis et notre liberté dans l'enceinte de l'établissement se serait vue plus que rognée.

Le commandant envisageait les choses en termes simples. Doc à son Steinway constituait l'élément culturel de la visite. *Braaivlies* et *tickie-draai*, le divertissement ; matches de boxe et concours de tir, l'aspect exploits physiques. Ce programme varié le montrait comme un homme de culture, adepte des plaisirs cependant. Il n'avait aucune intention de laisser le lieutenant Borman troubler ce dessein soigneusement élaboré. Néanmoins, on sentait que Borman était patient et implacable, bien décidé à trouver quelque chose qui lui permettrait de nous détruire.

En Europe, la fin de la guerre s'annonçait. Les Alliés avaient franchi le Rhin et marchaient sur Berlin. Doc était très excité. Après quatre ans d'incarcération, il brûlait de retrouver les douces collines verdoyantes, les montagnes balayées par les vents et les kloofs boisés. On parlait de gravir la montagne jusqu'au col à la frontière du Swaziland et des larmes perlaient dans ses yeux. Maintenant qu'il voyait le bout du tunnel, on aurait dit que pour la première fois il osait penser à la liberté. Il contemplait les collines par-delà les murs de la prison et sa voix tremblait. « Le temps de la haine est presque fini, bientôt reviendra le temps d'aimer, le temps de monter tout en haut de la montagne avec le soleil dans le dos jusqu'à pouvoir quasiment toucher le ciel. »

Le deuxième livre de Doc sur les cactus d'Afrique du Sud avait été rédigé durant son séjour en prison. Celui-ci était en anglais, chaque page ayant été mise au point par Mrs. Boxall qui avait fini par avouer que ces sacrés vieux cactus recelaient plus de merveilles qu'elle ne l'aurait imaginé. Doc parlait de faire des planches photo ; Mrs. Boxall alla voir Jimmy Winter à la pharmacie pour le convaincre de mettre chaque mois de côté un rouleau de ses précieuses pellicules rationnées jusqu'à en avoir trois douzaines qui attendraient Doc à sa sortie. Jimmy Winter était un artiste. Quand il ne s'occupait pas de son affaire, il aimait peindre les collines. Avant d'être incarcéré, Doc le rencontrait parfois devant sa toile en quelque endroit solitaire au sommet de la montagne.

Pendant que les Alliés franchissaient le Rhin, les précieuses leçons de musique se firent rares. On consacrait la majeure partie de notre temps à discuter de nos projets pour la sortie de Doc. Il me faisait décrire le jardin de cactus, me demandait où en était chacune des plantes, parlait joyeusement des agrandissements nécessaires pour ménager de la place aux choses qui nous attendaient dans les collines. De toutes les photos requises pour son livre aussi.

Pas plus que moi, Miss Bornstein n'avait jamais réussi à battre Doc aux échecs. Elle le présenta donc à son grand-père, Mr. Isaac Bornstein, qu'on appelait le Vieux Bornstein. Celui-ci s'avéra un adversaire de taille et ils s'opposaient en un combat acharné, Doc pouffant et secouant la tête lorsqu'il découvrait le dernier coup du Vieux Bornstein. « Très allemand, mais quelle intelligence, ja, c'est un beau coup. » Il s'approchait de l'échiquier posé au-dessus du piano droit, jouait le coup du Vieux Bornstein, réfléchissait un instant, puis jouait à son tour. « ... Pas si intelligent que moi cependant, Mr. Isaac Je-Sais-Tout ! »

A la grande surprise de Doc, Mrs. Boxall avait fort bien accepté Miss Bornstein. Ensemble, elles menaient à merveille la Souscription Sandwich qui envoyait toutes les semaines des paquets aux familles des prisonniers ainsi que de la nourriture. Elles discutèrent du moment où il faudrait révéler la vérité lorsque le conflit s'arrêterait, estimant toutefois que la fin de la guerre ne mettrait pas un terme aux besoins des hommes et qu'elles trouveraient un prétexte pour poursuivre leur œuvre.

On avait débattu de mon amour pour Miss Bornstein, Doc, Geel

Piet et moi. Je dois avouer qu'ils n'avaient pas été d'un grand secours ni l'un ni l'autre. A nous trois, on ne savait pas grand-chose des femmes. Geel Piet n'avait jamais eu de mère ou, tout du moins, n'en avait aucun souvenir. Sa tantine, celle de l'asthme qui n'arrivait pas à monter les escaliers, l'avait recueilli avec ses neuf enfants. Quand elle était tombée malade et n'avait pu continuer à s'occuper de lui, il était allé dans un orphelinat. Et, à dix ans, il s'était retrouvé sur le pavé.

Doc était célibataire mais, à l'évidence, pas très libertin. Il parlait avec horreur des *Fraulein* à la poitrine opulente qui demandaient à le voir après les concerts ou venaient au conservatoire pour l'inviter à dîner ou à prendre le thé. Parfois, lorsqu'elles se montraient trop insistantes et qu'il ne pouvait plus refuser sans paraître grossier, il se rendait au rendez-vous pour découvrir que son hôtesse, au décolleté* très profond, était seule. Ces moments de terreur l'avaient poussé à fuir la compagnie des femmes, apparemment à tout jamais.

Geel Piet souligna aussitôt que son expérience en la matière ne convenait absolument pas en l'occurrence et n'avait aucun rapport avec ma situation délicate. Ils finirent par décider qu'il ne fallait rien de plus que les bouquets de roses du jardin de grand-père. Le reste se réglerait de soi-même.

Je ne savais au juste ce qu'était le reste en question. « Peut-être devrais-tu laisser les roses parler pour toi, Peekay », me conseilla Doc et Geel Piet ajouta qu'il avait entendu dire que ça marchait à tous les coups quand on envoyait des tas de roses à une dame. Je me demandai pendant un bon bout de temps ce qui marchait, jusqu'au jour où Bokkie de Beer me l'expliqua. Je ne pouvais m'imaginer faisant le truc qui marchait à tous les coups avec Miss Bornstein.

Mr. Isaac proposa de venir voir Doc à la prison en voiture ; Doc, qui n'acceptait même pas la visite de Mrs. Boxall, déclina son offre. Doc était un homme fier et il était bien décidé à rencontrer ses pairs sur un pied d'égalité. La prison le mettait en position d'infériorité, lui attirant la compassion d'autrui. L'idée lui était insupportable. Toutefois, la fin de la guerre approchant, il parlait souvent de se rendre chez *Herr* Isaac, le nom qu'il avait donné à Mr. Isaac, et des extraordinaires parties d'échecs qui les attendaient.

Mr. Isaac Bornstein était arrivé d'Allemagne en 1936. Fuyant l'holocauste, il était venu s'installer avec sa famille. Le père de Miss Bornstein s'était rendu en Afrique du Sud en 1918 quand il était jeune. Les Bornstein étaient les seuls Juifs de Barberton, Mr. Bornstein étant associé avec Mr. Andrews dans l'unique cabinet d'avocats de la ville. Miss Bornstein, qui était professeur à l'université de Johannesburg, était rentrée car sa mère se mourait d'un cancer.

J'appris tout cela par Mrs. Boxall qui, s'avéra-t-il, connaissait Miss Bornstein « depuis qu'elle était enfant » et qui ne fut absolument pas fâchée lorsqu'elle découvrit que j'étais amoureux d'elle. « Elle fera une excellente épouse et si elle est prête à attendre jusqu'à ce que tu deviennes champion du monde, vous ferez un joli couple. » Mrs. Boxall savait que rien, pas même mon mariage avec Miss Bornstein, ne pouvait contrecarrer mon ambition de devenir champion du monde des poids welter. Entretemps, je l'inondais de roses que mon grand-père choisissait pour moi tous les vendredis.

Curieusement, mon grand-père semblait beaucoup mieux informé sur les choses du cœur que Doc ou Geel Piet et il me fit subir un examen approfondi pour sonder la qualité de mon amour. Le sien, atteignant des sommets, l'avait poussé à créer un jardin entier de roses et même d'arbres importés d'Angleterre. Lorsque je lui annonçai que je n'avais pas l'intention de renoncer à mes projets pour Miss Bornstein, ponctuant son propos d'un grand numéro de bourrage de pipe et de regards dans le vide pardessus le toit rouillé, il déclara que mon amour valait sûrement une douzaine de roses à tige longue par semaine, mais pas un jardin entier. Je savais que mon amour pour Miss Bornstein était inégalable mais j'acceptai son verdict.

Depuis longtemps, le commandant s'était fait à l'idée que Hitler ne gagnerait pas la guerre et, à l'instar de la majorité des gardiens, il avait rejoint la section de Nelspruit de l'Oxwagon Guard, un groupe néo-nazi qui se consacrait à rétablir l'indépendance du peuple afrikaner. L'Oxwagon Guard était très comparable au Ku Klux Klan sauf qu'il accusait les Anglais, au même titre que les Juifs ou les Cafres, de corrompre la pureté du royaume des Afrikaners. Avec la guerre, ce groupe était devenu une puissante société secrète d'où sortiraient un jour les dirigeants occultes du pays et qui compterait pour beaucoup dans la création de la république. J'avais appris tout cela par le Morveux car son père en faisait partie. Le week-end, il allait dans un camp d'entraînement où les membres s'asseyaient autour d'un grand feu de bois et chantaient en complotant contre le gouvernement Smuts. Il me confia aussi que le commandant n'était qu'un *Veltkornet* alors que le lieutenant Borman dirigeait la section de Barberton. Dans la journée, le commandant pouvait lui faire tout ce qu'il voulait mais le soir, une fois sorti de la prison, c'était le gardien de Pretoria le patron. Sa femme n'avait absolument pas d'asthme. C'étaient « eux » qui l'avaient envoyé de Pretoria pour lancer l'Oxwagon Guard. Bokkie de Beer affirmait que c'était la pure vérité, qu'il l'aurait juré sur trois tonnes de bibles. Il avait entendu ses parents en parler dans la cuisine alors qu'ils le croyaient au lit.

Je comprenais leur haine à l'égard des Anglais et des Cafres. Après tout, les Anglais n'avaient toujours pas payé pour ces vingt-six mille femmes et enfants. Quant aux Cafres, les Boers les détestaient. Dingane, le roi des Zoulous, avait assassiné Piet Retief et tous ses hommes après avoir juré le contraire. Ils devaient donc payer pour ce crime. Mais les Juifs dans tout cela ? Je n'avais jamais eu vent d'une sale affaire entre les Juifs et les Boers ; chaque fois que je posais la question à quelqu'un, il n'avait pas l'air au courant non plus. Je n'en avais rencontré que deux dans ma vie, l'une dont j'étais amoureux, l'autre étant Harry Crown. J'avais même décidé que je serais juif quand je serais grand. A une époque, j'imaginai qu'un Juif errant m'avait peut-être déposé sur le seuil de la porte dans mon berceau et qu'après m'avoir recueilli, ma mère avait préféré ne pas me le dire. J'étais convaincu que cette histoire expliquait mon serpent sans chapeau autant que l'absence d'un père à la maison. Cependant, le jour où j'interrogeai ma mère, elle parut bouleversée à cette idée, ajoutant que le Seigneur n'était pas du tout content des Juifs. Qu'ils avaient été disséminés aux quatre coins de la planète parce qu'ils ne L'avaient pas reconnu lorsqu'Il s'était présenté et qu'ils L'avaient crucifié. Elle affirma d'un ton sans réplique qu'on ne m'avait pas trouvé sur le paillasson et que j'étais circoncis pour une simple question d'hygiène.

J'avais lu des choses à ce sujet dans la Bible. Quand le roi Hérode apprit la naissance de Jésus, il envoya ses soldats tuer tous les bébés circoncis. Le jour où je demandai au catéchisme la signification de ce mot, Mrs. Kostler fit la moue, répliquant que je n'avais pas à le savoir à mon âge.

« Mais c'est dans la Bible. Alors, ça ne peut pas être mal ? » protestai-je. Et, comme d'habitude, elle m'expédia voir le pasteur Mulvery qui fut de son avis : il n'était pas temps de m'éclairer sur la question. Ce fut Geel Piet qui finit par m'instruire, observant en même temps dans les douches que j'étais effectivement circoncis. Ma théorie sur ma judaïcité commença dès lors à se développer. Si ma mère n'avait pas été une chrétienne de la Résurrection, ce qui l'obligeait à dire la vérité, j'aurais sûrement eu des doutes sur ce malheureux prétexte d'hygiène. Peut-être avait-elle demandé une permission spéciale au Seigneur pour dire un mensonge afin de ne pas me faire de peine.

Le Morveux ne put m'expliquer pourquoi l'Oxwagon Guard haïssait les Juifs mais Bokkie de Beer affirma que c'était parce qu'ils avaient tué Jésus. Je me disais que les Boers avaient une mémoire d'éléphant et que, première nouvelle, ils étaient dans les parages du temps de Jésus. Ma mère m'apprit alors que le Seigneur permettait aussi à des fidèles d'autres confessions de ressusciter, sauf dans l'Eglise catholique qui était l'instrument du diable. Elle déclara que même dans l'Eglise réformée de Hollande il y avait des chrétiens de la Résurrection. Tout s'éclaira soudain. Les Boers étaient tout simplement d'accord avec les autres chrétiens pour condamner les Juifs, doublant leur haine pour les Anglais et les Cafres d'une autre directement sortie de la Bible. Ainsi, ils étaient sûrs d'avoir le Seigneur de leur côté. C'était bien vu mais moi, en tout cas, je n'allais pas tomber dans le piège. L'Oxwagon Guard représentait manifestement la prochaine menace maintenant qu'on avait réglé le compte d'Adolf Hitler ou quasiment. La TSF annonçait tous les jours la chute imminente de l'Allemagne.

Le commandant promit à Doc de le libérer le jour où la paix serait proclamée en Europe, que ses papiers soient en ordre ou pas. On était déjà au début de l'été ; Doc parlait de sortir à temps pour les lis martagons, ces délicates petites fleurs orangées guère plus grandes qu'une pièce de deux shillings, mouchetées de taches d'or pur, qui fleurissaient sur les collines et les montagnes après les feux de brousse. Doc fut déçu : les lis martagons sortirent puis se fanèrent et le jour de la victoire n'était toujours pas arrivé.

On avait déjà aménagé une nouvelle cachette pour les feuilles de tabac, le sucre, le sel et, naturellement, le précieux courrier. On les mettait dans un arrosoir, une boîte à pétrole de dix-huit litres destinée à l'origine au jardin de cactus. L'arrosoir maison avait été trafiqué par Geel Piet. On avait rajouté un double fond habilement ajusté au couvercle pour avoir l'air vrai. Rempli d'eau, il semblait tout à fait normal et marchait même, au cas où il aurait fallu faire mine d'arroser les plantes. On le laissait dans le jardin de Doc ; en me rendant au petit déjeuner, je passais par là et glissais le courrier ou ma livraison du jour dans le double fond. Il n'y avait rien de bizarre à ce que j'emprunte ce chemin pour aller à la cantine des gardiens car j'apportais souvent de nouvelles plantes pour le jardin. Les surveillants ne passaient quasiment jamais par là, empruntant généralement le couloir intérieur qui menait à la cantine. On employait cette méthode depuis quelques mois, l'idée étant d'imposer cette habitude avant le départ de Doc et par la même occasion de son tabouret de piano. Le commandant comprenait l'importance que revêtait le jardin de cactus aux yeux de Doc. Il avait décidé de le garder en souvenir de son séjour en ces murs et permit à Geel Piet de s'en occuper. Comme je devais continuer à m'entraîner avec l'équipe de boxe, le nouveau système était parfaitement conçu pour fonctionner sans Doc.

Rédiger les lettres s'avéra plus compliqué. Geel Piet avait du mal à écrire les choses les plus simples. Sans l'aide de Doc, les prisonniers seraient incapables de faire parvenir des messages à leurs familles et relations. On résolut ce problème le jour où on aborda le capitaine Smit, Geel Piet et moi, pour lui demander si je pourrais lui donner des leçons, pendant une demi-heure après l'entraînement, afin de perfectionner ses connaissances en matière de lecture et d'écriture. Au départ, le capitaine Smit était réticent puis il finit par donner son accord.

Un rapport étrange s'était noué entre le capitaine et le petit métis. Ils ne parlaient que de boxe ; parfois, le capitaine Smit dénigrait une suggestion de Geel Piet auprès d'un des boxeurs. Cependant, il était clair qu'il respectait son jugement ; il voulait seulement montrer à l'équipe qui était le patron. Au cours des mois qui suivirent ma victoire contre Kroon le Tueur, je continuai à affronter sur le ring des adversaires plus grands, plus forts et plus âgés que moi. Néanmoins, je ne perdis pas un seul match. Le capitaine Smit voyait en moi le reflet du talent d'entraîneur de Geel Piet, et l'admirait en secret.

Je le savais car Bokkie de Beer m'avait rapporté que le capitaine Smit avait dit à son père que je serais un jour champion d'Afrique du Sud « ...parce qu'il a été bien entraîné depuis le tout début ».

Sous prétexte d'apprendre à lire et à écrire, Geel Piet se plongeait dans un livre de classe tout en me dictant les lettres des détenus. Son aptitude à se rappeler noms et adresses était vraiment remarquable. Il prétendait que ça lui était facile, qu'il se rappelait le nom des chevaux et leur cote pour chacun des handicaps de Johannesburg depuis 1918.

Le nouveau système fut parfaitement au point avant le jour de la victoire en Europe et, même s'il n'était pas aussi sûr ni aussi pratique que le tabouret de piano, il marchait bien. Vieux routier, Geel Piet appliquait toujours des règles de prudence absolue ; il ne me laissait jamais commettre la moindre imprudence ni oublier les risques encourus. Les jours de pluie par exemple, je n'apportais rien à la prison car il aurait paru tout à la fois idiot et, aux yeux d'un gardien sur le qui-vive tel que Borman, bizarre, que je passe par l'extérieur pour me rendre à la cantine plutôt que par le couloir. On ne déposait pas non plus le courrier tous les jours ni à jours fixes. Geel Piet était assez malin pour savoir que les petits garçons ne sont pas routiniers ; suivant un itinéraire chaotique, il me faisait parfois passer par l'intérieur même quand il faisait beau. Le système était nettement moins pratique que l'ancien, mais heureusement que Doc avait eu l'ingéniosité de le mettre en place avant son départ.

Un matin, peu après sa nomination au poste de lieutenant, Borman traînait dans le corridor à l'heure de la leçon de piano. C'était tout simplement inadmissible. Le commandant avait donné ordre de ne pas nous déranger pendant notre séance du matin, deux génies au travail pour ainsi dire. Le lieutenant Borman s'approcha de nous, ses bottes résonnant sur le parquet. Je continuai à jouer jusqu'à ce que ses pas s'arrêtent lorsqu'il se planta juste derrière moi.

« Bonjour, lieutenant Borman, lança-t-on en chœur.

— 'jour », répliqua Borman de son ton supérieur et indifférent. Il avait une badine qui ressemblait à celle de Mevrou et en tapotait le pied du tabouret de piano. « Debout ! » m'ordonna-t-il. Je m'exécutai ; il s'agenouilla puis, écartant le pouce et l'index, mesura la largeur du siège. « C'est assez profond, hein, y'aurait pas quelque chose là-dedans ? » Se mettant à quatre patte, il plongea la tête dessous. « Y'aurait pas un double fond, des fois ? » Il cogna le fond qui émit un son creux. « Très in-té-res-sant, très malin aussi. » Doc se leva, glissa la clé dans la serrure et souleva le couvercle. Le lieutenant Borman voulut se redresser. A moitié debout, il vit que mon tabouret était rempli de partitions. Restant accroupi, il nous dévisagea durant un moment qui parut durer une éternité. « Vous trouvez ça drôle, hein ? Vous trouvez que c'est une bonne plaisanterie à faire à quelqu'un ?

— Non, mon lieutenant », répliqua Doc d'une voix étonnamment calme. « Je pense simplement que vous devriez vous informer avant de regarder. Il n'y a que *Klavier Meister* Chopin là-dedans. » Il ouvrit son tabouret. « Et là, il y a aussi *Herr* Beethoven, Brahms, Mozart, Wagner, Bach et peut-être quelques invités de passage tels que Haydn, Liszt et Tchaïkovski mais pas Strauss, sûrement pas. Comme vous, mon cher lieutenant, Strauss n'est pas le bienvenu à mes cours. »

Le lieutenant Borman se redressa de toute sa taille. C'était un grand type avec une bedaine qui commençait à dépasser de sa ceinture, il était habitué à regarder les gens de haut ; cependant, il lui manquait quinze centimètres face aux deux mètres de Doc alors qu'ils s'affrontaient du regard. Le lieutenant fut le premier à baisser les yeux devant le regard incroyablement franc de Doc. Il posa la badine sur le Steinway et remonta son pantalon. « Vous croyez que je sais pas qu'il se passe des choses, ici ? Vous me prenez pour un fichu imbécile ou quoi ? J'ai le temps, j'ai tout mon temps, c'est compris ? » Récupérant sa baguette, il frappa violemment sur le couvercle ouvert de mon tabouret qui se referma sous le coup. Le bruit de la badine sur le dessus en cuir se répercuta dans le couloir. Il se retourna lentement vers Doc, pointant sur lui son arme qui lui effleurait le sternum comme une rapière. « La prochaine fois que tu essaies de jouer les insolents, je t'aurai. Je te préviens, espèce de sale *kraut*, j'en ai soupé de vous deux ! » Sur ce, il sortit comme un ouragan, ses lourdes bottes militaires martelant le parquet du corridor vide.

« Ouf ! » Je soupirai en refermant le tabouret de Doc, puis m'affaissai sur le mien. Doc s'assit à son tour, s'empara du *Nocturne n° 5* de Chopin en *fa* majeur sur le pupitre du Steinway et s'en éventa. Il resta un moment silencieux, apparemment perdu dans ses pensées, puis murmura : « Bientôt, on retrouvera les collines et les montagnes. »

15

Après l'épisode du tabouret de piano, on fut à peu près tranquilles pendant un mois, car on attendait l'inspecteur des prisons et le lieutenant Borman avait pour tâche de veiller à ce que tout soit impeccable, blanchi de frais à la chaux jusque dans les moindres recoins. Au grand mécontentement de Doc, même les pierres qui entouraient son jardin de cactus furent passées à la chaux. Il acceptait volontiers que des bouteilles de whisky bordent ses allées mais peinturlurer de vrais cailloux lui semblait une atteinte à la nature. On déversa dans la cour intérieure du gravier ainsi que des camions entiers de pyrite et de mica finement écrasé pour former au centre un grand « B ». Le ton plus sombre et brillant du mélange faisait miroiter la lettre sur le gravier presque blanc. Naturellement, le « B » était symbole de Barberton. C'était l'idée du lieutenant et il passa des heures à surveiller les vieux prisonniers qui balayèrent et ratissèrent jusqu'à ce que ce soit parfait. Je dois bien reconnaître que l'effet était réussi. Gert annonça que le commandant était particulièrement content et que la cote de Borman était au plus haut. Les couloirs embaumaient la cire, les cellules le désinfectant Jeyes Fluid et les rebords de fenêtres étaient peints du bleu officiel. Partout, on sentait l'odeur de peinture fraîche. Cependant, on s'y était pris à temps pour que l'odeur ait disparu quand le général de brigade arriverait. On avait distribué des uniformes en toile neufs aux anciens détenus, à porter uniquement durant la visite. Ceci à cause de tous ces travaux de peinture et de nettoyage : leurs vieilles tenues étaient maculées de taches qui auraient vendu la mèche. Le commandant voulait que le général de brigade pense que tout était normal, qu'il aurait pu débarquer à n'importe quel moment et trouver les choses dans le même état. Après l'inspection, les prisonniers rendirent leurs uniformes neufs pour remettre leurs costumes rapiécés jusqu'à ce qu'ils tombent en morceaux.

Ainsi qu'à l'habitude, le capitaine Smit avait prévu un numéro de boxe et, pendant des semaines, le commandant passa la plupart de ses matinées, comme toujours avant chaque inspection, à s'entraîner au pistolet sur le champ de tir derrière la cantine des gardiens.

Le commandant s'inquiétait de voir approcher à grands pas le jour de la victoire. S'il arrivait avant la visite du général de brigade, la partie véritablement culturelle du programme risquait de disparaître avec la libération de Doc. Il avait tenté de lui arracher une promesse : au cas où cela se produirait, Doc reviendrait à la prison jouer pour l'inspecteur. Toutefois, Doc n'avait pas passé plus de quatre ans derrière les barreaux pour rien ; il avait appris les règles de la vie carcérale où tout se paie. Les *Goldfields News* avaient déjà fait paraître une photo du commandant illustrant un article signé de sa plume disant que Doc était en prison parce qu'il était allemand et que du jour où l'Allemagne se rendrait, il serait relâché. Le commandant ne pouvait revenir sur sa parole sans perdre la face. Et c'était hors de question. Les exigences de Doc pour rester plus longtemps si nécessaire déclenchèrent une tempête de protestations parmi les gardiens mais le commandant était prêt à payer n'importe quel prix pour que la visite se passe bien. Doc demandait à donner un concert pour l'ensemble des prisonniers.

Le dimanche, jour du Seigneur, les détenus ne sortaient pas travailler en équipe. Ils restaient enfermés dans leur cellule et, par groupes de cinquante, se rendaient sur le terrain d'exercices, un enclos ceint de hauts murs de briques et de ciment grand comme deux fois un court de tennis. On les conduisait tribu par tribu, chaque groupe ayant droit à une heure trente. Tout d'abord les Zoulous, suivis des Swazis, puis les Ndebele, les Sotho et enfin les Tsonga. Les Boers avaient compris depuis longtemps l'antagonisme entre les tribus et, en maintenant les frontières à l'intérieur de la prison, ils entretenaient les traditionnelles tensions. Ceci était destiné à réduire le risque d'une révolte massive ou d'une grève.

Doc m'avait raconté que tous les dimanches il se postait dans la tour de garde donnant sur le terrain pour les écouter. Chaque tribu consacrait la majeure partie du temps qui lui était imparti à chanter en chœur. Il n'avait pas tardé à découvrir quel était l'air préféré de chacune. Il en avait écrit la musique, puis composé un concerto pour piano qui représentait, en termes mélodiques, chacune des chansons. Doc affirmait qu'il n'avait jamais entendu plus belle harmonie. La plupart des chants étaient magnifiques et, même s'il ne comprenait pas les paroles, il en percevait le sens : le mal du pays, la nostalgie de leur famille, le réconfort de leurs feux et les beuglements du bétail dans la nuit. Il disait en soupirant que cette composition ne parviendrait jamais à rendre la beauté de leurs voix. Il l'avait baptisée : *Concerto du Grand Sud*. C'était cette œuvre qu'il espérait jouer pour tous les détenus, leur rendant ainsi hommage avant de quitter la prison.

L'idée était d'exécuter d'abord le concerto en entier, chaque mouvement reprenant un ou plusieurs chants d'une tribu précise. Puis, dans un second temps, le groupe concerné chanterait son air tandis que Doc l'accompagnerait sur son Steinway. Ainsi, chaque tribu représentée au sein de l'établissement participerait au concert.

Une fois que le commandant eut donné son accord, il restait beaucoup à faire. Naturellement, il était impossible de répéter ; cependant, par l'intermédiaire de Geel Piet, on informa chaque tribu de la mélodie choisie et du temps exact qui leur serait imparti. Le soir, Doc jouait les différents airs fortissimo, toutes fenêtres ouvertes pour que le son porte jusqu'aux quartiers cellulaires. Les gardiens prétendaient qu'on entendait les cafards gratter le sol quand les prisonniers tendaient l'oreille pour ne pas manquer une note.

Doc étant au piano, il me nomma chef d'orchestre. Je devais remplir mes fonctions le plus simplement possible, indiquant au chœur les pauses, les pianissimo ou les fortissimo. En quelques semaines, j'arrivai parfaitement à suivre les directives de Doc ; on travailla sur le concerto pendant les leçons du matin jusqu'à ce que je sache à quoi correspondait chacun de ses signes de tête. Geel Piet avait aussi transmis des instructions de base aux détenus pour qu'ils comprennent mes gestes. Si Doc m'avait proposé que j'assume ce rôle de chef d'orchestre devant un public composé de Blancs, je m'en serais senti incapable, mais la suprématie des Blancs en Afrique du Sud était telle que l'idée de diriger trois cent cinquante prisonniers noirs ne m'intimidait pas.

Geel Piet me fit part de l'émotion grandissante qui gagnait les détenus. Durant plusieurs semaines, les gardiens n'eurent aucun problème ; il leur suffisait de menacer un prisonnier de ne pas assister au concert pour qu'il obéisse sur-le-champ. Lorsque le bruit courut que l'Ange Têtard allait diriger les hommes dans l'indaba des chants, on pensa aussitôt que le spectacle avait une portée mystique et que j'avais choisi ce moment pour les rencontrer tous ensemble. Ils profitaient des heures de travail pour répéter ; les fermiers et les gens qui employaient des équipes aux scieries parlaient de musique du matin au soir. Même les épouvantables carrières retentissaient des mélodies tribales. On œuvrait à la création du *Concerto du Grand Sud*, un puzzle musical qui, le grand soir, verrait toutes les pièces se rassembler sous le sortilège de l'Ange Têtard.

Le lieutenant Borman avait tout fait pour empêcher le concert, alors que le capitaine Smit semblait penser que c'était une bonne idée, peut-être uniquement parce que le lieutenant Borman était contre. Les deux hommes ne s'appréciaient guère et on disait que le capitaine Smit, qui ne faisait pas partie de l'Oxwagon Guard, s'était violemment opposé à la nomination de Borman au poste de lieutenant.

Le spectacle devait se dérouler sur le terrain de manœuvres. On avait construit un praticable à l'atelier de menuiserie pour surélever le Steinway par rapport aux prisonniers. On suggéra que chaque tribu forme un demi-cercle autour de la scène, chaque groupe étant séparé de trois mètres. Deux gardiens munis de sjamboks seraient postés dans ce passage pour éviter les problèmes. Une équipe de renfort armée de munitions supplémentaires serait de garde dans les allées le long du mur et, durant le concert, des projecteurs seraient braqués sur le parterre.

La soirée était prévue pour le mercredi 7 mai 1945. Tous les surveillants étaient sur le pied de guerre. Les détenus ne circulaient jamais le soir. Des rumeurs parlaient de combats entre tribus et de vendettas disputées dans les ténèbres ou même d'une tentative d'évasion chez les Zoulous. A l'approche de la date fatidique, les gardiens, excités par le lieutenant Borman, étaient de plus en plus nerveux.

Le lieutenant Borman avait pris l'habitude de porter en bandoulière une ceinture Sam Browne avec un revolver glissé dans l'étui ouvert sur sa hanche et il disait à qui voulait l'entendre que des problèmes, d'insurmontables problèmes, se préparaient. « Donnez le petit doigt à un prisonnier noir et, en moins de deux, il vous aura bouffé le bras ! Je vous jure que c'est vrai ! » Il répétait cela si souvent que ça avait fini par devenir une plaisanterie ; dans son dos, certains des gardiens l'appelaient Borman le Petit Doigt. Il tenta même de faire annuler le concert au dernier moment, prétendant qu'il était contraire au règlement de rassembler plus de cinquante détenus au même endroit en même temps. Le capitaine Smit lui avait demandé de produire ces consignes noir sur blanc mais il n'avait pu les trouver, affirmant qu'il tenait cela de Pretoria.

Convaincre ma mère de me laisser veiller pour le concert ne fut pas aisé. Après avoir consulté le Seigneur et reçu un mot de Miss Bornstein lui assurant que mes études n'en souffriraient pas si je me couchais tard un soir de la semaine, elle me donna sa permission.

Doc me demanda comment je comptais m'habiller pour assumer mes fonctions de chef d'orchestre. Le choix était restreint : ma garde-robe se limitait à une chemise et un short kaki, plus des bottes noires avec des chaussettes grises. Geel Piet suggéra alors que je mette ma tenue de boxe avec les chaussures que les hommes avaient faites pour moi. Doc trouva cette idée formidable et je dois avouer qu'elle me plaisait bien. Doc estima qu'il valait mieux que je ne porte pas mes gants de boxe car ils risquaient de me gêner pour diriger le chœur. Geel Piet sembla déçu. Il revint un peu plus tard, proposant que je mette mes gants et que je les enlève au moment où le concert commencerait à proprement parler. Il semblait y tenir beaucoup, m'assurant que ce ne serait pas du tout crâner que de faire ça.

Ainsi, le soir du concert, tous les mythes que Geel Piet avait soigneusement entretenus parmi les prisonniers sur l'Ange Têtard se rencontreraient en moi sous les traits de leur chef, unissant toutes les tribus dans la grande indaba des chansons.

Dans toute autre société, Geel Piet aurait été un remarquable organisateur. Il savait comment monter la chaîne pour tisser un schéma complexe qui parlait à l'imagination des gens. L'Ange Têtard apparaîtrait aux hommes dans ses atours de superbe boxeur pour les diriger dans leurs chants traditionnels, franchissant les barrières des races et des tribus. N'avait-il pas déjà déplacé des montagnes ? N'était-il pas l'esprit du grand chef qui avait créé le lien entre les Zoulous et les Swazis, les Ndebele, les Tsonga et les Sotho pour qu'ils s'assoient sur la même natte dans une magnifique indaba de chansons ? Celui qui s'occupait du courrier, des lettres partant vers les familles pour revenir avec des nouvelles des proches, celui qui permettait aux enfants d'avoir chaud en hiver et aux femmes d'avoir de quoi habiller et nourrir des petits affamés ? N'apportait-il pas tabac, sucre et sel derrière les barreaux, faisant disparaître la marchandise quand elle arrivait et la faisant ressurgir quand il n'y avait plus de risque ? Sinon, comment aurait-il pu réussir cela pendant quatre ans sans se faire prendre par les Boers ?

Tout comme la Souscription du comte de Sandwich qui était due à Mrs. Boxall, les prisonniers considéraient le merveilleux *Concerto du Grand Sud* de Doc comme étant mon œuvre. Geel Piet, d'une intelligence sans faille dans ses initiatives, avait estimé qu'il valait mieux présenter les choses ainsi.

Le grand soir arriva. A la seconde où je franchis la grille, je sentis qu'il y avait quelque chose de changé. Il n'y avait pas de désespoir dans l'air. Les tristes bavardages qui résonnaient dans ma tête dès que je pénétrais dans l'enceinte de la prison s'étaient tus. Les hommes avaient des pensées sereines. Je perçus une certaine émotion. Ce soir s'annonçait spécial.

La pleine lune s'était levée juste au-dessus de la ligne sombre des collines qui se dessinait derrière les murs de la prison et le terrain de manœuvres baignait sous le clair de lune. Le Steinway de Doc se découpait sur l'estrade, déjà ouvert. Un voile de silence enveloppait la scène comme dans un tableau de Dali. Je restai là un moment car, même si je comprenais mal la loi des probabilités humaines à mon jeune âge, ce concert semblait un événement exceptionnel.

Tandis que je contemplais le piano au clair de lune, les projecteurs, étincelant aussi brusquement qu'un coup de feu, s'allumèrent. Lorsque mes yeux s'habituèrent à la lumière éblouissante, je vis que des lignes blanchies à la chaux par terre, formant un demi-cercle autour du plateau, marquaient la zone réservée à chaque tribu. Une douzaine de gardiens armés de sjamboks sortirent du bâtiment central et se dirigèrent vers l'estrade, leurs bottes crissant sur l'allée en gravier.

Je traversai le terrain de manœuvres, entrai par une petite porte et me rendis dans la salle où Doc m'attendait. Assis devant le piano droit, il tapotait les touches d'un air absent. Il leva les yeux vers moi. « Geel Piet est en retard. Il devrait déjà être là », annonça-t-il d'une voix grincheuse. Doc faisait complètement confiance à Geel Piet, le considérant comme un élément essentiel de cette organisation. S'il n'avait pas travaillé avec les prisonniers, le spectacle qui risquait d'aboutir à une catastrophe sans répétitions n'aurait eu aucune chance de succès.

« Il va sûrement arriver d'un moment à l'autre, répliquai-je pour le dérider. Je vais aller chercher mes gants pour ne pas perdre de temps. » Je quittai aussitôt la pièce et m'engageai dans le couloir qui menait au gymnase. Un vieux détenu venait à ma rencontre avec une cafetière de dix litres, suivi d'un autre chargé d'un plateau avec des tasses et une boîte de sucre brun. Ils apportaient le café aux gardiens en poste sur le terrain de manœuvres. « Vous avez vu Geel Piet ? » demandai-je à l'un d'eux. Je posai la question en shangaan car je savais à la cicatrice sur ses joues qu'il était de la tribu des Tsonga. « Non, baas, on ne l'a pas vu », répondit-il humblement. Comme je m'éloignais, je l'entendis dire au prisonnier qui l'accompagnait : « Tu as vu, l'Ange Têtard parle les langues de toutes les tribus. C'est vraiment le chef élu des hommes, hein ? »

En arrivant au gymnase, j'allumai les lumières de la salle et des douches. Les projecteurs surplombant le ring se trouvaient sur le mur opposé, le laissant dans la pénombre, mais il faisait assez clair pour que je fouille dans la boîte où étaient rangés les gants de boxe. Je choisis l'une de mes deux paires préférées. Je me rendis dans les douches où je me déshabillai pour enfiler mon maillot, ma culotte, mes chaussettes et mes chaussures. Puis, faisant un nœud lâche, j'attachai les gants que je me mis autour du cou pour que Doc me les lace.

A mon retour, je découvris Doc toujours seul, visiblement préoccupé tandis qu'il m'enfilait mes gants d'un air distrait. « On ne peut plus attendre, il faut y aller. Je dirai à Geel Piet que je suis très contrarié de ce contretemps. »

La porte que j'avais empruntée pour entrer ne s'ouvrait pas de l'intérieur. En quittant la salle, on suivit donc le long couloir du bâtiment administratif qui donnait sur le terrain de manœuvres. On passa par le petit vestibule où, quatre ans plus tôt, j'avais pénétré en ces lieux pour la première fois. La lumière était éteinte dans la pièce qui était à l'époque le bureau du lieutenant Smit, territoire de Borman désormais. Je laissai Doc me devancer, m'approchai de la vitre et scrutai la pénombre. J'aperçus la place de Klipkop et, à côté, la table plus imposante du lieutenant Borman. Parcourant la pièce des yeux, mon regard se posa sur le filet de lumière qui filtrait sous la porte de la salle d'interrogatoire donnant sur le bureau. La porte devait être entrouverte car j'entendis le bruit sourd d'un coup, suivi d'un gémissement aigu, le genre de gémissement qu'on pousse quand on reçoit un bon coup au plexus solaire. Ça n'avait rien d'exceptionnel ; cependant, cela semblait mal venu par ce soir de pleine lune où allait se dérouler le *Concerto du Grand Sud*.

Quand on arriva, les prisonniers étaient déjà installés dans leurs zones désignées. Les gardiens arpentaient les couloirs entre chaque groupe, claquant leur sjambok sur leurs mollets et prenant un air affairé. Les détenus évitaient de les regarder, ignorant presque leur présence. Il était interdit de parler ; pourtant, en passant, je vis les hommes sourire et un murmure parcourut le public lorsqu'on monta sur scène.

Nous suivant de près, le commandant nous rejoignit sur le plateau pour haranguer l'assistance. Le lieutenant Borman devait rapporter ses propos en fanagalo mais il n'était pas là. Apparemment contrarié, le commandant consulta sa montre pendant quelques minutes, puis commença son allocution en afrikaans.

« Ecoutez-moi bien », lança-t-il. Je traduisis aussitôt en zoulou. Il parut surpris. « Tu peux traduire, Peekay ? » J'acquiesçai. « Bon, alors je m'arrêterai après chaque phrase pour te laisser le temps. »

Le commandant était gêné de s'adresser aux prisonniers, il parlait d'un ton trop fort et trop dur. « Ce concert est un cadeau que vous offre le professeur qui n'est pas un immonde criminel comme vous tous ! Je ne sais pas pourquoi une personne si importante souhaite donner un récital pour des Cafres, pas seulement des Cafres mais aussi des assassins. Cependant, c'est là son vœu et voilà son présent car je suis un homme de parole. Je tiens à vous préciser que cela ne reproduira pas et je ne veux pas d'histoires, c'est compris ? Vous écoutez la musique, vous chantez et ensuite on vous reconduira dans vos cellules. » Il se tourna vers moi, grognant d'un air nerveux. « Voilà. Répète-leur ce que j'ai dit. »

J'annonçai que le commandant leur souhaitait la bienvenue ainsi que le professeur qui les remerciait d'être venus assister à cette grande indaba de chansons. Il espérait que chaque tribu chanterait mieux que la précédente pour que tous soient fiers. Ils devaient suivre mes gestes. Sur ce, j'enlevai mes gants de boxe pour leur faire une démonstration. Quand j'eus fini, la marée humaine qui me regardait avait un sourire jusqu'aux oreilles, puis ils se mirent à applaudir. « C'est bien, Peekay », me félicita le commandant, content de cette réaction spontanée à son discours.

Doc joua le *Concerto du Grand Sud* en entier, les détenus l'écoutèrent en silence, approuvant d'un signe lorsqu'ils reconnaissaient la mélodie de leur propre tribu. A la fin, ils applaudirent à tout rompre.

Puis je me levai et leur montrai comment j'allais amener chaque groupe à participer au concert et terminer en un decrescendo ou mettre fin à un chant ou un passage en baissant les mains pour l'arrêter net. Je leur demandai de lever la main s'ils avaient compris : un océan de mains se leva.

Doc joua le prélude qui était un pot-pourri de tous les airs, puis j'introduisis les Sotho. Leurs voix se fondirent dans les ténèbres, la nuit de ce début d'été semblant vibrer en une grave harmonie, avant de commencer leur chanson. Je n'avais jamais entendu des hommes entonner un aussi beau chant. Ils paraissaient comprendre instinctivement leur rôle, suivant chacun de mes gestes qu'ils anticipaient quasiment. Succédèrent les Ndebele en une mélodie plus stridente de leurs voix profondes et sincères, reprenant derrière le soprano, enchaînant aussitôt ou chevauchant parfois le soliste pour le renforcer d'une superbe harmonie avant de le laisser échapper pour poursuivre. Suivirent les Swazis, aussi extraordinaires que les autres, puis les Shangaans. Chaque chant semblait différent, s'appuyant apparemment sur le précédent, chacune des interventions étant séparée par un refrain commun au rythme africain obsédant qui semblait un mélange de l'ensemble. Les Zoulous terminèrent le concert avec force et majesté tandis qu'ils entonnaient l'hymne de la victoire du grand Shaka, tapant par terre du plat de la main comme les puissants impi zoulous autrefois avec leurs pieds, jusqu'à faire quasiment trembler le terrain de manœuvres. Les autres tribus ne tardèrent pas à reprendre le tempo, les imitant pour souligner l'effet. Le concerto dura une demi-heure, se terminant par le refrain désormais familier que tous les groupes fredonnèrent en un finale flamboyant. Jamais œuvre n'avait pris naissance plus étrangement ni avec un tel éclat. Par la suite, des orchestres philharmoniques et symphoniques jouèrent cette composition de par le monde, accompagnés par des chœurs comptant parmi les plus célèbres. Pourtant, jamais cette œuvre ne serait aussi belle que sous le clair de lune africain dans la cour de la prison où trois cent cinquante prisonniers noirs se perdirent dans la fierté et l'amour de leur terre natale.

Doc se leva et se tourna vers la marée de visages noirs. Il pleurait sans vergogne, cherchant fébrilement son mouchoir, et nombre d'Africains pleuraient avec lui. Puis, à brûle-pourpoint, surgit un rugissement du public impossible à refréner. Doc me confia plus tard que ce moment fut le plus beau de sa vie. Pourtant, ils clamaient : « *Onoshobishobi Ingelosi ! Onoshobishobi Ingelosi !* »

L'Ange Têtard ! l'Ange Têtard ! scandant ces deux mots à l'infini.

Le commandant parut inquiet, quelques gardiens claquèrent leur sjambok par terre. *Onoshobishobi Ingelosi ! Onoshobishobi Ingelosi !* Doc avait quitté sa place pour saluer, je bondis sur son siège et agitai les mains pour leur faire signe de se taire. Presque aussitôt le silence se fit. Doc eut l'air surpris, ne comprenant pas très bien ce qui se passait. Je lançai : « Le grand magicien de la musique et moi-même vous remercions de votre participation. Tous, vous avez fait honneur à vos tribus ce soir et vous nous avez aussi fait honneur. » Je n'aurais pas eu la maturité de prononcer ce type de discours en anglais mais la langue africaine est raffinée et, par sa nature même, s'harmonise bien avec ce genre de mots. « Maintenant, il faut vous retirer tranquillement au nom de vos femmes et de vos enfants car les Boers commencent à s'énerver. » Ma voix n'était qu'un léger murmure dans la nuit.

Brusquement, une pluie d'étoiles jaillit par-dessus les toits, suivie d'une seconde, d'une troisième, des étoiles rouges et vertes qui éclataient très haut dans le firmament, des cascades qui dansaient dans les cieux. Intimidés, les prisonniers levèrent les yeux, certains se cachant même la tête pour se protéger du sort. Un gardien s'approcha précipitamment du commandant, lui chuchota quelques mots à l'oreille. Celui-ci se tourna vers Doc et tendit la main : « Professeur, vous êtes libre. La guerre est finie en Europe. Les Allemands ont capitulé. » Il pointa le doigt vers la ville. « Vous voyez les feux d'artifice, ces fichus rooineks fêtent déjà la victoire. » Une dernière cascade d'étoiles embrasa le ciel dans la nuit et les Noirs, effrayés, poussèrent des cris. Ils n'avaient jamais rien vu de tel.

N'était-ce pas l'ultime preuve ? Même les cieux témoignaient en faveur de l'Ange Têtard, témoignaient aux yeux de tous. Il ne manquait rien au mythe de l'Ange Têtard. Désormais, il ne pouvait que grandir et se façonner à l'image des légendes. Je n'y changerais plus rien. J'avais franchi la frontière vers des terres où seuls les plus éminents des sorciers ont pénétré, peut-être étais-je allé plus loin encore, car même les plus grands n'étaient pas connus de toutes les tribus ni honorés par tous les hommes. J'étais devenu un mythe.

Suivant les ordres, chaque groupe se leva, s'éloignant au pas en silence jusqu'à ce que le terrain se vide. Il ne restait plus que les gardiens en faction et le commandant.

« *Magtig !* Je n'ai jamais vu une chose pareille ! » s'exclama le commandant en secouant la tête. Il s'adressa à Doc : « Votre concert était très beau, le plus beau de ma vie, et jamais plus on n'entendra des chants pareils. Peekay, un jour, tu feras un remarquable commandant. Je n'ai jamais vu quelqu'un avoir une telle autorité sur des Noirs. On croirait que tu es une espèce de sorcier, hein ? »

Soudain, une voix troua la nuit, une voix qui semblait venir du gymnase : « *Onoshobishobi Ingelosi !* » Je ne l'entendis qu'une fois, puis les tristes échos se mirent à résonner dans ma tête : les ennuis recommençaient.

Bouleversé à l'annonce de la reddition de l'Allemagne et tout à l'émotion du concert, Doc resta un long moment assis sur le tabouret de piano, le nez dans son mouchoir. Le commandant nous souhaita bonne nuit, les projecteurs s'étaient éteints, si bien que la lune, très haut dans le ciel, avait repris possession de la nuit. Je songeai alors à Geel Piet. Je me tournai vers Doc qui leva les yeux vers moi à cet instant : on pensait à la même chose.

« Geel Piet n'est pas venu. C'est bizarre. Ce n'est pas de lui d'avoir manqué le concert », remarqua Doc. Il se sentait coupable de ne pas s'être souvenu de lui plus tôt.

Des pas crissèrent sur le gravier, Gert sortit des ténèbres. « Le capitaine Smit dit qu'il est tard et qu'il y a école demain. Il faut que je te raccompagne, Peekay. »

Je fus surpris car je m'attendais à rentrer à pied comme d'habitude. « Je vais aller me changer et ranger les gants », répliquai-je. Sur ce, j'abandonnai Doc sur son siège, plongé dans la contemplation de ses mains.

« Le concert était merveilleux, professeur », balbutia Gert dans son anglais hésitant comme je m'élançais dans le noir pour regagner le gymnase. J'entrai par la petite porte puis allumai la lumière, passai devant le cheval de bois et les *medicine balls*, balançant au passage un direct du gauche suivi d'un crochet du droit dans le sac. La grosse caisse dans laquelle on mettait les gants se trouvait juste à côté du ring. Après le concert, j'avais attaché les lacets et jeté les gants autour de mon cou comme en début de soirée. J'avais plus l'impression d'avoir l'air d'un boxeur ainsi. Je retirai les gants et, du milieu de la salle, les lançai dans la boîte. C'était presque réussi : l'un avait atterri au bon endroit tandis que l'autre pendait au bord. Je m'approchai pour le glisser dedans quand soudain je sentis, avec une certitude qui ne se démentait jamais, qu'il s'était passé quelque chose de très grave. Je me ruai vers le mur d'en face et allumai les projecteurs du ring. Durant un quart de seconde, le flot de lumière m'aveugla ; puis je découvris le corps au milieu du ring.

Geel Piet gisait face contre terre, comme s'il était tombé, les bras en croix. Sa tête baignait dans une mare de sang qui avait coulé de son nez et de sa bouche. Sans réfléchir, je bondis sur le ring en hurlant ; pourtant, je n'entendis aucun son sortir de moi. Je m'agenouillai à ses côtés et commençai à le secouer, puis je me levai, le pris par un bras et tentai de le redresser. Je me mis à beugler : « Lève-toi, je t'en supplie, lève-toi ! Si tu te lèves, tu reviendras à la vie ! » Cependant, le corps du petit métis s'affala et sa tête rebondit dans la mare de sang qui jaillit autour de son visage en une gerbe de couleur. En moi, les oiseaux de solitude caquetaient : « Il est mort... il est mort ! Il est mort à tout jamais ! » Je continuai à le tirer, m'efforçant de le faire revenir à la vie. « Geel Piet, je t'en prie ! Lève-toi, si tu te lèves, tu reviendras à la vie ! C'est vrai ! Je te jure que c'est vrai ! Je t'en prie ! »

Tandis que je le traînais, une trace de sang se dessina sur le ring. Je m'aperçus alors que dans l'autre main il tenait le cliché où on était tous réunis : le capitaine Smit, Doc, Gert, lui et moi. Le coin de la photo masquant la tête du capitaine Smit était maculé de sang. Je l'abandonnai, m'effondrai sur lui et sanglotai sans pouvoir m'arrêter. Puis je sentis que le capitaine Smit m'arrachait au corps de Geel Piet, me serrant dans ses bras comme un bébé, me berçant alors que je sanglotais contre lui. « Chut, ne pleure pas, champion, ne pleure pas », murmura-t-il en me berçant inlassablement. « Chut. Je te vengerai, je te le promets. Ne pleure pas, champion, ne pleure pas, petit frère. »

Les festivités en l'honneur de l'inspecteur des prisons avaient lieu le samedi suivant. Doc voulut se retirer ; la mort de Geel Piet l'avait bouleversé et il redoutait de retourner à la prison, ne serait-ce que pour le concert. Le commandant ne voyait pas du tout les choses de cet œil ; Geel Piet n'était qu'un Cafre parmi tant d'autres. « Pas question ! Une parole est une parole ! Je vous ai donné votre concert pour les Cafres, je veux mon concert pour le général de brigade ! Je suis correct et je respecte ma parole. Je vous ai laissé partir le jour où l'Allemagne a capitulé. Une parole, c'est une parole. »

Le retour de Doc chez lui avait été émouvant. Dee et Dum avaient frotté et briqué partout ; son cottage n'avait jamais été aussi propre. Gert déposa Doc au pied de la colline car la route menant à la maison s'était détériorée durant ses quatre ans d'absence. Il valait mieux ne pas essayer d'arriver au sommet. Gert signala à ses supérieurs qu'il serait impossible de ramener le Steinway vu l'état de la voie ; dès le lendemain, Klipkop envoya une équipe réparer la chaussée. Ils travaillèrent d'arrache-pied pour qu'on puisse transporter le piano après le concert.

En rentrant, Doc avait dit que son premier travail serait d'agrandir le jardin de cactus. Gert en fit part au capitaine Smit qui donna ses ordres au chef d'équipe : aussitôt la chaussée réparée, les prisonniers devaient construire les nouvelles terrasses que voulait Doc.

Mrs. Boxall avait passé commande chez H.C. Duncan, la plus grosse épicerie de la ville. Elle s'était assurée que le service de dératisation était venu au cottage pour vérifier la cuvette des toilettes extérieures au cas où des serpents ou d'autres bêtes auraient élu domicile en ces lieux depuis quatre ans. L'employé avait jeté dans le trou un seau de chlore et, durant une semaine, il fallut se boucher le nez en entrant à cause des émanations. Lorsque Dee et Dum déballèrent la livraison de chez H.C. Duncan, elles s'aperçurent que Mrs. Boxall avait glissé dedans un paquet qui renfermait l'un de ces rouleaux de papier toilette d'une douceur extraordinaire. Dieu sait où elle l'avait déniché car on ne trouvait que la qualité la plus rêche depuis la guerre. Dee et Dum le frottèrent contre leurs joues, s'exclamant devant cette douceur, s'émerveillant qu'on utilise un papier pareil dans un but aussi stupide. Je dois avouer qu'il y avait du vrai là-dedans ; Doc aurait été d'accord avec elles car il n'employait que les feuilles des *Goldfields News*.

Mrs. Boxall me remit aussi une bouteille de Johnny Walker pour Doc. Elle ajouta que Mrs. Goodhead, qui tenait le magasin de spiritueux de Barberton, s'était montrée d'une extrême gentillesse et lui avait permis de l'acheter. Après mon accident à la mâchoire et toutes les réflexions que j'avais entendues sur le démon de la boisson à la Mission de la Foi apostolique, je me demandais si Mrs. Boxall avait raison d'agir ainsi. J'apportai le whisky au cottage, convaincu que le Seigneur risquait, d'un moment à l'autre, de déchaîner la foudre dans le ciel bleu pour m'arracher la bouteille des mains et peut-être même m'emporter avec elle. Si Dieu pouvait ouvrir la mer Rouge en deux, frapper par la foudre tombant des cieux une bouteille de Johnny Walker semblait parfaitement à sa mesure.

Durant les semaines précédant la libération de Doc, Mrs. Boxall avait envoyé au cottage le coursier de la bibliothèque, le panier de sa bicyclette bourré de livres appartenant à Doc. Elle disait de ces ouvrages qu'ils n'étaient pas vraiment la propriété de la ville, qu'ils étaient simplement « empruntés pour une durée déterminée ». Quand Doc rentra chez lui au lendemain du concert donné en l'honneur des Cafres, il trouva sa maison exactement telle qu'il l'avait laissée quatre ans plus tôt. Il ne manquait que le Steinway. Il me confia quelque temps plus tard qu'il s'asseyait sur la véranda et pleurait à chaudes larmes en pensant à ses amis qui avaient tous été si merveilleux avec lui.

En son premier jour de liberté, je le trouvai dans son jardin de cactus en sortant de l'école. Il coupait un tronc mort dans une allée de « demi-hommes* ». Pachypodium namaquanum de leur vrai nom, ils mesurent environ deux mètres de haut et ressemblent à de grosses trompes d'éléphants hérissées jaillissant du sol.

Je préparai du café, on resta ensuite sur la véranda. On n'avait évoqué Geel Piet ni l'un ni l'autre, on ne souhaitait pas partager notre chagrin. Au bout d'un moment, Doc aborda le sujet en disant : « Plus de lettres pour les hommes. Plus rien. » Puis on parla du jardin ; Doc montra du doigt une haie d'aloès de rocher qui protégeait autrefois du vent mais qui commençait à gagner dangereusement du terrain. « On est envahi par l'Aloe Arborescens. Je vais bientôt m'y attaquer. Ja, dans une semaine. » L'idée de faire à nouveau des projets, d'être libre d'organiser à sa guise les jours et les semaines à venir le comblait de bonheur.

Il se leva pour remplir sa tasse et gémit. Inquiet, je levai les yeux ; il tenta de masquer la douleur derrière un sourire. « Ja, je suis un domkop, Peekay. Ce matin, je suis monté jusqu'à notre rocher et ça m'a suffi pour me donner des courbatures. Quatre ans se sont écoulés, mes muscles sont mous et mes poumons se fatiguent vite. Il faudra peut-être un mois, peut-être plus avant qu'on ne puisse retourner dans les collines. » D'un pas raide, il se dirigea vers la cuisine où j'avais laissé la cafetière et, pour la première fois, je m'aperçus que Doc était devenu un vieil homme.

Il passa la majeure partie du jeudi et le vendredi entier dans le jardin de cactus, content d'être seul. Il envisageait d'aller voir Mrs. Boxall à la bibliothèque le samedi matin, dernier jour de classe avant les vacances de juin et jour du concert donné par le commandant. Il m'avait chargé de lui demander si cela ne la

* Les Hottentots croyaient qu'il s'agissait d'anciens humains transformés en arbres *(NdT)*.

dérangerait pas. Mrs. Boxall fut dans tous ses états lorsque je lui annonçai la visite de Doc. J'en avais aussi avisé mon grand-père ; le samedi matin de bonne heure, il coupa deux douzaines de roses rouges et roses à tige longue pour que Doc les donne à Mrs. Boxall. « Il ne peut pas lui offrir un bouquet de fleurs de cactus, franchement ? » déclara-t-il d'un ton un peu suffisant. Mon grand-père était un amateur de roses ; à ses yeux, un jardin de cactus ne recelait pas l'ombre d'une vertu.

On se présenta à la bibliothèque juste au moment où l'horloge du palais de justice sonnait neuf heures. Elle était fermée et le garçon de courses était assis sur les marches. « La *missus*, elle arrive bientôt », annonça-t-il. Doc se mit à arpenter l'allée, s'arrêtant de temps à autre pour glisser le doigt dans son col dur et s'éclaircir la gorge. Puis j'aperçus Charlie, la petite Austin bleu marine de Mrs. Boxall, qui se dirigeait vers nous. Elle faisait un raffut du diable, elle devait être déglinguée ; mais Doc ne l'avait pas entendue, apparemment. « La voilà ! » braillai-je, et je lui jetai le bouquet de roses. Il sursauta, attrapant les fleurs des deux mains. Charlie s'arrêta en faisant une embardée, le moteur s'éteignit dans un bruit sourd. Mrs. Boxall passa la tête par la vitre pour s'adresser à moi.

« Viens, Peekay, donne un coup de main à une dame, sois gentil », lança-t-elle gaiement. Inquiet du sort de Doc, je ne réagis pas sur-le-champ. « Allez, Peekay, ouvre la portière. Tu n'es pas un Boer, tu sais. » Je me précipitai vers l'Austin. « Maintenant que la guerre est finie, on peut redevenir galant », ajouta Mrs. Boxall en descendant de voiture. Je compris qu'elle était contente de pouvoir me gronder, évitant ainsi les premiers instants de retrouvailles avec Doc. Elle leva les yeux vers lui, lui fit son plus beau sourire. Doc lui offrit les roses. « Voilà l'homme le plus galant qui soit », déclara-t-elle, plongeant le nez dans les fleurs roses et rouges en inspirant profondément. « Il n'y a rien de plus joli que des roses, vous ne trouvez pas ? » Elle les mit au creux de son bras telle la reine d'Angleterre et tendit la main à Doc. « Les roses disent tant de choses sans avoir à prononcer un mot. » Doc claqua aussitôt les talons ; ce faisant, il faillit tomber à la renverse, puis il s'inclina avec raideur et, lui prenant la main, la porta à ses lèvres et la baisa délicatement.

« Madame Boxall, dit-il.

— Oh, que vous m'avez manqué, professeur. C'est si merveilleux de vous retrouver. » Je crus qu'elle allait pleurer mais elle enfouit son visage dans les roses, puis se redressa, éclatante. « Nous allons nous offrir une tasse de thé, Peekay et moi. Et pour vous, professeur, j'ai du café du Kenya fraîchement moulu. Peekay, prends mon panier dans Charlie. » Elle rendit les fleurs à Doc et chercha les clés de la bibliothèque dans son sac. « J'ai préparé un superbe quatre-quarts, le moule est à côté du panier. Peekay, ne l'oublie pas surtout. »

Une fois entrés, on se retrouva comme au bon vieux temps. Les quatre ans et quelque s'effacèrent, Doc et Mrs. Boxall étaient comme autrefois. Doc parla avec consternation de retourner à la prison ce soir-là pour remplir ses obligations et jouer pour le général de brigade ; Mrs. Boxall se proposa de nous accompagner. A ma stupéfaction, il lui demanda alors si elle aimerait assister au concert. Elle parut enchantée de cette perspective. On appela le capitaine Smit qui affirma que Mrs. Boxall était plus que la bienvenue, que les amis de Doc étaient ses amis.

Pour la première fois, on évoqua ensuite Geel Piet. Mrs. Boxall ne l'avait jamais connu ; pourtant, il existait presque autant pour elle que pour nous. Doc regretta que la Souscription Sandwich fût bel et bien close. Curieusement, Mrs. Boxall ne l'entendait pas de cette oreille. « Ce n'est qu'un contretemps provisoire, on ne peut pas laisser Geel Piet penser qu'on est une bande de lavettes. J'ai une idée. » Elle nous regarda avec insistance. « Je n'ai pas encore l'intention de la révéler, pas même à vous. Toutefois, je peux vous dire ceci. J'ai proposé d'aller à Pretoria ; aujourd'hui cependant, il semble que Pretoria soit venue à nous. Bigre ! » Elle avait pris son air dur, on ne l'interrogea pas davantage. « L'idée est de moi. Si jamais ça ne marche pas, je passerai pour une véritable imbécile. Mais pas avant ! » déclara-t-elle.

La nuit de la mort de Geel Piet, le capitaine Smit m'avait entraîné, hoquetant et sanglotant, jusqu'à la Plymouth bleue où m'attendait Gert pour me raccompagner. Il m'avait dit qu'il fallait que j'arrête l'entraînement quelque temps et que je ne devais pas revenir à la prison avant le numéro de boxe prévu pour le général de brigade le samedi. C'était une agréable coupure mais, en tant que futur champion du monde des poids welter, j'étais inquiet de manquer l'entraînement. Je n'avais pas encore réalisé que j'allais retrouver une équipe sans Geel Piet et qu'à partir de maintenant, je ne serais plus que le benjamin, aux bons soins d'un capitaine Smit attentif mais préoccupé.

Le samedi soir, Mrs. Boxall passa nous prendre au pied de la colline. La route était flambant neuve, on jugea malgré tout que, dans son état, Charlie ne pouvait pas gravir la côte. On arriva à la prison peu avant sept heures, on se rendit aussitôt dans la grande salle. Le récital de Doc devait inaugurer la soirée ; c'était l'élément culturel, on avait estimé qu'il valait mieux en finir tant que tout le monde se tenait bien dans l'assistance. Ensuite, le public irait au gymnase pour le numéro de boxe, puis reviendrait dans la salle pour les danses *tickie-draai* et les *braaivlies*. L'air était enfumé à cause des feux pour les *braaivlies* qu'on avait allumés sur le terrain de manœuvres juste devant la salle. Quelqu'un jouait déjà de l'accordéon dans le noir, son torse se balançant au rythme de la musique se profilait sous les lueurs d'un des brasiers.

On trouva trois places au premier rang pour que Doc puisse gagner la scène facilement. Je n'avais pas vu Gert depuis qu'il m'avait raccompagné quatre jours plus tôt et il se fit un point d'honneur de venir me saluer. Je m'excusai, on se mit dans un coin pour bavarder. De nouveau, Gert me dit combien il regrettait ce qui s'était passé. Sans Geel Piet, ce n'était pas la même chose au gymnase.

« Je ne comprends vraiment pas, ce n'était qu'un Cafre. Pourtant, il me manque beaucoup », me confia-t-il. Il affirma aussi que l'inspection du général de brigade avait été un succès sans précédent et que, jusqu'en toute fin d'après-midi, le lieutenant Borman avait gardé sa cote auprès du commandant.

« Que s'est-il passé cet après-midi ? m'enquis-je, ravi à l'idée que le lieutenant Borman risquait d'être tombé en disgrâce.

— Le général de brigade s'est levé et nous a déclaré qu'il n'avait jamais vu une prison aussi bien tenue. Mais que d'autre part, Pretoria avait entendu parler du concert donné pour les Cafres. » Il s'arrêta un instant et écarquilla les yeux. « On sait qui leur en a parlé, ça, je te le garantis. Et on croyait qu'on allait avoir de sérieux ennuis. » Il secoua énergiquement la tête. « Eh bien, pas du tout. » Le général de brigade a affirmé que c'était un modèle de véritable réforme pénitentiaire, que Barberton montrait l'exemple et que le commandant méritait des félicitations. Non seulement l'établissement était d'une propreté immaculée et la discipline irréprochable, mais en plus on appliquait des réformes qui devaient servir d'exemple à tout le pays. Si tu avais vu la tête de Borman le Petit Doigt, il était furieux. J'ai failli en faire pipi dans ma culotte. Tout le monde le regardait avec un sourire jusqu'aux oreilles, même le commandant. »

Le Morveux vint m'annoncer que Doc voulait me voir. Gert me dit qu'il me retrouverait au gymnase. Doc avait décidé de jouer le *Nocturne n° 5* de Chopin, le morceau auquel je m'étais attaqué sans aucun résultat pendant des semaines. Je le connaissais suffisament bien pour lui tourner les pages, c'est pourquoi il m'avait envoyé chercher. Doc avait accepté de jouer deux morceaux pour le concert. Lorsque je l'avais interrogé sur le second, il m'avait répondu que ce serait une surprise et qu'après le *Nocturne* de Chopin, je devais regagner ma place auprès de Mrs. Boxall.

La salle était presque pleine. Les gardiens en compagnie de leurs épouses et les invités de la ville s'étaient tous assis quand le commandant se dirigea vers l'avant-scène, à côté du Steinway. « *Damen en Heeren*, commença-t-il, c'est pour moi un grand plaisir que de vous accueillir à ce concert donné en l'honneur de notre cher ami le général de brigade Joubert, inspecteur des prisons du Transvaal. Cet après-midi même, le général de brigade a eu des paroles aimables pour la prison de Barberton et je voudrais simplement dire à tous mes hommes que je suis fier d'eux. C'est à notre tour d'avoir des paroles aimables pour le général de brigade qui est un bon kerel et un bon tireur comme certains d'entre nous ont pu le voir cet après-midi sur le champ de tir. Nous le remercions de sa visite et, ajouta le commandant avec un large sourire, nous le remercions de s'être montré aussi bienveillant à notre égard. » Le public rit, il poursuivit : « Non, sérieusement, il est des hommes comme le général de brigade Joubert qui font de l'administration pénitentiaire d'Afrique du Sud un service où les hommes bien peuvent garder la tête haute. » Il marqua une pause, observant apparemment la grosse chevalière en or qu'il portait au doigt avant de relever les yeux. « Comme le général de brigade a eu la bonté de le dire, le concert qu'on a donné la semaine dernière pour les prisonniers noirs était un bon exemple de réforme pénitentiaire. Ce n'était qu'une petite idée que j'ai eue et qui a marché. Alors que le général de brigade est un homme aux *grandes* idées qui marchent, un grand homme qui nous donne l'inspiration et la force de continuer. » Je sentis le bras de Mrs. Boxall trembler contre le mien. Me retournant, je m'aperçus qu'elle s'efforçait de réprimer sa forte envie de rire. « C'est un homme de foi, un homme qui redoute la colère de Dieu et un homme dévoué à l'administration pénitentiaire. » Le public se mit à applaudir, le commandant laissa faire avant de lever la main. « C'est aussi un homme cultivé, ce qui m'amène à la première partie de notre programme de ce soir. » Il s'éclaircit la gorge et regarda alentour. « Vous savez tous que nous avons eu pour hôte dans cette prison... », un ou deux gloussements fusèrent de la salle, le commandant poursuivit : « Non, je le pense sincèrement, nous avons eu pour hôte, depuis quatre ans, un être traité avec respect qui a le génie de la musique. C'est la dernière fois qu'il va jouer pour nous. La semaine dernière, il a participé au concert des prisonniers et, ce soir, il va nous offrir un récital personnel en l'honneur du général de brigade Joubert. Je vous demande d'accueillir le professeur von Vollensteen. » Doc se leva, salua le public, me fit signe et, sous les applaudissements, on se dirigea vers le Steinway.

Doc commença aussitôt, le commandant regagnait sa place quand les premières notes du *Nocturne* de Chopin envahirent la salle. Au début, la musique était d'un abandon extraordinaire, d'une simplicité illusoire, puis, au fil de l'œuvre, la ligne mélodique devint de plus en plus recherchée.

Doc fit éclat de son remarquable doigté lorsqu'il attaqua la délicate écriture en filigrane de la main droite. Au milieu, la musique était de plus en plus complexe, rapide, pressante, menant à un long crescendo et à une apothéose déchaînée où Doc put secouer la tête à profusion et taper sur le clavier comme un fou pour le plus grand plaisir du public. Le nocturne se terminait par un élégant decrescendo jusqu'à un accord final tel un bruissement, presque étouffé.

Doc avait bien choisi. Le *Nocturne n° 5* de Chopin n'est pas une musique difficile à comprendre ; de plus, elle est très belle. L'assistance se leva et applaudit, apparemment très contente. Doc se leva à son tour, salua et me fit signe de regagner ma place auprès de Mrs. Boxall. Puis il sortit plusieurs partitions de son tabouret de piano qu'il installa soigneusement sur le pupitre. Se tournant vers le public, il s'éclaircit la gorge.

« Mesdames et Messieurs. Ce soir, j'aimerais dédier le prochain morceau, que je n'ai joué qu'une seule fois, à un ami, un ami très cher. J'ai donné son nom à cette composition et elle lui est dédiée. Voici *Requiem pour Geel Piet.* »

Sans autre cérémonie, Doc s'assit au piano et attaqua le *Concerto du Grand Sud* qu'il avait rebaptisé. Les airs des tribus semblèrent envahir la salle, le chant ndebele suivant le sotho avec son rythme plus strident, la main gauche de Doc jouant le rôle du soliste soprano tandis que la droite la poursuivait à l'instar des chanteurs. Lui succéda la mélodie swazi, puis la shangaan, chacune séparée par le refrain obsédant qui portait la trace de chaque air tout en servant de liaison entre eux. Enfin, on en arriva à l'hymne de la victoire du grand Shaka ; on aurait dit que le

Steinway forgeait le drame des superbes impi zoulous, les cordes vibrant tandis qu'ils marchaient au combat. Le requiem se termina par une extraordinaire compilation en sourdine de l'ensemble des chansons. On avait l'impression que la musique enflait alors que des cellules, tout autour de nous, jaillissaient les voix, les tribus achevant le requiem. Geel Piet, qui n'appartenait à aucune tribu, dont le sang était un mélange de tous les peuples d'Afrique du Sud — les Blancs, les Boschimans, les Hottentots, les Cape Malays et le sang noir de l'Afrique —, était célébré par toutes les tribus à titre posthume. Il était l'homme nouveau d'Afrique du Sud, le fruit de trois cents ans de tortures, de trahisons, de racisme et de massacres perpétrés au nom d'une couleur ou d'une autre.

La fin du spectacle fut saluée par un silence très particulier. Au silence de la salle faisait écho celui du public par-delà les murs. On avait tous participé à la complainte adressée à l'Afrique. Le *Requiem pour Geel Piet* pleurait sur notre sort à tous, des larmes versées pour l'Afrique du Sud.

Pendant que l'assistance applaudissait, le général de brigade Joubert, l'inspecteur des prisons, se leva et se dirigea vers l'avant-scène. D'un geste, il demanda le silence ; le calme revint. Sortant un mouchoir kaki de la poche de son pantalon, il s'essuya les yeux puis, très ému, prit la parole.

« Ce soir, *damen en heeren*, nous avons entendu l'œuvre d'un véritable génie. Sans connaître ce Geel Piet, nous savons par son nom qu'il était un Afrikaner à qui cette musique a rendu hommage. Il était aussi l'esprit de l'Afrique et, en tant qu'Afrikaners, nous devons tous honorer sa mémoire. » Il plia proprement son mouchoir qu'il rangea dans la poche de sa tunique. « Tout ce que je peux dire, c'est qu'il devait être un grand homme pour que le professeur écrive cette composition en son honneur. Je vous demande à tous de vous lever et d'applaudir une fois encore le professeur. » Je vis que le capitaine Smit arborait un large sourire, applaudissant à tout rompre. Même le commandant semblait vouloir ignorer l'ironie de la situation : il applaudissait de tout cœur. Il devait déjà voir les galons de colonel ourler le revers de son uniforme dans un très proche avenir.

Doc garda la tête baissée durant le discours du général de brigade. Il avait sorti son mouchoir et avait le nez dedans. Je savais qu'il pleurait la mort de Geel Piet. Toutefois, je savais aussi que Geel Piet aurait trouvé tout cela très drôle.

« Franchement, mon vieux, aurait-il dit, pourquoi un homme

doit-il toujours attendre d'être mort pour avoir droit à une plaisanterie aussi piquante ? »

Ensuite, les gardiens accompagnés de leurs épouses ainsi que les autres invités gagnèrent le gymnase pour assister à la démonstration de boxe. On dégageait les chaises pour se préparer à la musique boer et aux *tickie-draai* qui, avec les *braaivlies*, constituaient l'apothéose de la soirée.

Le capitaine Smit avait imaginé un numéro très malin. Tous les boxeurs étaient assis en rang devant le ring où, un sifflet autour du cou, il jouait le rôle d'arbitre. Lorsque le public eut rempli la salle, il siffla ; je montai sur le ring avec le Morveux. On se serra la main, le capitaine Smit siffla encore un coup et on commença à sa battre. Après chaque round, l'un des adversaires descendait, remplacé par un autre. Etant le plus jeune, je me retirai le premier. Fonnie Kruger entra en piste pour disputer la reprise suivante avec le Morveux. Puis Maatie Snyman prit la place de celui-ci contre Fonnie qui, ensuite, céda la sienne à Nels Stekhoven et ainsi de suite jusqu'aux poids lourds, où Klipkop se battit contre Gert. Après quoi, sous forme de boutade, je remontai sur le ring, pour disputer la dernière reprise avec Klipkop. C'était une bonne façon de distraire les gens car chaque boxeur se retrouvait contre un adversaire plus léger que lui et un autre plus lourd. On se battit comme des fous pour leur offrir un beau spectacle. Tout marcha à la perfection. Le capitaine Smit ne dit pas un mot, se contentant de siffler pour marquer le début et la fin de chaque round. Quand je montai sur le ring avec Klipkop, le public nous acclama à tout rompre. Quelqu'un lança : « Bousille-le, Peekay ! » et tout le monde rit. Dansant autour de Klipkop, je le maltraitai, le frappant au plexus solaire. Il tenta aussi de m'assommer en décochant de terribles uppercuts, me ratant à chaque fois de trois kilomètres. L'assistance s'amusait follement. Enfin, le capitaine Smit siffla et leva ma main : il y eut un tonnerre d'applaudissements.

Ensuite, tandis que les spectateurs se retiraient, je m'approchai de Doc et Mrs. Boxall pour leur annoncer que je devais me changer avant de les rejoindre aux *braaivlies*. Mrs. Boxall répondit qu'elle voulait avoir un entretien avec ce bon vieil inspecteur et qu'elle saurait gré à Doc de l'accompagner pour la soutenir moralement. On se retrouverait donc plus tard. Alors que je m'apprêtais à partir, elle me rappela.

« Peekay, je dois avouer que ta boxe ne m'a jamais enthousiasmée. Pourtant, tu as l'air très fort et je suis convaincue que tu deviendras champion du monde des poids welter un jour. Tout ce que je peux dire, c'est chapeau !

— C'est déjà un champion. Absoloodle ! » ajouta Doc.

On était tous en train de se changer dans les douches au moment où Klipkop arriva. « Le capitaine Smit veut que vous reveniez tous au gymnase dès que vous serez prêts. Dépêchez-vous, vous devez être là dans dix minutes. Quand vous entrerez dans la salle, les lumières seront éteintes. Seules celles qui sont au-dessus du ring seront allumées. » Il s'était rhabillé en toute hâte tout en parlant. Il se débattait avec les boutons de sa chemise, puis il s'assit pour enfiler ses chaussettes et ses chaussures. « Installez-vous dans le noir et ne faites pas de bruit. Pas à côté de la porte, à l'autre bout du ring, c'est compris ? » On acquiesça et il disparut aussitôt.

On était depuis peu dans la salle plongée dans la pénombre quand s'ouvrit l'un des battants de la porte, laissant filtrer un rayon de lumière où se découpaient le capitaine Smit, Klipkop et, entre eux, le lieutenant Borman. La porte se referma, on distinguait à peine les trois hommes qui se dirigeaient vers le ring et il leur aurait été impossible de nous voir. Puis ils apparurent brusquement dans le cercle de lumière illuminant le ring.

« Monte, Borman, monte sur le ring, ordonna le capitaine Smit.

— Qu'est-ce qui vous prend ? Qu'est-ce qui se passe ? répliqua le lieutenant Borman.

— Monte, on t'expliquera dans une minute. Tout va s'éclaircir », affirma le capitaine Smit. Borman s'exécuta, le capitaine Smit et Klipkop le suivirent. Une paire de gants de boxe était accrochée aux montants dans chacun des coins attribués aux boxeurs et, dans un autre, traînait un bout de tissu qui n'était autre qu'un morceau de tapis roulé. A l'instar du capitaine Smit, le lieutenant Borman était en civil : il portait une chemise ouverte et un pantalon. S'appuyant contre les cordes, Smit retira ses souliers. Il garda ses chaussettes.

« Enlevez vos chaussures, je vous prie, mon lieutenant, dit poliment Klipkop.

— Mais qu'est-ce qui se passe ? s'enquit Borman, sa voix trahissant une légère angoisse. Je n'ai pas l'intention de me battre, mon vieux. Je ne me battrai contre personne. Qu'est-ce qu'il y a ?

— Enlevez vos chaussures, je vous prie, mon lieutenant », répéta Klipkop. Le capitaine Smit récupéra les siennes qu'il posa proprement à côté d'un montant.

« Je n'ai pas de compte à régler avec vous, Smit. Je ne vous ai jamais rien fait. Pourquoi voulez-vous vous battre contre moi ?

— Vous enlevez vos chaussures ou je vais être obligé de le faire à votre place, mon lieutenant ? lança calmement Klipkop.

— Ne me touchez pas, c'est compris, riposta Borman. Je suis votre supérieur, Oudendaal ! Vous me devez le respect, sinon je vous mets au rapport, vous entendez ? » Le son de sa voix parut lui redonner courage : il agita le doigt en hurlant contre Klipkop. Celui-ci soupira, secoua la tête et se dirigea vers lui. Précipitamment, Borman ôta un soulier qu'il jeta par terre, puis retira l'autre et posa les deux dans le coin juste auprès du morceau de toile roulé.

Depuis l'instant où il était monté sur le ring, le capitaine Smit n'avait pas dit un mot. Je sentis que cela commençait à énerver Borman. S'emparant des gants accrochés au montant à côté du lieutenant, Klipkop s'approcha de lui.

« Donnez-moi votre main, je vous prie, mon lieutenant », dit-il d'un ton neutre.

Celui-ci croisa aussitôt les bras, mains sous les aisselles. « Non ! Pas question ! Vous ne pouvez pas m'obliger à me battre. Smit n'a qu'à m'expliquer d'abord ce que j'ai fait. » Le capitaine avait pris les gants dans son coin ; il en coinça un entre ses jambes et enfila l'autre. « Dites-le-moi, vous entendez ! » brailla Borman. Redressant la tête, le capitaine Smit regarda Borman droit dans les yeux. Le regard rivé sur lui, il retira lentement le gant qu'il laissa tomber, puis écarta les genoux, abandonnant l'autre aussi. Il se dirigea vers le coin neutre où il ramassa l'objet qui y traînait. On vit très clairement qu'il s'agissait bien d'un morceau de tapis. Le soulevant à hauteur du menton, il le déroula. Mon cœur bondit. La toile que tenait le capitaine Smit était couverte de sang séché. Borman recula d'horreur mais, presque aussitôt, se reprit.

« Qu'est-ce que c'est que ça ? Je ne l'ai jamais vu de ma vie. »

Sans un mot, le capitaine Smit roula la toile. Quand j'étais monté sur le ring, j'avais été terrifié à l'idée de voir des traces du sang de Geel Piet ; toutefois, on avait enlevé l'ancien tapis et recouvert le ring. Devant ce spectacle, l'horreur me saisit et, sans m'en rendre compte, je me mis à sangloter. Brusquement, une main puissante se plaqua sur ma bouche, Gert glissa le bras autour de mes épaules et m'attira contre lui.

Le capitaine Smit reposa la toile dans son coin et récupéra les gants de boxe. Obligeant Borman à écarter les bras, Klipkop lui enfila les siens. Cette fois-ci, le lieutenant ne fit pas un geste pour arrêter Klipkop qui les lui lança.

« Je ne sais pas de quoi vous parlez ! Je vous jure que j'étais chez moi le soir où le Cafre est mort. Je peux le prouver ! J'ai dû rentrer parce que ma femme avait une crise d'asthme. Tout le monde a bien vu que je n'étais pas au concert. C'est parce que j'étais chez moi, on m'avait appelé, ma femme avait une crise grave et il fallait que je rentre. Vous êtes fou. Je vous assure que vous êtes complètement fou, ce n'est pas moi. Ce n'est pas moi qui ai tué ce Cafre ! »

Klipkop finit de lacer les gants du capitaine Smit, puis se dirigea vers le milieu du ring. « Pas de coup de tête, pas de coup de pied. Battez-vous comme un homme », lança Klipkop avant de descendre du ring pour céder la place aux deux hommes.

Le capitaine Smit voulut approcher mais Borman leva la main. « Ecoutez. Je reconnais que c'est moi qui ai téléphoné à Pretoria à propos du concert donné pour les Cafres. Ça, je le reconnais. Bon, là-dessus, vous m'avez eu. Je pensais être dans le vrai, j'ai fait mon devoir, c'est tout. Vous ne pouvez pas me le reprocher. J'ai fait ce que je croyais devoir faire. »

D'un gauche, le capitaine Smit repoussa la main de Borman et lui décocha un droit sévère dans sa bedaine qui jaillit au-dessus de sa ceinture. Le lieutenant se plia en deux, se tenant le ventre à deux mains en tentant de reprendre son souffle. Smit se dressait au-dessus de lui. Brusquement, Borman lui envoya son poing dans les couilles. Le capitaine recula en vacillant, les mains sur l'aine, avant de tomber à genoux. Borman se rua sur lui et, le touchant à la mâchoire, l'envoya valdinguer par terre. Borman hurlait : « Espèce de boetie cafre, vendu aux Nègres, m'emmerde pas, t'as compris ! » Il lui donna un coup de pied dans les côtes juste au moment où Klipkop, qui était remonté sur le ring, le ceinturait. Cependant, il était très monté et costaud : il se dégagea brutalement alors que le capitaine Smit essayait de se redresser. Il lui balança un autre coup sur le coin du crâne, le renvoyant au tapis. Klipkop tenta de le maîtriser.

« C'est moi qui ai tué ce salopard, vous entendez ! brailla Borman. C'est moi qui ai tué ce métis. Il voulait pas me dire qui lui donnait les lettres, qui les faisait entrer. Je l'ai pris la main dans le sac, avec deux lettres, la main dans le sac ! Deux saloperies de lettres qu'il avait dans la poche. Et il voulait rien me dire. Je lui ai mis la tête en bouillie. Je lui ai enfoncé la putain de verge dans le cul jusqu'à ce qu'il recrache ses entrailles mais il voulait toujours pas parler ! Ce sale nègre voulait pas cracher le morceau ! » Borman écumait et il se mit à sangloter.

Le capitaine Smit s'était redressé ; il se tenait face à Borman qui ne tentait plus d'échapper à l'étau de Klipkop. Relevant la garde, Smit fit signe à Borman de venir se battre. Klipkop relâcha son emprise ; aussitôt, Borman se rua sur Smit, encaissant un direct du gauche qui le cloua sur place. Borman repartit à l'attaque, Smit l'arrêta à nouveau d'un direct du gauche au visage. Il était évident que Borman n'avait jamais boxé de sa vie. Un filet de sang coula de son nez qu'il essuya sur son épaule. Une trace de sang maculait le haut de son bras : il le contempla avec horreur. « Merde, je saigne ! hurla-t-il. Mon Dieu, je saigne ! »

Le capitaine Smit s'approcha et lui balança son poing en pleine figure. Son nez parut s'aplatir sous le coup, il s'effondra. Se protégeant de ses gants, il gémit : « Me frappez pas, je vous en prie, me frappez pas ! »

Le capitaine Smit demanda d'un geste à Klipkop de le remettre debout. Klipkop prit Borman sous les aisselles mais il ne voulait rien savoir. Sa chemise blanche était tachée de sang et ses yeux écarquillés de peur. Klipkop l'abandonna : il s'affala par terre. Puis, rampant à quatre pattes vers le capitaine, Borman l'attrapa par les jambes. « Je vous en prie, capitaine, me frappez pas. Je comprends pas, pourquoi vous me faites ça ? C'était qu'un Cafre, une saleté de métis, pourquoi frapper un Blanc à cause d'un Cafre ? »

Le capitaine Smit se libéra d'un coup de pied. « Tu ne sais même pas te battre, petit salopard. Tu ne peux même pas te relever pour te battre comme un homme ! » C'étaient les premiers mots que Smit prononçait depuis l'instant où ils étaient montés sur le ring. Se détournant, il tendit les mains vers Klipkop qui lui délaça ses gants et les lui retira. Smit se dirigea alors vers le coin neutre, ramassant le morceau de toile qu'il déroula à côté du lieutenant en larmes. Klipkop prit Borman par les jambes, Smit par les poignets, puis ils le soulevèrent et le déposèrent sur le tapis maculé de sang avant de le rouler dedans. « Le sang de ce Cafre te poursuivra jusqu'à ta mort », dit le capitaine Smit. Il récupéra ses chaussures et descendit du ring, suivi de Klipkop. S'approchant du mur, celui-ci appuya sur le commutateur : le gymnase fut plongé dans l'obscurité.

Dans la pénombre surgit un cri du côté des portes battantes : « *Abantu bingelela Onoshobishobi Ingelosi !* » Les hommes saluent l'Ange Têtard ! La porte s'entrouvrit ; dans le rayon de lumière, on vit une silhouette noire quitter furtivement la salle. Les hommes savaient. Le destin était en route. Le lieutenant Borman était condamné.

Quand je sortis, les danses *tickie-draai* battaient leur plein, quelqu'un martelant la musique boer sur le Minion, accompagné par l'homme à l'accordéon et un joueur de banjo. Sur le terrain de manœuvres, les gardiens et leurs femmes étaient attroupés autour des flambées réduites en braises ; on faisait griller sur le feu des saucisses maison baptisées des *boerewors*, la graisse de la peau qui grésillait sur les braises les embrasant dans la nuit.

Doc et Mrs. Boxall étaient introuvables. Je regardai le type qui frappait comme un sourd sur le piano, soulagé que ce ne fût pas le Steinway de Doc, quand je sentis quelqu'un me taper sur l'épaule. « Ça va ? » C'était Gert. « Tu rentres comment ? s'enquit-il. Je pourrais peut-être emprunter la Plymouth pour vous raccompagner. » Je lui expliquai que Mrs. Boxall nous avait amenés dans sa vieille guimbarde qui faisait un raffut du diable et qui, d'après moi, n'en avait plus pour longtemps. « Tu sais où ils sont, le professeur et la dame, non ? » Sans attendre ma réponse, il ajouta : « Je les ai vus entrer dans le bâtiment administratif avec le général de brigade et le commandant. »

Gert était toujours aussi stupéfiant : on avait l'impression qu'il était toujours au courant de tout. « Le professeur va peut-être avoir une médaille ou je ne sais quoi pour le concert des Cafres. » Il pouffa de rire. « Mon Dieu ! J'espère que le général de brigade ne découvrira jamais que Geel Piet n'était qu'un vieux détenu au bout du rouleau. » Il me frappa gentiment sur l'épaule. « Je suis désolé de te l'avoir bouclée quand tu t'es mis à pleurer. » Je baissai la tête, le souvenir du tapis taché de sang était encore trop vif pour que je me risque à le regarder.

« Tu as bien fait, murmurai-je.

— A tout à l'heure, Peekay, faut que j'y aille », lança Gert.

Doc et Mrs. Boxall finirent par sortir. Je me précipitai vers eux. Mrs. Boxall était surexcitée.

« Sapristi, les miracles n'arrêtent pas. Je crois qu'on a réussi ! s'exclama-t-elle.

— Quoi ? demandai-je.

— Réussi quoi ? corrigea-t-elle automatiquement. On a l'autorisation de mettre en route un service de courrier. Ce n'est pas une nouvelle extraordinaire, franchement ? Le général de brigade a déclaré que tous les prisonniers pouvaient envoyer et recevoir une lettre par mois. C'est une grande première en Afrique du Sud et on a droit à une période d'essai de six mois. » Elle me prit par une main, Doc par l'autre et on dansa en rond au son de la musique *tickie-draai* qui fusait de la salle. « On va avoir besoin de tes services car tu parles trois langues africaines ainsi que l'anglais et l'afrikaans. Tous les dimanches matins après la messe, on ira prendre note pendant deux heures sous la dictée des prisonniers. C'est une véritable victoire pour les forces du bien. Le général a été très impressionné lorsque je lui ai annoncé que ce serait fait sous les auspices de la Souscription du comte de Sandwich. » Elle s'arrêta, essoufflée après la danse, puis pouffa de rire. « Le commandant lui a assuré qu'il s'agissait d'une organisation fort respectable disposant de contacts dans le monde entier et que toutes les femmes des gardiens préparaient des gâteaux en son honneur à l'occasion des fêtes de Pâques et de Noël. » On se mit à rire tous les trois. Enfin, Doc affirma : « Madame Boxall, vous êtes *absoloodle* la meilleure. Je vous donne onze sur dix. »

Elle fit une petite révérence. « Oh, merci, mon bon monsieur ! » Elle lui offrit l'un de ses sourires tout spéciaux. On resta encore un peu pour ne pas paraître grossiers avant de rejoindre la voiture. Alors qu'on approchait, on entendit des grognements puis on aperçut des bottes qui dépassaient de sous l'auto. Penaud, Gert sortit de son trou et essuya ses mains noires de graisse sur son short kaki. Gauche, il s'inclina devant Mrs. Boxall.

« Mevrou comprend l'afrikaans ? » me demanda-t-il.

Je fis signe que non. « Je vais traduire, si tu veux ? » proposai-je.

Gert acquiesça. « Dis-lui qu'elle a plus de puissance maintenant, vous n'aviez qu'un cylindre qui marchait, expliqua-t-il d'un débit précipité, avalant ses mots alors qu'il combattait sa timidité. Mais vous avez toujours un vilain bruit dans le différentiel. » Il se tourna vers Mrs. Boxall. « Si vous pouvez l'amener demain, peut-être juste après la messe, j'emprunterai la Plymouth pour vous raccompagner et je vous réparerai votre voiture. » Je présentai Gert à Mrs. Boxall avant de rapporter ses propos. Mrs Boxall apprécia beaucoup sa proposition, lui donnant du « Quel charmant garçon », que j'omis de traduire. Toutefois, je pense qu'il comprit car il avait l'air très gêné.

« Mon Dieu, je ne sais absolument pas ce qu'est un vilain bruit dans le différentiel. C'est très grave ?

— Il s'agit de l'engrenage différentiel, je crois que c'est assez grave », répliquai-je sans demander son avis à Gert.

Il tira sur ses chaussettes qui n'en avaient nul besoin et balbutia : « Bonne nuit, *Missis* », en anglais. Puis se fondit aussitôt dans la nuit.

On démarra en trombe. Mrs. Boxall gravit gaillardement la route de Sheba. Maintenant qu'on roulait sur deux cylindres,

Charlie était méconnaissable. On déposa Doc au pied de sa colline. Charlie, frétillant sur ses deux cylindres, aurait sans doute pu la monter sans problème. Cependant, Doc n'avait jamais convié Mrs. Boxall à son cottage et elle déclara en me raccompagnant : « Le moment était mal choisi. » Je ne sais pas ce qu'elle entendait par là.

16

Mrs. Boxall promit de parler à ma mère du nouveau service de courrier établi dans l'enceinte de la prison. On devait rédiger les lettres le dimanche matin et je doutais fort qu'on me laissât y participer. Le dimanche était un jour difficile pour moi, un jour plein de tabous qui commençait par le catéchisme et la messe pour finir avec l'office du soir qui se composait d'un bref message du pasteur Mulvery suivi d'un «précieux moment» alors que la congrégation témoignait pour le Seigneur. Je n'avais rien le droit de faire si ce n'est œuvrer pour Lui. Toutefois, n'étant pas un chrétien de la Résurrection, rien de tout cela, comme par exemple la lecture de la Bible en shangaan à Dee et Dum, n'apportait une pierre à l'édification de ma demeure au ciel. Cette occupation était considérée comme la meilleure du genre. Je devais absorber trois pages du Nouveau Testament tous les jours et dix le dimanche. Je m'acquittais de ma tâche obligatoire à l'heure où le pasteur Mulvery transmettait le Message du Seigneur. Si on baptise la chose ainsi, on pourrait penser de prime abord qu'il s'agit d'un vrai message comme celui qu'on adresserait à quelqu'un. Or ceux du pasteur Mulvery consistaient à parler pour ne rien dire, glissant par-ci par-là des extraits des Ecritures, pour en arriver généralement à des conclusions déconcertantes tendant à prouver qu'il était dans le bon chemin alors que tous les lettrés des Evangiles, depuis saint Paul, faisaient fausse route. Il traitait les fidèles de l'Eglise catholique de «cathos». C'étaient ses têtes de Turcs. Il se donnait un mal fou pour démontrer que ceux-ci avaient dénaturé la parole de Dieu. Il soulignait que les érudits latinistes qui avaient adapté en anglais la version de saint Jacques d'après une traduction catho n'avaient pas compris la version grecque originale traduite de l'hébreu. Le pasteur Mulvery ne connaissant ni le latin, ni le grec, encore moins l'hébreu, et ne donnant jamais d'exemples illustrant la parole de Dieu déformée en grec ou en latin pour que je puisse au moins vérifier ses dires auprès de Doc, il parvenait à avancer des arguments fort impressionnants sur la perfidie de l'Eglise catholique. En tout cas, je vous assure que personne n'aurait souhaité être catho au cours de l'office du soir tandis que le pasteur Mulvery délivrait l'un de ses messages.

Ma lecture de la Bible le dimanche ne comptant pas pour mon investissement immobilier au paradis, il me fallait imaginer des bonnes actions d'un autre genre. Tous les dimanches soir, ma mère m'interrogeait sérieusement sur la question. Parfois, je devais vraiment racler les fonds de tiroir afin de trouver quelque chose à raconter, comme de prier pour Hitler. Ce qui était faux naturellement mais ça avait l'air bien et suffisamment surprenant pour brouiller les pistes.

En réalité, ma prière pour Hitler provoqua une véritable crise au cours du débat ce soir-là. Marie, qui venait toujours dîner le dimanche, affirma que cela n'avait pas de valeur venant de moi, car il s'agissait en l'occurrence d'un pécheur priant pour un autre. Ma mère discuta avec elle pour savoir si c'était une bonne idée. Mon grand-père déclara alors qu'il était temps qu'il se retire pour se rendre dans sa chambre et prier dans l'espoir qu'il y ait moins de controverses de cet acabit. Ma mère répliqua qu'elle s'abstiendrait de lui dire, puisqu'on était dimanche, combien sa réflexion était grossière et blessante.

Il ne suffisait donc pas que Mrs. Boxall demande l'autorisation à ma mère pour que je puisse aller deux heures tous les dimanches à la prison rédiger des lettres. Il allait falloir nombre d'allées et venues chez le Seigneur et je craignais qu'il ne soit difficile de Le convaincre que je ne pouvais faire meilleur usage de mon dimanche qu'en prenant note sous la dictée d'une bande de criminels.

Mes craintes se révélèrent justifiées. Il fallut repousser le projet d'un mois tandis que ma mère et le Seigneur s'attaquaient à la revue de détail. Pour entamer un examen approfondi comme celui-ci, on cherchait un précédent dans la Bible. Là-dessus, je tapai en plein dans le mille lorsque je fis remarquer que saint

Paul, dans ses Epîtres, avait écrit en prison à Rome. C'était tout à fait le genre de choses que ma mère aimait avoir en réserve quand elle papotait avec le Seigneur. J'espérais donc une réponse rapide de Sa part. Par la suite, mon grand-père affirma que mes recherches du côté de saint Paul avaient été un coup de génie. Il s'avéra pourtant que le Seigneur n'était guère satisfait car Paul était un chrétien de la Résurrection, converti sur la route de Damas, qui se trouvait en prison sous un régime injuste. Les détenus de Barberton étaient des criminels punis par un régime juste. Paul œuvrait pour le Seigneur alors que j'aidais potentiellement le diable en rédigeant les lettres de criminels endurcis qui ne devaient mijoter rien de bon, tissant un réseau de subterfuges et d'intrigues à travers l'Afrique du Sud.

A ma femme, Umbela,

Plein de honte, je t'envoie mon bon souvenir. Qui donne à manger à nos enfants ? Ici, c'est dur mais un jour je te retrouverai. On travaille dur mais je suis fort, j'y survivrai pour te revoir.

Ton mari,
Mfulu.

Je ne pouvais expliquer à ma mère à quel point ces lettres étaient innocentes en réalité car elle n'était pas au courant du trafic du courrier ; elle ne savait rien non plus du tabac, du sucre ni du sel. Les semaines suivantes, je dévorai donc le Nouveau Testament comme un fou. Il devait y avoir quelque chose là-dedans pour me tirer d'affaire. Le pasteur Mulvery empruntait toujours çà et là des paroles des Ecritures privées de leur contexte qu'il rassemblait pour leur faire dire quasiment n'importe quoi ; je pouvais sûrement arriver au même résultat.

J'exposai le problème à Doc qui, pour une fois, ne fut pas d'un grand secours. Il souligna que, d'après les érudits luthériens allemands, les textes de Paul rédigés en prison devaient se situer aux alentours de 63 après J.-C. Excellente nouvelle mais pas très utile en l'occurrence.

Doc était beaucoup trop logique pour ce genre de choses. J'en parlai donc à mon grand-père qui, après mon remarquable coup de saint Paul, semblait impatient de voir le débat mené à la loyale. On s'assit sur les marches de l'une des terrasses, mon grand-père tapotant, bourrant et allumant sa pipe alors qu'il contemplait, clignant de l'œil dans la fumée, le ciel bleu pâle par-delà le toit rouillé. Au bout d'un long moment, il déclara : « Tout ce que je sais en ce qui concerne la Bible, c'est que ça tourne toujours mal quand elle est dans les parages. La seule fois où elle a servi à quelque chose, de mémoire d'homme, c'est le jour où un brancardier avec qui j'étais à la bataille de Dundee m'a raconté qu'une balle de Mauser l'avait touché au cœur mais comme il avait une bible dans la poche de sa tunique, ça lui avait sauvé la vie. Il m'a expliqué que depuis ce jour-là, il emportait toujours une bible sur le champ de bataille et qu'il se sentait à l'abri de tous les dangers car il avait Dieu dans sa poche de poitrine. On cherchait un sergent des Worcesters et trois soldats de cavalerie blessés au cours d'une mission de reconnaissance qui étaient paraît-il terrés dans un *donga* à sec. En réalité, selon moi, mon compagnon se sentait à l'abri de tous les dangers parce que l'artillerie britannique estimait que les Mausers boers étaient fiables jusqu'à une distance de sept cent cinquante mètres et qu'on était à plus d'un kilomètre des lignes ennemies. Hélas, personne ne s'était donné la peine d'avertir les Boers des défauts de leur fusil allemand flambant neuf et une balle de Mauser le toucha juste entre les deux yeux. » Il tira sur sa pipe. « Ce qui tend à prouver qu'on peut toujours compter sur les renseignements de l'armée britannique pour être inexacts, sur les Boers pour être d'une précision mortelle, sur la Bible pour être utile en matière d'affaires de cœur mais nulle quand il s'agit de la tête et enfin, que personne n'a Dieu dans sa poche. » Il avait l'air très content de sa petite démonstration qui ne me servait à rien du tout.

Cependant, trois semaines après les premières tentatives d'approche de Mrs. Boxall auprès de ma mère, mon grand-père décida de jouer un rôle dans la discussion au cours du dîner dominical. Ma mère ouvrit le débat en déclarant que le Seigneur était « extrêmement préoccupé » par toute cette affaire qui « avait lourdement pesé sur elle ». Elle aimait employer des expressions de ce style dans ses polémiques ; je savais que Marie en restait le souffle coupé tant elle était impressionnée.

Sa cousine avait perdu son mari dans un accident de chasse, la laissant seule avec un petit enfant. Ma mère avait redonné courage à Marie en affirmant qu'elle allait demander au Seigneur de « panser les blessures du cœur et de verser le baume de Son réconfort. Qu'Il serait Mari pour la veuve et Père pour l'orphelin ». Marie renifla un peu, puis dit qu'elle n'avait jamais entendu de mots aussi beaux.

Mon grand-père s'éclaircit la gorge. « Il n'y avait pas deux types qui ont été crucifiés de chaque côté du Christ, de fieffés coquins si je me souviens bien ?

— L'Evangile parle de deux voleurs crucifiés à côté du Seigneur. Néanmoins, je ne vois absolument pas le rapport avec le sujet qui nous occupe, répliqua ma mère, cachant à peine son irritation. Je ne me rappelle pas avoir lu dans la Bible qu'ils écrivaient à leur famille depuis la prison. » Je savais qu'on ne faisait pas grand cas des opinions de mon grand-père sur les questions bibliques, opinions proférées par un pécheur qui avait fermement refusé d'accueillir le Christ dans sa vie.

« Je crois me souvenir que le Christ a accordé son pardon à l'un d'eux, lui promettant sur-le-champ une planque au paradis. Ou bien est-ce que je me trompe ?

— Bonté divine ! Le Seigneur ne promet pas des "planques" au paradis, riposta ma mère d'un ton cassant. Le Seigneur a dit : "En vérité, je vous le dis, aujourd'hui vous serez avec moi au paradis."

— D'après cette réflexion, je pense que le Christ ne voyait aucune objection à ce que des criminels entrent au royaume des cieux, déclara-t-il.

— Bien sûr que non ! C'est là toute la question. Jésus a été envoyé pour sauver les plus misérables pécheurs d'entre nous. Sa compassion est pour tous, Son amour éternel et Sa compréhension infinie. Si tu recherches Son pardon, tu es sauvé. Tu n'es plus un assassin ni un voleur, tu deviens l'une de Ses précieuses âmes rachetées. Le voleur sur la croix à Ses côtés a été sauvé quand il a confessé ses péchés, il a été lavé par le sang de l'Agneau.

— Alléluia, que Son nom soit loué, lança Marie d'un ton distrait.

— Et les prisonniers de Barberton ? Ils pourraient aussi être sauvés comme lui ?

— Tu le sais aussi bien que moi, répondit ma mère d'un air compassé.

— Comment ?

— En acceptant le Christ dans leurs vies, en renonçant au diable et... » Laissant sa phrase en suspens, ma mère regarda mon grand-père droit dans les yeux. « Tu le sais fort bien.

— Oh, je vois. Tu vas faire en sorte que ce soit possible.

— Non. Le pasteur de la prison est sous la coupe des anglicans et de l'Eglise réformée qui ne font strictement rien. C'est d'une injustice monstrueuse. Nous avons beaucoup prié à ce sujet, prié que le Seigneur permette à la Congrégation des missionnaires de Dieu d'avoir la concession de la prison pour pouvoir répandre Sa précieuse parole et apporter l'Evangile à ces malheureux pécheurs

— Il ne vous est pas venu à l'esprit que le Seigneur avait répondu à vos prières ? s'enquit grand-père.

— Mais de quoi parles-tu ?

— Si le petit a un contact direct avec les prisonniers, il ne pourrait pas distribuer des tracts ou autre chose de ce genre ? »

C'était un coup de maître. Contre l'autorisation me permettant de rédiger des lettres à la prison le dimanche, je devais emporter des textes de l'Evangile en sotho et en zoulou de la Congrégation des missionnaires de Dieu et en remettre un à chaque détenu une fois qu'il m'avait dicté son mot. Ma mère et Marie avaient remporté une nouvelle victoire de taille · tout d'abord l'hôpital et maintenant la prison. Elles étaient désormais considérées comme deux soldats inconditionnels de l'armée du Seigneur. De plus, mes occupations dominicales comptaient au maximum dans le cadre des œuvres en faveur du Seigneur.

Je ne sais au juste comment cela se passa. Je le fis un jour et brusquement cela se reproduisit à chaque fois. L'un des prisonniers avait déclaré que le tabac leur manquait cruellement. La semaine suivante, je coupai un morceau de feuille de tabac exactement de la même taille qu'un tract et le glissai dedans. Ensuite, je me rappelle que Dee et Dum glissaient dans chaque tract ces feuilles de tabac coupées au carré, que j'en emportais tout un lot avec moi, les triais suivant les quatre langues africaines dans lesquels ils étaient rédigés et mettais les différentes piles dans le tiroir du bureau où j'étais assis, laissant devant moi sur la table un « innocent » tas de textes en sotho. Une fois qu'un des hommes m'avait dicté sa lettre, je lui tendais l'un des documents rangés dans le tiroir. L'idée était de Doc. A deux reprises le gardien qui assistait à la séance d'écriture s'empara d'un tract d'un air distrait, y jeta un coup d'œil, puis le remit sur la pile entassée sur le bureau.

La correspondance remporta soudain un vif succès et ceux qui n'avaient personne à qui écrire me priaient d'adresser un mot au roi Georgie. Lorsque je leur demandais ce qu'ils voulaient dire au roi d'Angleterre, ils répondaient presque toujours la même chose.

Cher roi Georgie,

Le peuple est content parce vous êtes notre grand roi. J'envoie mon bon souvenir au grand guerrier par-delà les mers.

Daniel Mafutu.

Au bout d'un moment, une lettre adressée au roi George devint un simple euphémisme pour dire un tract. Un texte et son contenu représentaient deux cigarettes, un luxe inimaginable. Non seulement l'Ange Têtard avait trouvé moyen de poursuivre l'approvisionnement en tabac dans la prison mais en plus les hommes n'avaient plus à payer pour l'obtenir et il était fourni avec le papier pour le rouler. Dans les prisons d'Afrique du Sud, pendant une génération on appela les cigarettes des « Roi Georgie ». Parmi les vieux détenus, certains emploient encore cette expression aujourd'hui. Et, naturellement, la mystique qui entourait l'Ange Têtard ne fit que croître. Apparemment, rien ne lui était impossible. Plus important aux yeux du commandant, l'expérience du courrier se révéla un immense succès ; avant la fin de l'été, il avait gagné ses galons de colonel et reçu des félicitations de Pretoria pour son travail dans le cadre des réformes pénitentiaires. La Congrégation des missionnaires de Dieu continuait à fournir des tracts qu'ils avaient même traduits en swazi et en shangaan. Lorsque j'annonçai à Doc que désormais les Roi Georgie arrivaient en swazi et en shangaan, il sourit et déclara : « Les voies du Seigneur sont impénétrables, Peekay. D'après moi, comme les hommes ne savent pas lire, ils envoient des signaux de fumée à Dieu. »

Peu après la mort de Geel Piet, le lieutenant Borman commença à se plaindre d'hémorroïdes. « Maintenant que je suis dans un bureau, je reste assis trop longtemps, disait-il à qui voulait l'entendre. Je peux pas manger de viande, c'est trop dur à passer, même aux chiottes, je saigne. » Il était vrai qu'il avait l'air de maigrir et le capitaine Smit lui conseilla de voir un médecin. « C'est que des hémorroïdes. Mon vieux qu'était conducteur de locomotive, il avait la même chose. » Sa femme lui fit un coussin spécial qu'il apporta à la prison ; parfois, il se promenait avec au cas où il serait brusquement obligé de s'asseoir quelque part.

« C'est la justice de Dieu, me confia Gert. Il n'y a pas que Geel Piet qui ait subi ses coups de verge. » Il pouffa de rire. « J'espère qu'il n'arrivera pas à s'asseoir pendant six mois, ce con ! »

Personne ne disait rien. Cependant, on le lisait dans leur

regard : parmi ceux d'entre nous qui étaient présents au gymnase ce soir-là, tous sentaient qu'on avait jeté un sort à Borman.

Geel Piet m'avait expliqué un jour comment les prisonniers parvenaient à penser si fort que, ensemble, ils arrivaient à provoquer les événements. Comme le jour où ils avaient su que j'avais battu Kroon le Tueur des heures avant que quelqu'un n'annonce officiellement ma victoire. Qu'ils étaient toujours au courant lorsqu'une pendaison devait avoir lieu quelques minutes après que le juge avait donné l'ordre d'exécution, parfois à des centaines de kilomètres de l'endroit où devait se dérouler la mise à mort.

« Ja, c'est la vérité, petit maître, j'ai vu ce phénomène se produire des tas de fois, avait affirmé Geel Piet d'un ton grave. Parfois, quand la haine est assez forte, cela peut être mortel. Les hommes pensent à quelqu'un jusqu'à le tuer. Ce genre de mort est toujours long et douloureux, car le processus dure longtemps. C'est la haine ; quand elle monte, rien ne peut l'arrêter, la personne est condamnée car il n'existe aucune mooty qu'on puisse prendre pour arrêter cette haine implacable. »

En Afrique, tous les gens originaires de la campagne sont superstitieux ; les gardiens, qui étaient des rustres pour la plupart, l'étaient particulièrement. On observait tous Borman alors qu'il commençait à se ratatiner. Il avait toujours du ventre mais, partout ailleurs, la peau se distendait. Il semblait vieillir à vue d'œil et, plus il maigrissait, plus il était brutal avec les détenus.

Un autre prisonnier mourut dans des conditions mystérieuses. Après quelques investigations, on accusa Borman qui fut suspendu de ses fonctions durant l'enquête. Peu après, il eut une grave hémorrogie rectale et fut transporté d'urgence à l'hôpital de Barberton où le chirurgien, voulant arrêter l'hémorragie provoquée par une rupture de la cloison des intestins, lui bourra le rectum d'énormes tampons de coton, procédé connu pour être le plus monstrueusement douloureux qui soit. Un rapide examen médical révéla la présence d'une excroissance maligne.

Quelques semaines après sa sortie de prison, Doc était suffisamment en forme pour reprendre le chemin des collines. On quittait la ville à l'aube tous les samedis matin. On déjeunait d'œufs durs et de pain rassis accompagné d'un thermos de café au lait sucré au faîte d'une colline ou au bord d'un ruisseau. Parfois, on allait jusqu'à Lamati Falls, une modeste cascade à une quinzaine de kilomètres où on attendait que le soleil du matin baigne les eaux dans des reflets blancs là où elles se jetaient dans un profond bassin toujours glacé d'un bout de l'année à l'autre. Doc était comme un petit garçon : le poids des ans ne semblait plus lui peser alors qu'on gravissait d'un pas léger les flancs d'une montagne ou qu'on s'enfonçait dans des kloofs tropicaux où le soleil éclatant n'était plus que clair-obscur à l'ombre des fougères arborescentes géantes et de la voûte formée par les cladrastes, où le sol était humide, dégageant à la fois une odeur de pourrissement et de renouveau.

Doc prenait des photos pour son nouveau livre ; il nous arrivait de consacrer une journée entière à la recherche d'un seul spécimen exemplaire. C'était merveilleux de reprendre le travail avec lui. Doc était un tyran exigeant : quand on découvrait un spécimen à son goût, il voulait savoir quel était le type de terrain et de schiste argileux, les roches et les autres plantes qui poussaient dans un rayon de quinze mètres, la direction du vent et les heures de soleil que recevaient le cactus ou l'aloès qu'il photographiait. Certains jours, on ne se parlait qu'en latin. C'est ainsi que Doc me familiarisa avec Ovide, Cicéron, Virgile et *La guerre des Gaules* de César. Mrs. Boxall contre-attaquait avec les poètes anglais. Wordsworth, Masefield et Keats étaient ses préférés ainsi que Byron, Tennyson et Walter de la Mare qui, s'ils n'étaient pas ses auteurs favoris, constituaient un élément essentiel de l'éducation d'un gentleman. J'interrogeai Doc sur les poètes allemands. Il me répondit qu'à son avis seul Goethe valait la peine d'être lu mais qu'il le trouvait personnellement d'un ennui mortel et que les Allemands mettaient toute leur poésie dans la musique. Il déclara que je devais étudier les Anglais pour leur poésie et les Allemands pour leur musique.

C'était une espèce de formation au petit bonheur la chance avec le secours de Miss Bornstein qui s'était attelée à me préparer en vue de décrocher une bourse dans une école privée très chic de Johannesburg. Scolarité bien au-dessus des moyens de ma mère qui n'était qu'une petite couturière. Je n'avais pas encore douze ans, âge requis pour entrer au lycée, et je traînais en classe de septième depuis trois ans durant lesquels Miss Bornstein m'avait éclairé en privé sur « toutes ces choses qu'on n'a jamais le temps d'apprendre à l'école ».

Un mois avant mon douzième anniversaire, je passai l'examen pour obtenir une bourse à la Prince of Wales School. A la fin du trimestre, pour ma plus grande honte, Mr. Davis, le directeur de l'école de Barberton, annonça que j'avais eu les meilleures notes qu'on ait jamais décernées dans ce collège. Que j'y entrerais comme pensionnaire au début du premier trimestre 1946. Doc, Mrs. Boxall et Miss Bornstein m'avaient donné une bonne formation, même si elle était parfois un peu fantasque. A la Prince of Wales School, j'allais découvrir que dans certains domaines mes connaissances étaient supérieures à celles des élèves des grandes classes et même des professeurs, alors que dans d'autres je n'étais pas plus brillant que les meilleurs éléments de ma classe. Plus que tout cependant, on m'avait enseigné à lire pour le plaisir et la réflexion, car Doc comme Mrs. Boxall exigeaient que j'exerce mes facultés critiques en toute circonstance. A douze ans, je savais déjà réfléchir depuis quatre ans au moins. En m'apprenant la liberté de pensée, ils m'avaient fait don du bien le plus précieux qu'un adulte puisse offrir à un enfant en dehors de l'amour qu'ils m'avaient aussi prodigué.

Le dernier été de mon enfance en arriva donc à sa fin. J'avais aussi passé et réussi les examens supérieurs du Royal College of Music même si mes résultats n'avaient pas été spectaculaires. Je crois que Doc n'en espérait pas plus. Il savait que je n'avais pas de don particulier pour la musique et je n'en étais arrivé là que par amour pour lui. De son côté, il avait rempli ses obligations envers ma mère pour qui ma réussite à l'examen était une confirmation de mon génie. Dans son esprit, j'étais devenu à l'évidence le successeur du jeune Arthur Rubinstein et, lorsque je choisis de jouer dans l'orchestre de jazz en pension, ce fut l'une des plus grandes déceptions de sa vie. Le jazz étant la musique du diable, cela prouvait une fois de plus que j'avais durci mon cœur face au Seigneur.

Avant de mourir, Geel Piet m'avait appris à mettre au point une attaque de huit coups à la suite. Je m'échinai là-dessus tout l'été et, aux championnats de Boxburg, je défendis mon titre des moins de douze ans, sans grand effort cette fois-ci, achevant même au deuxième round un gosse plus grand que moi par KO technique. Kroon le Tueur n'avait pas participé au championnat ; de toute façon, il se serait battu dans la catégorie supérieure.

Tout le monde, y compris Doc, semblait content que j'aie obtenu une bourse pour la Prince of Wales School de Johannesburg. D'après moi toutefois, il s'efforçait d'affronter avec courage l'idée qu'on allait se séparer. Ecrivant pour les *Goldfields News*, Mrs. Boxall mit le paquet dans sa colonne, « Coupures de presse d'un Jardin Cultivé », parlant de l'esprit *naissant* de la cité et de *sa plus fine fleur* qui n'était autre que moi. A l'annonce de ma réussite aux examens du Royal College of Music, on affirma que j'étais un musicien *en herbe*. Dans les pages en afrikaans du journal, on cita mon nom au titre du gagnant des championnats de boxe de l'Est-Transvaal des moins de douze ans. Ma mère déclara : « La coupe est pleine ! » mais que si j'acceptais le Seigneur dans mon cœur, sa joie serait cent fois plus grande. Je voyais qu'elle était contente malgré tout, surtout quand elle commença à recevoir des invitations pour le thé des notables de la ville et que son commerce prit tant d'ampleur qu'elle avait tout juste le temps d'accepter les commandes les plus intéressantes.

Je ne confiai à personne mon appréhension à l'idée de retourner en pension. Apparemment, je serais une fois de plus le plus jeune de l'établissement ; cependant, cet aspect du problème me laissait indifférent désormais. S'il y avait un Juge à la Prince of Wales School, tout ce que j'avais à dire c'est qu'il avait intérêt à savoir boxer. D'ailleurs, ce fut la seule question que je posai à propos de l'école. On me répondit que la boxe faisait partie des sports enseignés et que l'équipe était entraînée par Mr. Darby White, ex-champion des poids mi-lourd de l'armée britannique.

Le dernier drame en cet été qui mit fin à mon enfance survint quand la liste du trousseau arriva de la Prince of Wales School. Alors qu'elle la lisait, des larmes se mirent à couler sur les joues de ma mère. Marie, qui avait congé cet après-midi-là, était à la maison ; ce devait donc être un mercredi. Ma mère lut la liste à haute voix. « Six chemises blanches à col amidonné détachable et à manches longues. Trois pantalons de flanelle grise (voir échantillon ci-joint). Six paires de chaussettes grises. Un blazer (voir échantillon de lainage ci-joint), celui-ci ainsi que l'écusson et les cravates à l'emblème de l'école sont vendues chez John Orrs, 129 Eloff St., Johannesburg. Un tricot gris en V à manches longues. Chaussures marron pour aller avec l'uniforme. Chaussures noires pour le dimanche. Un costume habillé en serge bleu avec pantalon long. »

« On n'a pas les moyens, on n'a absolument pas les moyens, n'arrêtait-elle pas de répéter.

— Enfin, *jong*, et votre foi alors ? s'exclama Marie d'un air indigné sans se laisser impressionner par les larmes de ma mère. Le Seigneur y pourvoira, c'est sûr. On va tout de suite se mettre à prier, agenouillez-vous et passez la commande de Peekay au Seigneur. Allez, on y va ! »

Mon grand-père se leva de table et se retira. Moi, je fus bien obligé de m'agenouiller avec elles deux. Marie dut penser que mes prières n'auraient guère d'impact puisque j'étais païen : elle prit la liste des mains de ma mère pour me la donner. « On va prier à haute voix, c'est toujours mieux quand on a grand besoin de quelque chose. Lorsque je te le dirai, tu liras la liste clairement et distinctement, d'accord ? »

J'acquiesçai, soulagé de ne pas avoir à prier à haute voix.

« Cher Seigneur Jésus, cette fois-ci, on a un sérieux problème, commença Marie.

— Que le Seigneur soit loué, que Son nom soit loué, lança ma mère.

— Tu sais que Peekay est très intelligent et qu'il a gagné un truc pour aller dans une école très chic de Johannesburg sans payer.

— Cher Sauveur, entends Tes humbles servantes, intervint ma mère, tentant de mettre un peu les formes dans toute cette affaire.

— Eh ben voilà, on a des tas de problèmes, mon vieux... euh, Seigneur, poursuivit Marie. La liste du trousseau est arrivée aujourd'hui, nous brisant le cœur.

— Cher Jésus ! Sang de l'Agneau !

— Le placard est vide, il n'y a pas d'habits pour l'école accrochés dedans. Ce qu'il nous faut, Seigneur Jésus, Peekay va te le dire tout de suite. Alors, sois gentil, écoute bien et toi, Peekay, parle bien fort pour que le Seigneur entende, c'est compris ? Il va Te le dire, Seigneur », pria Marie, me faisant signe que c'était mon tour.

Je dois avouer que je n'avais jamais été si proche du Seigneur et je me sentais nerveux. « Ah, euh... six chemises blanches à col amidonné détachable et à manches longues, lus-je. Trois pantalons de flanelle grise (voir échantillon ci-joint).

— Montre-le-Lui, allez », murmura Marie d'un ton pressant. J'étais bien emprunté, je levai donc l'échantillon de flanelle grise vers le plafond. Au bout d'un moment, estimant que le Seigneur avait eu tout le temps de bien voir, je repris : « Six paires de chaussettes grises.

— Trois seulement ! Qu'est-ce que tu fais des trois que tu as déjà pour aller à l'école ? chuchota Marie en aparté.

— Oh ! Trois paires seulement, s'il Te plaît. » Ma mère avait cessé de ponctuer les réflexions de Marie. Je levai les yeux vers elle. De prime abord, je crus qu'elle pleurait, elle avait le visage en feu et la main devant la bouche. Je compris alors qu'elle s'efforçait désespérément de réprimer son envie de rire. Je me mis à pouffer.

Gardant les yeux clos, Marie me réprimanda. « Peekay, arrête ! Dieu va te punir ! C'est déjà assez difficile d'intercéder auprès du Seigneur en ta faveur, tu n'es même pas ressuscité ni rien ! Mais si en plus tu ris, on n'a aucune chance. » Son ton se fit plus conciliant. « Désolée, Seigneur, il ne l'a pas fait exprès, je Te le promets, ça ne se reproduira plus. Allez, lis la suite, le Seigneur n'a pas que ça à faire ! »

Je repris ma lecture, montrant aussi au Seigneur l'échantillon de lainage vert pour le blazer. Lorsque j'en arrivai aux écussons vendus chez John Orrs, 129 Eloff Street, Johannesburg, Marie fit un nouvel aparté.

« C'est pas la peine de Lui donner l'adresse, Il sait où c'est. » J'en arrivai enfin au complet de serge bleu. « C'est son beau costume pour aller à la messe, Seigneur », commenta-t-elle pour Lui rappeler que j'étais toujours sous Sa coupe tous les dimanches. Ma mère lança quelques « Loué soit le Seigneur, loué soit Son nom », de plus. La requête concernant mon trousseau était terminée : le reste était entre les mains du cher Sauveur.

Le regard de Marie étincelait de sa foi et elle avait l'air très contente de la façon dont elle avait fait valoir ses droits. Il n'y avait pas l'ombre d'un doute dans son esprit : le Seigneur allait y pourvoir. Ma mère aussi semblait fort ragaillardie, elle demanda à Dee de préparer le thé. N'étant pas chrétien, je dois avouer que j'étais nettement moins convaincu. Cette liste semblait contenir des tonnes de vêtements ; or, je n'avais en tout et pour tout que trois paires de chaussettes grises, deux pantalons de survêtement et les tennis. Ces articles étaient répertoriés dans une liste séparée intitulée : « Sports et loisirs », qui comprenait deux maillots de rugby aux couleurs de l'école, des chaussettes et des chaussures de rugby, une chemise blanche de cricket, un short modèles un et deux, un pantalon de cricket modèle trois et plus. Les éléments non obligatoires comprenaient des chaussures de cricket et un pull-over blanc aux couleurs de l'école. Quelle garde-robe stupéfiante pour une seule personne !

Je touchai un mot du problème vestimentaire à Doc. Non qu'il ait pu y faire quelque chose. Doc vivait au jour le jour, il avait tout juste de quoi s'offrir un livre ou une pellicule pour son Hasselblad de temps en temps. Cependant, il en parla à Mrs. Boxall qui en parla à Miss Bornstein et les deux femmes se mirent à l'œuvre.

Miss Bornstein me fit venir après la classe et me demanda de recopier la liste. Je m'exécutai, puis la lui remis. Elle la lut tranquillement. « Et les échantillons ? Tu pourrais me donner le gris et le vert, Peekay ? Même si tu n'en coupes qu'un morceau, il est absolument indispensable que je les aie. » Je promis de me débrouiller pour les récupérer, content à l'idée que le problème de mon trousseau ne reposât plus entièrement entre les mains du Seigneur.

« On n'a pas beaucoup d'argent », avouai-je, comprenant pour la première fois de ma vie l'importance de la chose. Je savais qu'on était pauvres mais cela n'avait pas eu l'air de compter beaucoup jusqu'à présent. J'avais droit à un penny de temps à autre pour m'offrir des boules de nègre, de grosses boules noires exceptionnellement dures qui fondaient en couches de différentes couleurs et qui vous faisaient bien deux heures à sucer. Mes amis n'étaient pas avares de leurs bonbons, je ne m'étais donc jamais vraiment senti pauvre ni dans le besoin. J'avais toujours réussi à économiser quatre shillings pour Noël et le vieux McClymont du magasin de nouveautés me donnait quatre mouchoirs de dames, un pour hommes et un grand pour Doc. Ceux de dames étaient réservés à ma mère, à Mrs. Boxall, plus Dee et Dum tandis que celui pour hommes était destiné à mon grand-père. Ils avaient toujours l'air surpris quand je le leur offrais, ce n'était sans doute qu'une attitude. Seule alternative en dehors du mouchoir : une savonnette Knights Castile et, à mes yeux, une chose qui se réduisait à néant après quelques bains n'avait pas de valeur. Lorsqu'elles allaient faire le ménage au cottage de Doc le dimanche, Dee et Dum posaient soigneusement leur mouchoir sur le dessus de leur tête, à l'africaine ; il leur semblait inimaginable que les Blancs se mouchent dans un aussi beau morceau de tissu. Aller chez Doc était leur grande sortie et elles voulaient être jolies. A peine arrivées, elles retiraient leur mouchoir naturellement, mais ne s'en servaient jamais pour se moucher. Je crois qu'elles y tenaient plus que n'importe qui, même si Doc aimait le sien qui était toujours rouge.

« Il y a plusieurs moyens d'arriver à ses fins, dit Miss Bornstein. Cette ville ne va pas laisser son enfant terrible aller en pension comme un va-nu-pieds. »

Entre Miss Bornstein et Mrs. Boxall, le tissu de mes pantalons, blazer et costume en serge bleu apparut comme par magie. D'après moi, toutefois, le vieux McClymont y était aussi pour quelque chose. Miss Bornstein y alla alors de sa surprise. Le Vieux Bornstein, qui était devenu le redoutable adversaire de Doc aux échecs, avait été tailleur en Allemagne. Il allait couper les vêtements et faire les finitions à la main si ma mère s'occupait de la couture à la machine. Le complet ne posa pas de problème car « un costume c'est un costume ». Mais le blazer, il nous en fallait un pour être sûr que le mien soit taillé comme ceux vendus chez John Orrs, 129 Eloff St., Johannesburg. Miss Bornstein affirma que les enfants avaient tendance à faire des réflexions quand on n'était pas comme les autres ; il fallait absolument que tout soit parfait. Mrs. Andrews avait envoyé deux de ses fils à la Prince of Wales School ; elle avait encore un blazer qu'elle donna à Mrs. Boxall. Le Vieux Bornstein le démonta pour voir comment il était fait et s'exclama à profusion sur la façon, lamentable, selon lui. Ensuite, il le recoupa à ma taille puis, comme l'écusson qui représentait trois plumes d'autruche jaillissant d'une couronne était quasiment neuf, il le découpa et le recousit sur ma nouvelle veste avec une telle habileté qu'il aurait fallu une loupe pour s'en apercevoir. Mrs. Boxall commanda à Johannesburg deux cravates de l'école à rayures rouges, blanches et vertes, cadeau de sa part. On coupa toutes mes chemises dans une paire de draps en popeline dont la mère de Miss Bornstein ne s'était jamais servie, assura cette dernière. Le Vieux Bornstein avait l'art de faire les cols pour que ceux amidonnés offerts par le vieux McClymont soient parfaitement ajustés. Marie et sa mère me tricotèrent trois paires de chaussettes pour Noël.

Il ne restait plus que les chaussures noires et marron à trouver. A la fête de Noël donnée pour tous les gardiens à la prison, le capitaine Smit me remit un gros paquet de la part de toute l'équipe. Il renfermait des souliers noirs, d'autres marron et une paire flambant neuve de chaussures de boxe. « *Magtig*, Peekay, on est drôlement fiers que tu ailles dans cette école chic de rooineks à Johannesburg. Mais j'espère que tu ne nous prendras pas de haut tout à coup quand tu reviendras, hein. » Tout le monde rit et applaudit, je me sentis triste à l'idée de quitter les gens que j'aimais. Même ce vieux Morveux était devenu un bon ami avec le temps. Ils allaient tous me manquer beaucoup. Le commandant se leva, rappelant le jour de notre première rencontre, puis déclara que j'avais prouvé que les Anglais et les Afrikaners ne faisaient qu'un : les Africains du Sud. Qu'avec ma génération, peut-être, s'effacerait l'amertume. Il ajouta que j'étais un meneur d'hommes, que même les prisonniers me respectaient pour le service de correspondance. Il y eut d'autres applaudissements ; les genoux tremblants, je les remerciai tous. Je ne me souviens pas de mes propos mais je promis de ne jamais les oublier et j'ai tenu parole.

Un seul autre événement vaut la peine d'être cité au titre de ce dernier long été de mon enfance. Ma mère et Marie avaient déjà témoigné devant la congrégation de la réponse miraculeuse du Seigneur à leurs prières. Il ne manquait plus à mon trousseau que le tricot gris moyen en V à manches longues ; comme c'était l'été à Johannesburg toutefois, ma mère était convaincue que le Seigneur y pourvoirait à temps pour l'hiver. Et ce fut fait. Moins de quinze jours plus tard, quatre chères dames chrétiennes très gentilles lui fourrèrent dans les mains, chacune de leur côté, un pull-over tricoté main.

Ce soir-là, ma mère et Marie annoncèrent aussi que le Seigneur avait une fois de plus béni leur travail à l'hôpital. Depuis plusieurs semaines, elles avaient œuvré au salut d'un cher homme qui se mourait d'un cancer du rectum, un homme encore dans la force de l'âge, terrassé par cette terrible maladie. Elles expliquèrent qu'elles avaient intercédé en sa faveur et l'avaient vu se battre contre le diable, qu'elles avaient pleuré pour lui et imploré avec lui d'amener le Seigneur Jésus en son cœur ; qu'enfin, après une hémorragie rectale massive et les heures passant, le lieutenant Borman avait rendu sa vie au Seigneur Jésus pour retrouver son Sauveur au paradis.

Le lieutenant Borman était mort en sachant ce qu'on éprouvait quand on vous enfonçait une verge dans le cul jusqu'à vous faire cracher vos entrailles.

17

Ce n'est que lorsque j'entrai à nouveau en pension que j'appris qu'il faut exploiter le système à son avantage plutôt que de tenter simplement d'y survivre.

Dès le jour de la rentrée, je fis équipe avec Hymie Levy. Il était juif, naturellement, chose fort rare à la Prince of Wales School. Je me débattais avec ma grosse valise pour descendre du train à la gare centrale de Johannesburg quand il s'approcha de moi.

« Hé, toi, arrête ! Si tu veux te muscler, suis les cours de Charles Atlas. » Il fit signe au porteur noir de prendre mon bagage. « Comment ça va ? Je suis le Juif-alibi de l'école. Et toi ?

— Merci, je m'appelle Peekay », répondis-je en lui tendant la main.

Il s'en saisit d'un air assez distrait. « Hymie... Hymie Levy. Et ton prénom, c'est quoi, Peekay ?

— Je m'appelle Peekay tout court, je n'ai qu'un nom », répliquai-je.

Hymie se figea sur place. « Tu n'as qu'un nom. Dis-moi, tu ne me fais pas marcher, là ?

— Ja, c'est ça, je n'ai qu'un nom. »

Alors qu'on suivait le quai, Hymie semblait réfléchir. « Ça me plaît, c'est tout simple. Moi, j'ai droit à tout le tralala : Hymie, Solomon, Levy. Plus juif que ça, c'est pas possible. Des rois et des prêtres, c'est pas mal comme garantie pour un enfant dont les parents ont échappé à l'holocauste en se faisant passer pour des catholiques. »

Je ne comprenais pas un mot de tout cela mais il semblait plu tôt sympathique. Tous les Juifs que j'avais connus étaient charmants : Harry Crown, le Vieux Bornstein et bien sûr Miss Bornstein. Le fait que le premier élève de la Prince of Wales School que je rencontre soit juif paraissait de bon augure.

On devait retrouver le surveillant à la gare ; j'étais content d'avoir auprès de moi quelqu'un d'aussi sûr de lui. On l'entendit avant de le voir. « Voilà les nouveaux de Prince of Wales ! Ah, ah, par deux !

— La vache, Peekay, vise un peu ! » lança Hymie en montrant du doigt un gros type vêtu d'une tunique rouge vif. Malgré nous, on se redressa un peu et Hymie passa un peigne dans ses cheveux noirs gominés coiffés en arrière avec un cran selon la mode et un plumet sur la nuque.

Alors qu'on approchait, on aperçut quatre enfants qui s'étaient mis en rang devant le gros type planté au garde-à-vous, sa baguette coincée sous l'aisselle. La visière noire étincelante de sa casquette de garde à ruban rouge masquait le haut de son visage. La seule chose qui dépassait, c'était une grosse moustache cirée. Sur la manche droite de sa tunique militaire brillaient trois galons dorés de sergent sous une couronne en cuivre. Son pantalon de serge noir souligné d'une bande rouge tout au long de la jambe tombait directement sur une paire de bottes noires rutilantes qui semblaient ancrées au sol. Une chemise blanche avec un col en celluloïd et une cravate noire complétaient la tenue.

Hymie donna un pourboire au porteur qui déposa nos valises sur un tas empilé sur le quai puis on rejoignit les quatre garçons pour se mettre vaguement au garde-à-vous devant le sergent.

J'étais fatigué. Depuis la veille, je ne m'étais pas lavé ; je m'étais juste brossé les dents et aspergé le visage pour me rafraîchir après la poussière du voyage. Le train de Barberton était parti à quatre heures de l'après-midi, son unique wagon d'écoliers tiré par le pot de yaourt jusqu'à Kaapmuiden où on l'avait aiguillé sur le convoi scolaire qui devait se rendre à Pretoria et Johannesburg dans la nuit. Plusieurs enfants de Barberton allaient à l'école à Pretoria, un garçon portait le blazer bleu marine du St. Johns College et un autre l'uniforme à rayures bleues et blanches du Jeppe High, deux établissements de Johannesburg. J'étais le seul à entrer au Prince of Wales ; je dois avouer que je me sentais gêné et parfaitement déplacé dans mon pantalon long, mon col amidonné, mon blazer, ma cravate et un étrange chapeau de paille baptisé canotier.

Le départ fut grandiose, beaucoup plus qu'on ne l'aurait cru. Naturellement, ma mère, grand-père, Marie, Dee et Dum étaient présents ainsi que Doc, Mrs. Boxall, Miss Bornstein, le Vieux Bornstein et tous les enfants de l'équipe de boxe qui applaudirent, hurlèrent et sifflèrent lorsqu'ils me virent en uniforme. Le Morveux et Bokkie firent mine de tomber par terre tant ils riaient, surtout de mon canotier. Gert fut obligé de leur dire de se tenir correctement ; cependant, je voyais bien qu'il me trouvait aussi très bizarre dans ma tenue chic de rooinek. Toutefois, la grande surprise survint avec l'arrivée d'un camion de la prison d'où descendit l'orchestre des cuivres. Ils installèrent leurs pupitres au milieu du quai et se mirent à jouer.

« C'est une idée du commandant, Peekay, annonça le capitaine Smit. Il voulait t'offrir un départ en fanfare. Il est très fier de toi, tu sais. » Il marqua un temps. « Moi aussi, j'ai parié là-dessus : un jour, tu seras champion du monde des poids welter. Ne te laisse pas embobiner par cette école de rooineks, c'est compris ? » Il me tapa sur l'épaule pour plaisanter. « Tu es un vrai Boer, petit boetie, on espère tous beaucoup en toi. »

Enfin, le chef de train siffla le départ, je saluai tout le monde et montai dans le wagon. Dee, Dum et Marie pleurnichaient un peu et ma mère les aurait imitées si elle n'avait dû montrer l'exemple à Marie. Doc avait le nez dans son mouchoir rouge, se cachant dedans. Quand le chef de train siffla un dernier coup et que l'orchestre entama *Ce n'est qu'un au revoir*, tout le monde se mit à pleurer quasiment. Moi aussi, j'avais la gorge nouée.

Je me rappelai la dernière fois que j'avais pris le train, laissant une tranche de vie derrière moi, quand j'avais trébuché avec mes chaussures de clown bourrées de papier journal, que Hoppie Groenewald m'avait épousseté et fait monter dans le wagon, m'expliquant que lui aussi, il tombait toujours sur ces fichues marches. « T'en fais pas, petit boetie, Hoppie Groenewald va s'occuper de toi. »

Et voilà que j'étais là, dans un blazer fait sur mesure, un col amidonné, un pantalon long et des chaussures impeccables. Gert m'avait appris à cirer des souliers jusqu'à pouvoir se refléter dedans, comme à la prison. Le bruit de teuf-teuf du pot de yaourt couvrit l'orchestre et le comité d'adieu devint si petit que j'arrivais à peine à reconnaître Dee et Dum qui agitaient toujours la main. Je levai la tête pour voir les collines, surtout celle qui s'élevait derrière le jardin de roses où j'avais rencontré Doc le jour où j'étais allé pleurer le départ de Nounou. Une fois de plus, j'étais seul dans un compartiment, en route vers une nouvelle aventure.

Quand le train quitta Kaapmuiden, je restai un long moment sur la couchette supérieure à écouter le message des roues : « D'abord-la-tête-ensuite-le-cœur. D'abord-la-tête-ensuite-le-cœur. » On aurait dit que Hoppie m'accompagnait dans ce second voyage qui me menait vers l'âge d'homme. La nuit défilait derrière la vitre, ténèbres trouées seulement de temps à autre par une lueur lorsqu'on passait en rugissant devant un feu dans un village africain.

Parfois, le train sifflait à l'approche de quelque chose dans le noir, je savais que le bruit portait à des kilomètres à la ronde dans le veld. « D'abord-la-tête-ensuite-le cœur. D'abord-la-tête-ensuite-le-cœur. » Je finis par m'endormir avec ce cliquetis trépidant.

On se tenait devant cet énorme vieux soldat qui ressemblait à une affiche de recrutement pour la Grande Guerre. Sa baguette toujours sous le bras, il sortit un petit bloc-notes à spirale de la poche de poitrine de sa tunique et l'ouvrit d'un coup sec. Renversant la tête en arrière et louchant par-dessus son nez, il nous regarda tour à tour. Je me demandai pourquoi il ne relevait pas tout simplement la visière de sa casquette pour voir correctement.

« Bon, je m'appelle Bolter, Mr. Bolter pour Mrs. Bolter s'il y en avait une mais Dieu merci, elle n'existe pas ! Pour vous, les gars, sergent. Répondez à l'appel ! » Il nous hurla ces mots comme s'il haranguait le quai entier. Je m'aperçus que les cinq types qui m'entouraient avaient aussi peur que moi. Il jeta un coup d'œil à son bloc. « De la Cour ! » Un pâlichon aux cheveux blonds bouclés leva la main. « Pas la main, mon garçon ! On lève la main uniquement quand on veut aller faire pipi ! Présent, sergent ! Ou sergent tout simplement !

— Présent, sergent, murmura de la Cour.

— Du nerf, mon garçon. Mets-moi un peu de piment dans ta sauce ! » Il consulta son bloc. « Atherton !

— Présent, monsieur ! brailla si fort mon voisin qu'on sursauta tous.

— Ne me donnez pas du monsieur !

— Présent, sergent, reprit le blond aux yeux bleu clair, d'un ton plus posé cette fois-ci.

— Atherton ? Vous avez eu un frère à l'école en quarante-trois ?

— Mon cousin, monsieur, répondit Atherton.

— Sergent ! Quand je voudrai jouer les gentlemen, je vous le dirai, nom de Dieu ! Manifestement, Atherton, dans ta famille c'est ton cousin qui a tout récupéré côté cervelle.

— Oui, sergent, acquiesça Atherton, rouge comme une tomate.

— Le meilleur demi d'ouverture de toute l'histoire de l'école, sélectionné dans l'équipe en troisième. Espérons que vous suivrez ses traces, Mr. Atherton. Si vous y arrivez, je vous pardonnerai cette bêtise. Bon, du mordant, mon garçon. »

Le sergent-major Bolter consulta à nouveau son minuscule bloc-notes. « Peekay !

— Présent, sergent !

— Peekay ? Pas d'initiales, Peekay, c'est tout ? Qu'est-ce que c'est que ce nom, je vous demande un peu ?

— On m'a presque toujours appelé comme ça, sergent.

— Je crains bien que ça ne marche pas, ce n'est pas un nom chrétien, mon garçon. Un gentleman a toujours deux noms minimum. Enfin, si ce n'est pas un lord. Vous n'êtes pas lord ni duc, n'est-ce pas ?

— Non, sergent. C'est mon nom, voilà tout. Miss Bornstein a écrit au collège à ce sujet. »

Le sergent-major Bolter poussa un profond soupir et se pencha légèrement vers nous, un simulacre de sourire aux lèvres. « Ah bon, vraiment ? C'est donc réglé, j'imagine ? Si Miss Bornstein l'a demandé, on ne va pas ergoter sur une question aussi dérisoire que d'avoir un gentleman avec un prénom et un nom qui soit seul et unique en son genre, franchement ?

— Moi non plus, je ne suis pas un gentleman, sergent », répliquai-je, ma voix tremblant quelque peu. Je savais que j'étais dans le pétrin mais je pensais qu'il valait mieux éclaircir tout malentendu d'un coup. Les enfants qui m'entouraient pouffèrent, sauf Hymie qui me poussa discrètement du coude.

Apparemment, la moustache du sergent-major se hérissa lorsqu'il se redressa de toute sa taille. « Dans les parages, je suis le seul qui ait le droit de ne pas être un gentleman, mon garçon », décréta-t-il comme si le sujet était clos.

« Ryder ! » Un brun aux yeux bleus perçants bondit plus ou moins au garde-à-vous.

« Présent, sergent ! C'est Cunningham-Ryder, sergent, avec un trait d'union. »

Le sergent le regarda et poussa un soupir lourd de sens. « Et, Mr. Cunningham-Ryder avec-un-trait-d'union, nous avons un prénom pour aller avec notre patronyme à rallonge ?

— Oui, sergent. George Andrew Sebastian, sergent.

— Ah, voilà qui est mieux, vous ne trouvez pas, les gars ? Nous avons Cunningham-Ryder avec trois prénoms plus deux noms et Peekay là qui n'en a pas la queue d'un. Qu'est-ce que vous en dites ? » Le soulagement à l'idée de m'en être sorti avait été de courte durée, le salaud allait repartir à l'attaque.

Levy me poussa légèrement du coude. « Peut-être Cunningham-Ryder pourrait-il donner l'un de ses noms à Peekay, sergent ? » proposa-t-il. On se retourna tous vers lui, stupéfaits de son audace.

« Comment tu t'appelles, mon garçon ? s'enquit le sergent-major Bolter d'un air calme qui ne cachait en rien la terrible menace perçant dans sa voix.

— Levy, sergent. Hymie Levy et je ne suis ni un gentleman ni un chrétien. Je suis juif. Mon père a dû tirer des tas de ficelles pour me faire entrer au collège. » Il prit un air ingénu en regardant le sergent droit dans les yeux.

On réprima tous notre envie de rire mais, à notre grande surprise, Bolter n'explosa pas. Regardant son bloc, il déclara : « Levy, à la Prince of Wales School, tous les élèves sont des chrétiens et des gentlemen. Mr. Peekay et vous ne faites pas exception à la règle. » Il leva les yeux un instant. « Johnson ! » On se tourna tous vers un petit roux au visage piqué de taches de son qui se tenait à côté de Levy, la bouche entrouverte. « Johnson ! » répéta le sergent, montant la voix de plusieurs décibels. Le gamin à la bouche ouverte devait être Johnson, c'était le seul qui n'ait pas encore répondu à l'appel. Cependant, il resta muet, son regard terrifié rivé sur le gros homme. D'un mouvement saccadé, il leva la main.

« On a envie de faire un petit pipi, mon garçon ? » Le sergent commençait à perdre patience.

« Non, monsieur, répondit Johnson, la gorge serrée.

— Ne m'appelez pas monsieur, espèce de pisseux ! » hurla le sergent-major Bolter. Plusieurs personnes s'arrêtèrent sur le quai pour le dévisager. Et c'est ainsi que Johnson le « Pisseux » écopa de son surnom.

Levy m'impressionnait au plus haut point. Je n'avais jamais rencontré un Juif de mon âge ni quelqu'un qui ne pouvait devenir chrétien même s'il le voulait. Il me plut tout de suite. Il s'avéra qu'Hymie Levy allait devenir mon meilleur ami tandis que Paul Atherton, Johnson le Pisseux et « Cunning-Spider », « l'Araignée rusée » comme on appelait Cunningham-Ryder, deviendraient mes compagnons habituels.

Le car de l'école conduit par le sergent nous mena à travers les rues dégagées jusqu'à un endroit baptisé Hillbrow où on suivit un tram vers des banlieues de plus en plus résidentielles. On le quitta au terminus pour s'engager dans une agglomération ombragée du nom de Houghton où les maisons, qui se dressaient au milieu de pelouses et de jardins impeccables, étaient plus grandes que toutes celles que je connaissais. Le haut du car effleurait les chênes foncés qui bordaient les calmes avenues. De temps à autre, on dépassait une nounou poussant un landau aux grandes roues qui était même doté d'une suspension. Elles étaient toutes vêtues d'une robe noire sous un tablier blanc amidonné et tous les landaus semblaient venir de chez le même fabricant. Je n'étais pas très porté sur les symboles ; j'avais été amené à rencontrer toutes sortes de gens dans ma vie, les classes sociales n'avaient donc pas beaucoup de sens à mes yeux. Néanmoins, je sentais que j'entrais dans un monde différent où les règles n'étaient pas les mêmes.

On franchit une énorme grille ouverte, la croix et les trois plumes d'autruche se découpant dans les motifs en fer forgé, puis on suivit une allée bordée de chênes anglais géants des deux côtés. Sur le chemin de Wellington House, l'un des trois dortoirs de la Prince of Wales School, on passa devant un terrain de cricket vert émeraude où un tuyau d'arrosage rotatif décrivait un large cercle sur le gazon. Au fond, entouré d'une barrière blanche proprette, se trouvait un petit pavillon blanc à l'abri d'une autre rangée de chênes immenses derrière lesquels se dressaient plusieurs poteaux de rugby et, encore plus loin, s'élevait au-dessus des arbres l'horloge néo-gothique du bâtiment principal. C'était apparemment l'endroit idéal pour une école chic mais je me demandais si c'était l'endroit idéal pour le futur champion du monde des poids welter.

Hymie Levy s'était assis à côté de moi dans le car, commençant à m'expliquer sa théorie de la survie. On était, décréta-t-il, de drôles d'oiseaux, lui qui était juif et moi qui n'avais qu'un nom. Les plébéiens, dont la pire espèce était les bourgeois, les Africains du Sud protestants d'origine anglaise, qui composaient sûrement la majorité des élèves, mettaient toujours à part les drôles d'oiseaux, affirma-t-il. Je ne savais au juste si mon appartenance à la Mission de la Foi apostolique faisait de moi un protestant mais il me fallait bien admettre que mes antécédents n'étaient sans doute pas les mêmes que ceux des autres types du car. Lors de mon premier séjour en pension, j'avais appris qu'être différent des autres n'est pas un avantage. Cette fois-ci, j'étais bien décidé à entrer dans ce nouveau milieu selon mes conditions. Je n'avais pas peur de grand-chose et je pensais être à la hauteur intellectuellement parlant. Il était temps de baisser le masque. Depuis toujours, j'avais laissé les autres assurer mon avenir et, même si j'aimais les gens qui m'avaient éduqué et façonné sur le plan intellectuel, je sentais qu'il me fallait désormais me prendre en main sur le plan affectif. Dans le premier camp, tout le monde semblait penser que faire des études dans une école privée huppée était parfait pour moi alors que ceux qui œuvraient à l'aspect physique de mon éducation, l'équipe de boxe principalement, étaient plus que dubitatifs sur le choix d'une école élitiste de rooineks. J'avais été déchiré entre les deux, sans jamais vraiment savoir où me situer, changeant de camouflage au gré des situations. J'avais accepté d'entrer dans un collège select tout en poursuivant mon ambition de devenir champion du monde des poids welter. Il ne fallait pas être très malin pour deviner qu'un système conçu pour élever des gentlemen chrétiens de la haute bourgeoisie n'est pas fait pour former les champions du monde de boxe.

J'accordais moins d'importance à mes capacités intellectuelles qu'à mes exploits sur le ring. Si la Prince of Wales School tentait de me détourner de mes ambitions de futur champion du monde des poids welter, les nourritures de l'esprit qu'elle pourrait me fournir à titre de compensation ne suffiraient pas à me convaincre de rester. De toute façon, c'était hors de question. Fini les camouflages pour Peekay, je serais tout simplement le meilleur. Je n'avais abordé ce sujet ni avec Doc ni avec Miss Bornstein. J'étais seul de nouveau et je devais résoudre mes problèmes tout seul. Aussi, lorsque Hymie commença à parler de triompher du système, je compris aussitôt ce qu'il entendait par là.

Il me tendit un chewing-gum à la menthe, puis reprit son propos. « Selon ma théorie, pour triompher de n'importe quel système, il faut le connaître à fond. Se rebeller n'a aucun sens et être délibérément différent ne mène qu'à la persécution. Pour contrôler un système, il faut le faire de l'intérieur, comme les Juifs ont toujours fait.

— Ça ne leur a pas été très utile avec Hitler apparemment », répliquai-je. Je ne savais pas grand-chose du sort des Juifs en Allemagne nazie. Cependant, Miss Bornstein m'en avait un peu parlé, ajoutant que le Vieux Bornstein se sentait en réalité coupable d'avoir fui l'holocauste.

« Ah, ah, ce n'était pas pareil. Le parti nazi de Hitler représentait un problème impossible à résoudre pour les Juifs allemands. On ne peut pas saper un système de l'intérieur quand on en est exclu au départ, tu ne crois pas ? »

La démonstration de Hymie n'était pas convaincante. J'allais apprendre que l'holocauste était une question qui le hantait, que cela obscurcissait parfois son jugement par ailleurs remarquable. Je ne compris jamais pourquoi il avait cette obsession, ses parents avaient fui Varsovie avant que les Juifs ne soient enfermés dans le ghetto ou ne soient vraiment persécutés. Hymie n'avait jamais été en butte aux préjugés raciaux. Pourtant, il avait un fort sens de l'aliénation et de la culpabilité, me sembla-t-il à l'occasion.

Doc avait été un bon maître, je n'allais pas laisser Hymie s'en sortir avec une pirouette de ce genre.

« Tous les systèmes tendent à s'exclure les uns les autres. Ils ont tous pour but de rejeter quelqu'un ou quelque chose. En évinçant les Juifs du parti nazi, Hitler avait une attitude typique. Aucun système ne souhaite être sapé ou malmené ; c'est pourquoi il veille constamment à écarter ceux qui risqueraient de le détruire. Si, comme tu l'affirmes, c'est une tactique courante chez les Juifs que d'infiltrer le système de l'intérieur, cela aurait été possible même au sein du parti nazi. On doit en conclure que les Juifs n'ont pas réussi à vaincre Hitler, n'ont pas réussi à triompher du système et, par conséquent, l'ont payé très cher. Ce n'était pas une exception à la règle, absolument pas. »

Hymie eut un large sourire. « Hé ! Tu as la tête qui fonctionne. C'est rare de trouver cela chez un goy. Tiens, serre-moi la main. »

J'acceptai le compliment et lui serrai la main. Toutefois, je n'avais pas très bien compris. « Qu'est-ce que c'est un goy ?

— Un chrétien, un gentil. Dis, on peut être amis, de vrais amis, Peekay ?

— Bien sûr, répondis-je sans le penser vraiment.

— Tu vois, tu n'es pas comme les autres. J'en suis convaincu désormais. Moi aussi, sans aucun doute. D'ailleurs, j'ai toujours été à l'écart mais être juif dans une école pareille me rend encore plus différent. Je pense qu'on va avoir besoin l'un de l'autre.

— Pour quoi faire ? Pour triompher du système ?

— Non, non, pour s'en servir. J'ai idée qu'on va faire un duo formidable, toi et moi. »

Je n'étais pas sûr qu'il eût raison. Il me restait un problème. Alors que j'avais toutes les capacités nécessaires sur le plan physique et intellectuel pour réussir au sein du système, il me manquait quelque chose. De l'argent. Pour réussir sans argent, je n'avais qu'une solution : faire cavalier seul. L'amitié dans cette tribu spéciale de gentlemen chrétiens exigeait des ressources. Il fallait payer son droit d'entrée. Seule autre possibilité : se faire bien voir. Mais je n'avais aucune intention de retomber dans ce piège. Pisskop poursuivait toujours Peekay, cette image était toujours présente dans mon esprit ; quoi qu'il advînt, je ne m'abaisserais plus jamais pour gagner.

Outre cela, j'étais foncièrement un solitaire. En dehors de Doc et, quand j'étais petit, de Grand-père Chook, je n'avais jamais été en mesure d'avoir un compagnon et je n'avais jamais vraiment eu d'ami de mon âge. Se faire aussitôt un ami dans ce nouveau contexte étrange semblait agréable mais cela me rendait aussi vulnérable.

« C'est vrai, tu n'as qu'un nom ? s'enquit brusquement Hymie.

— Plus ou moins, je n'en ai jamais employé qu'un. Peekay, c'est moi.

— Tu ne t'en sortiras pas à si bon compte, tu sais. Le système ne peut accepter des choses de ce genre.

— Il le faudra bien », répliquai-je, passant pour beaucoup plus courageux que je ne l'étais en réalité. J'eus soudain une terrible envie de demander à Doc ce qu'il me conseillerait en l'occurrence. Cependant, je connaissais déjà la réponse. Il aurait simplement affirmé qu'un homme a le droit de porter le nom qu'il veut ; si un homme est affublé d'un nom qu'il n'a pas choisi, comment peut-il être libre pour le restant de ses jours ? « On doit être ce qu'on doit être. Absoloodle ! » avait-il conclu après que nous eûmes longuement débattu le sujet. Doc n'était pas un homme à accepter les compromis sur des questions aussi importantes que de savoir qui on est dans son esprit.

« Je suis sûr que tu es un grand sportif. Moi, je suis nul, poursuivit Hymie.

— Je me débrouille.

— Tu es plus fort en quoi, interrogea Hymie pour me faire plaisir, en rugby ?

— Non, je fais de la boxe. »

Hymie se renversa brutalement sur son siège, complètement retourné. « Tu quoi ?

— Je fais de la boxe.

— Ouais, c'est bien ce que j'avais cru entendre. Mais ça date du Neandertal, ce truc !

— Tu risquerais de te faire massacrer si tu t'adressais à la mauvaise personne », rétorquai-je avec un large sourire.

Hymie recula en vacillant, feignant d'avoir peur. « Méfie-toi, mon vieux, devant un tribunal, les mains d'un boxeur sont considérées comme des armes meurtrières. » Il reprit son sérieux. « Je vais te dire une chose, je suis un joueur et tu es un boxeur, raison de plus pour qu'on fasse équipe, Peekay.

— Tu joues sur quoi ? » m'enquis-je.

Hymie soupira. « Je suis juif. Les gens pensent que les Juifs ont le don de l'argent. Alors, que font les Juifs ? Ils se plient à ce qu'on attend d'eux. Mon père est plein aux as et il me donnera tout le fric dont j'ai besoin. Mais c'est bien là le problème. Il faut que je gagne mon propre argent, c'est une question intellectuelle, pas une question de cupidité. Je ne suis pas vraiment joueur. Eux, ils sont idiots. Gagner de l'argent, c'est simplement une façon de garder mon esprit en éveil, tu comprends ?

— Non.

— Tu es riche, Peekay ? Enfin, tes parents ?

— Pas du tout, j'ai obtenu une bourse pour entrer ici. Ma mère est couturière.

— C'est pour ça que tu ne saisis pas. Pour moi, l'argent c'est comme la boxe pour toi. C'est ma façon de me venger du monde. Aux yeux d'un Juif fortuné, l'argent est une arme. Tant que je ne saurais pas comment en gagner tout seul, je serai sans défense. »

J'étais fasciné soudain. Pas seulement parce que la philosophie de Hymie était l'antithèse de tout ce qu'on m'avait appris, même si je savais que le Seigneur condamnait l'argent et était du côté des pauvres. Mais Doc et Mrs. Boxall, ou même Miss Bornstein, ne m'avaient jamais parlé d'argent ni de son importance dans l'ordre des choses. J'avais dû y songer pour la première fois quand la liste de mon trousseau était arrivée et j'avais déjà compris qu'être sans un sou dans une pension pour gosses de riches conditionnerait drôlement ma vie à l'école.

« Tu es très fort pour gagner de l'argent ? demandai-je à Hymie.

— A peu près autant que toi en boxe, répondit-il.

— Tu t'es trouvé un coéquipier, Hymie. J'ai à apprendre sur la question. »

Hymie sourit. « D'accord, Peekay J'avais l'impression que tu étais un sacré boxeur. »

J'étais plutôt du genre calme de nature et assez dégourdi. En tant que nouveau, j'étais au bas de l'échelle mais j'eus la chance d'être choisi comme petit au service du chef de maison, Fred Cooper, qui était aussi responsable en second chargé de la discipline pour l'ensemble de l'école et capitaine du premier XV de rugby. Ceci me donna aussitôt une position privilégiée parmi les nouveaux qui, comme moi, furent affectés au service d'un grand parrainant une classe ou une maison.

C'était dur : on était à leur disposition de la première cloche qui sonnait à six heures jusqu'à l'extinction des feux à neuf heures et demie. Aucune besogne n'était trop servile et il suffisait qu'un grand hurle de son bureau pour que tous les petits qui se trouvaient à portée de voix accourent. Le dernier arrivé était de corvée. De plus, chacun avait une liste de tâches obligatoires à accomplir pour le compte de son « préfet ». Il faisait son lit, cirait ses souliers ainsi que ses bottes militaires et ses chaussures de rugby, lavait ses tenues de rugby ou, l'été, passait au blanc ses chaussures de cricket et, s'il était officier dans le peloton de préparation militaire, astiquait sa ceinture Sam Browne et ses cuivres, préparait ses vêtements, rangeait son bureau, transmettait ses messages et faisait ses courses.

Je reçus ma première raclée le jour où je chipai un tout petit peu de crème sur un chou que j'apportais à Fred Cooper. Enfin, au départ, j'en avais chipé à peine mais ensuite, voulant masquer le trou, j'en avais repris une ou deux fois du bout du doigt. Le temps d'arriver au bureau de Fred Cooper, le chou avait l'air retapé.

« Espèce de sale mouflet ! Tu m'as bouffé mon chou, m'accusa Cooper.

— Ma main a glissé dessus et j'ai plus ou moins été obligé de l'égaliser, monsieur, expliquai-je, préférant ne mentir qu'à moitié.

— Merde ! Tu as léché mon fichu chou, Peekay ?

— Non, monsieur, juste effleuré avec la main.

— Ferme la porte, mon petit. On a une excellente méthode pour dresser les mains qui glissent. » Cooper prit la badine accrochée derrière la porte. « D'après toi, combien de fois a-t-elle glissé ? s'enquit-il.

— Pas beaucoup, monsieur, répondis-je apeuré.

— Pas beaucoup, ça fait une fois, deux ou trois, dis-moi ?

— Une fois ? lançai-je avec optimisme.

— Bon, penche-toi. » Je m'exécutai, les mains sur les genoux, les fesses sorties. Vlan ! « En voilà un pour ta main qui glisse. » Vlan ! « Et de deux pour ta langue baladeuse. » Vlan ! « Et de trois pour ta mauvaise mémoire. » Cooper remit la badine à sa place, puis montra le chou à la crème sur son bureau. « Mange-le ! Et va m'en acheter un autre sur tes deniers. »

Je contemplai le gâteau, caramélisé sur le dessus et rempli de crème au milieu. C'était la première fois que je me heurtais à un problème de taille. « Je... je n'ai pas d'argent, monsieur. »

Cooper se replongea dans son livre. « Sers-toi de tes doigts qui glissent pour en trouver », répliqua-t-il pour clore la discussion.

Je quittai la pièce, tenant précautionneusement l'objet du délit. On distribuait l'argent de poche tous les mercredis après le déjeuner et tous les samedis matin. Vu qu'on était mardi et qu'on ne m'avait pas donné un sou pour le trimestre deux conclusions s'imposaient : parmi les petits, personne n'aurait plus rien si tard dans la semaine et, même si j'arrivais à en emprunter, je ne pourrais pas le rembourser.

J'avais les fesses en feu mais je ne le sentais quasiment pas tant j'étais inquiet. Hymie Levy attendait au bout du couloir qui menait aux salles d'étude des premières.

« La vache, Peekay, j'ai entendu ça d'ici. Ce salaud a dû te flanquer une sacrée raclée !

— Je suis dans la merde jusqu'au cou, lui confiai-je. Il faut que j'achète un autre chou à Cooper et je n'ai pas un sou. »

Hymie haussa les épaules. « Pas de problème, mon vieux, je vais t'en passer. » Il montra le gâteau que je tenais à la main. « Qu'est-ce que c'est que ça ? Un chou à la crème ! »

Je lui expliquai ce qui s'était passé. « Je regrette, je ne peux accepter qu'un prêt à condition que tu me donnes l'occasion de te rembourser, ajoutai-je.

— Ne sois pas idiot, Peekay. Tu me paieras demain après la distribution de l'argent de poche. »

C'était la première fois qu'il me fallait avouer que je n'avais pas l'ombre d'un kopeck.

« Tu veux dire rien du tout ? Absolument rien ? » Hymie était franchement étonné. Plongeant la main dans la poche de son pantalon de flanelle grise, il en sortit une pièce de deux shillings. « Tiens, prends-la, tu me rembourseras après le bac.

— Merde, Hymie, c'est dans cinq ans. »

Hymie fit un large sourire. « Je suis juif, tu sais, on dit qu'on n'oublie jamais.

— Tu es aussi un emmerdeur, Levy. Garde ton fric, de toute façon, il ne me faut que trois pennies. Merde alors ! Je vais m'en remettre à la merci de Cooper.

— Quoi ? Et te faire fouetter encore une fois ? Donne-moi ce chou. Tiens, prends ça. » Il souleva délicatement le dessus du chou qu'il me tendit. Puis, de l'index, il étala la crème qui se trouvait au milieu vers les bords où il la remonta. Il tendit la main pour récupérer le chapeau qu'il reposa, appuyant légèrement de l'index et du pouce sur les deux parties pour qu'elles se recollent. La crème jaillit sur les côtés comme dans tout chou qui se respecte. Un sourire satisfait aux lèvres, il me remit le gâteau comme neuf.

« Oh, merci, Hymie. Je te dois une fière chandelle, dis-je, plus que soulagé.

— Ne me remercie pas, Peekay. Il nous a fallu être persécutés pendant deux mille ans par des salopards du style de Cooper pour que je sois malin. C'est lui que je devrais remercier. »

Pour la première fois, on avait triomphé du système. Enfin, c'était Hymie qui avait tout fait naturellement. Quand j'eus remis son « nouveau » chou à Cooper, on se retira derrière les chiottes où on rit comme des baleines. Hymie sortit ensuite son jeu d'échecs miniature et on s'affronta pendant une heure. On était aussi bons joueurs ; je compensais sa finesse par le fait que, des années durant, j'avais enregistré toutes les tactiques de Doc sans compter que je comprenais assez bien les subtilités du jeu. Depuis le tout début, on était dans la première équipe d'échecs de l'école. Il n'y avait pas de quoi pavoiser : on ne pouvait pas dire que les gentlemen chrétiens se bousculaient au portillon pour entrer au club.

La boxe était un problème. Ce n'était pas un sport en vedette au collège et par conséquent ce n'était pas obligatoire. Sur six cents élèves, on n'en comptait qu'une vingtaine dans le groupe. Sur vingt, Darby White, le professeur de gymnastique ex-champion de l'armée britannique des poids mi-lourds, avait fait une assez bonne équipe avec six d'entre eux. Je n'allais pas tarder à apprendre cependant qu'on ne se battait que contre les écoles afrikaans car on ne pratiquait pas la boxe dans les autres établissements anglais. Parmi les boxeurs, quelle que soit leur catégorie, il n'y en avait pas un qui ait eu une aussi bonne formation que la mienne ou qui soit à la hauteur de mes talents. Le sergent était aussi un grand amateur de boxe et il entraînait l'équipe avec Darby White. Alors qu'on prétendait que les membres avaient du cœur au ventre, le moral était à zéro à mon arrivée. Le collège n'avait gagné que six combats en cinq ans et pas un seul depuis deux ans, sans parler d'une finale. Le ruban rouge, blanc et vert, les couleurs de l'école, noué au manche d'une énorme cuillère en bois accrochée à l'une des poutres du gymnase, commençait à passer, la cuillère n'ayant pas quitté les lieux jusqu'à présent.

Parfois, Darby White la regardait avec une certaine mélancolie en disant : « Je n'ai pas espoir de gagner un jour le trophée interscolaire mais j'aimerais bien céder cette saleté de louche en bois au moins un an. »

J'en parlai à Hymie qui se passionna aussitôt pour la question. Hymie ne s'intéressait absolument pas aux sports mais il ne pouvait résister à un défi de l'esprit. « Ils sont comment, les autres gars de l'équipe ? » me demanda-t-il. Je dus admettre qu'ils étaient assez moyens. Les enfants de la prison auraient pu les soulever d'une seule main. « Et Darby White, c'est un bon entraîneur ? » Sans être Geel Piet, Darby White connaissait bien son domaine et il valait sûrement le capitaine Smit.

« Je crois qu'il a perdu son enthousiasme mais il a l'air de connaître son affaire, répondis-je.

— Tu as besoin d'un manager et j'ai le type qu'il te faut », affirma Hymie. C'était le bon côté de Hymie : il ne se vantait jamais mais il était convaincu de sa supériorité. Cela lui attirait des tas d'ennemis ; cependant, Hymie s'était préparé à avoir une existence bourrée de pièges et de flèches. Apparemment, il n'en avait rien à fiche qu'on l'aimât ou pas. « Pour un Juif, être persécuté est la principale raison de vivre. S'il n'en était pas ainsi, on ne tarderait pas à être aussi nuls que vous tous sur le plan intellectuel », disait-il.

Je demandai à Hymie comment il envisageait de transformer l'équipe scolaire la plus minable qui soit en un numéro gagnant. Il me regarda ; pour une fois, il n'avait pas son sourire en coin un peu cynique. « Pour commencer, il ne nous faut qu'un vainqueur. Un type sur qui on puisse compter. Le reste, c'est facile, il suffit de bien mener les choses. Quand on peut donner l'espoir aux hommes, ils peuvent gagner. » Il posa les mains sur mes épaules. « Combien de combats as-tu remportés sur le ring, Peekay ?

— Trente-quatre, répondis-je.

— Et combien en as-tu perdu ?

— Eh bien... pas un seul, répliquai-je, un peu gêné.

— Ça ira... Il n'y a rien de mieux que la certitude pour un joueur.

— On est dans le haut veld, le niveau est beaucoup plus élevé que dans le bas veld où j'ai disputé tous mes matches. Tôt ou tard, tous les boxeurs finissent par se faire battre.

— Bien sûr, bien sûr, mais faisons tout pour que ce jour arrive le plus tard possible. Peekay, je sens qu'il y a de l'argent à gagner dans cette équipe de boxe.

— Tu veux dire en s'intégrant au système, moi comme boxeur et toi comme manager, en le faisant marcher à notre avantage ?

— J'adore les gens qui comprennent vite », dit Hymie.

Quand Darby White et le sergent me virent à l'entraînement,

ils furent plus qu'impressionnés. « Où as-tu appris à boxer, petit ? » s'enquit Darby White.

Sans réfléchir, je répondis : « En prison, monsieur. »

Ce fut une réplique que Darby White ne se lasserait jamais de replacer. Pour ma plus grande gêne la plupart du temps, cela devint son anecdote préférée qu'il racontait, à la moindre occasion, aux entraîneurs des autres écoles.

Le sergent était responsable en second de l'équipe de boxe ; il était soigneur aux côtés de Darby White ou seul lorsque celui-ci arbitrait un combat. Du temps de sa jeunesse, quand il était garde dans les Coldstream Guards, il était un amateur tout à fait honorable. Il avait ensuite été soigneur sous la direction du célèbre entraîneur anglais Dutch Holland du Thomas, au Becket Gymnasium dans le sud de Londres. Dutch Holland était le meilleur cutman d'Angleterre. Le sergent prétendait qu'il tenait de lui l'art d'endiguer le flot d'un œil en sang. Dans un match scolaire, une coupure à l'œil marquait généralement l'arrêt du combat, ce qui n'était pas toujours très juste car le meilleur risquait de perdre sur KO technique alors qu'il avait de l'avance aux points. Le sergent pouvait faire des miracles avec un bâtonnet, des tampons de coton, de l'adrénaline et de la vaseline. En réalité, ses dons allaient devenir l'une des armes maîtresse de Hymie au cours de sa campagne destinée à sortir l'équipe de boxe de sa place de bon dernier dans les compétitions interscolaires.

Hymie s'était désigné manager de l'équipe pour la simple raison qu'il avait proposé ses services. Jusqu'à présent, jamais un élève de sixième n'avait tenu cet emploi. On choisissait toujours les capitaines des différents sports en vedette, cricket, rugby, natation, tir et, naturellement, boxe, parmi les élèves de seconde qui, sans être sportifs, avaient la réputation d'être des cerveaux, d'où le titre de « poste de bûcheur » donné à cette fonction, l'élève de seconde honoré de ce titre devenant immanquablement un grand responsable de la discipline d'une classe l'année suivante.

Cependant, le poste de bûcheur attribué à l'équipe de boxe était devenu une plaisanterie à l'école ; il était donc inutile d'avoir une tête pour cela. Poser sa candidature à cette charge n'était pas reluisant et, depuis quatre ans, Darby White avait dû repousser les rares amateurs car ils n'avaient pas la réputation d'être des cerveaux et n'étaient par conséquent que de simples opportunistes. En défendant sa cause, Hymie fit remarquer à Darby White que dans la mesure où il faisait partie de la meilleure équipe d'échecs de l'école, il avait les qualités requises côté cerveau. De plus, en choisissant un nouveau à ce poste, Darby pouvait espérer cinq ans de continuité avec tous les avantages que présentait la planification à long terme.

Les arguments de Hymie étaient convaincants. Son arme de choc était qu'on ne pouvait pas faire pire, donc autant lui laisser sa chance. Darby White se contenta de se tripoter les couilles comme un fou dans son pantalon blanc pendant deux minutes avant d'accepter. Darby était incapable de prendre une décision sans glisser les deux mains dans les poches de son pantalon pour ballotter ses parties ; plus la décision était compliquée plus cela durait.

Je disputai mon premier combat comme poids mouche ; j'étais cependant très léger avec mes quarante-six kilos et je devais me battre contre un gosse qui pesait près de cinq kilos de plus. Cela eut lieu dans le gymnase de l'école un mois après le début du trimestre. Au collège, personne ne s'intéressait aux matches qui se déroulaient dans nos murs. L'esprit de l'école n'allait pas jusque-là ; il était bien connu qu'on perdait toujours. Seule l'équipe de boxe et des petits, obligés de faire acte de présence, devaient assister à la débâcle de l'équipe du Prince of Wales. En privé, on appelait ces combats inégaux : « attaques à deux mains des dos poilus ». Comme par exemple : « Une attaque à deux mains des dos poilus qui leur ont encore mis sept à zéro. » La malveillance qui opposait les Afrikaans aux Africains du Sud de langue anglaise se perpétuait, les Anglais se sentant toujours largement supérieurs. Le fait que seules les écoles afrikaans faisaient de la boxe contribuait à la mauvaise image de l'équipe qu'on jugeait déclassée* et indigne des traditions raffinées de l'établissement. Les autres membres du corps enseignant en toge et mortier considéraient Darby White dans son maillot et son pantalon blanc, avec son ventre qui dépassait du vieux lacet le maintenant à la taille, et Sarge avec son uniforme de portier plus que voyant et sa canne ridicule comme un duo digne de l'Opéra-Comique. On ne disait jamais un mot sur la question mais on voyait bien que ceux qui œuvraient sur le terrain n'étaient pas à la hauteur de ceux qui œuvraient dans les sphères spirituelles.

Alors qu'il n'y avait qu'une poignée d'élèves de la Prince of Wales pour assister à ce premier combat, le gymnase était bondé de gosses de l'autre école, un lycée afrikaans baptisé Helpmekaar, ce qui donne en anglais : « L'Entraide ». Helpmekaar jouissait d'une excellente réputation dans tous les domaines sportifs, hormis le cricket. On affirmait que son équipe de boxe était la meilleure d'Afrique du Sud et qu'elle avait remporté les championnats de boxe interscolaires d'Afrique du Sud l'année précédente.

Avec ses cinquante kilos, il ne manquait qu'une livre à mon adversaire pour être un poids coq. Cela m'était égal car j'étais habitué à me battre contre des types plus lourds et plus costauds que moi. De plus, j'avais déjà affronté des gars qui avaient l'air nettement plus durs que lui. Cependant, Hymie était préoccupé ; c'était la première fois qu'on faisait des affaires ensemble et, à la pesée, il avait semblé inquiet.

« Cinq kilos, ça fait une sacrée différence. Il paraît que ce Geldenhuis est drôlement fort !

— Allez, Hymie, c'est aussi un nouveau, comment pourrait-on le savoir ? Comment se présentent les paris ?

— Très bien, c'est ça le problème. J'ai pris les paris des types d'Helpmekaar dans les cabinets toute la nuit. Tu es à dix contre un alors que Geldenhuis est à quatre contre un et ils se battent pour miser sur leur pote.

— C'est formidable. Tu as demandé aux petits de miser sur moi ?

— Ja, ils sont très excités mais leurs paris sont loin d'être suffisants pour nous couvrir si jamais Geldenhuis gagne. La vache, Peekay, je dois être tombé sur la tête. Ce qui m'emmerde, c'est qu'on n'a pas toutes les données du problème. On n'a aucun pronostic sur Geldenhuis, strictement rien sur toi en la matière, on parie dans le brouillard le plus complet, c'est de la bêtise à l'état pur.

— Il y a un début à tout. Commençons par nous faire confiance.

— Je ne voudrais pas te vexer, Peekay. Mais la prochaine fois, les données avant tout et ensuite la confiance. » C'était peut-être la chose la plus importante que Hymie m'ait jamais dite. Hymie était l'exemple même du dicton de Hoppie : D'abord la tête, ensuite le cœur. A compter de ce jour, cette politique allait devenir la base de nos opérations.

Geldenhuis était baraqué ; je savais qu'il me faudrait éviter son droit qu'il n'arrêtait pas de décocher en partant de l'épaule tandis qu'il boxait dans le vide en attendant le début du match.

Geel Piet m'avait prévenu que certains boxeurs agissent ainsi avant le combat pour faire croire à leur adversaire qu'ils attaquent du gauche ou du droit alors qu'en réalité ils font le contraire. L'idée est de surprendre l'autre dans les toutes premières secondes pour le déstabiliser. Observant le balèze, j'estimai que ses coups ne cachaient aucun subterfuge ; il avait beaucoup trop confiance en soi pour s'embêter à chercher des trucs. Il attaquait du gauche et je remarquai qu'il tenait sa main droite trop bas, laissant sa mâchoire sans garde. Sa position légèrement plus ouverte donnait à penser qu'il se prenait pour un bagarreur. Il allait donc commencer en frappant dur et vite dans l'espoir de placer rapidement un bon coup pour me coincer.

Quant à moi, j'étais toujours « assis sur le pot », comme disait Geel Piet lorsqu'on était tranquillement installés sur le minuscule tabouret d'angle à trois pieds en attendant le début du match. « Ne leur adresse pas la parole, jong, m'avait-il recommandé. Reste assis et regarde, regarde très attentivement. Je te jure qu'on peut apprendre un tas de choses sur un boxeur avant même qu'il balance un coup rien qu'à l'observer attentivement. »

Le gong annonçant le premier round retentit. Une fois qu'on eut touché les gants, le gosse d'Helpmekaar se rua sur moi. Il avait le regard dur, je sentais qu'il avait l'intention d'en finir au plus vite. Je vis venir à des kilomètres son premier direct du gauche et évitai d'une fraction de seconde qu'il ne me touche sur le coin du crâne. Quand un boxeur manque de très peu un coup de sa main attaquante, cela lui donne généralement confiance pour réitérer aussitôt le même coup qui, encore plus violent que le premier, lui fait légèrement perdre l'équilibre. Le deuxième direct du gauche arriva au moment juste ; alors qu'il effleurait mon oreille en sifflant, son droit retomba à la hauteur de sa poitrine, laissant sa tête complètement à découvert. Je contre-attaquai et, le corps un peu de côté pour décupler ma force, le touchai juste au bout du menton d'un crochet du droit. Se projetant vers moi, il était déjà déséquilibré et il tomba violemment à terre, sur le dos. Alors que j'avais mis toutes mes forces dans ce coup, il était aussi parfaitement calculé et le public d'Helpmekaar laissa échapper un oh ! tandis que des acclamations déchaînées fusaient parmi nos condisciples.

Le gamin se redressa au moment où l'arbitre commençait à compter. Je n'avais aucune chance de l'avoir mis KO mais il était drôlement sonné. Les jeunes sont trop fiers pour rester au tapis le temps de compter jusqu'à huit comme le stipule le règlement. Me lançant un regard noir, il se leva d'un bond. L'effet de surprise étant venu de mon côté, je croyais qu'il allait danser un moment autour de moi, en attendant de pouvoir se servir de sa supériorité physique pour me coincer en me balançant quelques bons coups à la tête. Faudra d'abord que tu m'attrapes, sale Boer, me dis-je. L'arbitre compta jusqu'à huit comme il se devait, puis essuya ses gants et nous intima de reprendre le combat.

J'étais tellement plus léger que mon adversaire et, le regardant dans les yeux, je compris soudain qu'il pensait que j'avais eu de la chance et qu'il n'avait aucune intention de boxer en finesse. Il se rua de nouveau sur moi, son droit toujours trop bas. Fixant le bout de mon menton, il téléphonait son coup. C'est pas vrai, il va retenter d'attaquer du gauche. Comme dirait Geel Piet : « Chez certains boxeurs, on lit mieux qu'à livre ouvert mais, mon vieux, l'histoire n'a pas un pouce d'imagination. »

Le direct du gauche arriva avec puissance et me manqua, m'effleurant simplement l'oreille. Je contre-attaquai son gauche de mon droit et le frappai au coin de la mâchoire, ratant mon but de très peu. J'enchaînai d'un crochet du gauche au plexus solaire, il s'effondra brutalement ; on aurait dit que le fond de sa culotte rebondissait lorsqu'il toucha le tapis. Je me traitai de tous les noms, on n'a pas si souvent l'occasion de balancer un bon crochet du droit au cours d'un combat et je ne m'étais pas bien placé. C'était quand même un bon coup et le gauche s'était enfoncé juste sous les côtes là où ça fait vraiment mal.

Fort et courageux, Geldenhuis se releva en une seconde. Il attendit le temps réglementaire ; au moment où l'arbitre essuya ses gants, il l'avertit que le prochain knock-down marquerait la fin du combat. Je savais que j'aurais de la chance si j'arrivais à lui assener un troisième coup magistral et estimai qu'il était temps de boxer, de l'user à coups de directs en attendant l'occasion de contre-attaquer son gauche pour placer une série de bons coups sous le cœur. Ainsi, s'il n'était pas dans une forme exceptionnelle, je saperais sa résistance pour me donner les moyens de l'achever dans le troisième et dernier round. Le gong annonça la fin de la reprise ; je regagnai mon coin, découvrant Darby et le sergent avec un sourire jusqu'aux oreilles.

Au cours du deuxième round, je l'avais simplement cogné. Il avait un style exubérant et j'attendais qu'il perde patience tout en le maintenant à distance en lui envoyant sans arrêt des directs à la figure. Vers la fin de la reprise, il avait dû sentir que le combat dérapait et, apparemment, il était décidé à me mettre au tapis, même au risque de prendre quelques coups au passage. Il se rua sur moi, attaquant des deux mains. Il devait penser que j'allais m'esquiver, lui permettant ainsi de m'acculer dans un coin. Toutefois, je tins bon et le frappai d'un direct du gauche qui le repoussa dans les cordes. J'enchaînai avec le numéro en huit coups de Geel Piet, deux bons points gagnants à la tête dont l'un entailla l'arcade sourcilière, le suivant s'abattant sur le nez, un de plus sur la blessure et les autres bien placés sous son cœur. A ma grande surprise, quand le gong annonça la fin de la deuxième reprise, les types d'Helpmekaar me saluèrent d'une salve d'applaudissements.

Geldenhuis ne se présenta pas pour le troisième round. Après avoir examiné sa blessure au-dessus de l'œil, l'arbitre avait arrêté le combat. J'avais gagné sur KO technique, première victoire pour la Prince of Wales School depuis deux ans.

Le fait qu'on eût perdu les sept autres combats, même s'ils avaient été disputés jusqu'au bout, n'avait apparemment aucune importance. L'équipe de boxe, toujours surpassée, ne s'était pas battue avec un tel enthousiasme ni une telle détermination depuis des années. Le sergent se baladait, sa bouche pleine de dents en or brillant de tous ses feux, déclarant en un murmure qui portait à des kilomètres : « Ça alors, ça devrait montrer à ces sales Boers qui est le patron ici. » On aurait cru qu'on avait remporté le match.

L'entraîneur d'Helpmekaar s'approcha de moi et me tapa dans le dos. « Qui t'a appris à boxer, petit ? s'enquit-il en anglais.

— J'ai appris à Barberton, Meneer, » répondis-je en afrikaans.

Il prit aussitôt un air suffisant. « *Magtig*. Je savais bien que tu étais trop fort pour un Anglais ! Je n'avais jamais vu un gosse de ton âge balancer un numéro en huit coups. A bien y réfléchir, je n'avais jamais vu un seul gosse faire une chose pareille. Qui t'a appris à boxer, mon vieux ?

— Meneer Geel Piet, répliquai-je.

— Eh bien, tout ce que je peux dire, c'est que j'aimerais bien l'avoir à Helpmekaar.

— Je ne crois pas que vous auriez voulu de lui, rétorquai-je, mais il ne parut pas m'entendre.

— Tu es afrikaner, qu'est-ce que tu fais dans une école pareille ? » Sans attendre ma réponse, il poursuivit : « Ecoute, on pourrait te faire entrer à Helpmekaar, tu serais avec tes semblables, on peut obtenir une bourse d'études.

— Je suis anglais. Un rooinek », affirmai-je calmement. Pour la première fois de ma vie, je me sentais terriblement fier de quelque chose. Peut-être avais-je tort mais il m'avait fallu bien longtemps pour m'accepter en tant que rooinek.

L'entraîneur d'Helpmekaar m'observa durant un moment qui parut durer une éternité. « Tu ne boxes pas comme un Anglais. N'abandonne pas tes semblables, petit. Les Anglais ne parlent pas l'afrikaans comme toi. Je le sais, je suis aussi professeur de langues.

— Je suis anglais, déclarai-je en anglais. Je vous assure, monsieur.

— Eh bien, l'Anglais, je ne pense pas qu'il y ait un seul gosse de ta catégorie dans toute l'Afrique du Sud qui soit capable de te battre. Enfin, si cette école de rooineks ne te bousille pas. »

Se détournant brusquement, il se dirigea vers Darby White qui se tripotait les couilles, l'air content de lui. Je m'aperçus qu'ils me regardaient tous les deux, Darby White affichant un sourire de propriétaire.

Je sentis une main se poser sur mon épaule. Je me retournai et découvris le balèze contre lequel je m'étais battu. Il avait un gros sparadrap rose sur le sourcil gauche. « Ça va ? » Il me tendit la main. « Jannie Geldenhuis. Sans rancune, hein ? Tu as gagné à la loyale, mon vieux, lança-t-il en anglais avec un fort accent afrikaans.

— Merci pour le combat », répliquai-je en afrikaans comme je lui serrais la main. Il fit un large sourire, apparemment content que je lui aie répondu en afrikaans. « Dis donc, j'ai l'impression que je ne t'ai pas touché une seule fois, ça m'est jamais arrivé. Ça va me donner une sacrée leçon, tu as l'air tellement minus, je croyais gagner en moins de deux. »

Je lui souris. « Tu es tellement costaud, je pensais que j'allais prendre une raclée. » Gert avait toujours affirmé qu'on doit se montrer magnanime dans la victoire. De plus, Jannie Geldenhuis avait l'air d'être un chic type.

« Ja, justement, mon vieux, moi aussi. » Il sourit de nouveau. « Attends un peu, je te retrouverai sur le terrain de rubgy. Tu joues à quel poste ?

— Demi de mêlée. Au fait, je m'appelle Peekay.

— Ja, je le sais. Moi aussi, je joue en demi de mêlée. *Alles van die beste*, Peekay. » Il s'apprêta à partir, puis se retourna en se frottant le menton. « Dis donc, tu m'en as fichu un bon au début du premier round ! » s'exclama-t-il et il alla rejoindre ses copains.

« Ja, à bientôt, Jannie », lançai-je, content que tout se soit si bien terminé.

Hymie arriva au moment où Geldenhuis partait. « Ça va ? Qu'est-ce qu'il voulait le dos poilu, ton autographe ?

— Non, rien. Il a simplement dit sans rancune et qu'il me retrouverait sur le terrain de rugby. »

Hymie fit un grand sourire. « C'est moi qui devrais dire sans rancune, nous voilà riches ! » Il se rembrunit brusquement. « Mais on doit continuer à haïr ces salauds.

— Merde, Hymie, pas une fois que c'est fini ! m'exclamai-je avec un sourire.

— Pour toi, ce n'était peut-être qu'un match de boxe ! » Hymie montra du doigt la cuillère en bois accrochée à la poutre au-dessus de nos têtes. « Pour moi, c'est la première étape pour se débarrasser de ça ! On ne peut y arriver qu'en apprenant à haïr. »

Je soupirai. « Hymie, il te faut apprendre qu'il y a de bons Boers et de mauvais Boers, comme partout. Tu ne peux pas les mettre tous dans le même panier.

— Le seul bon Boer que je connaisse est un Boer mort ! lança Hymie en s'étranglant de rire.

— Ça vient de : Le seul bon Cafre est un Cafre mort, répliquai-je, lui reprochant son manque d'originalité.

— Ouais, eux aussi, ajouta-t-il avec regret.

— Enfin, Hymie, tu es juif ! Comment peux-tu dire des choses pareilles ? »

Hymie éclata de rire. « Je suis un Juif très complexe, observa-t-il. Peekay, si on doit l'emporter contre ces Boers, on doit apprendre à les haïr. Tu ne comprends donc pas les principes de base ?

— Ce sont des bêtises !

— Ouais. Tu as raison, ce sont des bêtises. » Il me regarda et fit un large sourire. « Mais je t'en prie, ne le dis pas aux autres. Ils doivent penser qu'ils peuvent gagner, que l'ennemi n'est pas invincible. »

C'était le seul de l'équipe qui ne m'eût pas félicité et je me demandais pourquoi. J'allais découvrir que Hymie était imbattable pour convaincre autrui, qu'il parvenait à insuffler courage et enthousiasme à un boxeur abattu, à conforter son amour-propre malmené et à retrouver sa fierté. Hymie apposait les paroles et les faisait pénétrer en douceur comme un baume magique. Toutefois, il ne s'en servait que dans un but précis et uniquement auprès des gens qu'il considérait comme inférieurs à lui. Je n'eus jamais droit à autre chose qu'à une tape dans le dos. Hymie me traitait sur un pied d'égalité, il m'acceptait dans l'univers de son esprit supérieur qui, généralement, avait toujours deux ou trois longueurs d'avance sur les autres.

« Alors, dis-moi ?

— Quoi donc ? demanda Hymie.

— Combien ? Combien on a gagné ? »

Hymie fit un large sourire. « Suffisamment pour que tu puisses acheter des centaines de choux à la crème à Cooper si jamais l'occasion se représente. Je pense qu'on va en tirer cinq livres chacun.

— Ça alors, Hymie, c'est formidable !

— Ce n'est que le début, Peekay. Cette fois-ci, on a joué et on a gagné. La prochaine fois que tu monteras sur le ring, on aura les pronostics. On saura le maximum de choses sur ton adversaire. A chaque coup qu'il se gratte les fesses, on va analyser le pourquoi et le comment. Pour gagner de l'argent, il ne faut jamais compter sur le hasard. »

Après mon unique victoire contre Helpmekaar, Atherton, l'Araignée rusée et Johnson le Pisseux entrèrent aussitôt dans l'équipe de boxe ainsi qu'une douzaine de nouveaux. On s'aperçut rapidement que Johnson le Pisseux n'avait strictement aucune coordination et qu'il ne ferait jamais un boxeur. Par contre, Atherton et Cunning-Spider étaient des sportifs et ils pigèrent très vite. Hymie baptisa le nouveau groupe « Les cogneurs de la cuillère en bois » ; il nous fit prêter serment pour nous lier en une fraternité complexe, se désigna président à vie et me bombarda capitaine.

Hymie savait qu'un peu de mystique ne fait jamais de mal ; au cours de l'initiation pour entrer dans les Cogneurs de la cuillère en bois, on mêla notre sang à tous sauf le sien. Il nous fit ensuite jurer allégeance, puis m'ordonna de lui faire prêter serment comme président à vie. Il avait élaboré personnellement le protocole de la cérémonie et, quand on en arriva à son tour, il me tendit une feuille de papier à lire qui se présentait en ces termes : *« Toi, Hymie Solomon Levy, acceptes-tu solennellement de te battre de tout ton esprit, de tous tes talents et de tout ton courage pour rendre à la Prince of Wales School sa gloire d'antan dans le monde de la boxe ? »* On fut quelque peu surpris les uns et les autres car on ne savait absolument pas que l'école avait connu un passé glorieux qu'on se devait de restituer.

« Oui, dit Hymie.

— *Acceptes-tu d'agir avec magnanimité sans songer ni à ta renommée ni à tes intérêts personnels au titre de président à vie des Cogneurs de la cuillère en bois ? »* Je me demandai comment il pouvait concilier cela avec nos arrangements financiers.

« En ceci, je m'engage solennellement », affirma Hymie en une formule impressionnante sur le plan grammatical.

« Eu égard à ceci et en cette année mille neuf cent quarante-six du règne de Sa Gracieuse Majesté le roi George V, moi, Peekay, capitaine des Cogneurs de la cuillère en bois, déclare Hymie Solomon Levy président à vie. »

Au cours de l'un de ses rares moments d'introspection, Hymie m'avait confié qu'en le baptisant ainsi, ses parents lui avaient flanqué sur le dos toute cette saleté de ghetto polonais. « Ils ne pouvaient pas me donner un seul prénom goy comme Derek, Brian, Arthur ou je ne sais quoi ? » Ce fut la seule fois où je l'entendis remettre en question sa judaïcité.

Ensuite, alors qu'on rentrait à Wellington, je le taquinai sur cette histoire de devoir rendre au collège sa gloire d'antan dans sa déclaration officielle et fis aussi allusion à la clause interdisant tout profit personnel dans son serment de président à vie.

Hymie s'arrêta et se tourna vers moi. Poussant un soupir théâtral, comme s'il en était venu à douter sérieusement de ma sagacité, il répliqua : « Pour l'amour du ciel, Peekay, tu ne connais donc pas l'histoire ? Peu importent les bêtises que fait un pays, quand il entre dans l'histoire, ce n'est plus qu'une glorieuse tradition. Il en va de même lorsqu'il s'agit d'une institution, il est impossible que l'équipe de boxe de l'école perde génération après génération, l'histoire ne permet tout simplement pas ce genre de vérité. Bien sûr qu'on a un glorieux passé car, si on ne l'a pas, c'est fait désormais et en tant que Cogneurs de la cuillère en bois, on va devoir rendre à la Prince of Wales School sa gloire d'antan, quelle que soit la réalité des choses dont on se contrefout. »

Formidable ! comme dirait Doc. Sanski aucunski douteski, Hymie Levy était absoloodle le meilleur !

« En ce qui concerne les profits personnels, notre premier but est de rendre au collège sa gloire d'antan sur le plan de la boxe, il est hors de question de ne pas s'y efforcer si on n'en tire pas un sou. C'est ce que j'entends par là. On ne crée pas un marché, on l'exploite tout simplement. Sinon, ce serait de la pure négligence, quasiment criminelle si tu veux mon avis. »

Il s'était passé une chose étrange lors de ce premier combat contre Helpmekaar. Le sergent s'était approché de Darby White juste avant le début du match pour lui annoncer qu'une douzaine de Noirs, tous très propres et bien habillés, se tenaient devant le gymnase et voulaient avoir la permission d'entrer pour assister aux épreuves. Darby, à grand renfort de tripotage de couilles, s'était fait tirer l'oreille. Si on les prenait dans la rue sans un mot de leur employeur, ils enfreindraient la loi prescrivant le couvre-feu à neuf heures pour tous les Africains. Il ne tenait pas à avoir une prise de bec avec ce qu'il appelait « la gendarmerie », formule anodine s'il en est, quand on a eu affaire à la police sud-africaine, pour désigner l'une des forces paramilitaires les plus dures du monde.

Cependant, tous les Noirs lui montrèrent le mot de leur employeur respectif et il finit par les autoriser à rester à l'entrée avec le vieux Jimbo, le cireur de chaussures de l'école qui n'avait pas manqué un seul combat depuis vingt ans. Intervenant à son tour, l'entraîneur d'Helpmekaar protesta mais, à notre grande surprise, Darby White répondit que les gars, comme le vieux Jimbo, étaient des domestiques de l'établissement et donc les bienvenus.

Je disputai le premier combat ; une fois qu'on m'eut déclaré vainqueur et que l'émotion fut un peu retombée, je me tournai vers la porte. Hormis le vieux Jimbo et un très grand type, il n'y avait plus un Africain. Me voyant regarder dans cette direction, le grand Noir leva la main, poing serré. « *Onoshobishobi Ingelosi !* » hurla-t-il et il disparut.

« Mais qu'est-ce que c'est que ce cirque ? » lança le sergent, levant les yeux de mes gants dont il coupait le sparadrap. « On dirait une espèce de cri de guerre. Quelle bande d'ingrats, ils sont tous rentrés après le premier combat. »

C'était la première fois que les hommes se manifestaient.

Au début, mon fan club noir, comme on allait l'appeler, se limitait à une douzaine de membres mais, quand le lieu le permettrait, il rassemblerait plusieurs centaines de personnes et, par la suite, beaucoup plus. La légende de l'Ange Têtard grandissait.

Au bout de quelques semaines, il fallut se rendre à l'évidence : les domestiques de l'école avaient appris mon identité par la même osmose étrange qui, en Afrique, permet aux nouvelles de s'infiltrer dans les murs des prisons, de franchir les montagnes et d'arriver dans les villes jusqu'à faire partie de l'air ambiant. C'est alors qu'une subtile évolution commença à se faire jour. Les meilleurs morceaux de viande arrivaient à la table des petits et le rabiot était toujours proposé en premier à ma place. Je m'aperçus qu'on m'avait déchargé de mes corvées. J'allais au casier de Fred Cooper récupérer sa tenue de rubgy pour la donner à laver ou ses chaussures de cricket pour les nettoyer et découvrais que c'était déjà fait. Sa ceinture Sam Browne et ses boutons en cuivre brillaient toujours comme un miroir, même les lacets de ses chaussures de rugby étaient propres. On ne me laissait que les besognes du matin, comme de faire le lit de Cooper par exemple, car il n'y avait pas de serviteurs dans les parages à l'aube. Tous les jours, ma tenue était impeccable, rangée dans mon placard propre ou briquée selon le cas, le temps de rentrer du bâtiment principal à Wellington où on déjeunait. Une fois, j'avais déchiré mon maillot de football que j'avais vainement tenté de raccommoder. Cela me préoccupait beaucoup. Je savais pertinemment que ma mère n'avait pas les moyens de m'en acheter un autre. Quand je rentrai déjeuner à Wellington, je vis qu'on l'avait recousu à la machine, lavé, repassé et qu'il était comme neuf.

Je m'entretenais souvent avec les domestiques dans leur langue mais ils ne reconnurent jamais rien, au grand jamais. Ils avaient entendu parler de la légende, connaissaient le mythe et avaient simplement réagi sans avoir besoin de directives. D'ailleurs, je savais que ce n'étaient pas des gens qui s'occupaient de moi par intérêt ni un groupe d'ex-prisonniers par inquiétude. Les Africains ne fonctionnent pas ainsi, chacun agit simplement selon ce qu'il ressent, en fonction de ses sentiments. La légende d'Onoshobishobi Ingelosi était suffisante en soi, elle se nourrissait de ma présence, ce n'était pas lié à une chose que j'aurais faite délibérément. En réalité, bien que j'en aie eu envie, je ne pouvais rien pour arrêter le processus. Mes talents de boxeur apportaient la preuve nécessaire à mon statut de guerrier et le fait que je ne combattais que le Boer haï était un signe de plus.

Comme si souvent lorsqu'il s'agit d'une légende, on peut donner deux interprétations à chaque événement, la première étant plausible et l'autre façonnée pour corroborer la formation du mythe. L'homme est un romantique, il écarte toujours la raison ennuyeuse et pesante au profit de l'émotion qu'apporte un mystère. Comme Doc l'avait remarqué, c'est le mystère, non pas la logique, qui nous donne de l'espoir et nous permet de continuer à croire en une force plus grande que notre propre insignifiance.

Les élèves attribuèrent ma situation privilégiée à mon attitude quasiment fraternelle envers les serviteurs de l'école, ce qui expliquait bien leur empressement à me rendre service. Comme je commençais à le comprendre, j'étais un meneur-né et les meneurs, ai-je découvert, ne recourent jamais aux explications. En fait, moins ils s'expliquent, plus on souhaite les voir devenir des chefs. Hormis face à Doc, je n'avais jamais eu l'habitude de m'expliquer et ceux qui me suivaient considéraient cela comme une force. En vérité, ma répugnance à partager mes émotions venait de la peur que j'avais connue étant petit quand j'étais le seul rooinek en territoire étranger au royaume des Afrikaners. J'avais survécu en passant le plus inaperçu possible, en prévoyant les coups qui se tramaient contre moi, en étant prêt lorsque les coups tombaient pour ne pas me laisser abattre, faisant semblant de ne pas être blessé ni humilié. J'avais appris très jeune que le silence vaut mieux que la flagornerie, que le silence fait naître la culpabilité chez les autres. Qu'il est amusant de persécuter un cochon parce qu'il pousse des cris perçants, mais pas amusant du tout de battre une bête qui ne vocifère pas. J'avais depuis longtemps édifié autour de mon amour-propre les remparts que seule la personne la plus persévérante qui soit parviendrait à escalader.

18

J'étais le plus jeune des élèves de l'école. Cependant, l'un dans l'autre, on pensait que j'avais un bel avenir devant moi à la Prince of Wales School. Ma première victoire sur le ring avait fait de moi un héros parmi les pensionnaires de ma classe qui, ravis d'avoir gagné de l'argent en pariant sur moi, étaient devenus de fervents supporters, en rajoutant chaque fois qu'ils racontaient mes exploits à tous les externes qui voulaient bien leur prêter une oreille attentive. On avait disputé à l'extérieur les deux matches suivants que j'avais aussi remportés ; une fois de plus, les internes avaient eu leur part du gâteau. Bien qu'on manquât d'informations sur mes deux adversaires, ils étaient assez faciles et, les deux s'étant fait battre par Geldenhuis, on prit le risque de donner des cotes plus qu'alléchantes aux parieurs afrikaans pour soutenir leur boxeur. Ce qui fait que les deux matches nous rapportèrent un joli magot.

Le récit de ces deux rencontres, surtout quand Hymie s'en mêlait, les faisait passer pour des combats titanesques ; à côté, mon premier combat contre Jannie Geldenhuis avait l'air d'une partie de plaisir. Lorsque le match suivant se déroula dans nos murs, il n'y avait plus une place assise dans le gymnase ; la cinquantaine d'Africains venus y assister durent regarder les épreuves à travers les baies vitrées.

A la grande joie des élèves de l'école, je gagnai haut la main. Mon adversaire était très agressif, prêt à tout encaisser pour en placer un. Il avait paraît-il remporté ses trois premiers combats avant la fin. Cependant, à trois reprises dans le premier round, il s'approcha de moi à découvert et, les trois fois, je le mis au tapis. Il suffisait de trois knock-down pour l'emporter. Nos couleurs furent mieux défendues quand notre poids mi-lourd, Danny Polkinhorne, gagna aux points un combat en trois rounds sans style mais palpitant.

On avait ouvert un dossier, Hymie et moi, sur tous les boxeurs toute catégorie qu'on rencontrait. Je m'asseyais auprès de lui pendant le match, lui décrivant l'adversaire qui affrontait l'un des nôtres. Je parlais de son jeu de jambes et de son style, de ses points forts et de ses points faibles, de sa personnalité sur le ring. Je lui faisais remarquer que certains boxeurs qui prenaient possession de l'espace attaquaient comme en terrain conquis alors que d'autres semblaient comme des intrus sur le ring. On distinguait les petites frappes des boxeurs. On consignait ceux qui avaient tendance à blesser leur adversaire autour des yeux. Hymie notait chacun des coups, leur nombre et leur style. On finissait par un résumé sur l'ensemble du combat et le boxeur, précisant ses coups préférés et combien il en avait décoché. Avant d'entrer sur le ring, les participants devaient passer à la pesée ; Hymie consignait leur poids ce jour-là, le comparant avec celui de la fois suivante. On conservait tous ces renseignements dans un grand livre de comptes relié en cuir où était écrit en lettres d'or sur la couverture : « *Grand magasin de tapis Levy, 126 Church Street, Pretoria. Des tapis pour des princes.* » Dans cet ouvrage rédigé de l'écriture soignée et déjà posée de Hymie, on ajoutait des informations au profil du boxeur chaque fois qu'il se battait contre la Prince of Wales School.

En un temps record, Hymie réussit à comprendre les subtilités de la boxe. Alors que j'arrivais à me rappeler les moindres détails concernant la majorité des concurrents, Hymie parvint vite à prévoir avec une précision étrange la tactique adoptée par un boxeur lors de son prochain combat. Il avait un instinct infaillible pour détecter les faiblesses d'un boxeur, on pouvait donc préparer les nôtres pour qu'ils attaquent en profitant des erreurs de leurs adversaires. Naturellement, cela nous permettait aussi d'établir la cote d'un match avec un fort pourcentage de réussite. Les affaires marchaient fort car, même si l'équipe de la Prince of Wales continuait régulièrement à perdre, grâce aux cotes qu'on proposait on minimisait nos pertes et, très vite, il nous suffit d'une ou deux victoires pour ramasser le paquet.

Au bout d'un an, quand on eut rencontré chaque école a deux

reprises et que je demeurai invaincu, on eut du mal à trouver des gens pour parier contre moi. Les Afrikaans n'étaient pas idiots. Il nous fallut proposer des cotes de plus en plus alléchantes sur mon adversaire au point de prendre des risques inutiles et je commençais à me sentir nerveux. Vers la fin de la deuxième année, dans un combat contre Geldenhuis à vingt contre un sur lui, je ne l'emportai que de justesse aux points.

Les Afrikaners avaient pigé le coup. Les bénéfices chutaient. Maintenant que nos juniors commençaient à gagner, ils ne pouvaient plus couvrir leurs paris contre moi en prenant des cotes plus serrées sur d'autres boxeurs. Hymie estima qu'il était temps de se retirer des affaires.

« Il est temps de retirer nos billes, Peekay. Dans les affaires, il y a deux règles d'or : savoir quand se lancer et quand laisser tomber. Le plus important des deux, c'est de savoir quand arrêter. On gagnera plus gros ailleurs. »

Pendant deux ans, j'avais eu droit à de l'argent de poche qui tombait régulièrement ; l'idée d'être de nouveau fauché ne m'enchantait guère. « C'est-à-dire ?

— J'en sais foutre rien, répliqua Hymie, mais quelque chose va se présenter. Les affaires, c'est uniquement une question d'occasion et d'argent. Si tu as les fonds, aussi sûr que deux et deux font quatre, une occasion va se présenter. »

En deux ans, on avait bâti une véritable fortune, cinquante pour cent des bénéfices étant consacrés à notre capital qui rapportait des intérêts à la succursale de la Barclays Bank de Yeoville.

C'est alors que l'idée me vint. « Hymie, on a cinquante livres à la banque. Là-dessus, on touche deux et demi pour cent, ce qui n'est pas grand-chose. Franchement, une livre dix par an, c'est pas mal mais pas formidable. »

Hymie éclata de rire. « Il n'y a pas si longtemps... »

Je le coupai : « Ouais, je sais, ça faisait beaucoup d'argent une livre dix, je n'en avais jamais eu autant. Ecoute, on distribue l'argent de poche le mercredi et le samedi. Le mardi et le vendredi, tout le monde est fauché. »

On était assis sur un banc à l'ombre des chênes bordant le terrain de cricket. Paniqué, Hymie se leva d'un bond. Je vis qu'il était bouleversé. Il se pencha vers moi et saisit le dossier à deux mains. « Peekay, tu es fou ? Tu ne comprends donc pas ? Je suis le Juif de service ici ! Qu'est-ce qu'ils vont dire, d'après toi, les gentlemen chrétiens ? Moi, un prêteur sur gages ! Enfin merde, Peekay, toute mon éducation dans cette école de goys a pour but d'effacer ce genre de stigmate. Je suis ici pour des raisons de politique et de vernis social. J'ai déjà des centaines d'années d'entraînement dans le rôle du prêteur sur gages !

— C'est ce que font toutes les banques, non ? rétorquai-je. Quand on demande un emprunt à une banque, il faut se présenter chapeau bas et ils ne sont même pas obligés de gagner l'argent d'abord, les gens leur donnent tout bonnement pour un malheureux deux pour cent et demi d'intérêts qu'ils prêtent de l'autre main à sept pour cent, ça fait presque du trois cents pour cent de bénéfices. Ce ne s'appelle pas de l'usure, ça ?

— Peekay, tu ne comprends pas. Quand les banques font ce genre de choses, ça s'appelle faire des affaires, quand un Juif le fait, ça s'appelle de l'exploitation !

— Donc un Juif ne peut pas avoir une banque ?

— Bien sûr que si. Rothschild, l'une des banques les plus célèbres du monde, appartient à une famille juive. Les Rothschild comptent parmi les familles les plus respectées de France et d'Angleterre.

— Ouais, je sais, affirmai-je. Ils ont commencé comme prêteurs sur gages en Allemagne à Francfort vers la fin du XVIIIe siècle !

— Enfin, Peekay, je n'ai pas besoin de faire ça. Il y a d'autres façons de gagner de l'argent, je t'assure. » Hymie était manifestement bouleversé. « En attendant, tu peux prendre sur nos fonds pour avoir de l'argent de poche.

— Toi, tu n'en as pas besoin, moi si. Je n'ai pas l'intention de toucher à notre capital, je peux me débrouiller autrement. Je regrette de t'avoir vexé, Hymie, mais depuis deux ans je suis monté vingt-cinq fois sur le ring pour faire entrer l'argent dans les caisses. C'est à toi de jouer maintenant. »

Abandonnant le banc, Hymie se redressa et croisa les mains dans son dos comme s'il s'apprêtait à me faire un sermon.

« Peekay, tu sais pourquoi je suis entré à la Prince of Wales School en réalité ? » Il poursuivit sans attendre ma réponse. « Je vais t'expliquer. Lorsque le prince de Galles, j'entends le futur roi, est venu à Pretoria, la Croix-Rouge a donné une réception en son honneur. C'est mon père qui a fourni le tapis rouge pour l'occasion. L'accord était le suivant : le tapis à l'œil contre une invitation. Il attendait en rang et le prince lui a serré la main. Il ne s'en est jamais vraiment remis. On aurait dit qu'il avait touché le visage du Tout-Puissant. Il y était parvenu. Il était arrivé tout en haut de l'échelle sociale. Il était enfin un gentleman. Un gentleman au fort accent polonais mais un gentleman quand même. Il a racheté une véritable fortune à la Croix-Rouge son propre tapis qu'il a mis dans le salon à la maison. Je crois qu'il ne s'est pas écoulé un jour de ma vie sans que j'entende au moins un mot sur ce fichu tapis : "Mon fils, un prince de zes pieds a foulé ze tapis !" dit Hymie en imitant son père. Il a ensuite lu dans le journal qu'il y avait une Prince of Wales School à Johannesburg et que le prince allait déposer une couronne sur le monument aux morts de l'école. Il décida que si un jour il avait un fils, il lui donnerait une éducation de parfait gentleman anglais... pardon, de parfait gentleman juif anglais. Cet établissement et Oxford ensuite vont faire de moi le premier Juif "respectable" de notre famille depuis que Moïse pleurait dans le buisson ardent. Je vais t'avouer une chose, Peekay. S'il avait dû fournir les tapis de toutes les salles de classe, des trois dortoirs et de la cour, il aurait trouvé que c'était une affaire.

— Tu veux dire par là que si on devenait prêteurs sur gages, on foutrait tout en l'air ? »

Hymie fit un grand sourire. « Ouais ! C'est à peu près ça.

— C'est pas grave, on va appeler ça une banque. Ecoute, Hymie, ce projet réunit tous les critères qu'on a définis pour créer une affaire. Il existe un besoin correspondant à nos services. Le facteur risque est mineur et facile à contrôler, nos créanciers n'ont quasiment aucune chance de manquer à leurs engagements, non ? On n'a pas à emprunter. Quant aux bénéfices, ils sont corrects et réguliers. Comme dirait Doc : "Sanski aucunski douteski", c'est irréprochable et c'est honnête... enfin, presque.

— Et si je refuse, qu'est-ce que tu feras ? s'enquit Hymie.

— Il me serait très difficile d'accepter ta réponse. Laisse-moi à mon tour te raconter une histoire. Le type qui m'a appris à boxer était métis et un salaud de bas étage suivant les idées reçues. Il avait passé plus de temps en prison qu'en liberté. Il était de la pire espèce de récidiviste. La lie de la terre, selon toutes les échelles de valeur. C'était un menteur, un tricheur et un voleur. Il s'était aussi fait tabasser plus souvent qu'on a eu droit à un petit déjeuner chaud toi et moi. C'était un perdant fini. C'est ainsi que la société le considérait. C'est ainsi qu'elle le jugeait.

— Tu parles de Geel Piet, non ? intervint Hymie.

— Ja, Geel Piet était quasiment le meilleur ami que j'aie jamais eu. Il a donné sa vie pour moi. Un gardien qui s'appelait Borman lui a enfoncé une matraque de soixante centimètres dans le cul jusqu'à ce qu'il meure d'hémorragie. Geel Piet aurait pu sauver sa peau en avouant tout simplement que c'était moi qui faisais entrer le courrier des détenus dans la prison. Et il n'a rien dit. A mes yeux, il n'était rien de tout ce qu'on lui prêtait. A mes yeux, il était l'un des hommes les plus extraordinaires que je serai sans doute jamais amené à rencontrer. Enfin, Hymie, ce qui compte, ce n'est pas ce que fait un homme, c'est ce qu'il est ! »

On baptisa notre entreprise la Banque des Pensionnaires ; cependant, elle devint tout simplement la Banque et fut aussitôt un succès. Les intérêts étaient de dix pour cent par semaine et les prêts ne dépassaient jamais quinze jours, temps suffisant pour qu'un enfant réclame de l'argent à sa famille s'il avait des problèmes financiers. Au cours des quatre ans qu'on passa à l'école, on n'eut jamais une seule créance irrecouvrable. Le plus drôle, c'est que non seulement les internes mais aussi les externes considéraient la Banque comme une précieuse institution. D'ailleurs, on ne fit jamais allusion aux antécédents de Hymie bien que la Banque fût la base de certains de ses futurs stratagèmes financiers les plus spectaculaires. Je pourrais dire *nos* réussites spectaculaires, mais le vrai sorcier c'était Hymie, moi je n'étais que l'apprenti sorcier. La Banque me fournit aussi mon argent de poche, source d'une grande fierté personnelle. J'avais résolu le principal problème qui me tenait à cœur face à ma scolarité et, sans souci d'argent, j'étais libre d'aller de l'avant.

Quand on arriva en troisième, les plus jeunes boxeurs commençaient à gagner régulièrement. De leur côté, Atherton et l'Araignée rusée avaient remporté six combats sur sept lors de leurs dernières rencontres, Atherton étant poids léger et Cunning-Spider poids welter léger. Les Cogneurs de la cuillère en bois de Hymie se taillaient une réputation et inspiraient le plus grand respect aux établissements afrikaans. On ne se moquait plus de la Prince of Wales School et, à l'époque, c'étaient souvent les Anglais qui gagnaient la guerre des Boers. Ce fut l'année où on céda enfin la cuillère en bois ; on enleva le ruban vert, rouge et blanc aux tons fanés pour le remplacer par les couleurs d'une autre école. Hymie avait atteint son premier objectif qui, déclara-t-il aux Cogneurs, n'était qu'un « petit bouton sur le gros cul poilu de mon ambition en ce qui concerne les gentlemen chrétiens de l'équipe de boxe ».

Au cours des trois ans qui s'avérèrent nécessaires pour céder la cuillère en bois, j'acquis une réputation exagérée parmi les collèges afrikaans du Witwatersrand. Je commençais à forcir et, à quatorze ans, j'étais poids coq. Chaque combat, dans nos murs ou à l'extérieur, attirait les hommes. Un match qui avait lieu à cent cinquante kilomètres en car ou en train attirait autant d'Africains que s'il se déroulait à l'école où les épreuves se disputaient désormais dans la grande salle. Là, les Africains avaient le droit de s'asseoir tout au fond de la salle où ils étaient séparés des Blancs par un large couloir. Pendant l'été, on organisait souvent les matches en plein air, le ring étant généralement dressé sur un terrain de rugby. A l'époque, les Noirs avaient le droit d'assister aux rencontres même lorsqu'elles avaient lieu dans les établissements afrikaans les plus racistes, où on les tenait bien à l'écart des Blancs. Ce fut dans l'une de ces écoles afrikaans que j'entendis pour la première fois le mot *apartheid* employé pour désigner l'endroit où le public noir était autorisé à s'asseoir et depuis je me suis souvent demandé si, ce jour-là, j'avais été présent alors qu'on utilisait pour la première fois ce mot qui allait devenir une expression universelle synonyme d'oppression.

Ces matches de boxe en plein air débutaient habituellement vers six heures alors que le soleil commençait à décliner et se terminaient toujours avant huit heures quand il faisait encore assez jour sur le haut veld pour ne pas avoir besoin d'éclairer le ring. Ce fut à l'occasion d'un autre combat en plein air qu'on inventa le célèbre « aveuglement par le soleil ». Le représentant du Prince of Wales se déplaçait simplement sur le ring pour que l'autre se retourne face au soleil couchant, ce qui l'aveuglait un instant. L'idée était de travailler un adversaire en tournant autour de lui, puis de calculer son coup pour frapper juste au moment où le malheureux se retrouvait en plein dans le soleil de la fin d'après-midi. Si un boxeur était agile sur ses jambes, ce simple truc pouvait marcher cinq ou six fois pendant le combat, lui donnant souvent les points supplémentaires nécessaires pour emporter la décision. Les gentlemen chrétiens n'avaient aucun scrupule à traiter ainsi leurs adversaires ; après tout, c'était la guerre des Boers, on ne faisait pas de quartier. Hymie prit l'idée dans un film qui montrait comment les Spitfires de la bataille d'Angleterre avaient surgi du soleil pour attaquer par surprise des avions allemands.

Les hommes regardaient les matches en silence jusqu'à ce que je monte sur le ring. Commençait alors un doux fredonnement, presque imperceptible, qui s'amplifiait et, à l'africaine, était toujours parfaitement à l'unisson. Puis un soliste reprenait un air qui pouvait donner quelque chose dans ce genre-là : « Il est le chef qui vient au pays de nos rêves, celui qui jette les sorts et apporte la sagesse.

— *Onoshobishobi Ingelosi !* répondaient les hommes en chœur.

— Il sait danser dans la rosée sans laisser de trace et traquer le vent jusqu'à ce qu'il hurle pour se libérer.

— *Onoshobishobi Ingelosi !*

— Ses coups sont comme le tonnerre de l'été et sa foudre frappe ses ennemis !

— *Onoshobishobi Ingelosi !*

— En ruse, il égale le croissant de lune et en sagesse, la pleine lune. Ne reconnaît-on pas en lui le seigneur des ténèbres et de la lumière, du jour et de la nuit ?

— *Onoshobishobi Ingelosi ! Onoshobishobi Ingelosi !*

— Il va gagner pour les hommes, il va gagner pour tous les hommes de toutes les tribus, les hommes sont tous ses hommes !

— Il va gagner, il va gagner, il va gagner pour les hommes, *Onoshobishobi Ingelosi ! Onoshobishobi Ingelosi ! Onoshobishobi Ingelosi !* »

Une fois que le combat commençait, on n'entendait plus un bruit du côté du public de couleur et une fois que j'avais gagné, le grand Noir qui avait assisté à ma première rencontre dans le gymnase de l'école levait la main, poing serré, pour me saluer. « *Onoshobishobi Ingelosi* ! » hurlait-il, puis les Noirs quittaient la salle en silence. J'appris par la suite qu'ils observaient un silence absolu pendant les épreuves pour qu'on ne les accuse pas de chahuter à cause de moi, provoquant ainsi la colère des partisans de mon adversaire et risquant d'être proscrits des lieux. En réalité, le silence total qui régnait dans les tribunes africaines était étrange, contribuant à dérouter mes adversaires.

Hymie comprit vite le potentiel que représentait le public noir ; contre l'autorisation d'assister aux matches de boxe à la Prince of Wales School, on leur demanda de chanter. On ne peut pas dire que c'était un gros effort car la majorité des Africains adorent chanter. Ce devint rapidement une tradition. Hymie convainquit aussi Darby White de me déplacer pour que je sois plus en haut du tableau. Cela avait pour but de laisser les spectateurs de couleur rester le plus tard possible tout en leur permettant de rentrer avant le couvre-feu de neuf heures.

Certains parents et spectateurs commencèrent à venir voir ces rencontres estivales dans la soirée. Les établissements afrikaans furent obligés d'adopter la même attitude pour attirer du public blanc. La boxe ayant de plus en plus de succès, les mélodies africaines étant le clou du spectacle si bien qu'on considéra bientôt le chant précédant mon intervention comme le grand événement de la soirée.

Pendant trois ans, il n'y eut pas un spectateur blanc pour se donner la peine de demander une traduction des paroles : cela donne une idée de l'énorme fossé entre les Noirs et les Blancs. Les gens semblaient trouver bizarre qu'un petit Blanc ait rassemblé tant de supporters noirs, mais ils attribuaient tout simplement cela à mes talents de boxeur. En Afrique, la présomption des Blancs est sans bornes. Le fin fond de l'histoire resta secret ; toutefois, à un certain moment, on traduisit *Onoshobishobi Ingelosi* par l'Ange Têtard.

L'Ange Têtard devint vite mon nom de combat parmi les Blancs et aussi, à ma plus grande honte, auprès des gosses des écoles afrikaans. En anglais, c'était un nom idiot et je fus encore plus gêné quand un groupe d'opposants afrikaners le modifia par la suite. Ils m'appelaient : « le petit ange » ou même parfois « le petit ange à sa maman ». Même s'ils n'étaient pas nombreux, j'avais conscience de la présence de cette bande de chahuteurs qui, comme le groupe de Noirs beaucoup plus important, assistait à tous les combats. Cependant, eux venaient dans l'espoir que le petit ange à sa maman, le boetie cafre, allait se faire amocher entre les mains d'un des leurs. Par contre, aux yeux des hommes, ce nom n'avait qu'un seul sens. Je combattais pour eux contre les Boers. La preuve tangible de la présence ennemie sous la forme du groupe de dissidents ne faisait qu'amplifier leur ferveur. Toutes les semaines, ils étaient de plus en plus nombreux et leurs chants devenaient de plus en plus beaux et recherchés. Pour être honnête, je dois dire qu'il y avait aussi des Blancs de mon côté, des Afrikaners qui adoraient me voir boxer et n'en avaient rien à fiche que je sois un rooinek. Le fait que je demeurai invaincu n'était pas aussi important qu'on pourrait le croire ; plusieurs gosses d'autres écoles détenaient le même record. Je ne pensais qu'à une chose : le championnat du monde des poids welter. J'y songeais si souvent, réaffirmais si souvent ma résolution qu'il ne se passait quasiment pas une heure sans que j'y pense. Perdre un combat aurait été un pas en arrière, une légère fêlure dans ma cuirasse. Cela ne risquait de m'arriver que si j'affrontais un boxeur beaucoup plus fort que moi. Pas seulement plus doué mais aussi nettement mieux entraîné. Tandis que je me disais que chaque victoire était une petite pierre sur le chemin de la consécration, mon énorme besoin de gagner suscitait un tas de questions qu'un enfant de quatorze ans ne peut résoudre. Cela avait un rapport avec l'idée de rejeter le Seigneur, ainsi que ma mère et le Juge, de m'entourer de types qui venaient de familles aisées et concernait même mon serpent sans chapeau. Même si à l'époque je ne considérais pas cela comme un camouflage, c'était le cas en réalité, je me protégeais en étant loin devant. Beaucoup trop loin pour être une cible facile.

Doc et Mrs. Boxall m'avaient appris à réfléchir, Mrs. Boxall dans un sens général et Doc dans un sens plus spécifique. Doc se préoccupait toujours du détail, son regard recherchait ce qui, bien que caché, était important. Il savait que la nature garde jalousement ses secrets, qu'on doit d'abord avoir l'esprit curieux pour se livrer à une observation critique. « Il faut toujours poser des questions, ja, c'est ça, peut-être les réponses seront-elles lentes à venir mais quand on sait patienter avec la tête et les yeux, elles finissent toujours par arriver. » Geel Piet m'avait appris à prévoir les problèmes qui risquent de se poser quelle que soit la situation et à étudier les réponses à donner bien avant d'en arriver à une catastrophe. Sa tête était un véritable réseau de plans d'urgence. Bien que les enfants ne soient pas pessimistes de nature, il m'avait quand même enseigné le prix du geste quotidien qui, répété un millier de fois, devient une réaction automatique face à une situation critique. Par-dessus tout cela se trouvait le dicton de Hoppie : D'abord la tête, ensuite le cœur. Pour gagner, il faut y mettre sa tête, l'émotion qui obscurcit l'esprit est son ennemi naturel. Cela me condamnait à une solitude qui me donnait souvent une envie insupportable de partager mon émotion mais j'avais tout aussi peur, si je cédais à la tentation, de trahir une faiblesse qu'on risquait ensuite d'utiliser contre moi. Seul Doc avait le droit de tout savoir sans que je lui cache rien.

Cependant, il ne me resta même pas Doc lorsque je fus foudroyé par l'éveil des sens et qu'arriva la puberté en une vague de désir. L'outillage perfectionné que m'avaient donné mes mentors et qui m'avait été si efficace pour parfaire inconsciemment mon camouflage s'avérait soudain inutile. Rien de ce qu'on m'avait appris ne m'avait préparé à l'assaut des pulsions sexuelles. Je me retrouvai plus solitaire que jamais. Cette fois-ci néanmoins, je m'efforçais de laisser le couvercle sur la marmite affective qui menaçait de déborder et de m'engloutir. Je me réveillais tous les matins avec un montant de tente droit comme un I que j'emportais aux douches, selon la tradition de l'école, mon érection me servant de crochet où poser ma serviette. Même si je me mêlais à l'hilarité générale se déchaînant devant ceux d'entre nous qui étaient victimes des foudres du désir, je savais que je faisais semblant. Profondément enfoui en un endroit d'où il ne pourrait jamais faire surface, espérais-je, se trouvait Pisskop avec son serpent décapité et, même s'il y avait trop de types circoncis à la Prince of Wales pour que ce soit gênant, tous mes problèmes avaient commencé avec cette partie de mon anatomie qui se conduisait de telle façon que j'étais incapable de la maîtriser. A la maison, on n'avait jamais évoqué les rapports sexuels mais, parmi les types de l'équipe de boxe, on appelait cela «le faire». On prétendait que le Morveux le faisait presque à Sophie Smit, la fille du capitaine Smit, car il lui avait peloté les seins dans le noir à une matinée du samedi et on laissait entendre qu'il l'avait aussi touchée en bas. Je connaissais assez les voies du Seigneur pour savoir que si j'avais la chance de pouvoir le faire à Sophie, je commettrais un péché mortel. Cependant, j'avoue franchement que même si je sentais que je n'avais quasiment aucune chance de me retrouver avec Sophie couchée sur le dos malgré la bouillie que j'avais à la place du cerveau dans mon état, je savais que le Seigneur, plus que soutenu par ma mère, n'était pas le genre de personne qui accepte l'innocence par omission. Mon cas était désespéré. Même pour un pécheur, je péchais à un rythme inquiétant. Non seulement dans ma tête mais aussi derrière la porte close des toilettes où je m'imaginais à loisir en train de *le faire* à Sophie Smit. N'étant pas un vrai chrétien de la Résurrection, il semblait encore plus important que je m'impose la retenue. Cela devint une épreuve de volonté où j'échouais tous les jours, parfois deux fois par jour, sans parler des nuits. Je tentais de restreindre mon activité au minimum, me promettant à chaque occasion que j'étais bien guéri. Malgré tous mes efforts pour essayer de me corriger de mes vilaines habitudes et de me concentrer sur autre chose, mon montant de tente se dressait aux moments les plus gênants et il me fallait m'esquiver pour tenter de me soulager.

Le problème, c'était qu'apparemment Hymie n'avait pas du tout été frappé par les foudres du désir. Il disait des cochonneries comme tous les écoliers mais ne prononçait jamais les termes explicites qu'employait le groupe de chauds lapins qui l'entourait. Non que je fusse de ceux qui fantasment à coups de vulgarité, ma vie sexuelle était clandestine, une chose qui avait lieu en cachette. Toutefois, ce que les autres rêvaient de faire avec les pin-up de Vargas* dans *Esquire Magazine* et qu'ils clamaient bien haut n'était qu'une paraphrase de ce que j'éprouvais. L'Araignée rusée, Paul Atherton et Johnson le Pisseux avaient aussi été frappés par le désir mais pas autant que moi, j'en étais sûr. D'autre part, Hymie semblait traverser la puberté comme un fichu eunuque.

Je ne voudrais pas m'étendre sur le sujet. Toutefois, ce fut une période assez difficile qui m'obligea à réfléchir sur d'autres aspects de ma vie car elle troubla le schéma soigneusement construit de mon existence. Jusqu'alors, je n'avais jamais remis en question les intentions des grandes personnes qui m'entouraient, je n'avais pas eu de raison non plus de m'interroger sur les conventions qu'ils estimaient bonnes pour moi. Je commençais à m'apercevoir que c'étaient principalement les autres qui concevaient les projets concernant mon avenir. Que pour me permettre de rêver à mes ambitions de boxeur, je laissais les autres tracer le chemin à ma place. On me considérait comme un gagnant et tout le monde a envie d'aider un gagnant. Je sentais que j'avais l'intelligence de décrocher la majorité des prix fabuleux qui restaient sur la liste et que cela me conduirait inévitablement à une vie de privilégié, à des portes qui s'ouvriraient, à des barrières qui se lèveraient, à de la place qu'on me ferait tandis que je passerais de main en main parmi les riches et les privilégiés jusqu'à ce que je me fonde parfaitement en ce monde, copie conforme de cette poignée de gens qui, dans l'Afrique des Blancs, a tant de pouvoir sur tous ceux qui n'en ont pas. Doc m'avait appris ce que vaut un être d'exception. Celui qui prend le rôle du solitaire, du penseur, de l'esprit rigoureux qui appelle les privilégiés et les puissants à se mettre à l'épreuve. La puissance de l'ange, c'était avoir le courage de rester à l'écart, d'examiner les choses en détail jusqu'arriver à la vérité et ne pas se laisser séduire par les idées reçues ni les arguments plausibles de ceux qui comptent conserver le pouvoir à n'importe quel prix. A quatorze ans, je ne voyais évidemment pas les choses aussi clairement, mais je comprenais instinctivement que le pouvoir est séduisant et qu'on n'y renonce pas facilement. Pour le garder, on est prêt à déformer la vérité et à fausser ses valeurs. J'étais un enfant d'Afrique, un Blanc bien sûr mais quand même un enfant d'Afrique. J'avais l'obligation, envers le sein noir qui m'avait allaité et les mains noires qui m'avaient lavé

* Peintre spécialisé dans les nus aux positions provocantes. Ses œuvres d'un réalisme photographique ont été publiées dans *Esquire Magazine* et *Playboy (NdT)*.

et bercé, de résister au pouvoir blanc qui serait le cadeau ultime de ceux qui faisaient mon éducation.

Je percevais ce même sentiment de solitude chez Hymie. Je sentais son aliénation juive et je comprenais le pessimisme lucide qui semblait toujours entrer dans ses actes. Il avait hérité de la solitude. Bien qu'il eût besoin de moi, il savait qu'au bout du compte il était seul. Même si on n'en parlait jamais, notre amitié était basée sur cette idée qu'on partageait. On s'était unis instinctivement pour comprendre, l'un par l'autre, ces leçons dont on avait besoin pour nous servir du pouvoir qui était en nous, pour réfléchir et agir différemment de ceux qui nous entouraient. Gagner prit un autre sens. Cela était toujours lié à ma farouche intention de devenir champion du monde des poids welter mais, dans les années à venir, gagner serait le camouflage suprême tandis que je m'entraînais à devenir un terroriste de l'esprit. Pour réaliser ce nouveau but encore mal défini, je devais avoir l'air d'être quasiment parfait en tous points même au risque de passer pour une espèce d'emmerdeur.

Hymie, dans son rôle de manager, faisait travailler son équipe à plein rendement pour nous préparer à la victoire.

Toutes les semaines, je recevais des lettres de Doc, Mrs. Boxall et Miss Bornstein. J'écrivais à la maison assez régulièrement mais ma mère devait être trop prise par sa couture pour se manifester très souvent. Parfois, au bas des missives de Doc, je découvrais deux traces de pouce barbouillé d'encre sous lesquelles Doc notait de sa petite écriture soignée : *De la part de Dee et Dum qui se demandent qui lave ton linge et qui te prépare tes biscottes le matin avec ton café.* Dee et Dum allaient toujours au cottage de Doc pour assurer le ménage hebdomadaire et il s'était beaucoup attaché à elles. Dans ses lettres, Doc parlait des collines et de ses chers cactus. Je continuais à étudier le piano à l'école sous la houlette du professeur de musique ; pourtant, il n'y faisait jamais allusion. Doc devait savoir que j'étais promis à un autre destin. Mrs. Boxall me racontait tous les potins de la ville ; elle m'apprit aussi qu'elle avait trouvé par les Congrégations de Dieu des jeunes missionnaires parlant à elles deux quatre langues africaines pour assurer le service du courrier à la prison. Elle s'en occupait toujours, convaincue qu'on ne permettrait pas à Dieu d'interférer dans cette activité ô combien extraordinaire qui consistait à écrire aux siens. Dans l'un de ses mots, elle avait ajouté que les King Georgie manquaient cruellement aux hommes et que le service de correspondance avait nettement moins de succès depuis mon départ.

La Souscription du comte de Sandwich commençait à se développer, Mrs. Boxall avait été élue présidente de sept groupes différents qui s'étaient lancés dans un travail de réhabilitation auprès des détenus noirs dans les prisons d'Afrique du Sud. Parmi ces adhérents de la première heure, nombreux allaient devenir les dirigeants du Black Sash Movement, mouvement composé de femmes d'Afrique du Sud qui débuta à la fin des années quarante pour s'élever contre l'apartheid et l'injustice qui frappaient les Noirs. Il se poursuivit par la suite ; c'était l'une des rares voix proclamant la liberté qui s'échappait de ce malheureux pays, voix assourdie à force de protester contre un régime qui avait peur d'entendre les cris de souffrance légitimes du peuple.

Miss Bornstein avait la ferme intention de former mon esprit ; elle insistait pour savoir en détail quels étaient nos lectures, nos progrès en maths, bref elle voulait tout savoir sur tout. Je lui avais parlé de Hymie et ses lettres s'adressaient aussi à lui, lettres composées principalement de pages et de pages de questions et de sujets de discussion. Enfin, elle joignait toujours à son courrier hebdomadaire un coup destiné à chacun de nous que nous avait préparé aux échecs le Vieux Bornstein, qu'on ne parvint jamais à battre en six ans d'études.

Hymie gémissait comme un fou quand la lettre de la semaine arrivait bourrée de questions. Se prenant la tête dans les mains, il se désespérait d'une manière théâtrale. « Oh là là, disait-il, imitant sa grand-mère. J'ai décidé de venir dans cette institution pour gentlemen chrétiens uniquement pour fuir les femmes juives et voilà que je me coltine des cours par correspondance avec l'une d'elles ! » Cependant, même de loin, Miss Bornstein avait l'art de mettre votre orgueil en jeu, et ses lettres stimulaient tant notre curiosité qu'on avait tous les deux une bonne longueur d'avance sur les autres.

Hymie fut le premier à employer une expression qui fit le tour de l'école. On était au cours d'histoire de « Mango » Cobett ; Mango, un imbécile qui avait tendance à jouer les intellectuels et qui était un affreux snob, parlait de la guerre de Crimée et de la charge de la brigade légère. On l'avait surnommé ainsi car il avait une tête ovale avec de fins cheveux blonds qui lui collaient au crâne et un bouc pointu, le tout ressemblant à un pépin de mangue sucé jusqu'à ce qu'il n'en reste rien. Bien qu'originaire d'Afrique du Sud, il était ouvertement anglophile et parlait avec une grande naïveté du courage de lord Cardigan lors de la charge de la brigade légère.

Du fond de la classe où on était assis tous les deux, Hymie lança : « D'après Miss Bornstein, il a lamentablement perdu le contrôle de la situation à l'égard des Français. De plus, il a manqué de bon sens et n'a pas été à la hauteur de ses responsabilités envers ses hommes, monsieur. »

Un silence stupéfait s'ensuivit. Mango en était bouche bée, il n'en croyait pas ses oreilles.

« D'après Miss Bornstein, lord Raglan était aussi complètement dépassé. En fait, ce n'était qu'un vieil imbécile qui radotait », ajouta Hymie.

Mango Cobett retrouva sa voix. « D'après qui ça, Levy ?

— D'après Miss Bornstein des célèbres cours juifs par correspondance, monsieur », intervins-je. Une vive agitation gagna la salle.

« Silence ! Silence tout le monde ! » hurla Mango Cobett. Les élèves retombèrent dans le silence. On nous prenait pour des cerveaux tous les deux et Mango n'avait pas assez de cran pour se contenter de nous mettre deux heures de retenue sans défendre auparavant son point de vue historique.

« J'ignorais que les Juifs avaient joué un rôle dans la guerre de Crimée. Je suppose que votre Miss Bornstein est une historienne distinguée, sans doute une meilleure source que *L'invasion de la Crimée* par A. W. Kinglake. » Il prit l'un des volumes posés devant lui sur le bureau et le leva bien haut, louchant légèrement en lisant le dos du livre. « ''William Blackwood & Sons, Edimbourg / Londres, 1864.'' D'après moi, c'est de source sûre, non ?

— Plutôt de bourse dure, monsieur », répliqua Hymie avec esprit et les élèves se déchaînèrent de nouveau.

L'invasion de la Crimée de Kinglake était l'un des ouvrages qu'avait mon grand-père à la maison ainsi que les œuvres complètes de Dickens. J'avais lu les deux volumes du récit de Kinglake quand j'avais huit ans. D'après Miss Bornstein, le compte rendu de Kinglake était remarquable mais, ayant lu aussi les rapports russe et français, elle pensait que la version anglaise officielle était plus que chauvine, cherchant à rejeter la responsabilité sur les Français et les Turcs tout en admettant que lord Raglan, le commandant en chef britannique, bien que compétent, manquait cependant d'expérience et en soutenant que lord Cardigan était un homme d'une grande sagacité qui avait l'étoffe d'un meneur d'hommes. Nous avions échangé tous les trois, Miss Bornstein, Hymie et moi, une correspondance des plus complexes sur les livres mêmes que citait Mango.

« D'après Miss Bornstein, A. W. Kinglake a reçu commande du ministère de la Guerre pour rédiger cette collection, ce qui n'est jamais bon au départ. L'ouvrage a été réédité plusieurs fois et la version de 1864, légèrement modifiée, est la quatrième. D'autres sont parues à la suite de la première guerre des Boers quand le Transvaal a reconquis son indépendance, après avoir été honteusement annexé par la Grande-Bretagne une fois qu'on y eut découvert de l'or par hasard. L'histoire avait pour but de rappeler aux Anglais leur passé glorieux pour qu'ils ne s'appesantissent pas trop sur la terrible défaite que leur avaient infligée une poignée de fermiers décidés qui visaient droit au but et ne se formaient pas en carré pour attaquer. D'après Miss Bornstein, il s'étend trop sur l'aspect glorieux de la question et pas assez sur la réalité des faits. On réédita de nouveau les volumes, deux ans à peine avant la déclaration de la deuxième guerre des Boers. Le moment était parfaitement choisi, bien sûr : ils redonnèrent au public anglais le goût du viol et du pillage territorial au nom de la reine et de l'Empire. »

Hymie avait cité mot pour mot un passage de l'une des lettres de Miss Bornstein, il n'y manquait pas un mot ni même une virgule.

Mango Cobett, qui était généralement blanc comme un linge, avait viré au cramoisi. « Contestez-vous l'intégrité de l'un des meilleurs historiens qui nous viennent des îles Britanniques, Levy ?

— Non, monsieur, répondit Hymie. Pas moi, Miss Bornstein. »

Les élèves éclatèrent de rire une fois de plus.

« Silence ! Silence ! brailla Mango. J'en ai assez entendu ! »

Le calme revint et un Mango Cobett rouge comme une tomate se mit à arpenter la salle. « La bataille d'Alma, la première de la guerre de Crimée durant laquelle les Britanniques attaquèrent le général russe Menchikov de front, côté russe neuf mille morts, côté anglais deux mille ! Ceci, messieurs, ce sont des faits ! »

Je me jetai dans le débat. « D'après Miss Bornstein, lord Raglan perdit le contrôle de la situation quasiment dès le début de la bataille d'Alma. Il organisa l'attaque de front, puis fut dépassé alors que les Français escaladaient les falaises à pic près de l'embouchure du fleuve et débordaient Menchikov, comptant très peu de pertes.

— Neuf mille Russes, deux mille Anglais ! répéta Mango d'un ton catégorique.

— Deux mille morts en trois heures ! rétorquai-je. Les Français ont perdu moins de deux cents hommes.

— Les Russes étaient des paysans sans aucune formation militaire qui combattaient en rangs serrés. Menchikov avait des œufs brouillés à la place du cerveau », affirma Hymie pour le plus grand plaisir des élèves.

Mango Cobett s'obstina. « La bataille d'Inkerman, côté russe onze mille morts, côté anglais deux mille six cent quarante ! » Il insista sur le quarante pour souligner qu'il connaissait parfaitement les chiffres en question.

« D'après Miss Bornstein, lord Raglan n'a eu aucune influence sur le déroulement des opérations. On a baptisé Inkerman ''la bataille des soldats'' car on a envoyé les unités au combat sans plan stratégique et les soldats ont dû se débrouiller tout seuls, répliqua Hymie.

— D'autre part, les Russes étaient sous le commandement du général ''œufs à la russe'' en personne, déclarai-je d'un ton suffisant, ce qui provoqua un nouvel éclat de rire.

— Ça suffit, Peekay », dit Mango qui n'était pas très heureux de combattre sur deux fronts. « Il nous reste encore une bataille, Redan.

— Ah, Redan ! D'après Miss Bornstein...

— Silence, Levy ! ordonna Mango. On ne connaît pas les pertes des Russes mais elles ont sans doute été deux fois plus importantes que celles des Anglais.

— Les Anglais ont perdu cinq mille hommes à la bataille de Redan et une fois de plus, lord Raglan a été dépassé, affirmai-je, bien décidé à ce qu'il ne cache pas les pertes des Anglais.

— Lord Raglan était très malade, il est mort du choléra dix jours plus tard. On ne peut pas le tenir pour entièrement responsable de ces terribles chiffres, rétorqua Mango.

— Vous avez oublié la charge de la brigade légère, monsieur, lança Hymie avec un large sourire.

— Ah oui. La brigade légère de lord Cardigan, une erreur, un malentendu, un ordre mal rédigé.

— Et sous le commandement de lord Cardigan qui avait des pieds de porc à la place du cerveau, sept cents soldats de cavalerie ont lancé l'assaut dans la vallée de la mort et quatre cents y ont péri !

— Je n'apprécie pas votre attitude, Levy. Lord Cardigan faisait partie de l'aristocratie britannique, il n'a pas à subir les quolibets d'un collégien. Pendant qu'on est sur le sujet, Peekay, Menchikov était un général russe respectable au-dessus de vos plaisanteries puériles, lui aussi. Je vous verrai tous les deux devant la salle des professeurs après la classe. Vous avez eu une attitude répréhensible, pour ne pas dire plus, durant ce cours d'histoire. » La cloche annonçant la récréation sonna, Mango Cobett redevint blanc comme un linge. Alors qu'on quittait la salle, il lança un dernier sarcasme. « Laissez-moi vous dire que l'Angleterre n'a pas conquis la moitié du monde, dont ce pays, en mettant des imbéciles à la tête de ses troupes. »

— D'après Miss Bornstein... », reprit-on en chœur et Hymie de conclure : « ... ce n'est pas vrai. »

L'expression était née. A partir de ce jour, chaque fois qu'un élève de la Prince of Wales School n'était pas d'accord avec les propos de son maître, il manifestait sa désapprobation en commençant par ces mots : « D'après Miss Bornstein... » Les enseignants en furent si exaspérés que cela finit par arriver aux oreilles du directeur, St. John Burnham, maîtrise ès lettres (Oxford), baptisé en jouant sur les sons *Singe 'n Burn (Roussi et Brûlé)*, qui s'engorgueillissait d'être un éducateur libéral. Au grand dam des professeurs, surtout Mr. Hemming, le professeur d'anglais principal, Singe 'n Burn déclara l'expression comme étant « une paraphrase légitime pour une opinion divergente ». C'est ainsi que la formule « d'après Miss Bornstein », entra officiellement dans le vocabulaire de l'école.

On arriva devant la salle des professeurs peu après trois heures, armés des deux lettres de Miss Bornstein sur le sujet. Cependant, Mango se refusa à poursuivre la discussion ; il nous donna tout simplement deux heures de retenue et une dissertation de deux mille mots à rédiger sur la guerre de Crimée. Il ajouta qu'à la prochaine incartade, il nous enverrait chez le directeur.

Hymie lança d'un air écœuré : « Je t'avais bien dit que ce n'était que des bêtises, l'histoire. Voilà une nouvelle génération de gentlemen chrétiens qui va grandir en croyant que la charge de la brigade légère fut l'une des heures les plus glorieuses de l'Angleterre.

— Mais c'est vrai, répliquai-je.

— Comment ça, c'est vrai ? demanda Hymie qui n'était pas sûr de m'avoir compris.

— Ce fut l'une des heures les plus glorieuses de l'Angleterre. L'important n'est pas de perdre ou de gagner, l'important c'est la façon dont on joue le jeu.

— Absurde ! Si les Juifs avaient joué le jeu, notre race se serait éteinte il y a quinze mille ans.

— Il faut être un gentleman chrétien pour comprendre cela, lui lançai-je pour plaisanter.

— Fais-moi plaisir, Peekay, ne te contente pas de lire les livres d'histoire, sens les choses. Essaie d'imaginer que tu es un type comme tout le monde sur ton cheval à moitié mort de faim, ton régiment a été décimé par le choléra, tu as une lance à la main et tu as le regard rivé sur les canons de l'artillerie russe sur la crête du Vorontsov à Balaclava. Tu sais pourquoi les Anglais ont réussi à conquérir la moitié de la planète ? Parce qu'ils étaient tellement bêtes ! Un idiot de lord prétentieux dans un uniforme de général avançait tout simplement sur une position en déployant ses hommes. Il n'en avait rien à fiche, ce n'étaient que des cavaliers et des pauvres types, de la chair à canon. Il continuait à les envoyer sur le champ de bataille et, priant que Dieu leur vienne en aide, ils continuaient à y aller jusqu'à ce qu'il finisse par remporter la victoire. Tu appelles ça du courage ? Moi, j'appelle ça de la boucherie et de la bêtise. Les généraux massacraient leurs hommes et ceux-ci étaient trop bêtes pour résister.

— Et trop courageux, ce n'était pas seulement de la bêtise. »

Hymie ignora ma remarque. « L'histoire présente tout ça très bien. L'histoire oublie le vomi et la merde, le sang, les chevaux les tripes à l'air, les cris des hommes qui font dans leur culotte et baignent dans leur propre sang. La charge de la brigade légère est célèbre car ce fut le sacrifice humain le plus manifestement idiot, le plus spectaculairement stupide, le plus formidablement crétin jusqu'à ce que les brillants généraux anglais fassent encore mieux avec le massacre pur et simple perpétré de sang-froid en Flandre dans les tranchées et sur les falaises surplombant Gallipoli. »

Hymie changea brusquement de sujet. « Hitler a tué six millions de Juifs. Il a dû les prendre dans des rafles, les expédier dans des trains vers les camps de la mort et le monde a versé des larmes sur cet acte inhumain que des hommes infligeaient à d'autres hommes. Mais là-dessous demeurait le sentiment que les Juifs auraient dû se battre, auraient dû résister, auraient dû mourir en défendant leurs amis et leurs parents, auraient dû mourir comme des hommes. Toutes les femmes et les enfants, les cordonniers, les tailleurs et les petits commerçants qui croyaient être allemands, polonais ou hongrois, qui croyaient passionnément en l'ordre et la logique, en Kant et en Spinoza, qui croyaient qu'il faut s'occuper de ses affaires sans jamais se mêler de celles des autres et qui croyaient surtout qu'il ne faut jamais se porter volontaire pour être idiot, auraient dû se transformer en machine de guerre qui s'enorgueillit de mourir.

« Sous prétexte qu'ils ne couraient pas partout après un bout de drapeau bariolé, l'histoire peut néanmoins les prendre pour des lâches. » Hymie renifla, puis s'essuya le nez du revers de la main. Je ne l'avais jamais vu si bouleversé ni aussi en colère.

« Quand un général anglais à la recherche d'un autre galon à arborer sur sa poitrine envoyait des hommes à la bataille au XVIIIe, au XIXe siècle et à nouveau durant la Grande Guerre, les Anglais se portaient volontaires. Ils se mettaient carrément sous son aile et, pour les payer de leur confiance, il se fichait de leur vie autant que les assassins d'Auschwitz, Dachau, Treblinka, Belsen et des autres camps de la mort se fichaient de la vie de mes semblables. Cependant, une fois que ce fut fini, le monde entier, ou tout du moins le monde de langue anglaise, acclama à cor et à cri ses gentlemen chrétiens. On avait créé de nouvelles traditions, on avait de nouveaux drapeaux de régiments à accrocher dans Saint Paul ou l'abbaye de Westminster. De nouvelles bêtises. » Il renifla à nouveau et me prit par l'épaule.

« Tu veux que je te dise une chose, Peekay ? L'histoire, c'est ignoble et ce sont des salauds dans le genre de Mango Cobett qui ajoutent à l'horreur en gobant les conneries qu'on écrit. Crois-moi, dans trente ans, les Allemands prétendront qu'il n'y a eu qu'une poignée de SS responsables de l'holocauste à l'insu des bons citoyens qui sont restés chez eux en tricotant des chaussettes pour les prisonniers de guerre juifs. »

On doit reconnaître à Mango Cobett que les rédactions sur la guerre de Crimée qu'on rédigea en retenue obtinrent le prix d'histoire *ex æquo* cette année-là. Les preuves de Miss Bornstein étaient trop concluantes.

Par ses lettres hebdomadaires, dont certaines avaient jusqu'à vingt pages, Miss Bornstein avait le don de susciter une ligne de raisonnement qui nous stimulait tous les deux. On se précipitait à la bibliothèque pour en savoir plus. Lorsqu'on arriva en troisième, on était devenus experts en matière de recherches et on nous donna la permission de passer l'après-midi du mercredi à la bibliothèque municipale de Johannesburg.

La troisième fut une grande année pour nous. Ce fut l'année où l'équipe de boxe céda la cuillère en bois et l'année où on édita, avec l'aide d'une dactylo et de la machine Gestetner dans le grand magasin de tapis du père de Hymie, *Notes du Cours par Correspondance de Miss Bornstein. Résultats garantis, sinon vous êtes remboursés. Peekay / H. S. Levy. 5/-.* Il y avait deux manuels, l'un pour les cinquièmes et l'autre pour les quatrièmes.

On avait discuté à n'en plus finir sur le prix. Cinq shillings, c'était scandaleux alors qu'un livre de sciences ne coûtait que deux shillings.

« Si on en demande ce qui semblerait normal, on aura de la chance si on en tire six pennies, reconnut-il. Pour faire de bonnes affaires, il faut que les gens aient l'impression que ça a de la valeur et la meilleure façon de s'y prendre, c'est de guider leur jugement.

— Tu veux dire en demandant un prix exorbitant ?

— Un instant, Peekay, ce n'est pas tout à fait juste. La valeur de l'argent est liée à la conviction du client d'avoir fait le bon choix. Tu n'es pas d'accord ? »

Je fus bien obligé d'acquiescer. « Bon, et que promet-on avec les *Notes du Cours par Correspondance de Miss Bornstein* pour les cinquièmes et quatrièmes ?

— C'est écrit sur la couverture mais, qu'on demande six pennies ou dix shillings, ce fichu engagement tient toujours.

— C'est pas vrai. Un prix de cinq shillings signifie au moins deux choses : un, que les informations contenues dans le manuel sont précieuses ; deux, qu'en les suivant, le succès est garanti. La seconde assurance est une question pratique : ils trouveront tout ce qu'ils cherchent dedans, ils n'ont pas à farfouiller dans une douzaine de bouquins, les auteurs ont fait tout le travail de recherche pour eux. Si on leur réclamait six pennies, ils penseraient que l'ouvrage n'a pas de valeur, donc qu'il ne leur servirait à rien.

— On ne devrait pas l'habiller un peu ? A deux shillings l'exemplaire, on pourrait sans doute les faire cartonner. Comme ça au moins, on aurait l'impression que ça vaut plus ? »

Hymie me regarda, l'air stupéfait. « Peekay, tu es fou ou quoi ? Tu veux bousiller l'affaire en un an ?

— Comment ça ? »

Hymie prit un exemplaire de notre manuel et, le tenant par un coin, le secoua violemment. Les agrafes qui maintenaient les pages sautèrent et tout s'envola.

« Voilà, non mais regarde ! C'est de la camelote, on ne laissera jamais passer une chose pareille, protestai-je.

— Absurde, c'est parfait, ils ne tiendront qu'un an. S'ils étaient bien imprimés et bien reliés, les types les revendraient aux nouveaux à la fin de l'année. Et que deviendrait notre entreprise ? »

Hymie avait raison. Malgré le prix, tous les élèves des deux classes en achetèrent un exemplaire et personne ne demanda à se faire rembourser. On faisait une bonne paire en affaires avec l'avantage d'être populaires en plus ; je comptais de nombreux supporters parmi mes pairs grâce à mes talents sur le ring principalement et, à un moindre degré, sur le terrain de rugby. Traiter avec la Banque quand on était fauché était entré dans les mœurs aussi bien pour les externes que pour les pensionnaires, si bien qu'à chaque fois qu'on se lançait dans une nouvelle aventure, on était généralement très bien accueillis. On appelait cette bienveillance qui nous entourait notre « image », mot que j'avais découvert dans un livre américain sur le monde des affaires et qui n'était pas aussi courant que de nos jours.

Je dois dire que, même si Mango Cobett était une espèce de bouffon et un affreux snob, Singe 'n Burn, le directeur, avait pris soin d'engager des enseignants à l'esprit libéral. Former ce qu'il nommait « le produit de l'école privée » l'intéressait moins que d'encourager des individus à sortir du rang. Quand il parlait de sa conception de la personne idéale, il faisait référence à l'homme de la Renaissance. Un garçon qui prendrait plaisir à apprendre pour son bien, l'amateur inspiré dans les dons du corps comme de l'esprit. L'homme complet, supérieur en raison de sa curiosité et de ses dons qu'il entretenait soigneusement, en récoltant les fruits. Un homme modeste car il n'avait pas besoin de cacher aux autres ses pensées ni ses actes, pas plus qu'il n'avait besoin de rechercher leur approbation.

Singe 'n Burn était un Anglais arrivé à la fin de ce qu'on appelle une remarquable carrière. Aux yeux des parents, il représentait toutes les valeurs du système des écoles privées anglaises, venant de Winchester où il avait été principal. Aux yeux des membres du conseil d'établissement, il incarnait un système de privilèges qu'ils tenaient en grande estime, souhaitant qu'il tente de l'égaler le plus fidèlement possible.

En vingt ans à la tête de la Prince of Wales School, Singe 'n Burn n'était jamais vraiment parvenu à accepter le collégien fortuné d'Afrique du Sud. Curieusement, les garçons croyaient en leur supériorité sur le plan social à l'image de leurs condisciples des écoles privées anglaises, bien que le fondement fût peut-être différent.

En premier lieu, comme tous les Sud-Africains blancs, anglais et afrikaans, ils pensaient que Dieu les avait faits supérieurs puisqu'ils étaient blancs. A ceci s'ajoutait leur caractère anglais par procuration et leur croyance absolue dans le bon droit de la richesse et des privilèges. Peut-être pas si différente de celle de leurs cousins anglais, finalement.

Les élèves de Singe 'n Burn lui arrivaient l'esprit déjà étroit, sectaires quant à leur aversion et leur méfiance de l'identité afrikaner. Parmi eux régnait la conviction tacite que, des deux tribus blanches d'Afrique du Sud, ils représentaient l'élite intellectuelle et culturelle. Sans compter leur conviction formelle d'être d'une espèce supérieure aux Noirs. Depuis le berceau, leur esprit était vicié et chasser le racisme implanté en eux était vain. St. John Burnham était obligé d'accepter des tas d'esprits superficiels qu'il gavait d'instructions pour réussir l'examen de fin d'études. Hélas, les chances de voir émerger un homme de la Renaissance au sein de ce vide intellectuel étaient plus que limitées.

Pourtant, depuis vingt ans, Singe 'n Burn caressait toujours son rêve. Alors que la majorité des élèves de la Prince of Wales School correspondaient au produit de n'importe quelle école privée du pays, autrement dit des garçons outillés pour une société où comptaient l'argent et la position sociale, il se gardait pour lui six éléments par an. Ils composaient la matière brute à sculpter pour former ses hommes de la Renaissance, quelques sujets brillants baptisés les hommes de St. John, St. John's People, qu'on prononçait « Sinjun's People ». Ils étaient sélectionnés en troisième pour recevoir un enseignement spécial sous la direction de Singe 'n Burn qui préférait négliger la masse au profit de la qualité. Des roses parmi les mauvaises herbes. L'école s'était taillé son extraordinaire réputation de pépinière des futurs dirigeants du pays sur ces six jeunes esprits éduqués avec soin qu'on amenait à floraison dans la serre de Sinjun.

Il ne suffisait pas d'avoir de la cervelle pour faire partie des Sinjun's People, bien que l'aspect intellectuel jouât un rôle important dans la formation. « C'est l'esprit de l'élève, son aptitude naturelle à maintenir son statut parmi ses pairs tout en restant fidèle à lui-même dans ses croyances, ses opinions et ses actes. » C'est ainsi que l'expliquait Singe 'n Burn tous les ans lors de la première réunion à la rentrée.

Les hypothèses allaient toujours bon train, en troisième comme dans les autres classes, quand avait lieu l'élection des Sinjun's People juste avant les vacances de Pâques.

A mon habitude, je m'étais préparé à une déception. Si je ne comptais pas parmi les six élus, mon orgueil en serait profondément blessé mais je savais que j'y survivrais. Les paris me donnaient dans les grands favoris. Cependant, je ne partageais pas cet optimisme général. Pas par fausse modestie, à cause de la boxe.

Bien que l'équipe eût redoré le blason de l'école, c'était un sport mineur comparé au cricket ou au rugby. Un certain nombre de professeurs estimait qu'il n'était pas à la hauteur d'un établissement de notre réputation et, si Darby et le sergent n'avaient pas été là, on l'aurait sans doute supprimé progressivement. On me considérait toujours comme l'une des têtes du collège mais je n'avais jamais caché que la boxe était ma principale ambition. J'étais sûr que cela jouerait contre moi. Au cours de mon dernier entretien avec Singe 'n Burn, il avait noté qu'apparemment la boxe passait avant tout pour moi, avant mes talents de musicien et ma carrière universitaire prometteuse. « La boxe ? C'est une obsession chez vous, Peekay ? Où pensez-vous que cela vous mènera ? Je dois avouer que cela semble curieux comme passe-temps pour un gentleman même si lord Byron était paraît-il un boxeur de talent. » Lorsque je lui avais confié que j'avais l'intention de devenir champion du monde des poids welter, il avait levé les sourcils en accent circonflexe et m'avait regardé par-dessus ses lunettes à monture métallique. Pour toute réponse, il avait fait : « Hum. »

Hymie faisait aussi partie des quinze candidats qui devaient être reçus par le directeur. Même si on le considérait comme une grosse tête, on trouvait Hymie trop impertinent et la plupart des élèves pensaient donc qu'il avait très peu de chances. Quand je lui demandai comment s'était passé son entretien avec Singe 'n Burn, je vis qu'il n'avait apparemment pas envie d'en parler, je ne lui posai donc pas d'autres questions.

Traditionnellement, les Sinjun's People étaient sélectionnés par ordre de mérite. Hymie trouva là une occasion qui allait s'avérer l'une de nos plus grandes réussites financières. Je n'y fus pour rien, je me contentai d'assurer une partie du travail de recherche et de partager les gains énormes. On baptisa l'opération : « Le Remarquable Multiple de Cent signé Levy ». Il y avait deux façons de parier. Soit on versait un shilling en donnant dans le désordre le nom des trois vainqueurs à choisir sur la liste des quinze finalistes. Les gagnants, car il y en aurait forcément plusieurs, se partageraient un pot de trente livres. Soit, en prenant deux paris ou plus, on pouvait participer au Remarquable Multiple de Cent signé Levy qui comportait un prix de cent livres et ne demandait que deux bonnes réponses : les noms du premier et du deuxième sur la liste des Sinjun's People.

C'était un beau coup, tout le monde croyait connaître au moins trois noms sûrs et avait donc une forte chance de toucher une partie des trente livres. La plupart ne résistaient pas à l'envie de doubler leur mise pour tenter de toucher le gros lot, cent livres s'il n'y avait qu'un gagnant et vingt livres garanties s'il y en avait plus. La majorité des élèves, surtout les externes, misèrent dix shillings et une livre dans l'espoir d'avoir le maximum de combinaisons possibles. Même dans ce paradis pour gosses de riches, cent livres ça représentait une fortune. Tous les élèves avaient fait au moins deux paris.

La semaine qui précéda la dernière sélection des Sinjun's People, on tint office tous les jours dans les chiottes du bâtiment principal une heure avant la classe et à l'heure du déjeuner. La queue devant les toilettes allait jusque dans la cour et, si quelqu'un avait regardé par là, il avait dû se demander si une épidémie de diarrhée n'avait pas frappé l'établissement.

Hymie prenait l'argent tandis que je tenais le rôle du scribe, notant les paris. La veille du jour où on devait annoncer les noms des Sinjun's People, la tension était forte. L'émotion m'avait aidé à oublier un peu mes peurs quant à notre sort. Hymie, de son propre aveu, considérait qu'il avait peu de chances. « Merde, Peekay, c'est évident. Je suis beaucoup trop voyou et pas assez poète pour plaire à Singe 'n Burn. » En mon for intérieur, j'étais d'accord avec lui : sa réputation d'affairiste et mon goût de la boxe pesaient lourdement contre nous. Dans le cas de Hymie, les paris le reflétaient bien ; on n'avait pas cité son nom une seule fois ni sur la première combinaison ni sur la seconde alors que le mien apparaissait souvent.

Au total, les paris qu'on avait enregistrés représentaient la somme hallucinante de cent quatre-vingt-dix livres. Qu'on perde ou qu'on gagne, on ferait un bénéfice net de soixante livres. On avait calculé les chances d'avoir un gagnant du Remarquable Multiple de Cent signé Levy : elles étaient faibles mais pas nulles. Par contre, on savait qu'on aurait plusieurs gagnants sur le pot de trente livres. Une parfaite arnaque et un beau coup en plus. Un bénéfice garanti, un certain nombre de gagnants satisfaits et la possibilité de ramasser une fortune si on n'était pas obligé de payer le Remarquable Multiple de Cent signé Levy. Il fallait le reconnaître, le truc de Hymie était idéal.

Le lendemain matin, alors que je me tenais à côté de Hymie à l'assemblée du directeur, j'entendais mon cœur battre la chamade. L'hymne choisi avant la prière du matin était : *O Dieu notre Sauveur en des temps anciens*, l'un des rituels, qui parut cependant durer vingt minutes ce jour-là. La prière qui suivit était une histoire interminable sur l'humilité dans les honneurs et le courage dans les moments de déception. De toute évidence, Singe 'n Burn l'avait choisie pour l'occasion. On eut droit ensuite à un tas de commentaires sans intérêt sur l'économie domestique de l'établissement, dont une recommandation conseillant de ne pas s'approcher de la piscine qu'on avait vidée pour la repeindre pendant les vacances de Pâques et un aparté engageant plus de volontaires à s'inscrire pour passer leur brevet de sauvetage premier degré.

Enfin, Singe 'n Burn s'éclaircit la gorge pour en venir à la grande question du jour. Sur l'estrade, en robe noire garnie de pourpre, il avait retiré son mortier et la lumière se reflétait dans ses cheveux blancs comme neige. A une époque où tout le monde portait les cheveux courts, les siens lui arrivaient presque aux épaules et il portait des lunettes à monture métallique au bout de son long nez fort impressionnant. St. John Burnham, diplômé de Oxford, faisait plus directeur que nature, plus encore qu'une caricature sortie d'une bande dessinée de Billy Bunter.

Un silence mortel régnait ; en dehors des quinze candidats, tous les élèves présents avaient parié de l'argent sur la grande nouvelle qu'on attendait. Singe 'n Burn s'éclaircit la gorge et commença.

« Tous les ans, le conseil d'établissement m'accorde une faveur personnelle d'un ordre très particulier. J'ai le droit de choisir parmi les élèves de troisième les six éléments qui formeront les Sinjun's People. » Il s'arrêta un instant pour contempler les vitraux au fond de la salle comme s'il cherchait l'aide de Dieu. « Désormais, vous savez tous que je ne prends pas cette tâche à la légère. En fin de compte, c'est aussi triste que réjouissant car, même s'il y en a six de choisis, neuf autres qui sont arrivés en finale devront se retirer. Ce sont ces neuf garçons vaillants qui rendent ma tâche quasiment impossible. Après tout, qui peut dire si je fais le bon choix ? Je suis sûr qu'à ma place, quelqu'un d'autre pourrait sélectionner six garçons tout aussi valables et talentueux mais différents de ceux que j'ai retenus. Cette année, tous les candidats étaient des jeunes gens exceptionnels, tous méritaient d'être choisis mais hélas le chiffre est limité à six. Je vous adresse à tous mes félicitations et à ceux d'entre vous qui ne compterez pas parmi les Sinjun's People un mot de consolation. » Il observa une pause et attira notre attention sur le tableau d'honneur de mille neuf cent vingt-six peint en feuilles d'or sur un panneau au milieu de la salle à gauche. « Le premier nom de ce tableau d'honneur de mille neuf cent vingt-six est celui de l'actuel haut-commissaire sud-africain à Londres, brillant diplomate, homme lettré et, à ce jour, le plus jeune fonctionnaire à ce poste. Je ne serais pas absolument surpris qu'il devienne un jour notre premier ministre. » Il s'arrêta de nouveau pour que la suite produise le plus d'effet possible. « A son époque, ce brillant sujet n'avait pas été sélectionné pour faire partie des Sinjun's People. » On aurait dit que son regard parcourait tous les rangs les uns après les autres tandis qu'il nous regardait par-dessus ses lunettes. « Arrivé à ce point, j'avais l'intention de vous lire le remarquable poème de Rudyard Kipling : *Si*. Toutefois, on m'a rappelé que ce texte était au programme de vos cours d'anglais ce trimestre et que vous le connaissez donc tous parfaitement. Je vous épargnerai cette redite. Permettez-moi de conclure en disant que, d'après mon expérience, dans la vie ce sont plus souvent ceux qui persévèrent malgré les échecs et les déceptions qui obtiennent les récompenses les plus éclatantes que ceux qui sont exceptionnellement doués et qui, forts de leurs talents, poursuivent souvent leurs efforts menant au succès avec moins de détermination. » Il marqua une pause, puis sortit une feuille de papier de sa robe.

« Les garçons suivants de la classe de troisième ont été choisis pour devenir les Sinjun's People jusqu'à la fin de leurs études à la Prince of Wales School. Mes félicitations à vous tous. » Jetant un coup d'œil au morceau de papier qu'il avait à la main, il commença à lire : « Levy H. S., Lyell H. R., Quigley B. J., Minnaar J. R.... » J'avais donné à Hymie un coup dans les côtes au moment où on avait cité son nom mais j'avais le visage en feu et une boule dans la gorge qui grossissait de seconde en seconde. Je sentais que j'allais suffoquer... « Eliastam P. J. » Le directeur s'arrêta pour s'éclaircir la gorge, puis observa les élèves rassemblés. Le temps semblait suspendu comme des toiles d'araignée et le papier qu'il tenait gravé comme une pierre tombale blanche flottant dans l'air.

« Et Peekay », annonça-t-il enfin.

J'avais les jambes flageolantes et il me fallut toute ma volonté pour ne pas me mettre à pleurer sur-le-champ. J'avais réussi. J'étais le sixième des Sinjun's People.

On fêta l'événement, Atherton, l'Araignée rusée, Johnson le Pisseux, Hymie et moi, en s'offrant des tourtes aux fruits, des choux à la crème et du Pepsi-Cola tout l'après-midi jusqu'à ce que nos trois camarades soient obligés de partir pour l'appel de quatre heures. Les Sinjun's People n'avaient pas à assister à l'appel et, lorsqu'ils s'en allèrent en nous maudissant sur le ton de la plaisanterie, on prit une mine de circonstance alors qu'en notre for intérieur on se sentait terriblement privilégiés.

Neuf élèves, qui avaient gagné le premier pari, se partagèrent le pot de trente livres. Il n'y eut pas de gagnant sur la seconde combinaison. Hymie en personne était l'outsider ; même si certains avaient pu le mettre dans leur première combinaison, personne n'avait songé à le placer premier ou second dans le Remarquable Multiple de Cent signé Levy. Dans la mesure où c'était mon nom qui était revenu le plus souvent dans l'une ou l'autre hypothèse, la majeure partie des listes n'était même pas proche de la vérité. On avait gagné cent soixante livres net dans cette affaire.

Une fois que les autres furent partis répondre à l'appel, je me tournai vers Hymie. « Alors, gros malin, comment tu t'y es pris ? lançai-je, léchant délicatement la crème qui dépassait des deux côtés de mon dernier chou.

— Comment je m'y suis pris pour quoi ? s'enquit Hymie d'un air songeur, buvant un Pepsi au goulot pour tenter de cacher son sourire.

— Tu sais très bien de quoi je parle ! D'après les paris, tu savais qu'on pensait que tu n'avais aucune chance d'être élu à la première place. Même moi, je n'y aurais jamais pensé. Si tu arrivais en première position, on était sûrs de toucher le gros lot. Comment tu t'y es pris ? »

Il retira la bouteille de sa bouche et la posa par terre à côté de lui. « C'était en partie une question de chance mais principalement lié à mon discernement comme d'habitude, répliqua-t-il, toujours aussi modeste.

— La vache, quelle modestie, Levy ! Bon, explique-moi d'abord le côté discernement.

— On aurait sans doute été contents d'empocher soixante livres en ayant une bonne chance de toucher le gros lot en plus. Toutefois, le facteur chance demeurait. Il fallait donc que je trouve moyen d'établir une opération parfaitement honnête pour que les autres aient moins de chances de gagner et nous davantage.

— Tu es drôlement gourmand, Levy.

— Non, pas gourmand. Je n'aime pas jouer, c'est tout. Par contre, j'aime gagner et pour gagner, il faut que le facteur chance soit négligeable. Prends l'exemple des courses. Il y a grosso modo une quinzaine de chevaux au départ et, au cours de toute l'année passée, j'ai analysé les résultats de toutes les courses qui se sont disputées à l'hippodrome de Turfontein. Durant tout ce temps, les deux favoris ont gagné dans le bon ordre cent quatre fois sur huit cent trente-deux courses. Autrement dit, le bookmaker a huit chances contre une de gagner. C'est pas mal mais pas suffisant.

— Ouais, évidemment, mais on était sûrs de toucher soixante livres de toute façon. Ça fait une sacrée semaine.

— Je sais. Cependant, il n'y avait aucun piment intellectuel dans toute cette histoire. Ce n'était pas lié à ma cervelle.

— Hymie, on ne peut pas jouer sur les deux tableaux. D'un côté, tu veux une arnaque sans aucun risque et, de l'autre, tu veux quand même y trouver du piment intellectuel.

— C'est ce que je t'ai déjà expliqué. Quand un Juif gagne de l'argent, c'est une question de survie intellectuelle.

— Bon, d'accord. Alors dis-moi, mon vieux, comment t'as arrangé le coup ?

— Arrangé le coup ! hurla Hymie. Tu me traites de tricheur ? »

Je ne m'attendais pas du tout à cette scène, j'en étais retourné. « Enfin, Hymie, tu comprends ce que j'entends par là », ajoutai-je aussitôt, m'efforçant de masquer ma gêne.

Hymie soupira. « On en revient toujours à la même chose, le gentil s'imagine que le sale Juif triche. C'est vrai, non ?

— Arrête ton baratin, Hymie ! Ce n'est pas ce que je voulais dire, je suis sincèrement désolé. Tu sais ce que je pense de toi. »

Hymie soutint mon regard un long moment. « Ouais, effectivement, lança-t-il avec un large sourire. Merci quand même pour le compliment.

— Allez, continue », répliquai-je plus que soulagé, impatient d'oublier l'incident et de poursuivre la conversation.

Hymie reprit : « Ça ressemble vraiment à un coup monté, non ? En réalité, je n'ai fait que jouer un peu avec la nature humaine.

— C'est-à-dire ?

— Eh bien, quand tu m'as parlé de ton entretien avec Singe 'n Burn… les questions qu'il t'avait posées sur la boxe.

— Je ne comprends pas. Quel rapport avec le pari sur le multiple de cent ?

— Tu connais ma théorie du vainqueur ? Trouves-en un et tu peux tout construire autour de lui. Tu as toujours été mon favori et, comme il y avait de fortes chances que tu arrives à la première place, le Remarquable Multiple de Cent signé Levy était beaucoup trop risqué. Car le parieur n'avait plus qu'un seul nom à trouver pour gagner.

— Mais je t'avais dit que j'étais sans doute définitivement éliminé à cause de mon histoire de boxe.

— Impossible, mon vieux ! Il n'y a jamais eu la moindre chance que tu ne fasses pas partie du lot. Toutefois, je voulais parier que Singe'n Burn ne pourrait pas résister à la tentation de te donner ta première leçon.

— Ma première leçon ?

— Dis donc, Peekay, tu en tiens une couche parfois. De son propre aveu, Singe 'n Burn est un libéral qui se méfie au plus haut point des personnalités à caractère obsessionnel. C'est toute la question de son homme de la Renaissance : de la modération en toutes choses même dans la modération. En te mettant bon dernier, il manifestait sa désapprobation.

— La vache, tu t'es donné la peine de réfléchir à tout ça ?

— Réfléchir n'est jamais laborieux, tu devrais essayer de temps en temps. » Il me fit un large sourire. « De plus, je risquais de me tromper. Il se pouvait que Singe 'n Burn t'ait simplement baissé d'un cran et que tu sois toujours parmi les deux premiers. Il fallait qu'on soit complètement à l'abri. Il fallait qu'on me choisisse, et pas seulement ça, qu'on m'élise numéro un. Tu comprends, même si tu étais en deuxième position et que j'arrivais en tête alors que j'étais un outsider, quelqu'un qui n'était absolument pas dans la course, personne n'avait aucune chance de trouver la combinaison dans l'ordre. Personne de censé ne jouerait un outsider garanti à cent contre un alors que les deux noms comptaient pour gagner.

— Tu m'as eu. Mais comment tu t'es débrouillé pour que ça marche ?

— J'ai imaginé comment Singe 'n Burn réagirait face à toi ; quand on connaît le personnage, on connaît son processus de pensée. Le contraire d'une personnalité à caractère obsessionnel, autrement dit faisant une fixation sur la boxe dans ton cas, est une personnalité bien adaptée. L'exemple même d'une personnalité bien adaptée se manifeste par la modestie et le désir de sacrifier sa propre ambition pour le bien de tous. Qu'a dit le Christ ? "Il n'est pas d'amour plus grand pour un homme que de sacrifier sa vie à un ami." » Hymie eut un petit rire. « Donc, une fois que Singe n'Burn avait découvert que mon principal trait de caractère était le goût du sacrifice doublé d'une certaine générosité d'esprit, c'était gagné. J'étais sûr d'arriver premier.

— Et comment tu le lui as prouvé exactement ? On ne peut

pas dire que ces deux traits de caractère soient carrément évidents chez toi », ajoutai-je avec une pointe de sarcasme.

Hymie se tourna vers moi, l'air gêné. « Je ne suis pas sûr que la suite te fasse très plaisir. On discutait de l'importance qu'a l'amitié et j'ai fait allusion à nos rapports. Singe 'n Burn m'a alors posé des questions sur ton obsession. » Il s'arrêta un instant. « Tu veux vraiment que je continue ?

— Je crois deviner la suite mais je ne peux plus rien y faire. Je t'écoute.

— Je lui ai parlé de ton enfance, de ton ancienne pension, de la prison. Je te promets que je ne lui ai rien dit sur l'Ange Têtard, j'ai juste évoqué Geel Piet et la boxe, certaines choses que tu m'as racontées.

— Hymie, c'était confidentiel !

— Ouais, je sais, enfin, je m'en doutais mais tu ne m'as jamais demandé expressément de n'en rien dire à personne. » Hymie observa une pause. « Merde, il n'y a rien dont tu doives avoir honte, Peekay.

— Je n'ai jamais eu honte de quoi que ce soit dans ma vie sauf quand on m'y a poussé la première fois que je suis entré en pension. Simplement… simplement, je n'ai pas envie qu'un gentleman chrétien ait pitié de moi parce que ma mère n'a pas un sou. »

Se levant d'un bond, Hymie m'attrapa par le revers de ma veste. « Espèce d'imbécile ! Ils feraient n'importe quoi pour être à ta place. Et moi aussi. Pour avoir eu ton passé, pour avoir mené cette vie-là. Crois-moi, être riche dans une famille juive, ça n'a rien de très amusant. Tout est exagéré. Il y a trop d'amour, trop d'argent, trop à manger, on prend trop soin de toi, on te rappelle sans arrêt que tu es différent, que tu es juif. Je m'ennuie depuis que j'ai cinq ans ! Je m'ennuie parce que tout est écrit d'avance quand on est né dans une famille juive bourgeoise et nantie. Je te céderais volontiers mes douze chambres et mes six salles de bain. Je t'échangerais bien les cinq voitures de mon père et ses trois chauffeurs contre quinze jours en compagnie de Doc. »

Je m'aperçus soudain que je faisais beaucoup plus d'histoires à cause de ses indiscrétions sur mon passé que lui lorsqu'il avait cru que je l'accusais d'être un tricheur.

« Bon, on est quittes, espèce de beau parleur, lançai-je avec un grand sourire. Raconte-moi la fin de l'histoire. Explique-moi par exemple comment le fait de lui avoir rapporté tout ça l'a poussé à te donner la première place.

— Je lui ai simplement dit que j'étais juif, ce qu'il savait sans doute déjà mais ça ne faisait pas de mal de le lui rappeler. Que mon père était fabuleusement riche. Que je bénéficiais de tous les privilèges possibles et imaginables et qu'il en serait toujours ainsi. Qu'on m'enverrait à Oxford où j'étudierais le droit. Enfin, tout ce blablabla. Mon avenir était tout tracé.

— Et alors ?

— On en arrive au pire de tout. Je lui ai affirmé que si j'étais choisi pour faire partie des Sinjun's People et toi pas, que je souhaitais te céder ma place. » Il me regarda d'un air malheureux, s'attendant à ce que je me mette en colère.

J'étais muet. Je compris soudain qu'après avoir appris comment s'était passé mon entretien avec Singe'n Burn, Hymie s'était demandé si je n'allais pas être évincé des Sinjun's People à cause de ma passion pour la boxe. Qu'il avait volé à mon secours, prêt à sacrifier toutes ses chances pour que je sois admis. Ce faisant, il avait brillamment percé à jour Singe'n Burn et tiré profit de la situation avec élégance.

« Tu l'aurais fait quand même, non ? Tu aurais été prêt à sacrifier tes chances même s'il n'y avait pas eu de pari ?

— Sûrement pas ! Jamais de la vie ! s'exclama-t-il, paniqué. Enfin, Peekay, c'est œil pour œil, dent pour dent en ce monde. Où en seraient les Juifs si brusquement ils se mettaient à se sacrifier pour ces satanés chrétiens !

— Merci, Hymie.

— Ne fais pas insulte à mon intelligence, Peekay. Si tu es en train de me dire que je n'ai pas fait tout ça pour de basses raisons matérielles, je me sens offusqué. Tu crois que je ne suis pas capable de concevoir un stratagème aussi remarquable qu'il s'est avéré être ?

— Au contraire, tu l'as imaginé de façon à influencer le jeu quoi qu'il arrive. »

Hymie rougit, je ne l'avais jamais vu piquer un fard jusqu'alors. « Pas question de laisser les choses au hasard, c'est beaucoup trop risqué, déclara-t-il avec un sourire d'excuse.

— Enfin, quoi qu'il en soit, tu as toujours eu droit à la première place.

— C'est vrai, acquiesça-t-il. Ecoute, et si on se prenait chacun dix livres pour les vacances ? » Il me tendit un billet. « Je vais mettre le reste à la banque, j'ai de grands projets pour le trimestre prochain. On en parlera à la rentrée. »

19

Lorsque je rentrais chez moi à la fin de chaque trimestre, j'avais l'impression de changer de peau. Le charme d'une petite ville tient au fait qu'elle n'évolue pas. En dehors de Doc, Mrs. Boxall, Miss Bornstein, le Vieux Bornstein, les types de la prison et naturellement, ma mère, grand-père et Marie sans parler de Dum et Dee, les gens levaient la tête quand on arrivait dans un magasin et lançaient avec naturel : « Seigneur, c'est de nouveau les vacances, Peekay ? Comment ça se passe dans la grande ville ? Tu vas participer au concert de Pâques ? Qu'est-ce que je peux faire pour toi ? » Ils disaient tout cela quasiment d'une traite. Ce n'était pas parce qu'ils s'ennuyaient ou se sentaient obligés par politesse, mais avant tout parce que le temps est immuable dans une petite ville, insensible aux allées et venues des gens. J'aimais l'idée que rien ne changeait jamais à Barberton, j'avais ainsi l'impression de faire partie de la communauté. Maintenant que la guerre était finie et que le camp militaire ne jouait plus de rôle dans l'économie locale, Barberton s'était réinstallée dans son vieux fauteuil en cuir préféré tout éraflé et rendormie. Même les gardiens de prison semblaient mieux intégrés. Lors des deux derniers concerts, ils étaient restés pendant le *God save the King*. Mrs. Boxall m'avait tout de même dit qu'ils protestaient toujours à leur façon en refusant de se mettre au garde-à-vous. Comme à l'accoutumée, cela rendait fou Mr. Hankin des *Goldfields News*, mais l'événement n'avait droit qu'à un paragraphe, pas un grand article ni l'éditorial entier comme dans le bon vieux temps.

A la prison, Mrs. Boxall était devenue une habituée. Le commandant, qui était passé colonel grâce au concert de Doc, s'était décrété partisan des réformes pénitentiaires et lui avait permis d'instituer des cours de catéchisme pour les détenus. En parlementant avec lui, elle avait obtenu de récompenser les progrès des élèves par des King Georgie. Les missionnaires de la Pentecôte, qui avaient accepté de dispenser leur enseignement contre un sermon d'un quart d'heure tous les dimanches, s'élevèrent violemment contre l'idée de distribuer du tabac aux bons éléments. Leur Dieu n'était ni un consommateur d'alcool ni un adepte du tabac. Ils durent conclure que les voies du Seigneur étaient impénétrables quand l'assuidité aux cours et les efforts des élèves progressèrent nettement du jour où on les stimula avec des King Georgie. Les prisonniers étaient prêts à consacrer leur moindre minute de liberté pendant la semaine à étudier pour avoir droit à une cigarette. Grâce à cela, de nombreux Noirs sortirent de prison en sachant lire, écrire et faire des calculs simples. Mr. Bornstein, le père de Miss Bornstein, avait transformé la Souscription du comte de Sandwich en Souscription Sandwich et une petite vieille lui avait déjà fait un legs de deux mille livres. Les séances de courrier avaient toujours lieu. Durant les vacances, je remplaçais les missionnaires ; reprenant les bonnes habitudes, on glissait les feuilles de tabac du père de Marie dans les plis des tracts qu'on remettait à chaque lettre. En fait, pendant les vacances scolaires, le courrier adressé au roi George, qu'on ne postait jamais naturellement, connaissait à nouveau un vif succès. L'Ange Têtard était de retour et Gert jurait toujours qu'il n'y avait quasiment pas de problèmes à la prison dans ces moments-là.

Encouragé par Mrs. Boxall, Gert s'était mis sérieusement à l'anglais qu'il parlait maintenant assez bien. Il s'était beaucoup attaché à Doc et à Mrs. Boxall, s'assurant qu'on s'occupait des réparations aux alentours du cottage de Doc ou de la maison de Mrs. Boxall et que le moteur de Charlie était bien entretenu. Chaque fois que je rentrais, j'entendais toujours le même refrain : « Je te jure qu'il n'y a que le chewing-gum et la graisse des essieux qui fassent tenir debout ce vieux *chorrie*. Un jour, je n'aurai plus qu'à l'emmener en haut d'une falaise, dire une prière et le balancer dans le vide. Sauf qu'il n'arrivera jamais à gravir la côte ! » Cependant, grâce aux soins attentifs de Gert, Charlie marchait toujours.

Klipkop avait été transféré à Pretoria et, à sa grande surprise, Gert était devenu l'adjoint du capitaine Smit. Il y avait gagné ses galons de caporal. Poids lourd de l'équipe désormais, il espérait décrocher le titre aux prochains championnats. L'énorme Potgieter, qui l'avait encore battu aux finales des deux championnats suivants après la première défaite de Gert à Nelspruit, était passé professionnel.

Les Championnats du bas veld, qui avaient pris de l'ampleur, étaient devenus les Championnats de l'Est-Transvaal, regroupant un certain nombre des villes les plus importantes, ce qui rendait la tâche plus difficile au Barberton Blues. Dans la mesure où ils avaient toujours lieu pendant les vacances de décembre, le capitaine Smit tenait à ce que je défende les couleurs du Blues aux épreuves.

J'avais fait de gros progrès grâce aux matches que je disputais régulièrement pendant le trimestre contre les collèges afrikaans. Personnellement toutefois, je regrettais la magie de Geel Piet qui avait le don de me pousser à mieux raisonner sur le ring. Alors que Darby et le sergent, à l'image du capitaine Smit, étaient de bons artisans, Geel Piet était un artiste et son mystérieux talent à exploiter ma personnalité sur le ring me manquait.

Je sentais que je stagnais un peu. Yehudi Menuhin a dit un jour que jouer du violon, c'est comme de chanter avec ses membres. Geel Piet avait le don de rendre la boxe comparable à cela, chaque coup était le fruit d'une synchronisation parfaite, d'une émotion maîtrisée et de l'intelligence. Si je devais devenir champion du monde des poids welter, je sentais qu'il me faudrait trouver sans tarder un entraîneur qui voie plus loin que l'aspect scolaire de la chose.

Les vacances étaient bien remplies. J'arrivais à la prison à cinq heures et demie pour l'entraînement. Le capitaine Smit me faisait faire trois rounds contre deux des autres enfants. Généralement le Morveux et Jaapie, qui étaient plus lourds que moi mais les seuls qui soient assez forts pour me stimuler. Ils avaient tous les deux une envie folle de tenter leur chance, ils étaient tous les deux des cogneurs dans la tradition de Smit et ils étaient tous les deux de vrais durs. Il me fallait tout mon art pour éviter les ennuis. Au milieu de la deuxième reprise, le capitaine Smit sifflait un coup et le premier descendait du ring tandis que l'autre montait. Chacun ne disputait donc qu'un round et demi si bien qu'ils se donnaient à fond, prêts à encaisser quelques coups pour en placer un bon. Le capitaine Smit était convaincu que c'était la seule façon d'accélérer mon rythme et de garder mon agressivité.

Après une heure et demie d'entraînement au gymnase, je me rendais au cottage de Doc où Dee ou Dum, à tour de rôle, avait apporté le petit déjeuner. Quand j'arrivais à sept heures, le café était prêt, il y avait sur la table une miche de pain frais accompagnée d'œufs au bacon grésillant sur le coin de la gazinière qui m'attendaient. Doc était allemand malgré tout, il estimait que je devais me présenter très exactement au moment où les œufs étaient cuits. Les fillettes adoraient les vacances, j'étais gâté pourri : elles faisaient de la pâtisserie, s'affairaient comme des fourmis, inventaient des tas de plats. Doc prétendait toujours qu'il prenait plusieurs kilos quand j'étais là.

On s'installait tous les deux sous la véranda pour le petit déjeuner, ébauchant des projets pour nos équipées du week-end. Ce qui revenait souvent à refaire des trajets connus. Doc sortait son bloc-notes, on discutait de notre dernière expédition à l'endroit prévu qui remontait parfois à cinq ans. On parlait de tous les spécimens qu'on avait découverts à l'époque. Parfois, il nous arrivait même de nous lever de table pour aller voir les progrès qu'avait faits une cactée qu'on avait trouvée et oubliée depuis longtemps. Pendant la semaine, Doc était toujours pris par son Steinway et ses jeunes élèves, on était donc obligés d'attendre le week-end pour se lancer dans nos longues promenades. Même si je suis convaincu qu'avec le temps il n'aurait rien voulu changer à ses méthodes, la préparation et la discussion sur ses notes prenaient autant d'importance que les excursions à ses yeux. A neuf heures, il me donnait un cours de piano, secouant la tête devant les mauvaises habitudes que j'avais contractées sous la houlette de Mr. Mollip, le professeur de musique de la Prince of Wales School. « Ce Mr Muddleup, tu es sûr qu'il t'enseigne le piano ? disait-il d'un air désapprobateur. D'après moi, ce serait plutôt le banjo, non ? » Il passait le reste des vacances à me remettre dans une espèce de droit chemin sur le plan musical.

La première fois que je lui jouai *St. Louis blues*, je m'attendais à ce qu'il en soit outré. Ce n'était qu'une plaisanterie. En réalité, il approuva le plus tranquillement du monde. « Ja, ça c'est pien. » Surpris, je me tournai vers lui. « Mais pour jouer la musique noire, elle doit venir de ton âme, pas de ta tête, Peekay. » Il me fit signe de me lever puis, s'asseyant à ma place, il exécuta le morceau avec ce rythme obsédant qui se dégageait du soixante-dix-huit tours d'Errol Garner, un disque de Hymie.

« Merde alors, où avez-vous appris cela ! » C'était la première fois que je jurais en sa présence, il ne sembla pas le remarquer cependant. « OK, Mr. Je-Sais-Tout, qui est le monsieur qui s'appelle W. C. Handy ?

— On dirait le nom d'une brosse à chiottes, répliquai-je cavalièrement.

— Mr. W. C. Handy est le monsieur qui a écrit cette musique et voilà que tu veux la jouer sans y mettre ton cœur et sans même connaître le nom du compositeur ! Tu ferais ça à Beethoven ou à Bach ? Je ne pense pas. Mais Mr. Je-Sais-Tout s'imagine que c'est facile de jouer la musique des Noirs.

— Excusez-moi, Doc, ce n'était qu'une plaisanterie. Je voulais simplement vous choquer.

— Pour cela, il faudrait que tu me joues de la mauvaise musique, pas que tu me joues mal de la bonne musique », répondit-il gentiment.

C'était moi qui étais sidéré. Ce faisant, Doc m'avait une fois de plus appris à réfléchir et à m'informer avant de porter un jugement. « Où avez-vous appris à jouer ainsi, Doc ? »

Il se mit à rire. « Il y a bien longtemps, ja, quand j'écrivais mon premier livre sur les cactus en Amérique. J'étais à La Nouvelle-Orléans. Comme je n'avais pas un sou, je jouais un quart d'heure de musique classique tous les soirs dans un bordel de luxe, La Pantoufle Dorée. Ja, ça s'appelait comme ça. Après mon numéro passait un orchestre de jazz. On s'est mis à parler, une chose entraînant l'autre. Ils trouvaient que le professeur allemand était très drôle, mais pas ma musique. Les gens riches qui fréquentaient ce bordel, ils n'aimaient pas Mr. Beethoven, ni Mr. Chopin, ni Mr. Brahms. Les Noirs, eux, ils comprenaient. Je leur ai appris un peu de ceci, un peu de cela et ils m'ont appris un peu de ceci, un peu de cela. » Il effleura le clavier et joua quelques mesures de blues. « C'est là que j'ai connu Mr. W. C. Handy, puis Mr. Errol Garner par la suite.

— Vous avez connu Errol Garner ! m'exclamai-je. Le grand Errol Garner ?

— Ja, je crois qu'il n'y en a qu'un.

— Doc, je vous en prie, je vous en supplie, apprenez-moi à jouer du jazz. »

Doc s'esclaffa et, dans sa version de l'accent américain, répliqua : « Jamais de la vie, Peekay !

— Doc, je vous en supplie ! »

Il secoua la tête. « Je ne peux pas t'enseigner ce que je ne sens pas. Peekay, essaie de comprendre. On ne peut pas entrer au cœur de la musique noire si on est incapable de la ressentir dans ses mains. »

Doc venait de m'expliquer pourquoi je n'irais jamais très loin sur le plan musical. Les dons que Geel Piet sentait en moi sur le ring, Doc sentait que je ne les avais pas au piano.

Je quittais Doc à onze heures. Un quart d'heure plus tard, j'arrivais chez Miss Bornstein. Mr. Bornstein qui, comme je l'ai dit, était associé à Mr. Andrews dans un cabinet d'avocats, habitait une grande maison blanche à deux étages dans le style hollandais du Cap. D'un côté de la façade, une énorme bougainvillée retombait en une cascade pourpre, la masse de fleurs superbes tranchant sur le mur d'un blanc si étincelant que cela faisait presque mal aux yeux de la regarder sous l'éclatant soleil de midi. Ensuite, votre regard s'arrêtait sur les immenses pelouses qui sentaient l'herbe coupée et restaient d'un vert vif même à la fin de l'été, lorsque les autres gazons étaient jaunes et flétris à cause de la chaleur. Dans le jardin, il y avait aussi des arbres, des broussailles tropicales et un massif de cannas d'un rouge profond. Et bien sûr, toutes les pacotilles habituelles : des roses et d'autres choses. Néanmoins, je ne me souviens apparemment que de la retombée spectaculaire de la bougainvillée pourpre sur le mur d'un blanc aveuglant de la maison, des pelouses vertes impeccablement entretenues et du bruit régulier du tuyau d'arrosage qui recrachait de misérables jets d'eau quelque part.

Je passais la première demi-heure — parfois moins, selon le temps que j'arrivais à tenir — à jouer aux échecs avec le Vieux Bornstein. Il me disait toujours la même chose quand il me faisait échec et mat : « Ce n'est pas si mal. Peut-être gagneras-tu demain si Dieu nous épargne. » Dieu nous épargnait mais je ne gagnais jamais.

Un boy, dans une tenue blanche amidonnée, m'apportait ensuite un verre de lait et deux biscuits au chocolat, ceux que je préférais. La leçon commençait alors. On travaillait jusqu'à deux heures, puis le même domestique me servait du jus d'orange et des sandwiches au saucisson et à la tomate, qui étaient aussi ceux que je préférais.

Miss Bornstein s'était mis dans la tête de me faire obtenir une bourse pour entrer à Oxford et notre préparation dépassait largement le niveau nécessaire pour réussir l'examen de fin d'études. Entre la stimulation de Miss Bornstein, surtout en grec et en latin, ses lettres hebdomadaires, ses cours de vacances et l'enseignement réservé aux Sinjun's People, je recevais sans doute l'éducation la plus complète qu'un garçon de mon âge pût absorber.

Après le jus d'orange et les sandwiches, j'étais libre. Parfois, je passais l'après-midi en compagnie de Mrs. Boxall, j'aidais grand-père au jardin ou je faisais un billard à l'Impala Hotel avec John Hopkins, Geoffrey Scruby et d'autres garçons du groupe qui, comme moi, étaient tous pensionnaires. Ils s'offraient quelques bières, fumaient quelques cigarettes et on jouait tous un peu au dur entre nous Cependant, j'étais toujours en entraînement, je ne fumais et ne buvais donc pas.

Je commençais à comprendre à quel point l'esprit sépare les gens. En règle générale, on parlait rugby, cricket et filles. Tous les jours, on compromettait la réputation des filles qu'on avait connues à l'école primaire et qui baisaient, paraît-il, à la chaîne. On ne réussit jamais vraiment à savoir avec qui. Soi-disant avec des types plus vieux que nous, Paul Everingham et Bob Goodhead par exemple, qui étaient en terminale à Jeeppe High et jouaient au rugby et au cricket dans l'équipe de leur école.

On était tous sous le violent empire de la puberté : les fantasmes ne manquaient pas. Cependant, le sexe mis à part, je n'étais pas comme eux. Il en avait sans doute toujours été ainsi mais la différence commençait à se faire sentir. Je ne me sentais pas supérieur, il n'y avait aucune raison ; simplement, mes horizons intellectuels semblaient différents. Si je n'avais pas été un boxeur plus que respecté et un rugbyman, j'irai jusqu'à affirmer que les autres types de Barberton m'auraient battu froid, me prenant pour une grosse tête et une espèce de solitaire.

Doc, Mrs. Boxall, Miss Bornstein et le Vieux Bornstein étaient pour moi une source de stimulation. Toutefois, les grandes personnes perdent beaucoup de leur folie et les joutes verbales qui m'opposaient à Hymie dans notre relation quotidienne me manquaient. En réalité, quand je retournais à l'école après les vacances, il me fallait deux, trois jours pour retrouver mon sens de la repartie.

« La vache, Peekay, tu as l'esprit embué à force de discuter trop sérieusement sur le temps ou les récoltes et de savoir si les sauterelles vont revenir cette année ! » me taquinait Hymie. Atherton, le Pisseux et l'Araignée rusée étaient aussi du genre à se lancer dans un grand débat sur une question abstraite pour le simple plaisir de la discussion.

Hymie soutenait qu'on pouvait élever n'importe quel sujet, même le plus banal, au niveau d'un débat d'idées si les personnes présentes étaient suffisamment brillantes. Il racontait l'histoire du petit cordonnier dans son village de Russie, dont la tartine de miel tomba par terre. A sa grande stupeur, le pain tomba du bon côté. « Comment ça se fait ? » s'étonnait-il puis, la tartine à la main, il courait interroger le rabbin et les sages du village. « On est des Juifs dans ce pays, comment se fait-il que j'aie mis du miel sur mon pain et qu'il soit tombé du bon côté lorsqu'il a atterri par terre ? Depuis quand un Juif a-t-il une veine pareille ? » Le rabbin et les sages méditaient sur le problème pendant plusieurs jours, consultant la Torah à de nombreuses reprises. Enfin, ils convoquaient le petit cordonnier à la synagogue. Et le rabbin prononçait son verdict : « Mon garçon, il n'y a aucun doute sur la question, tu as tartiné ton pain du mauvais côté. »

On avait tous poussé des oh ! et des ah ! en entendant cette histoire mais, comme à son habitude, Hymie avait fait sa démonstration : un bon débat d'idées était une fin en soi et parler pour le plaisir de la conversation était ce qui faisait de nous des hommes.

Durant ces vacances de Pâques, on décida de faire une excursion de deux jours, Doc et moi, jusqu'à une cascade qui était à une vingtaine de kilomètres du col de Saddleback. Comparée à d'autres, ce n'était pas une grande cascade mais elle se trouvait dans une zone de forêt tropicale qu'on avait découverte trop tard pour l'explorer à fond lors de notre précédente visite. Les escarpements en surplomb avaient l'air intéressants, Doc était convaincu qu'on dénicherait des cactées et différentes espèces d'aloès nains dans les rochers à pic et les saillies. Lorsqu'il avait lancé cette idée, l'inquiétude m'avait saisi ; il y avait une bonne trentaine de kilomètres à faire dans la montagne et Doc avait plus de quatre-vingts ans. Combien d'années de plus exactement, personne ne le savait. Même s'il était mince comme un fil et aussi résistant qu'un bouc, cela représentait une dure journée de marche pour n'importe qui. De plus, dans les notes qu'il avait prises lors de notre précédente expédition près de huit ans plus tôt, il avait écrit que l'excursion avait été épuisante.

Devant mes protestations, il avait répondu avec une logique bien à lui. « Peekay, c'est maintenant ou jamais. Notre travail est resté en suspens, les données sur la topographie des lieux. Tu vois, j'ai fait un dessin dans mon bloc, il doit y avoir de la pierre à chaux dans les escarpements. Si c'est le cas, c'est rare, quasiment impossible, peut-être a-t-on affaire à un phénomène de géologie extraordinaire ? »

Doc savait qu'il avait aiguisé ma soif d'aventure ; à l'idée de découvrir quelque chose d'exceptionnel, j'oubliai mon inquiétude et acceptai d'entreprendre l'excursion.

Doc avait réussi à remettre ses petites filles au vendredi. On se mit en route à l'aube avec nos couvertures de voyage, nos gamelles et de quoi manger pour deux jours ainsi qu'une lampe tempête, la torche électrique Eveready à huit piles de Doc, une corde, un petit marteau et une douzaine de pitons métalliques artisanaux recourbés au bout pour assurer la corde en cas de besoin. Gert les lui avait fait faire à l'atelier de ferronnerie de la prison peu après la libération de Doc ; ils étaient irremplaçables pour escalader les parois rocheuses maintenant que Doc n'était plus d'une jeunesse à toute épreuve comme il le prétendait.

Quand le soleil se leva sur les hauteurs et inonda la vallée de Kaap, on avait gravi les contreforts et on était arrivés dans la montagne à proprement parler. Les aloès et les épineux laissèrent place aux éboulis et aux touffes d'herbe qui se tranformaient en rochers escarpés là où le vent est toujours froid même par une chaude journée. On apercevait de temps à autre un aigle très haut dans le ciel qui semblait planer sans but, porté par les courants d'air. Après un arrêt pour déjeuner de biscuits et de fromage arrosé d'une gourde de thé sucré, on franchit le col de Saddleback en début d'après-midi pour commencer la descente de l'autre côté. En fin d'après-midi, on était arrivés à l'étrange formation d'escarpements qui s'élevaient au-dessus du profond kloof de forêt tropicale dont Doc avait noté la présence dans son journal.

On s'installa à côté d'un ruisseau venant de la chute d'eau qui tombait tel un voile de mariée au bout des falaises qui nous entouraient. J'avais choisi de dresser le camp en bordure de la forêt où un rocher en surplomb nous protégeait du vent. Il peut faire un froid de loup en montagne la nuit et on se mit à ramasser du bois tant qu'il faisait encore jour. On entendit, puis on découvrit au-dessus de nos têtes un groupe de babouins qui escaladaient l'étrange paroi et couraient le long des corniches blanches érodées dans la roche. L'écho de leurs cris insistants résonnait dans le kloof où on s'était installés.

Doc posa ses jumelles sur la roche. « Il fait trop sombre maintenant, mais je suis sûr que demain on va trouver quelque chose là-haut. »

La nuit tombe vite en montagne ; moins d'une heure après notre arrivée, le soleil s'était couché, plongeant la gorge dans l'ombre. Bien qu'il fît encore un peu jour, je m'occupai du feu pour le dîner, les branches sèches crépitant dans un nuage de fumée pour éviter les moustiques qui ont toujours l'air de surgir de nulle part après le coucher du soleil. Je commençai à préparer le repas tandis que Doc se lavait dans le ruisseau. Coupant un oignon et deux tomates dans une gamelle, j'y renversai une boîte de corned-beef, écrasant le tout avec mon couteau de chasse pour le faire à cuire à feu doux quand le brasier se serait calmé. J'avais aussi glissé deux grosses patates douces sous les branchages pour qu'on puisse les retirer des braises au moment du dessert. La forêt tropicale se perdit dans la nuit, la silhouette des fougères arborescentes géantes s'estompa, puis disparut dans les ténèbres tandis qu'au faîte d'un cladraste deux loris verts lançaient un dernier cri avant de se taire jusqu'au lendemain. Ensuite, la vallée s'étendant à la lisière de la forêt où l'on campait s'obscurcit, noyant le paysage, les rochers, les broussailles et les arbres se fondant dans le noir. Enfin, sur la corniche au-dessus de nous, le ciel nous couvrit d'un voile sombre parsemé d'étoiles. Au loin, le bruit de la cascade semblait accentuer le silence. Doc parla calmement dans la nuit. « Personne n'a jamais écrit une grande symphonie ni même un concerto sur l'Afrique. Pourquoi cela ? »

Il n'attendait pas de réponse, je le laissai poursuivre.

« La musique africaine est trop sauvage, trop libre, trop accoutumée à la mort pour la poésie à l'eau de rose. L'Afrique est une scène trop fruste pour le faible grincement du violon, trop majestueuse pour le piano. Il n'y a que la batterie qui lui convienne. Le tambour transcrit son rythme sans voler sa musique. Les timbales forment le fond musical ; la musique de l'Afrique, on la trouve dans la voix des Africains. Ce sont ses instruments, plus subtils, plus beaux, infiniment plus nobles que les cuivres, les vents, les cordes et le clavier.

— Et le *Requiem pour Geel Piet* ? » m'enquis-je.

Doc pouffa de rire. « Pendant vingt ans, j'ai tenté de composer dix minutes ou même cinq de musique, de bonne musique pour le Grand Sud. Puis, après vingt ans d'échec, je l'ai découverte dans les chaînes de forçats, le rythme d'une pioche, la sueur sur le dos des Noirs, le coup sec du sjambok et le bruit mat, presque silencieux de la verge. La musique de la voix n'est pas la mélopée du désespoir mais l'expression de la conviction que l'Afrique vivra et que l'esprit survivra à la brutalité. La musique de l'Afrique est dans l'âme des gens et ses instruments sont les voix de son peuple. Quel domkop je fais, Peekay. J'ai toujours eu ça absoloodle sous mon grand nez d'Allemand. Le *Requiem pour Geel*

Piet n'est pas mon œuvre, c'est celle des hommes. Mon seul mérite est d'avoir fait le paquet. »

Je tendis à Doc une assiette de corned-beef fumante. Ensuite, avec un petit bâton, je sortis les patates douces des braises en les poussant pour qu'elles refroidissent un peu. On mangea en silence. Doc avait le respect de la nourriture, il mâchait pendant des heures avant d'avaler. J'ajoutai deux bûches pour faire repartir le feu, puis descendis au ruisseau m'occuper de la vaisselle et remplir la gamelle.

Après avoir préparé le café et versé une cuillerée à soupe de lait condensé dans le quart comme Doc l'aimait, je posai la tasse bouillante à côté de lui et coupai en deux sa patate douce. De la vapeur s'échappa de la chair tendre et succulente, j'y ajoutai aussi du lait condensé en guise de festin. Les moustiques, que la fumée du feu avait tenus à l'écart, revenaient en force. Je frottai de l'huile de citronnelle sur mes bras et mes jambes, puis passai le flacon à Doc. Le produit sentait atrocement mauvais mais c'était nettement plus réjouissant que d'être mordus jusqu'à l'os. En route depuis quatre heures et quart, on était épuisés. Trop fatigué pour laver les tasses, je m'enveloppai dans ma couverture. Je vérifiai que Doc était à bonne distance du feu, puis me pelotonnai sous la roche en surplomb pour ne pas être mouillé par la rosée du matin et m'endormis.

Je me réveillai à l'aube. Gardant la couverture autour de moi, je refis du feu. La vallée était noyée sous un voile de brume, on ne distinguait pas la forêt tropicale qui se trouvait à moins d'une vingtaine de mètres. Dès que le soleil se lèverait sur la vallée, le brouillard se dissiperait. En attendant, il faisait toujours froid. Tandis que je remplissais la gamelle dans le ruisseau pour préparer le café, j'avais les mains glacées. Bien enveloppé dans sa couverture, Doc s'était remis à ronfler ; je le laissai dormir jusqu'à ce que son café soit prêt, arrosé d'une généreuse cuillerée de lait condensé. Je me préparai la même chose, mes mains se réchauffèrent au contact de la tasse bouillante. Je ne réveillai pas Doc ; je savais que l'odeur du café chaud s'en chargerait à ma place. Je crois que Doc aimait encore plus le café que son jardin de cactus et presque autant que Beethoven ou Bach. Ses narines commencèrent à remuer ; grognant dans sa barbe, il se redressa et se frotta les yeux. Dans la brume, on entendait les cris des babouins là-haut ; le soleil devait être arrivé, ils se mettaient en route.

Doc saisit la tasse que je déposai entre ses deux mains puis, levant les yeux vers les escarpements plongés dans la brume au-dessus de lui, il déclara : « Aujourd'hui sera un autre jour, Peekay. » Les glapissements des babouins retentirent dans la vallée. « Ja, c'est sûr et absoloodle, aujourd'hui on va trouver quelque chose. » Prenant une gorgée de café sans se brûler, il s'enquit : « J'espère que tu as bien dormi, Peekay ? »

Je fis cuire deux saucisses et deux tranches de bacon, puis coupai au milieu les saucisses que je posai sur deux tartines de pain, mis le bacon dessus et glissai le tout entre deux autres tranches de pain. Je tendis à Doc l'un de ces sandwiches peu raffinés et pris l'autre, le tenant à deux mains pour le manger.

Tandis qu'on s'offrait une seconde tasse de café, le soleil commença à percer la brume ; en quelques instants, la vallée fut inondée de soleil. Il restait quelques nappes de brouillard près de la forêt au niveau du sol, qui ne tardèrent pas à se dissiper. Au-dessus de nous, les étranges falaises semblaient moins menaçantes dans la clarté éblouissante du matin. Je les parcourus du regard pour voir comment on pourrait entreprendre l'escalade.

Dans un paysage noyé sous un linceul de brume, les bruits sont toujours décuplés. Maintenant que le brouillard s'était estompé, toutes les composantes rassurantes du matin reprenaient leurs droits : le pépiement des oiseaux, l'eau, le bruissement pressant d'une sauterelle, tous les bruits affairés de la journée en montagne renaissaient. Je me dirigeai vers un bosquet broussailleux et me trouvai à moitié accroupi, mon pantalon aux chevilles, quand deux perdrix de brousse bien dodues, surgissant du sous-bois, vinrent se poser juste à côté de moi. Mon pantalon toujours aux chevilles, je me redressai et, collant l'œil au canon d'un fusil imaginaire, je leur fis un sort, visant d'abord avec le gauche puis, détournant prudemment mon arme, pour avoir l'autre avec celui de droite. Je contemplai alors le spectacle en riant tandis qu'elles disparaissaient par-delà une petite corniche tels deux avions de combat.

Après m'être lavé, je rangeai le camp et déposai nos affaires sous la roche en surplomb, aspergeant nos couvertures d'huile de citronnelle. Si un intrus approchait, surtout si c'était un scorpion à la recherche d'un endroit où se nicher au chaud, l'odeur étrange l'éloignerait.

Doc mit la corde autour de son cou et accrocha sa torche Eveready à sa ceinture. J'emportai un petit sac à dos avec une bouteille d'eau, une truelle pour creuser des prises dans la roche, un marteau, des pitons métalliques, une lampe à pétrole et les jumelles de Doc. L'ascension n'avait pas l'air trop difficile, des éperons menaient à de longues corniches érodées sur la paroi comme si elle se composait d'un mélange de roches dures et tendres. C'étaient ces stries blanches et apparemment tendres qui avaient retenu l'attention de Doc de prime abord, il était sûr que ce devait être de la pierre à chaux ou une espèce de dolomite. La torche électrique et la lampe à pétrole étaient révélatrices. Doc, toujours romantique, espérait découvrir une grotte dans la paroi, perspective qui me séduisait fort, naturellement.

On grimpa pendant une heure, ce n'était pas trop éprouvant. Doc, malgré son âge, était un montagnard endurci qui ne prenait aucun risque. Alors que j'aurais pu arriver en moitié moins de temps à la première corniche érodée qui se dressait à trois cents mètres du sol, on avançait régulièrement et on avait prévu le retour. Redescendre une paroi à pic se révèle souvent plus difficile que l'escalader. La première corniche érodée prouva que la théorie de Doc était juste : la roche était bien de la dolomite usée après des dizaines de milliers d'années de vent et de pluie qui avaient creusé de profondes saillies en surplomb dans la paroi. On suivit la corniche jusqu'à retrouver un accès à la paroi escarpée, puis on reprit notre ascension. Il nous fallut une heure de plus pour arriver trois cents mètres plus haut à une autre saillie. Celle-ci, plus exposée au vent, était profondément creusée dans la roche et, à l'odeur, on devina où les babouins avaient élu domicile pour la nuit. Cent cinquante mètres plus haut, on parvint à une troisième corniche, encore plus profonde. Marchant le long de la saillie, on s'aperçut qu'elle s'enfonçait de plus en plus dans la roche jusqu'à s'arrêter brusquement. On était arrivés à un cul-de-sac ; il n'y avait apparemment plus d'accès à la paroi pour grimper plus haut.

On était partis depuis près de trois heures et le soleil, qui donnait sur la falaise, était chaud. La chemise kaki de Doc était trempée de sueur, je lui proposai de nous asseoir pour boire un peu et nous reposer. La corniche où on se trouvait devait se situer à trois cents mètres du sommet environ, il semblait cependant impossible d'aller plus loin. En bas, on apercevait la voûte de la forêt tropicale où émergeait un vieux cladraste, dont les branches, qui se dressaient vers le ciel à cent cinquante mètres de la cime des arbres, n'arrivaient qu'à trois cents mètres de l'endroit où on était. Doc dit qu'il devait bien avoir mille ans. La paroi escarpée était en arc de cercle ; sur notre droite, à trois cents mètres en contrebas, la cascade jaillissait de la paroi ; cela ressemblait plutôt à un mince jet d'eau brumeux qu'à une chute mais suffisait à alimenter le ruisseau au bord duquel on avait campé.

Prenant son bloc-notes dans le sac à dos, Doc tourna les pages pour trouver le croquis de la falaise qu'il avait fait la veille d'en bas. « Ja, on est actuellement sur la corniche la plus encaissée, au-dessus la roche est plus dure et les stries ne sont pas aussi profondes. » Il soupira, visiblement perplexe. Doc n'aimait pas se tromper dans ses observations qu'il ne se permettait d'émettre qu'après mûre réflexion. « Eh bien, Peekay, on a découvert de la dolomite et il y a de l'eau aussi, mais pas de grotte. C'est très bizarre. On voit bien que la cascade jaillit directement de la falaise, le ruisseau doit sourdre très en profondeur. Il devrait y avoir des grottes. Ja, c'est sûr, absoloodle. »

Je retournai vers la paroi qui se dressait au bout de la corniche et regardai par-dessus dans l'espoir de découvrir un léger replat qui nous amènerait plus loin. Un mètre plus bas, il y avait une petite corniche de deux, trois mètres sur une quinzaine de centimètres de large, qui obliquait ensuite si bien que je ne voyais pas si elle se poursuivait. Je me propulsai par-dessus le rebord, les pieds dans le vide jusqu'à atteindre l'étroit escarpement. Le ventre contre la paroi, je m'avançai pas à pas. Je n'avais guère parcouru qu'un mètre lorsque je me retrouvai face à un trou creusé dans la roche, de soixante centimètres de large sur un mètre de haut. Je distinguais jusqu'à trois mètres en profondeur puis la galerie plongeait dans les ténèbres. C'était manifestement l'entrée d'une grotte, pas seulement un passage creusé dans la roche par l'érosion. A droite de l'entrée, des broussailles jaillissaient d'une fissure, on ne pouvait donc pas l'apercevoir d'en bas. Soudain, une chauve-souris surgit de l'obscurité, me frôlant sans que j'aie le temps de la voir, et j'entendis le cri typique des chauves-souris au fond de la galerie. J'étais sûr d'avoir découvert une grotte.

« Ça y est ! On a trouvé notre grotte ! » hurlai-je. Ma voix, très amplifiée, retentit dans la vallée. Il ne m'aurait pas été difficile de me hisser dans l'orifice ; cependant les trous réservent généralement des surprises bien pires que quelques centaines de chauves-souris inoffensives. Je rebroussai prudemment chemin jusqu'à l'endroit où attendait Doc. Alors qu'il m'aidait à regagner la corniche, Doc était aussi très excité. « Donc, j'ai raison, Peekay ! » lança-t-il d'un air triomphal. Je lui expliquai que si on arrivait à assurer une rampe en corde, il pourrait m'accompagner dans la grotte.

On discuta un moment du problème. Puis, plantant deux pitons dans le sol, on assura un bout de la corde en la coinçant dans les œillets, tirant dessus tous les deux pour voir s'ils étaient bien arrimés. On attacha ensuite la corde à ma taille, puis je glissai dans ma ceinture trois pitons, le marteau et la torche de Doc pour les avoir à portée de main. Doc laissa filer la corde tandis que je descendais en rappel pour atteindre la mince languette de rocher en contrebas de la corniche. Si j'étais tombé, Doc n'aurait sans doute pas pu me ramener sur l'escarpement, mais j'étais très agile et je n'avais pas du tout le vertige. Il me fallut moins de trente secondes pour me retrouver devant l'entrée de la grotte. Je me hissai dans l'orifice assez facilement et me mis à ramper dans l'étroite galerie qui remontait légèrement sur soixante centimètres avant de s'élargir. Je défis la corde et sortis la longue torche argentée de ma ceinture. Arrivé au bout du tunnel, je ne voyais plus rien. Allumant la puissante lampe électrique, je découvris que le passage menait à une grotte qui devait avoir quatre mètres cinquante de long, autant de large, et qui était assez haute pour que je me tienne debout.

Il y régnait une forte odeur de babouins et de chauves-souris. Eclairant alentour, j'en vis des centaines accrochées à la voûte et aux parois. Je rebroussai chemin puis, passant la tête au-dehors, hurlai à Doc que j'avais découvert une grande grotte. Ma voix retentit dans la vallée comme les cris des babouins la veille au soir et ce matin.

« Ce n'est pas trop dur, Doc. Je vais planter deux pitons dans la galerie et attacher la corde, vous pouvez vous en servir comme d'une rampe pour descendre. » Je me mis au travail, tirant sur la corde pour qu'elle soit bien tendue entre la corniche et l'entrée du passage. Doc était un vieux fou intrépide ; se laissant aller sur la saillie en tenant le garde-fou, il dévala rapidement la paroi jusqu'à l'entrée de la galerie. Je le tirai pour le faire entrer ; à plat ventre, il scrutait les ténèbres des yeux.

« *Wunderbar*, Peekay, une grotte. Grande ? C'est une grande, ja ? demanda-t-il en haletant.

— Vous allez devoir ramper, ça monte légèrement. Suivez la lumière, ce n'est qu'à une soixantaine de centimètres. »

La grotte n'était pas assez haute pour que Doc reste debout. Tenant la torche, il s'accroupit tandis que j'allumais la lampe tempête qu'il avait emportée dans son sac à dos.

Je la mis au milieu de la caverne où elle diffusa une lumière tamisée mais suffisante. Braquant la torche, Doc commença à examiner les parois.

Le sol était couvert de crottes de chauves-souris. « Ça devrait empester encore plus. » Sortant une boîte d'allumettes, Doc en frotta une sur son pantalon. Elle s'enflamma, illuminant un instant son visage. « Du vent ! Il y a du vent ici, du vent qui vient d'ailleurs. » Doc avait raison : la flamme vacilla, puis s'éteignit. Il braqua sa torche dans le coin gauche où saillait un éperon rocheux. La lumière joua sur la paroi ; lorsque Doc pointa le faisceau en haut du contrefort, la lumière disparut dans un trou. On comprit qu'il y avait derrière une ouverture d'où provenait un bruit d'eau qui coulait. Se rapprochant du fond de la grotte, on découvrit l'orifice à un mètre vingt du sol qui arrivait jusqu'à la voûte. Doc m'éclaira pour que je me fraie un passage, puis il me passa la lampe tempête et la torche avant de me suivre. Au moment où il se laissa tomber à terre, je dirigeai la puissante torche dans le trou noir.

« Ça alorski ! » La lumière éclaira une immense salle où poussaient des stalactites et des stalagmites. La voûte devait avoir au moins douze mètres et les concrétions calcaires blanches comme neige qui tombaient du faîte, dont certaines arrivaient jusqu'à terre, ressemblaient à une illustration d'un conte pour enfants. A certains endroits, il y avait des bassins aux eaux parfaitement immobiles où se reflétaient les structures grotesques, créant un monde enchanté qui semblait sculpté dans le cristal.

Je rendis la torche à Doc et pris la lampe tempête tandis qu'on poussait plus avant. Doc s'arrêtait sans arrêt en chemin pour braquer la lumière sur l'une ou l'autre des superbes colonnes de cristal. « *Absoloodle, absoloodle wunderbar !* » répétait-il. C'était assurément le phénomène naturel le plus étonnant que j'aie jamais vu et je suivais Doc dans son exploration. On découvrit plusieurs fissures dans les parois, elles n'étaient cependant pas assez larges pour s'y infiltrer ; on détecta au haut de la voûte la source d'où coulait de l'eau goutte à goutte. Doc observa que ce filet était trop rapide pour la formation des stalactites. Le mouvement régulier de l'eau filtrant dans la roche forme un dépôt de carbonate de calcium ; quand elle se fraie enfin un chemin vers la voûte de la grotte et arrive au contact de l'air, elle déverse son dépôt de carbonate de calcium et se constitue alors une portion infinitésimale de stalactite. Chaque goutte ajoute sa modeste contribution. Il montra du doigt une grosse concrétion sur notre droite. « Elle a peut-être trois cent mille ans, peut-être plus. » Doc parlait d'un ton plein de respect. Sur la paroi du fond, à vingt mètres de l'entrée, saillait du sol une corniche de cinq mètres. Au-dessus pendaient d'énormes pointes de stalactites et des bouquets de cristaux scintillants tandis que, juste en dessous, imitant les pieds extravagants d'une table géante, s'étaient développées des stalagmites. Un pilier de stalagmite avait poussé sur le côté de la plate-forme tel un escalier y menant. L'effet général évoquait un somptueux bloc soutenu par des arbres de cristal avec d'immenses flèches de lumière cristallisée accrochées au-dessus.

« Regardez, Doc, on dirait l'autel de Merlin dans la grotte de cristal ! »

Doc retint son souffle. « Ja, Merlin est sûrement venu dans un endroit pareil. » Il désigna le trône. « Si on s'allongeait sur cet autel, dans cent cinquante mille ans le corps ferait peut-être partie de la grotte. Partie de la grotte de cristal de l'Afrique. Tu te rends compte, Peekay. »

Je lui dis en souriant : « Vous voulez bien attendre un peu, Doc, j'ai encore besoin de vous ici. » L'idée de sa mort ne m'avait jamais traversé l'esprit. Je l'imaginais souvent devenant vieux, incapable de faire les choses qu'on faisait autrefois, mais je n'avais jamais songé à sa disparition, son absence, ce vide dans ma vie. Je comprenais la mort, elle pouvait frapper à tout moment. C'était un accident brutal comme la mort de Grand-père Chook ou de Geel Piet, ou encore celle du poids mouche de la Grosse Hettie. Même le décès de la Grosse Hettie pouvait s'expliquer par le fait qu'elle était anormalement grosse, entrant donc dans la catégorie des morts imprévisibles. Doc ne répondait à aucun des critères que j'avais conçus dans mon esprit. Doc n'était que pondération, raison, ordre et le genre de mort que je connaissais n'avait aucun rapport avec ce qu'on pouvait attendre de nos relations.

Il s'était approché des spéléothèmes qui formaient les marches de la plate-forme. Il les gravit, ses bottes crissant sur le dépôt de calcaire dur, et se retrouva sur le replat. Brusquement, il s'accroupit et s'étendit de tout son long, disparaissant hors de ma vue.

« Oh, allez, Doc ! Ce n'est pas drôle ! » lançai-je, apeuré soudain. La torche de Doc était braquée vers le haut, illuminant les stalactites qui tombaient de la voûte. On aurait dit des éclairs de cristal gelé disposés au-dessus de lui. Je n'avais jamais vu un effet aussi effrayant ni aussi splendide.

J'entendis à nouveau la voix de Doc, sereine. « C'est beau, Peekay, il ne faudra jamais parler à personne de la grotte de cristal de l'Afrique.

— Allez, Doc, vous me faites peur », répliquai-je sans vraiment comprendre le sens de ses paroles.

Se redressant, Doc braqua sa torche dans mes yeux. J'en fus ébloui. « Tu dois me promettre, Peekay. C'est très important. Tu dois promettre, s'il te plaît ? » Il écarta la lumière de mon visage. Désorienté après ces quelques secondes d'aveuglement, j'eus l'impression de voir Merlin, se tenant entre d'énormes pointes de cristal sur la plate-forme qui se dressait à trois mètres au-dessus de moi.

« Doc, redescendez, je vous en prie. Je vous le promets mais redescendez.

— Ja, j'arrive. N'oublie pas que tu as donné ta parole, Peekay. » Il descendit prudemment, je courus l'aider. Il haletait et, tandis que je lui prêtais main-forte, je sentis l'émotion du vieil homme.

On regagna la grotte des chauves-souris, puis Doc pointa de nouveau sa lampe électrique dans la salle. « Peekay, on a découvert un endroit d'Afrique que personne n'a jamais vu, la grotte magique s'il en est, la grotte de cristal de l'Afrique.

— Allez, Doc, il faut ficher le camp. Quelle heure est-il ? » Il plongea la main dans la poche de son pantalon à la recherche de sa montre à savonnette qu'il éclaira. « Dix pendules et demie », annonça-t-il. Doc disait toujours l'heure de cette curieuse façon.

« Il faut y aller. Si on est au camp à midi, il fera nuit le temps de rentrer. » Fort heureusement, il n'y avait pratiquement qu'à descendre pour rentrer, on allait donc gagner deux heures sur l'aller. Je calculai qu'il serait environ huit heures du soir quand on arriverait. Ce ne serait pas très amusant de parcourir les contreforts de nuit ; de plus, Doc serait épuisé. Mon inquiétude avait eu raison de mon émotion. Doc me prit par le bras, il tremblait toujours. « N'oublie pas, Peekay, c'est notre grotte, la grotte de cristal est un secret entre toi et moi.

— D'accord, Doc, je vous le promets. Je vous ai déjà promis. Fichons le camp d'ici maintenant. » Ce n'était pas du tout son genre de se montrer si insistant. De toute façon, il savait qu'il pouvait me faire confiance. La grotte lui avait fait un effet extraordinaire, je savais qu'il voulait qu'on revienne. Je craignais cependant qu'il ne puisse plus bien longtemps refaire une telle ascension. J'avais coupé la corde qu'on avait amenée dans la caverne mais laissé la rampe pour permettre à Doc de remonter. Une fois de retour sur la corniche, je commençai à retirer les deux pitons métalliques car on en avait déjà perdus deux qu'on avait été obligés de laisser dans la galerie.

« Non, laisse-les, Peekay, dit brusquement Doc, on n'a pas le temps. » C'était curieux de sa part, lui qui prenait toujours grand soin du matériel. On vérifiait toujours tout avant de lever le camp ou de quitter un endroit où on avait ramassé des spécimens. C'était la première fois qu'il employait des chemins détournés, je compris qu'il avait été très troublé par la grotte de cristal ; le vieux bougre était bien décidé à revenir.

On arriva aux contreforts surplombant la ville au moment où une lune géante se levait sur les collines, baignant la vallée de Kaap d'une lumière argentée. C'était de nouveau la pleine lune, toujours un mauvais moment à passer pour moi. Grand-père Chook était mort par un soir de pleine lune et, même si le souvenir de ce drôle de vieux coq s'était estompé dans ma mémoire, les soirs de pleine lune, les souvenirs qui revenaient au galop dans la nuit argentée me rendaient triste. Geel Piet aussi était mort par un soir de pleine lune.

J'avais raison, cette excursion devait être la dernière grande expédition en compagnie de Doc qui était prêt à s'effondrer quand on arriva enfin à son cottage. Je l'allongeai sur son lit et lui retirai ses bottes. Il avait deux grosses ampoules aux pieds, une sous chacun des gros orteils. Je mis du coton dans le chas d'une aiguille que je passai dans chaque ampoule, puis fis un nœud, les laissant se vider durant la nuit. C'était une technique que Doc m'avait enseignée des années plus tôt, je savais que le lendemain matin les ampoules se seraient aplaties et qu'il ne souffrirait plus. Je lui lavai le visage, passai de la vaseline sur une coupure qu'il s'était faite sous l'œil et jetai sur lui une couverture de l'armée. C'était un vieux dur à cuire, j'étais sûr qu'il serait sur pied dès le lendemain matin.

« C'est la nôtre. La grotte de cristal. L'Afrique. Toi et moi, Peekay », marmonna-t-il avant de sombrer dans le sommeil apparemment. J'attendis que sa respiration soit profonde et régulière avant de rentrer chez moi. En chemin, la lune était si éclatante qu'on voyait les fleurs pourpres des jacarandas. J'étais triste à l'idée de ne plus retourner avec lui dans les montagnes. Chaque fois que je revenais de pension, Doc semblait un peu plus frêle. On avait découvert la grotte de cristal de l'Afrique mais ne la reverrais-je donc jamais ? Peut-être y retournerais-je, peut-être pas. Quand on partage tout, comme Doc et moi depuis si longtemps, on a l'impression que ce n'est pas bien de diviser le secret en retournant seul dans un endroit. Je pensais que la corde allait pourrir et que dans cent ans des gens découvriraient les trous laissés par les pitons qui, rongés par la rouille, n'y seraient plus depuis longtemps, et remarqueraient les traces de rouille dans la dolomite. Ils feraient des recherches, trouveraient d'infimes fragments de métal qu'ils analyseraient, puis proposeraient toutes sortes de théories qui n'auraient aucun rapport avec un professeur de musique allemand de deux mètres et le futur champion du monde de boxe des poids welter.

20

Au début du deuxième trimestre de la troisième, la scolarité prit un nouveau jour. Lors des séances de travaux dirigés par Singe 'n Burn trois fois par semaine, on n'avait pas du tout l'impression d'être à l'école. On bavardait pendant une heure et, de ces discussions, ressortaient au moins trois heures de lecture et de préparation pour la séance suivante. Le directeur maîtrisait parfaitement le sujet et il découvrait vite les aptitudes de chacun. Il les cultivait soigneusement, équilibrant en même temps les goûts intellectuels en abordant des sujets qui, bien que moins intéressants, étaient à ses yeux indispensables à une éducation harmonieuse. Les Sinjun's People se retrouvaient rarement au grand complet et, une fois choisis, on n'y faisait plus jamais allusion à la Prince of Wales School. On n'essayait jamais de nous faire passer pour des êtres d'exception ou des personnages importants. Cependant, une terrible compétition opposait les six membres dans le cadre de l'école, chacun des Sinjun's People se battant farouchement en classe pour être couvert de lauriers. Tout cela, sans compter la boxe et le rugby, me laissait très peu de temps pour moi.

Hymie m'avait aussi révélé son grand projet. Il était si lié à moi, autant comme boxeur que comme ami, qu'il jouait avec le plus grand naturel le rôle de manager. En un peu plus de deux ans, Hymie avait acquis une remarquable compétence en la matière ; il estimait aussi qu'on avait atteint les limites de Darby comme du sergent et qu'il fallait passer à l'étape suivante.

« Quel est le meilleur entraîneur professionnel de boxe d'Afrique du Sud ? me demanda-t-il un après-midi peu après la rentrée.

— Tu connais la réponse : Solly Goldman.

— Je suis allé le voir pendant les vacances. On va faire quelques rounds pour lui dans six semaines quand il rentrera d'un voyage en Angleterre. Si ça lui plaît, il te prendra dans l'équipe.

— La vache, Hymie, c'est formidable ! Comment as-tu réussi à le convaincre ? Solly Goldman ne s'occupe que de professionnels. »

Pour une fois, Hymie ne répondit pas du tac au tac. Il contempla ses mains en disant : « On va le payer. On a assez d'argent en banque pour lui verser un an d'honoraires, ensuite on trouvera une autre solution. » Hymie leva les yeux vers moi. « Je sais ce que tu vas dire. Toutefois, moi, je considère que mon argent t'appartient, tu ferais la même chose pour moi.

— C'est impossible, Hymie. Je te remercie mais c'est tout bonnement impossible. Pour deux raisons. La première, tu la connais déjà. Amitié ou pas, pas question de faire l'aumône, sous aucun prétexte. La seconde est d'ordre pratique. Il s'agit de notre capital. En affaires, la première règle, c'est de ne jamais manger son capital, tu le sais mieux que personne !

— Ecoute, on aurait toujours la Banque. Je peux emprunter de l'argent à mon père pour la maintenir à flot. Tu n'as pas à accepter la charité. Tu peux racheter ta part de capital sur les bénéfices et prendre un salaire qui te servira d'argent de poche. Tu verras, ça va marcher.

— Hymie, je ne souhaite rien de plus au monde que de bénéficier de la compétence de Solly Goldman, mais c'est impossible. C'est lié à une chose que j'ai vécue quand j'avais cinq ans, je me suis promis que je n'aliénerais plus jamais ma liberté, que je ne me retrouverais plus jamais en position de dépendance. »

Hymie parut blessé, je ne pouvais pas lui en vouloir. En un sens, je rejetais son amitié et sa confiance. Cependant, les blessures, gravées en moi à jamais, que m'avaient infligées le Juge et ses sections d'assaut nazies avaient laissé des traces qui me rappelaient sans arrêt que je devais me débrouiller tout seul.

« Très bien, Peekay, comme tu voudras, mon vieux. » Hymie fit alors un grand sourire. « Si je trouve un coup et que tu gagnes assez d'argent pour payer Goldman, tu marcheras dans la combine ? »

Je souris, soulagé qu'il eût accepté mes objections. « Ça, ce sont des affaires, c'est pas pareil ! Mais uniquement à condition de jouer mon rôle et que tout soit "casher".

— Tope là, associé, lança Hymie. Cette fois-ci, ça va être un pur chef-d'œuvre de l'esprit ! »

Depuis le début, on faisait équipe sur le terrain de rugby, Atherton, l'Araignée rusée et moi. J'étais bâti pour être demi de mêlée et Atherton, qui suivait les traces de son célèbre cousin, devenait un formidable demi de volée tandis que l'Araignée rusée était centre avec beaucoup de style. Hugh Lyell et Jean Minaar, membres des Sinjun's People, étaient aussi du nombre. En principe, j'étais encore dans les moins de quatorze ans, j'avais néanmoins choisi de jouer dans les moins de quinze ans pour qu'on reste ensemble. Johnson le Pisseux, qui avait l'air de plus en plus baraqué de trimestre en trimestre, était avant-centre et Hymie, naturellement, s'intéressa à la chose uniquement parce que la plupart des Cogneurs de la cuillère en bois étaient de la partie. Dans n'importe quelle école, les moins de quinze ans sont la pépinière du premier quinze ; aussi les entraîneurs qui voient dans cette équipe les plus grandes promesses surveillent-ils très attentivement les joueurs.

A son habitude, Hymie analysait les équipes de nos adversaires ; grâce à ses notes, comme en boxe, on avait une assez bonne idée de leur stratégie et de leurs compétences avant d'entrer sur le terrain.

Comme il l'avait fait en potassant la boxe, Hymie nous obligea à penser et à agir en gagnants. « Pour gagner, il faut provoquer la chance, mais il faut aussi être chanceux », disait-il.

Dans les moins de treize et quatorze ans, lorsqu'on avait joué contre Helpmekaar, l'école afrikaans de Jannie Geldenhuis, mon premier combat gagnant à la Prince of Wales, leurs avants, beaucoup plus costauds que nous, nous avaient écrasés à plate couture et leurs arrières, plus forts et plus baraqués, couraient trois fois plus vite que nous. Geldenhuis, qui jouait contre moi en demi de mêlée, avait largement profité de sa revanche les quatre fois. Lors du dernier match des moins de quatorze ans, qu'ils avaient remporté de peu, Geldenhuis avait cru bon de me taper dans le dos d'un air condescendant alors qu'on quittait le terrain. « Sur le ring, c'est une chose, mais sur le terrain de rugby, c'en est une autre. Le rugby est plus important que la boxe, mon vieux. » On s'était rencontrés cinq fois sur le ring et, même s'il était toujours un adversaire coriace, je l'avais battu à chaque coup. Il avait bien le droit d'essayer de se venger. On affrontait chaque école à deux reprises au cours de la saison. Notre score personnel en était donc à cinq victoires pour moi sur le ring contre quatre à Helpmekaar en rugby. Hymie, plus que tous, était impatient de renverser la vapeur quand on se retrouva dans les moins de quinze ans. L'équipe de Helpmekaar était toujours plus forte que nous ; côté taille cependant, les choses s'étaient un peu équilibrées. Hymie était convaincu qu'on pouvait les battre. « Regarde les statistiques, Peekay. Dans les moins de treize ans, ils nous ont battus vingt à zéro, puis quinze-zéro. L'année dernière, ils ont fait neuf-zéro, puis dix-trois et on a marqué un essai sur deux coups francs et un drop. Statistiquement parlant, on doit les avoir cette année. »

J'avais des doutes sur la question. Avec quatre victoires en deux ans à son palmarès, Helpmekaar pouvait se sentir confiant. « Hymie, ce sont des Boers. Ils mourraient plutôt que de perdre contre une école anglaise, ce n'est pas qu'une question de statistiques !

— Ja, je sais, c'est là que ça va se jouer. »

Deux semaines avant le match, le mercredi après-midi, alors qu'on était censés travailler à la bibliothèque de Johannesburg, Hymie me prit à part. « Tu veux venir voir Jannie Geldenhuis à Helpmekaar avec moi cet après-midi ? Ne me pose pas de questions, dis-moi oui, c'est tout... C'est important. »

Sur l'impériale de l'autobus de Parktown, il m'exposa les grandes lignes de son plan. « Il y a près de douze cents élèves à Helpmekaar et six cents chez nous. Si on arrive à convaincre la majorité de miser sur la victoire de Helpmekaar contre nos moins de quinze ans, on pourrait toucher un sacré paquet, on aurait ton argent pour Solly Goldman.

— Merde, Hymie, on ne va pas se relancer dans les paris à haut risque ! Tu es fou, ce n'est pas comme les premiers matches de boxe du temps où on prenait quelques paris avant le combat. A l'époque, je représentais un facteur de surprise, les amateurs des autres écoles ignoraient qu'on avait un boxeur qui savait se battre. Alors que là, c'est exactement l'inverse, ils connaissent notre niveau et, pire, on ne les a jamais battus ! Tout est contraire à notre philosophie des affaires dans cette histoire.

— Tu veux que je te dise quel est ton problème, Peekay ? Tu te fais trop de soucis.

— C'est vraiment pas surprenant quand on a un ami comme toi ! J'espère que tu as un plan ? »

Hymie eut un geste comme si cela allait de soi. « Tu as déjà vu un oiseau qui ne sait pas voler ? Evidemment que j'ai un plan, mais je risque de devoir faire mon numéro quand on sera là-bas. Alors, ne m'en veux pas si je ne te l'explique pas en détail. En tout cas, je te promets que notre philosophie des affaires n'en souffrira pas.

— Ecoute, Hymie ! Ramasser les paris d'une douzaine de types dans les chiottes, c'est une chose. S'attaquer à toute une putain d'école afrikaans, c'en est une autre. Tu ne les connais pas aussi bien que moi ces couillons, ils ne jouent pas, ces types-là, les Afrikaans sont très croyants, tu sais.

— L'appât du gain, mon cher Peekay, est plus fort que la religion. Les soldats romains n'ont-ils pas joué les vêtements du Christ sur le Golgotha ? De plus, quand les types de Helpmekaar verront la cote que je propose, leurs petites mains de Boers ne seront pas assez rapides pour porter un couteau de cuisine à leurs bourses.

— Hymie, j'espère que toute cette histoire est ''casher''. S'il s'avère qu'il s'agit d'une escroquerie et qu'ils s'en aperçoivent, on est foutus ! » Hymie nous avait appris le mot juif « casher » qui était devenu le terme générique pour désigner une chose loyale.

Hymie sourit. « Je me suis creusé la cervelle. En fait, j'ai plutôt honte de moi, mais malgré ma remarquable intelligence, il n'y a pas d'autre solution que de les payer pour s'en sortir, ce qui est manifestement impossible. On est donc tout simplement obligés de les battre le jour J. Crois-moi, c'est aussi casher que le bouillon de poule de ma grand-mère. » Se tournant vers moi, il me fit son sourire le plus désarmant. « Peekay, je sais que tu jouis d'une réputation exceptionnelle auprès de ces Boers, pas question que je gâche ça. Tu es le seul gentleman chrétien rooinek qu'ils respectent. » Il s'arrêta un instant. « Mets-toi juste dans la tête qu'on peut les battre, ces salauds !

— Tu ne veux pas dire que tu les paierais si tu pouvais trouver un autre moyen, j'espère ?

— Non, bien sûr que non, je plaisantais. Dans une combine, la partie la plus amusante c'est de la concevoir. Tout le monde peut apprendre à tricher. »

On parvint en haut de la colline et on arriva à la grille de Helpmekaar juste à l'heure de la sortie des classes. Nos deux blazers verts furent noyés dans une marée de blazers marron gansés de jaune. Des remarques fusaient de tous côtés, on ne se sentait vraiment pas à l'aise.

« Alors ? murmurai-je à Hymie.

— On attend ici, tu vas voir », répondit-il.

A ce moment-là, une voix troua la marée de blazers marron. « Peekay, ça va ? » C'était Jannie Geldenhuis. « Excuse-moi, mon vieux, je suis en retard, j'ai dû aller voir un prof. Venez avec moi. » Il tendit la main à la façon des Boers, on la lui serra chacun notre tour avant de le suivre dans la cour.

« *Magtig*, j'ai cru qu'on allait se faire lyncher, dis-je à Jannie en afrikaans.

— Aucun risque, tout le monde te connaît ici, tu es une espèce de héros. »

On était arrivés aux toilettes où deux types de notre âge se fumaient une cigarette tranquillement. Jannie leur demanda poliment de partir, ils rechignèrent d'un coup de pied puis, se décidant à obtempérer, éteignirent leurs cigarettes en pinçant le bout avant de mettre le mégot dans la poche de leur veste pour s'en resservir.

Hymie annonça qu'il acceptait la cote à trois contre un sur la Prince of Wales School.

Geldenhuis en eut le souffle coupé. « Tu es fou, mon vieux ! On vous a déjà battus quatre jeux à rien !

— C'est la cote, répliqua calmement Hymie.

— C'est génial pour les gars, déclara Geldenhuis, mais et nous dans cette histoire ? On... tu vas être sur la paille ! Quinze pour cent de zéro, ça fait zéro et je vais me retrouver avec mille deux cents types de Helpmekaar furieux qui vont me botter le cul. »

Je me dis que Geldenhuis n'avait pas seulement un joli minois. Hymie était tombé sur la tête ! Pour gagner, il fallait que Helpmekaar soit le favori. Trois contre un, c'était du suicide.

« Bon, Geldenhuis... On va te donner une garantie par écrit comme quoi on honorera nos dettes si la Prince of Wales perd. » Glissant la main dans la poche intérieure de son blazer, il me tendit un bout de papier plié. Je le dépliai et découvris qu'il s'agissait d'une caution de la Banque s'engageant à payer en cas de victoire de Helpmekaar. En bas, il y avait de la place pour deux signatures. Hymie avait déjà apposé la sienne.

« Signe et donne-le-lui », lança Hymie avec désinvolture.

Je fis un rapide calcul de tête. En supposant que deux tiers des élèves misent deux shillings de moyenne, on risquait de perdre dans les trois cent soixante-dix livres. Si on vendait la Banque à un syndicat, plus nos droits sur les *Célèbres Notes des Cours par Correspondance* de Miss Bornstein et qu'on retire toutes nos économies, on pouvait y arriver tout juste

Je poussai un soupir de soulagement. Si la somme avait dépassé le total de nos biens, j'aurais été obligé de refuser la proposition de Hymie devant Geldenhuis, nous mettant tous les trois dans une situation très délicate. J'empruntai le Parker 51 de Hymie et, posant le document sur le siège des toilettes, le signai. Mais je vous assure que je n'étais pas content. Quand on se retrouverait en tête à tête, Hymie Solomon Levy allait avoir des emmerdements à n'en plus finir.

Geldenhuis me prit le papier des mains, le lut et sortit de sa poche un petit portefeuille en cuir. Lorsqu'il l'ouvrit pour y ranger la caution, je remarquai qu'il était vide.

« Bon, Geldenhuis, je te propose vingt pour cent des gains ou cinquante livres tout de suite, à toi de choisir », annonça Hymie.

Comme moi avant de rencontrer Hymie, Jannie Geldenhuis n'avait sans doute jamais vu un billet de dix livres de sa vie, sans parler d'un billet de cinquante. Les ouvriers blancs gagnaient en moyenne huit livres par semaine. Helpmekaar n'était pas une école privée et ses parents devaient se battre pour joindre les deux bouts.

Hymie l'avait bien jugé. « Cinquante livres tout de suite », répondit Geldenhuis.

Jannie Geldenhuis devait penser qu'on n'avait aucune chance de gagner. Hymie lui proposait cinquante livres contre soixante-quinze hypothétiques.

Hymie sortit son portefeuille qu'il ouvrit. « Un instant ! » dit brusquement Geldenhuis. Récupérant son portefeuille, il prit la garantie qu'il tendit à Hymie. « J'y mets une condition. Sinon, ça ne marche pas, mon vieux. »

On le regarda tous les deux, surpris. « Quelle condition, Jannie ? m'enquis-je.

— Avant tout, j'accepte de m'occuper des paris du côté de Helpmekaar uniquement parce que tu es dans la combine, Peekay. » Il pointa le doigt vers Hymie. « Je ne fais pas d'affaires avec les Juifs !

— Hé, dis donc ! » J'étais furieux. « On est tous les deux dans le coup, Hymie et moi. S'il n'y a pas de Hymie, il n'y a pas d'affaire ! » Je me tournai vers Hymie. « Allez, viens, on se tire. »

Hymie leva la main d'un air conciliant. « Attends une seconde. Ne nous énervons pas. On est associés, si Jannie veut traiter avec toi, il n'y a pas de problème. » Il s'était légèrement déplacé pour masquer Geldenhuis et me fit un clin d'œil entendu, puis il se retourna pour que Geldenhuis le voie et sortit cinq billets de dix livres de son portefeuille. « Voilà, Peekay, paie-le. »

Sans me laisser le temps de prendre l'argent, Geldenhuis lança : « Ce n'est pas la condition. » L'ombre d'un sourire retroussa le coin de ses lèvres.

J'étais toujours en colère. « Alors, c'est quoi ta condition, Geldenhuis ?

— Bats-toi contre moi ! »

Il dut voir l'étonnement se peindre sur mon visage. « Ici ? Maintenant ?

— Je viens de passer poids plume, tu es toujours poids coq et largement, je veux avoir une dernière chance de me venger.

— Et s'il refuse ? » demanda Hymie.

Sans me quitter des yeux, Geldenhuis répondit : « Le coup est à l'eau ! Tu peux te les foutre au cul, tes cinquante livres de Juif ! Qu'est-ce que tu en penses, Peekay ? Trois rounds contre moi dans le gymnase ?

— La vache, et dire que je t'aimais bien, Geldenhuis. D'accord, ça marche ! Mais je n'ai rien à me mettre.

— J'y avais songé, j'ai des trucs pour toi. » Geldenhuis observa une pause, puis haussa les épaules. « Hé, sans rancune, mon vieux. Tu es un rooinek, je suis boer, je ne serai pas content tant que je ne t'aurai pas battu, avoua-t-il sans détour.

— Tu risques d'attendre Pâques ou la Trinité avant d'être content ! Où est-ce que je me change ?

— Qui va arbitrer le combat ? » s'enquit Hymie.

Jannie Geldenhuis montra du doigt le campus de Witwatersrand University qui ne se trouvait qu'à deux cents mètres du collège. « On a demandé à un type de Wits au cas où tu aurais accepté. »

Geldenhuis remit la caution dans son portefeuille. Je m'apprêtais à le suivre mais Hymie ne bougea pas.

« Une seconde, Geldenhuis ! »

On se retourna vers Hymie qui brandissait les cinq billets de dix livres, l'ombre d'un sourire aux lèvres.

« Je te parie cinquante livres que Peekay te fiche une pâtée ! »

Les bras raides comme s'il était au garde-à-vous, Geldenhuis était figé de colère. Hymie l'avait eu et il s'était vengé par la même occasion.

« Banco, le Juif ! » riposta-t-il.

Geldenhuis nous emmena aux douches et montra du doigt un sac en papier kraft posé sur un banc. « Tout est là, on se retrouve au gymnase. » Sur ce, il s'éloigna, sans doute pour se changer ailleurs.

« La vache, ça a été une belle surprise pour les paris ! » lança Hymie.

La tenue m'allait assez bien et les chaussures étaient juste assez usées pour être confortables. On quitta les douches pour suivre un long couloir qui menait au gymnase. Je précédai Hymie. La salle résonna soudain sous les applaudissements et les sifflets, elle était bourrée à craquer de types de Helpmekaar.

« Putain ! » m'exclamai-je en me tournant vers Hymie.

Hymie jeta un coup d'œil vers les visages goguenards qui nous regardaient. « Du calme, fais comme si tu n'étais pas étonné. Il ne faut pas lui donner l'avantage psychologique. » Hymie, à son habitude, avait déjà la situation en main. On monta sur le ring, Hymie m'enfila mes gants. Geldenhuis était déjà dans son coin à boxer dans le vide. Comme de coutume, je m'assis sur le pot et j'attendis.

L'arbitre, un type de vingt ans passés, nous demanda de venir au centre du ring. « Bon, serrez-vous la main ! Quand je dis break, séparez-vous. Sur un knock-down, on fait le compte de huit obligatoire, je ne commencerai à compter qu'à partir du moment où vous serez dans le coin neutre. Trois avertissements sur un coup irrégulier et vous êtes déclaré perdant. »

On ne l'écoutait ni l'un ni l'autre. « Cette fois-ci, je vais t'avoir, espèce de rooinek, lança Jannie Geldenhuis dans sa barbe.

— Ce combat t'est offert avec les compliments du Juif, sale Boer ! ripostai-je.

— Prêt, chronométreur ? Seconds, dehors. » Le gong retentit, on avança l'un vers l'autre en dansant. Je vis que Geldenhuis ne plaisantait pas, il avait cinq défaites à venger. Son regard se durcit. Combattant dans le camp ennemi devant un public hostile, je n'avais pas l'intention de lui donner ce plaisir. Il était d'une nature agressive et je ne voulais pas lui laisser l'occasion de placer tout de suite quelques bons coups. Je passai donc la moitié du premier round à danser sur le pied arrière pour l'esquiver sans me rapprocher des cordes. Hymie me raconta par la suite que les élèves de Helpmekaar hurlaient comme des fous ; néanmoins, j'avais l'impression de me battre dans le désert, complètement concentré. Geldenhuis balança un tas de coups mais la plupart me touchèrent aux bras ou atterrirent dans mes gants. Il en marqua deux cependant. Un superbe uppercut lorsqu'il me coinça un instant dans les cordes et un droit sous le cœur. Les deux me firent un mal de chien. Heureusement que je n'avais rien mangé. J'étais en travaux dirigés avec Sinjun et la séance avait duré une demi-heure de plus que prévu, je n'avais donc pas eu le temps de déjeuner. J'étais prêt à parier que Geldenhuis n'avait rien avalé depuis le matin.

Je lui flanquai un beau coup à la mâchoire qui le figea sur place. Il m'avait attaqué d'un gauche mal ajusté, j'avais contre-attaqué du droit pour le frapper violemment sur le côté de la mâchoire. Jannie était un imbécile quand il s'agissait de refaire les mêmes erreurs ; dans le même round, il attaqua de nouveau d'un gauche bâclé. Cette fois-ci, je l'esquivai et le touchai en y mettant toutes mes tripes. Je vis son regard effaré, il recula en vacillant dans les cordes où je le frappai d'un gauche droit dans le ventre, pensant qu'il allait baisser la garde pour pouvoir lui balancer un uppercut à la mâchoire. En fait, prévoyant le coup, il défendit sa tête, laissant son ventre à découvert. C'est alors qu'entra en jeu la combinaison en huit coups signée Geel Piet et il s'accrocha aux cordes juste au moment où le gong retentissait. J'avais remporté la première reprise.

Hymie avait remarqué la même chose que moi. Geldenhuis avait acquis une étrange habitude : quand il se plaçait pour un crochet du gauche, il levait le coude droit, dégageant sa cage thoracique, et je lui avais flanqué un tas de coups dans la zone située juste sous le cœur. La combinaison en huit coups était exactement ce qu'il me fallait pour l'affaiblir en vue de la suite. Comme dirait Geel Piet : « Si tu leur en mets assez entre le cœur et la ceinture, ils finissent par avoir les jambes en coton. »

A ma grande surprise, dans le deuxième round, il continua à attaquer. Je ne l'avais jamais vu boxer aussi bien. Ses coups étaient précis et touchaient leur cible étonnamment souvent. Au milieu de la reprise, je me mis à boxer en gaucher. Cela le troubla suffisamment pour que j'arrive au bout sans prendre d'autres coups. Bien que je lui en aie assené un certain nombre, j'étais sûr qu'il avait gagné le round. Quand un boxeur est dans ses marques et qu'il parvient à pousser son adversaire dans les coins, il peut drôlement l'amocher et paraître très bon.

Je ne supportais pas l'idée de perdre le deuxième round, cela donne à votre adversaire l'avantage psychologique, sachant qu'il va commencer le dernier avec un moral d'acier. De plus, cela permet à l'arbitre d'annoncer le match nul si la dernière reprise n'est pas convaincante. Grâce à ses kilos en plus, Jannie avait gagné en puissance et il avait apparemment très bien encaissé les coups que je lui avais donnés.

Jannie savait qu'il devait se surpasser dans le dernier round et je savais que je devais faire de la surenchère. Etant une petite frappe, il avait un léger avantage sur le boxeur technique, le cogneur qui attaque sans arrêt subjugue les foules et un public partisan est capable d'oublier que le gagnant est le type qui place le plus de bons coups. J'espérais que l'arbitre serait assez compétent pour bien juger ; cependant, avec un public sectaire comme celui-ci, on risquait de se faire lyncher si on l'emportait de peu.

Jannie commença la dernière reprise en tournant autour de moi, tout en finesse. Je m'étais remis à boxer en droitier et, à condition de rester au milieu du ring en restant loin des cordes, j'étais beaucoup plus fort que lui techniquement. Je le maintins à l'écart sans problème. Il continua à se rapprocher, tentant de me balancer son crochet du gauche à la tête, coup qui devait m'être fatal, selon lui. J'aurais pu le repousser d'un direct du droit, m'en contentant et marquant par la même occasion, mais j'avais l'impression d'être assez rapide pour éviter son méchant crochet du gauche qui, chaque fois, le poussait à lever le coude droit, faisant de lui une cible idéale pour lui décocher un sévère uppercut du gauche sous le cœur. Pour un boxeur en finesse comme moi, c'était du tout cuit.

Geldenhuis balança un autre crochet du gauche qui me toucha au coin du crâne. Je n'avais même pas besoin de regarder, il devait avoir son coude gauche en l'air. Je lui assenai un crochet du gauche de toutes mes forces. Son regard s'éteignit brusquement. Geel Piet avait raison comme d'habitude, il n'avait plus ses esprits.

Je passai sur le pied avant et repartis à la charge. L'attaque soudaine le prit complètement par surprise et perça ses défenses entièrement relâchées. Il était si obsédé par l'idée que j'étais un tacticien de défense qu'il fut incapable de réagir face à l'attaquant qui venait sur son terrain, le frappant apparemment à sa guise. Tendant trop vite le bras pour m'accrocher, il baissa la garde et je le touchai à la pointe du menton d'un crochet du droit qui l'envoya dans les cordes, laissant son estomac à découvert alors que ses mains battaient l'air. J'attaquai de nouveau d'une combinaison en huit coups signée Geel Piet, chacun bien placé et violent quoique frappé de près. Il m'accrocha, l'arbitre nous sépara. Je l'avais mis à plat. Trente secondes plus tard, il rata un droit, puis le gauche qui suivit et je lui envoyai le meilleur coup de ma vie, un uppercut du droit balancé de toutes mes forces qui le toucha sous la pointe du menton, un modèle du genre.

C'était la première fois que je réussissais un vrai knock-out. Jannie Geldenhuis s'effondra comme un sac de pommes de terre, puis se vautra sur le tapis. Je me retirai aussitôt dans un coin neutre ; bien qu'il n'eût pas bougé, j'étais sûr qu'il allait attendre la fin du compte de huit avant de se relever. L'arbitre se tenait au-dessus de lui ; à sept, Geldenhuis parvint à se redresser sur le coude mais ça s'arrêta là. A dix, il s'écroula.

L'arbitre s'approcha de moi et leva ma main. Le public était manifestement soufflé. Le choc passé, alors que Jannie se redressait, ils se levèrent et m'applaudirent à tout rompre. Bondissant sur le ring, Hymie me porta en vainqueur, ce qui n'était pas indispensable. Aidé de ses soigneurs, Jannie Geldhenhuis se glissa entre les cordes sans détourner le regard.

Je fis un large sourire. « La vache, Hymie, quel prélude pour préparer les types à parier sur un match de rugby.

— Si j'avais arrangé le coup moi-même, ça n'aurait pas été mieux », répliqua-t-il.

On descendit du ring. Les gars de Helpmekaar nous laissèrent passer tandis qu'on se dirigeait vers la porte. « Promets-moi une chose, Hymie.

— Ouais, bien sûr, quoi donc ?

— Promets-moi que tu n'avais pas manigancé tout ça.

— Tu es fou ! Tu oublies ce salaud d'antisémite ?

— Tu as eu ta revanche, personne n'a jamais gagné cinquante livres aussi vite. » On était arrivés à l'abri des douches et Hymie se mit à pouffer. Un instant plus tard, on se tapait dans le dos en hurlant de rire.

En rentrant dans l'autobus, je me tournai vers Hymie. « Tu n'as pas répondu à ma question.

— Quelle question ?

— C'était un coup monté ? »

Hymie contempla ses mains. « Techniquement, non. Mais quand tu réunis les éléments nécessaires, tu peux t'attendre à ce qui va se passer.

— Je devrais te casser la figure, Hymie Solomon Levy ! Et sur-le-champ ! »

On annonça la cote alléchante à la Prince of Wales. Comme prévu, les gentlemen chrétiens parièrent en masse sur Helpmekaar. L'esprit de l'école, c'était une chose, l'argent, c'en était une autre. Seuls les pensionnaires de Wellington House, Darby, le sergent et les moins de quinze ans misèrent sur nous. L'idée d'avoir établi une forte cote inspira terriblement l'équipe. Le syndrome de David et Goliath opérait. Hymie avait vu juste sur le plan psychologique : le jour du match, on était convaincus qu'on pouvait gagner. On espérait qu'à Helpmekaar, cela aurait un autre effet : on espérait que les élèves afrikaans miseraient à fond sur leur équipe mais que les joueurs se sentiraient un peu troublés. Pourquoi donnait-on la Prince of Wales School favorite alors qu'en fait les joueurs composant le quinze avaient été battus les quatre dernières fois ? A l'image de notre équipe, celle de Helpmekaar comptait un certain nombre de boxeurs dans ses rangs et ils avaient vu les progrès qu'on avait faits à l'entraînement ; on avait même fait match nul lors du dernier tournoi de boxe contre eux. Si on pouvait y arriver sur le ring ?... On avait la réputation de ne pas être des imbéciles, Hymie et moi.

Le poison de Hymie, espérait-on, faisait son effet.

Ce n'était qu'un match de minimes ; pourtant, jamais le public n'avait été si nombreux cette saison. Les parieurs des deux collèges étaient là au grand complet et Hymie prenait encore des paris alors que les deux équipes prenaient place sur le terrain. Il avait même obtenu que le premier cornemusier de l'école joue *Scotland the Brave* au milieu du terrain avant le début du match. C'était le grand jeu.

L'arbitre siffla, Atherton donna un coup de pied dans le ballon, un léger coup qui amena le ballon au milieu des avants. Par miracle, Johnson le Pisseux arriva le premier et renversa l'avant de Helpmekaar qui l'avait attrapé. Une mêlée ouverte se forma. Cependant, le ballon resta bloqué et l'arbitre siffla pour qu'on forme une mêlée ordonnée.

On récupéra le ballon et, malgré la violente poussée de Helpmekaar, il arriva jusqu'à moi sans dommage. On était à mi-chemin entre le milieu de terrain et leur ligne de vingt-deux mètres, Atherton se trouvait presque sur la ligne de milieu de terrain juste derrière moi. Je savais qu'il allait tenter un drop, ce qui, même pour lui, semblait quelque peu ambitieux. Je lui renvoyai le ballon tandis que leurs ailiers se déployaient et, sans précipitation apparemment, il plaça le ballon exactement entre les poteaux, marquant quatre points. Je ne l'avais jamais vu faire un si beau drop. Cela donna le ton.

Peu après, on marqua un essai transformé et, juste avant la mi-temps, ils placèrent un coup franc. A la mi-temps, on était neuf à trois. Toutefois, leur avantage de poids dans les mêlées commençait à se faire sentir et on était épuisés.

Dans la seconde mi-temps, ils fermèrent le jeu et finirent par marquer en poussant notre mêlée plus légère au-delà de la ligne. Il restait dix minutes à jouer et on était neuf à huit. Je vis que nos avants n'en pouvaient plus. Ce n'était plus qu'une question de temps pour eux. On réussit à s'accrocher, plaquant tout ce qui passait.

Hymie avait mis le cornemusier sur la ligne de touche, il jouait à tout crin. On était cependant trop fatigués pour l'apprécier ou même l'entendre. Geldenhuis m'avait drôlement malmené et il était plus qu'impatient de m'avoir. A deux reprises au cours des dernières minutes de jeu alors qu'ils campaient sur notre ligne, j'étais sorti de la mêlée en feintant une passe et il avait tellement envie de m'attraper qu'il s'était mis hors jeu et nous avait donné un coup franc. Rien que ces deux coups auraient pu nous sauver.

A deux minutes de la fin, on forma une mêlée à cinq mètres de notre ligne. On récupéra le ballon mais ils nous poussaient comme des fous. On réussit quand même à prendre le ballon. Je fis une feinte de passe en direction de notre arrière et Geldenhuis hésita une fraction de seconde, cela me permit de me rapprocher de l'angle mort. Poursuivi par leur ailier, je passai à Atherton qui avait fait le tour comme moi. Il coupa à l'intérieur, poursuivi par leur demi d'ouverture, et envoya le ballon vers les poteaux. Lyell, notre ailier droit, arriva sur le ballon avant l'arrière et marqua en coin. La Prince of Wales se déchaîna bien qu'ils aient tous perdu leur argent. Atherton ne réussit pas à transformer l'essai mais on avait gagné douze à huit.

Une fois qu'on eut fait le compte des paris et qu'on eut payé les quelques fidèles qui avaient misé contre Helpmekaar, il nous restait quatre cent quatre-vingt-sept livres, quinze shillings et six pence. Sur les mille huit cents élèves des deux collèges, presque tous avaient parié. Ce fut la combine la plus grandiose de tous les temps et ma part paya Solly Goldman pour les trois ans et demi à venir.

Hymie prit cinq livres pour organiser une fête dans le vestiaire. Il offrit aussi à Geldenhuis et son équipe une caisse de Pepsi, plus quatre douzaines de choux à la crème. Il en ouvrit un, mit un billet de dix livres dedans et le posa sur la pile de gâteaux destinés au vestiaire de Helpmekaar. « Ça apprendra à ce dos poilu à faire des affaires avec un Juif ! » s'exclama-t-il en riant.

Le gymnase de Solly Goldman dans Sauer Street ressemblait à tous les autres. Il y régnait une odeur de sueur, de craie, de liniment et d'espoir. Solly menait son équipe sans discrimination raciale, comme partout ailleurs. Seule concession à l'apartheid, il y avait un vestiaire pour les non-Européens. Le reste dépendait de vos talents de boxeur. La police de Johannesburg fermait les yeux sur le programme d'intégration raciale de Solly. Le préfet de police, Kruger, était un amateur de boxe et, aux yeux des amateurs de boxe, un Noir n'est pas un Noir sur le ring. On a connu trop de grands boxeurs noirs de par le monde et un homme vous balançant un direct à la figure avec des gants de trois cent quarante grammes n'est pas un sale Cafre, c'est un boxeur, tout du moins le temps du combat.

Il y avait un certain nombre d'amateurs qui s'entraînaient au gymnase, cependant aucun ne travaillait sous la direction de Solly qui avait largement assez à faire avec les professionnels. La boxe avait de plus en plus de succès dans les villes africaines des environs de Johannesburg et Solly avait une écurie de boxeurs noirs qu'il entraînait contre un pourcentage sur leurs gains. Les Blancs et les Noirs n'avaient pas le droit de se battre en public pour le même titre. Ils s'entraînaient ensemble toutefois et il arrivait que cela dérape lorsqu'un Noir ou un Blanc, mais c'était principalement les Blancs, décidait de tenter le coup. Solly laissait faire le temps de deux rounds, surtout quand le Blanc avait l'air d'en prendre pour son grade.

La première fois qu'on se présenta, Hymie et moi, Solly me mit sur le ring face à un jeune poids coq passé pro depuis peu. Au bout de deux reprises, il arrêta les échanges.

« Qui t'a appris à boxer, Peekay ? »

Je lui parlai de Geel Piet sans rentrer dans les détails.

« La prochaine fois que tu le vois, mon petit, fais-lui mes compliments.

— Il est mort, Solly. »

Solly dressa son crâne chauve d'un côté. « Eh bien, il n'est pas mort pour rien, mon petit, il t'a donné des bases presque parfaites, tu es un vrai sorcier sur le ring.

— Merci », répliquai-je, ne sachant que dire. Solly Goldman était le meilleur et je trouvais ses compliments exagérés déconcertants.

« Tu me remercieras plus tard, mon petit, on a du pain sur la planche. Il te faudrait un peu plus de raideur dans la main gauche et la droite n'a rien d'extraordinaire non plus. Comme tous les amateurs, tu cherches à faire des points, tu tiens tes fichues mains trop haut. Tu es assez rapide pour les baisser un peu et te donner plus de puissance. On va te mettre aux poids et haltères pour te charpenter le torse. Ce serait aussi très réconfortant de savoir que tu as un bon gauche droit. Avant d'en finir avec toi, mon petit, tu seras le seul amateur de toute l'Afrique du Sud qui pourra réussir une combinaison de treize coups à la suite. Ça marque la fin du spectacle, c'est l'orchestre en solo qui commence par un putain d'harmonica et qui finit par une grosse caisse. »

J'étais stupéfait que Solly Goldman, Juif cockney de Londres, ait pu aussi bien percer mon jeu à jour après m'avoir regardé pendant deux rounds. Il respecta néanmoins sa parole. A Noël, j'avais fait de gros progrès et j'avais beaucoup plus de puissance dans les deux mains. Durant ces vacances, on disputa comme d'habitude les championnats de l'Est-Transvaal. Le capitaine Smit n'arrivait pas à croire à une telle différence. Les épreuves se déroulaient à Barberton, on aurait dit que toute la ville était venue me voir boxer. Ma mère resta à la maison mais mon grand-père était aux premières loges avec Doc, Mrs. Boxall, Miss Bornstein et le Vieux Bornstein. Miss Bornstein me confia ensuite que le Vieux Bornstein tressaillait chaque fois que je balançais un coup alors que Doc, qui était devenu un vieux routier, faisait semblant de tout endurer sans aucun problème.

Je reçus le trophée du meilleur boxeur du tournoi. Après le match, on rentra à pied à la maison, grand-père et moi, tandis que Mrs. Boxall raccompagnait Doc à son cottage. On arriva à la grille quand grand-père me tapa sur l'épaule. « Je n'ai jamais été aussi fier de ma vie, mon gars », dit-il puis, pour cacher sa gêne, il chercha sa pipe dans sa veste en lin blanc.

J'étais rentré depuis une semaine. Le train de Johannesburg était arrivé à Nelspruit à neuf heures du matin le samedi précédent. D'habitude, j'allais ensuite à Kaapmuiden où j'attendais le milieu de l'après-midi pour prendre le pot de yaourt jusqu'à Barberton qui arrivait en ville à bout de souffle vers huit heures du soir. Cependant, à ma grande joie, Gert m'attendait à Nelspruit.

« Salut, on avait des papiers à déposer ici à propos d'un Blanc en état d'ivresse manifeste qui a attaqué une équipe de la prison avec un manche de pioche. Alors le capitaine Smit m'a dit de venir en voiture pour prendre Peekay par la même occasion. » Il me tendit la main. « Comment ça va, mon vieux ? »

Sur la route du retour, Gert m'annonça que Doc avait été surpris par un orage dans les collines où il avait attrapé une pneumonie et qu'il avait passé une semaine à l'hôpital. « Il a l'air vieux, Peekay. Je crois qu'il n'en a plus pour longtemps. »

J'étais ahuri. « C'est un dur à cuire. Il va se remettre, je t'assure, déclarai-je, plus pour me rassurer qu'autre chose.

— Ja, il a la peau dure, c'est entendu, mais le vieux bougre doit avoir quatre-vingt-cinq ans, peut-être même plus, il ne peut pas être éternel.

— Il se balade toujours dans les collines, c'est déjà ça.

— Pas depuis qu'il a été malade. Il en parle, il parle de ton retour, mais je sais pas, mon vieux, je pense qu'il est au bout du rouleau. Je lui ai proposé d'envoyer une équipe travailler dans le jardin de cactus quand il voulait mais il affirme qu'il peut toujours y arriver. Pourtant, je sais pas, mon vieux. »

Je gardai le silence. Une énorme boule me noua la gorge et la route devint floue devant mes yeux. L'idée de ne pas trouver Doc quand je rentrais était trop pénible pour oser l'envisager.

« Ces deux *abafazi* chez toi s'occupent de lui comme si c'était un chef. Elles passent tout leur temps libre au cottage, elles lui apportent à manger tous les jours et maintenant elles vont même jusqu'à le raser. »

Doc était la personne la plus indépendante que je connaisse. Je compris aussitôt que Gert disait vrai. Si Dee et Dum étaient obligées de le raser, c'est qu'il devait avoir les mains très tremblantes.

J'avais acheté une machine Singer à Dee et Dum qui avaient créé un vrai petit commerce en faisant des robes droites en coton pour de nombreuses bonnes du coin. Ma mère et Marie leur avaient montré comment couper, faire les boutonnières ainsi que les ourlets à la main et elles faisaient un boum en ville. J'avais appris par hasard que Dee et Dum consacraient les maigres économies qu'elles tiraient de leurs travaux de couture à Doc, qui ne pouvait plus donner de leçons de musique à ses petites filles. Par la suite, je leur envoyais de l'argent pour lui quand je pouvais. La Banque était une source de revenus régulière, j'arrivais généralement à trouver une livre par semaine ; grâce à cela, plus une ou deux combines qu'on avait toujours en route avec Hymie, entre les filles et moi, Doc s'en sortait.

Songeant que ma mère croyait que je rentrais par le pot de yaourt, je demandai à Gert de me déposer au pied de la route qui menait chez Doc. Après avoir caché ma valise sous des broussailles, je montai au cottage. Il était assis à l'ombre de la véranda dans son fauteuil *riempie* préféré ; je pensai qu'il devait dormir. Cependant, levant les yeux, il me vit approcher et se leva, un peu raide, une main sur les reins. Sa carcasse de deux mètres de haut touchait presque les chevrons du toit. Lorsqu'il m'ouvrit les bras, j'eus l'impression qu'il vacillait légèrement. Je courus vers lui, il posa les mains sur mes épaules et je ne pus me contenir plus longtemps, je le serrai très fort.

« Je vous en prie, Doc, je vous en supplie, ne mourez pas », dis-je en sanglotant.

On montrait rarement nos sentiments tous les deux, notre affection l'un envers l'autre était si forte qu'elle brûlait en nous telle une flamme. Cependant, j'étais bouleversé soudain ; la conversation de Gert en chemin plus l'émotion de le voir les bras tendus vers moi, frêle comme un filet de fumée, était plus que je n'en pouvais supporter.

Il recula sa main et me tapa dans le dos. « Absoloodle ! On n'a pas le temps de mourir, Peekay, les collines sont encore vertes qui nous attendent. Ce n'est pas encore le moment pour la grotte de cristal de l'Afrique. »

Je m'écartai et il s'assit dans son fauteuil. Reniflant encore, je m'essuyai les yeux du revers de la main. « Vous avez été malade, Doc. Gert m'a dit que vous aviez été malade ?

— Juste un mauvais rhume, Peekay. Ce n'est rien.

— C'était une pneumonie !

— Ja, c'est vrai, mais il y a de grosses pneumonies et de petites pneumonies. Celle-là était une petite de rien du tout, une toute petite pneumonie, c'est sûr et absoloodle. » Il se leva de nouveau. « Viens, j'ai du café, Peekay.

— Marie me dira si c'était grave. »

Doc leva les bras au ciel. « Marie ! Quel personnage, celle-là ! ''Professeur, vous devez offrir votre vie à Jésus, le temps est compté maintenant. Vous devez choisir entre la damnation éternelle de l'enfer ou l'amour de Jésus-Christ.'' Je pense que je vais rester ici encore un peu, miss, je lui ai répondu à cette Marie. Je crois qu'elle était très déçue. Ja, je crois bien », déclara Doc. Il pouffa de rire alors qu'il me servait du café noir, tenant la cafetière à deux mains pour les empêcher de trembler.

On s'installa sous la véranda pour boire notre café dans de gros quarts en métal blanc, celui de Doc n'étant qu'à moitié plein pour ne pas le renverser. Il était prêt à tout pour masquer sa faiblesse. On parla très peu. Je voyais que Doc était content que je sois de retour, j'avais l'impression que j'allais lui redonner des forces. On parla de la grotte de cristal de l'Afrique qui était désormais à ses yeux notre plus grande découverte.

« C'est bon de se retrouver, Peekay. Le jour de Noël, j'aurai quatre-vingt-sept ans.

— Doc, il faut que vous viviez jusqu'à ce que je devienne champion du monde des poids welter, il faut que vous teniez le coup jusqu'à ce que vous ayez au moins quatre-vingt-quatorze ou quatre-vingt-quinze ans ! »

Doc pouffa de rire devant mon ton insistant, puis il se redressa lentement. « Viens, je vais te montrer Pachypodium namaquanum. Il est si gros, peut-être qu'on a affaire au champion du monde là aussi. »

Tandis qu'on marchait ensemble dans le jardin de cactus, Doc toujours grand et droit comme Pachypodium namaquanum en personne, j'eus l'impression que son pas était un peu plus souple. « La semaine prochaine, on ira dans les montagnes, Peekay, ça fait trop longtemps qu'on n'y est pas allés. »

On mit notre projet à exécution, longeant surtout les contreforts et prenant les chemins faciles, mais Doc semblait reprendre des forces et, quand je retournai au collège à la mi-janvier, il allait beaucoup mieux.

21

1948 fut une grande année dans l'histoire de l'Afrique du Sud. La princesse Elizabeth fit le tour du pays et on se planta tous au bord de la route en agitant des drapeaux pour entr'apercevoir notre future reine qui passait dans une longue Rolls Royce noire découverte.

Ce fut aussi l'année où l'Afrique du Sud eut droit au pain blanc, événement qui passionna beaucoup plus les foules que d'entr'apercevoir la future reine d'Angleterre.

L'histoire nous dira si l'élection du parti nationaliste, qui est toujours au pouvoir en Afrique du Sud quarante ans plus tard, fut un tournant le jour où les Afrikaners redevinrent la force dominante du pays. L'histoire se doit de traiter ce genre d'événement d'un ton des plus pontifiants, montrant comment le conflit qui opposait les deux tribus blanches d'Afrique a atteint son apogée. En réalité, ce renversement eut lieu parce que les nationalistes promirent de remplacer la miche de pain complet, introduite pendant la guerre et excellente pour la santé, par du pain blanc et non à cause d'un conflit idéologique entre les Blancs. Une minorité blanche déjà suralimentée décida de voter en fonction de son ventre. A une semaine du scrutin, les nationalistes honorèrent leur promesse et les Blancs d'Afrique du Sud furent très contents de savoir que pour une fois ils avaient un nouveau gouvernement qui tenait parole. Pendant ce temps, les Noirs s'apprêtaient à plier l'échine sous les coups du sjambok et se préparaient à la création d'un nouveau jeu consistant à se jeter volontairement du troisième étage du QG de la police pour se fracasser le crâne sur le trottoir. Il est étrange que les Blancs, connus pour leurs exploits sportifs, n'aient jamais appris les règles de ce jeu et qu'il n'y ait pas un seul exemple de Blanc qui soit devenu compétent en la matière. Personne ne décrocha jamais son blazer aux couleurs de l'équipe d'Afrique du Sud pour ce nouveau sport national alors qu'un tas d'excellentes têtes y participèrent avec un grand courage.

Hymie, faisant un jeu de mots macabre, affirma que l'élection des nationalistes au pouvoir était l'un des plus sales moments dans l'histoire de tous les peuples.

1948 fut l'année où l'Afrique du Sud perdit tout espoir d'entrer dans la confrérie des hommes. Pourtant, les Noirs réprimaient leur humiliation et leur colère. Ce ne fut qu'en 1952, quatre ans plus tard, que le chef Lutuli du Congrès africain et son homologue, le Dr Monty Naicker du Congrès indien, menèrent les Noirs et les gens de couleur dans leur première campagne de revendications où les mots : «*Mayibuye Afrika !*» devinrent le cri des Noirs réclamant l'égalité en matière de justice et de dignité pour eux et leur famille.

Les écoles privées restaient toujours indifférentes aux changements politiques et sociaux. Si un incident survenu sur le ring n'avait conduit à la création d'un cours du samedi soir destiné aux Africains, la Prince of Wales School serait certainement restée drapée dans son cocon de privilèges et de suprématie raciale.

L'épisode eut lieu durant les dix jours de vacances de Pâques 1949. Les parents de Hymie avaient décidé de passer la pâque juive dans leur famille à Durban. Hymie préféra rester et m'invita à partager ces quelques jours avec lui. J'écrivis à Mrs. Boxall qui me répondit que Doc allait bien. Aussi acceptai-je la proposition de Hymie. La cuisinière et le reste du personnel s'occuperaient de nous tandis que l'un des chauffeurs nous conduirait tous les jours de Pretoria à Johannesburg, soit soixante kilomètres, pour que je m'entraîne au gymnase de Solly Goldman.

Malgré les protestations de Solly, on insista pour lui payer un supplément durant les vacances. Hymie avait le sens des affaires dans tous les domaines. Le samedi matin, il se rendait à la Barclays Bank de Yeoville où il demandait un billet de cinq livres flambant neuf. Sans le plier, il le glissait dans un gros livre relié en cuir en face des écritures de la semaine. Le dimanche matin, après mon entraînement, on allait dans le bureau délabré de Solly et Hymie ouvrait le livre où il avait noté de son écriture soignée :

Versé à S. Goldman cinq livres pour services rendus. Il lui faisait signer le document et retirait le billet. Puis ils se serraient la main d'un air solennel comme deux petits vieux. Là-dessus, Solly prenait sa revanche en fourrant négligemment le billet impeccable dans la poche arrière de son pantalon de flanelle sale.

A la ville, Solly s'habillait avec beaucoup de chic. Par contre au gymnase, il portait toujours un sweat-shirt et son éternel pantalon de flanelle maintenu à la taille par un cordon effiloché à rayures marron.

« Pourquoi tu te donnes tout ce mal alors qu'il le fourre dans sa poche ? demandai-je un jour à Hymie.

— Très exactement pour cette raison. Toutes les semaines, mon rituel stupide et sa provocation lui rappellent qu'il ne doit pas s'endormir sur ses lauriers. Chaque fois qu'il le glisse dans sa poche comme ça, je sais qu'il y pense. »

Le troisième jour des vacances, Solly demanda à nous voir dans son bureau. Il nous désigna deux vieilles chaises en rotin à dos droit puis, repoussant une pile de papiers, s'assit sur le coin de la table recouverte de quinze centimètres de documents entassés avec méthode. En plus des factures, des lettres non ouvertes et du fatras de paperasserie, il y avait une coupe en argent d'une vingtaine de centimètres rongée de vert-de-gris, un téléphone et un grand buvard. Le combiné reposait sur le buvard maculé de cercles laissés par des tasses de café, et où étaient gribouillées des centaines de noms et de numéros. Si quelqu'un s'était avisé de changer son buvard, le gymnase de Solly aurait fermé ses portes.

« On a reçu une offre de combat pour Peekay, à Sophiatown, samedi prochain. C'est pas à moi de décider, remarque, mais ça peut pas lui faire de mal.

— Sophiatown ! La ville noire ?

— Ouais, je reconnais que c'est pas banal, il s'agit d'un jeune Noir poids coq qui vient de passer pro.

— Vous êtes fou, Solly ? Peekay est un amateur, il ne peut pas se battre contre un professionnel !

— Le gamin est pas d'ici, il est pas inscrit dans le Transvaal. En principe, c'est un amateur ici. De toute façon, si le combat a lieu dans une commune indigène, je vois vraiment pas qui pourrait le savoir !

— Vous devriez y réfléchir à deux fois, Solly. »

Ignorant la remarque de Hymie, Solly s'adressa directement à moi. « Ce combat te ferait le plus grand bien, ça te donnerait du mordant pour les championnats scolaires d'Afrique du Sud et le reste.

— Mais vous êtes complètement timbré, Solly! poursuivit Hymie. Vous trouvez un poids coq qui est un pro, qui doit avoir dans les vingt ans, et vous voulez l'opposer à Peekay qui en a quinze?

— Non, justement, mon gars. Peekay ne serait pas désavantagé, le petit Noir vient d'avoir seize ans. Trois combats professionnels. Tu t'imagines que je mettrais Peekay en position d'infériorité? Ne me prends pas pour un imbécile.

— Hé là, attendez tous les deux, une seconde.» Je me tournai vers Solly. «Il y a autre chose derrière tout ça, non? D'abord, on se bat contre un Noir dans une ville noire, ce qui n'est pas permis pour commencer, ensuite on oppose un amateur à un pro...

— Un pro non inscrit, intervint Solly.

— Vous n'avez pas répondu à ma question, Solly, insistai-je.

— Ce n'est pas ce que tu penses, Peekay. Ce n'est pas une question d'argent, il n'y aura pas d'argent en jeu.

— Et les paris? s'enquit Hymie.

— Pas de paris non plus, Dieu sait!» Croisant les mains sur le bureau, Solly contempla le buvard gribouillé.

«Alors, Solly? lança Hymie.

— C'est Nguni, il veut que ce combat ait lieu... Mr. Nguni.

— Qui est-ce? demandai-je.

— C'est un organisateur de combats entre Noirs. Il a la mainmise sur les villes noires.

— Ce qui signifie pour nous?» l'interrogeai-je.

Solly leva les yeux vers moi. «Il pense que s'il t'opposait à ce Mandoma, ce serait un match formidable, c'est tout.

— Si vous nous donniez la vraie raison pour laquelle vous tenez à ce match, on pourrait en discuter. De quoi s'agit-il, Solly?» insistai-je.

Solly leva les bras au ciel. «Bon, c'est une question d'affaires. C'est Mr. Nguni qui m'amène les Noirs, je les entraîne, et on partage les gains. Quand on a quinze pour cent sur cinquante boxeurs noirs dans le circuit des villes noires, ça rapporte pas mal. Sincèrement, j'ignore pourquoi il veut organiser ce combat, je reconnais que ça a l'air bizarre.»

Hymie s'exprima comme s'il pensait à haute voix. «Le Noir vous harcèle et vous tentez de nous convaincre à tout prix. Ça, je le comprends. Mais même s'il fait des paris, et vous affirmez le contraire, ce n'est pas une raison suffisante. Il risque de perdre sa licence d'organisateur s'il se fait pincer.

— Hymie a raison, Solly. Il y a forcément une autre raison. Soit Nguni est un imbécile, soit il prend un énorme risque pour une raison qu'on ignore. De toute façon, on ne veut rien avoir à faire là-dedans. A propos, ce Mandoma, il est zoulou ? J'ai eu une nounou qui s'appelait Mandoma.

— J'en sais foutre rien. Tant qu'ils me doivent pas une livre, c'est que des singes noirs avec des gants de boxe », répliqua Solly d'un air distrait.

Le chauffeur de Hymie attendait dans la Buick garée sur un terrain vague un peu plus loin. Tandis qu'on regagnait la voiture, Hymie n'arrêtait pas de s'interroger. « Je ne comprends pas. Il faudrait qu'il soit fou, ce Nguni, pour prendre le risque d'organiser un combat entre un pro noir et un amateur blanc dans une ville noire. Les flics voudraient le pincer pour un tas d'autres délits. Quel est l'intérêt ? Un collégien de quinze ans, boxeur amateur, contre un Noir poids coq de seize ans, ce n'est pas l'événement de l'année, même dans une ville noire.

— Tu n'as pas encore deviné le fin mot de l'histoire ? dis-je calmement.

— Non, pas encore, mais ça ne va pas tarder.

— Ne cherche pas, ça a un rapport avec le Peuple des hommes. »

Hymie fit volte-face et m'attrapa par le bras. « Tu as raison, Peekay. L'Ange Têtard ! »

On s'engagea dans le terrain vague où brillait la Buick comme un gros scarabée noir parmi les bidons défoncés de deux cents litres à moitié pleins de goudron, de piles de briques et de débris accumulés qui servaient apparemment aux quartiers abandonnés. Le chauffeur, qui bavardait avec un grand Africain bien habillé, s'avança vers nous lorsqu'il nous vit approcher.

« On va savoir de quoi il retourne dans trente secondes. Tu as vu qui est là, Hymie ? » Le grand Noir se redressa légèrement à notre arrivée. C'était l'Africain qui dirigeait toujours les hommes dans leur chant à l'Ange Têtard.

« Ce type, il veut parler à vous, baas, m'annonça le chauffeur.

— Je vous vois, dis-je en zoulou à l'Africain qui me dépassait d'une tête.

— Je vous vois, Inkosi », répliqua-t-il, puis il serra délicatement la main que je lui tendais, l'effleurant à peine. La politesse exigeait qu'on s'entretînt d'autres sujets avant d'en venir à la raison de sa présence en ce lieu. C'est l'habitude zoulou.

« Dans le pays d'où je viens, le temps a été chaud et les pluies ne sont pas venues, les récoltes vont avoir soif.

— C'est la même chose chez moi, les bergers vont devoir mener le bétail loin du kraal pour trouver de l'herbe et la rivière sera à sec en dehors de quelques points d'eau.

— Qu'est-ce qu'il raconte ? intervint Hymie.

— Rien pour l'instant, on parle encore de la pluie et du beau temps.

— Votre kraal est loin d'ici ?

— A de nombreux, de très nombreux kilomètres, Inkosi,il est près d'Ulundi au Zoulouland. »

Les propriétés de trois des quatre grands rois zoulous — Dingane, Mpande et Cetshwayo — se trouvaient près d'Ulundi. Il y avait de fortes chances que cet homme qui se tenait devant moi soit un Zoulou de haute naissance.

« On est très loin de vos femmes et de vos enfants, ce n'est pas bien d'être loin d'eux.

— C'est la coutume, Inkosi. Pour l'argent du Blanc, le Noir doit quitter sa famille. Les temps sont difficiles, j'ai peu de bétail et peu de terres. »

Le moment était venu de me présenter. « Je m'appelle Peekay, murmurai-je en tendant de nouveau la main.

— Je le sais, Inkosi. Moi, je m'appelle Nguni. » On se serra la main une seconde fois, d'abord d'une façon conventionnelle, puis en la glissant sur le pouce correspondant pour l'étreindre en une espèce de salut, manière traditionnelle de faire chez les Africains.

« Je vous vois, Nguni.

— Je vous vois, Peekay. » Il était audacieux de sa part de m'appeler par mon nom, cela ne me gênait pas cependant. J'avais l'impression qu'il me connaissait depuis longtemps.

« Il s'agit du match de boxe à Sophiatown ?

— En effet, oui, murmura Nguni.

— Peut-on parler anglais pour que mon ami participe à la conversation ? »

Nguni rit, découvrant un sourire éclatant. « Mon anglais, elle n'est pas très bonne », répondit-il.

En réalité, il parlait très bien et Hymie parut soulagé de pouvoir se mêler à la discussion.

« C'est à propos de l'histoire de Sophiatown, lui annonçai-je.

— Demande-lui… Non, attends, je vais lui demander moi-même…

— Hymie, je te présente Mr. Nguni. » Je me tournai vers celui-ci. « Voici mon meilleur ami, Hymie Levy.

— Enchanté », dit Nguni à Hymie. Instinctivement, il ne lui tendit pas la main, il inclina légèrement la tête.

« Ça va ! lança Hymie qui ne s'était pas encore fait à l'idée d'aborder un Noir sur un pied d'égalité. Pourquoi avez-vous demandé à Mr. Goldman si vous pouviez organiser un combat avec Peekay ? »

Nguni eut l'air surpris. « Dans la boxe, c'est la coutume de s'adresser à l'entraîneur, non ?

— Je suis son manager, c'est à moi que vous devez vous adresser. »

Nguni renversa la tête en arrière et éclata de rire. « On le savait mais si votre entraîneur, il décrétait que c'était impossible, je ne pense pas que vous nous écouteriez ?

— Que lui avez-vous proposé pour le pousser à accepter ?

— C'était inutile, il est dans la boxe comme moi.

— Vous avez combien de boxeurs, Mr. Nguni ?

— Tous, répondit Nguni avec un grand naturel.

— C'est pas du baratin, vous avez la mainmise sur tous les boxeurs du circuit ? »

Se tournant vers moi, Nguni déclara en zoulou : « Votre ami n'a aucun sens du respect, Inkosi.

— Je m'excuse pour lui, Nguni. Il a simplement l'attitude d'un Blanc de la ville. » Je lançai à Hymie : « La ferme ! »

Hymie secoua la tête. « Désolé, Mr. Nguni, sans rancune, hein ? Mais ce combat que vous voulez organiser... ça n'a ni queue ni tête cette histoire. »

Nguni s'adressa à moi en zoulou. « Je vais devoir expliquer cela en zoulou. Cet homme, j'ai l'impression qu'il ne comprend pas les façons de faire de notre peuple.

— Mr. Nguni va m'expliquer en zoulou. Ça a l'air très compliqué, confiai-je à Hymie.

— Vous êtes Onoshobishobi Ingelosi, commença Nguni, c'est un symbole très puissant parmi les hommes. Ils vous voient toujours vous battre contre les Boers et vous gagnez toujours. Ils pensent que vous êtes un grand chef de leur tribu, les Sothos le pensent, les Shangaans, les Zoulous, tous les hommes. » Il observa une pause. « Moi aussi, je le crois. On a vu que vous pouviez faire tomber les étoiles des cieux.

— Ce n'est pas vrai, Nguni. Je ne suis pas le chef des hommes, affirmai-je aussitôt.

— Qui peut dire si c'est vrai ou pas ? Les hommes savent ces choses-là, ce n'est pas à vous de le dire, Inkosi.

— On avait raison, ça a un rapport avec l'Ange Têtard, annonçai-je à Hymie.

— Il est une femme qui a jeté les os et fait un feu pour lire dans la fumée, déclara brusquement Nguni. Les os ont dit qu'Onoshobishobi Ingelosi, qui est un chef, doit se battre contre celui qui est aussi un chef parmi les hommes.

— Une sorcière ? Elle a dit ça ?

— Oui, Inkosi.

— Ce chef... Qui est ce chef contre qui je dois me battre ?

— C'est l'arrière-arrière-petit-fils de Cetshwayo.

— Tsst ! Il y en a des tas parmi les Zoulous. Cetshwayo a sûrement de très, très nombreux arrière-arrière-petits-fils.

— Il est l'élu », annonça calmement Nguni. Chez les Zoulous, les titres ne sont pas héréditaires. Mais on connaît la voix du sang. « Un jour, il sera chef.

— Pourquoi dois-je me battre contre cet homme qui un jour sera chef ?

— Les hommes doivent voir si l'esprit est toujours en vous. Désormais, vous êtes un homme. Ils savent que le petit garçon avait l'esprit d'un grand chef, ils doivent savoir s'il est toujours en vous.

— Vous voulez dire que si je perds contre celui qui va devenir chef, je ne serai plus Onoshobishobi Ingelosi ?

— Oui, Inkosi. La femme a dit que c'était écrit dans les os et la fumée.

— Alors, je vais perdre, lâchai-je brusquement. Ainsi, la légende s'éteindra. »

Nguni haussa les épaules. « Ce n'est pas à moi de le dire, Inkosi. Vous perdrez uniquement si vous n'êtes pas Onoshobishobi Ingelosi.

— Mais si vous parvenez à organiser le match, ce sera bien pour vous ? »

Nguni contempla ses mains ouvertes qui étaient presque jaunes, comme le savon Sunlight. « C'est juste ; toutefois, on s'attend à ce que je le fasse. N'est-ce pas moi qui ai amené les hommes à tous tes combats ?

— C'est vrai, c'est vous, répondis-je, honteux.

— Alors, vous allez accepter ?

— On doit d'abord en discuter avec Hymie. C'est mon frère en la matière.

— Je comprends, c'est normal. »

Visiblement, Hymie était très impatient d'avoir la traduction. Lorsque je lui répétai nos propos, il secoua la tête. « La vache, c'est de la sorcellerie, Peekay. On est en 1949 !

— Ja, je sais, on pourrait aussi bien être en 1849. Certaines choses sont immuables.

— Qu'est-ce qu'on fait alors ? s'enquit-il.

— On se bat, on n'a pas le choix.

— Je ne comprends pas. Pourquoi ?

— Pour toi, c'est difficile à comprendre. Cependant, les hommes croient en l'Ange Têtard. Je ne te l'ai jamais dit mais c'est un symbole, un symbole d'espoir. Il y a parmi les tribus un mythe comme quoi arrivera un chef qui ne sera pas des leurs mais qui les unira contre les oppresseurs.

— C'est exact, Mr. Levy, confirma Nguni.

— Et c'est le test pour voir si tu es casher ? »

Je ris malgré moi. « Hymie, ce n'est pas moi qui ai commencé, c'est arrivé comme ça. Je ne le souhaite pas plus que toi. Si le jeune chef zoulou Mandoma me met une raclée, tout sera fini. Néanmoins, je ne peux pas m'en sortir sans me battre, sinon les hommes passeraient pour des imbéciles d'avoir agi ainsi pendant tout ce temps. C'est impossible.

— Quelle galère, cette histoire ! Mais ce n'est pas une raison pour refuser le combat.

— Tu me connais, Hymie, tu sais que je ne le ferai pas. » Me tournant vers Nguni, je lui tendis la main. « Mr. Nguni, dites aux hommes que je me battrai contre celui qui va devenir chef.

— Je vais le leur dire », assura-t-il.

Je commençai à me préparer pour le combat contre Mandoma, le poids coq zoulou, y mettant toute mon énergie et ma détermination. Je rêvais de me débarrasser du concept de l'Ange Têtard ; pourtant, il m'était parfaitement impossible d'en arriver à baisser les bras. Je m'étais tellement endurci pour gagner que, dans mon esprit, une seule défaite sur le ring aurait marqué la fin de mes ambitions au championnat du monde des poids welter. Idée puérile sans doute, mais indissociable de ma résolution. J'avais même appris à ne jamais envisager les conséquences qu'aurait entraînées un échec. Si on se réfère trop souvent aux conséquences, on perd sa volonté de concentration. Même si cette farouche volonté de ne jamais me faire battre peut sembler un signe d'immaturité, les années suivantes, j'allais voir de nombreux psychiatres spécialisés dans le domaine des sports adopter de par le monde l'art sophistiqué que j'y consacrais. Je connaissais fort bien les exercices psychologiques pratiqués, tout d'abord derrière le rideau de fer puis partout ailleurs, dans l'espoir de remporter cette interminable guerre froide baptisée les Jeux olympiques ou n'importe quelle autre grande course.

Mon problème majeur, dans le combat qui allait m'opposer à Mandoma, était le manque d'informations. On ne savait rien du poids coq zoulou. Cela me faisait toujours un drôle d'effet de me lancer dans un match face à un adversaire inconnu. On avait l'impression d'entrer dans une pièce sombre où on vous avait dit de faire attention aux trappes. Quand on sait tout d'un adversaire, votre esprit peut se battre à votre place, entraînant le mécanisme du corps à faire les choses nécessaires une fraction de seconde plus vite. C'est cette fraction de seconde qui vous donne la victoire.

La puissance de l'ange, c'est avant tout le pouvoir de croire en soi ; cela compte souvent bien plus que toute compétence latente dont on peut avoir fait preuve jusqu'alors. C'est l'esprit qui fait l'athlète ; le corps n'est que le moyen dont il se sert pour courir plus vite ou plus longtemps, sauter plus haut, viser plus juste, shooter mieux, nager plus énergiquement, taper plus fort ou boxer mieux. Le dicton que Hoppie m'avait confié : « D'abord la tête, ensuite le cœur », dépassait l'idée d'associer le cerveau et l'audace. Cela signifiait qu'il fallait penser bien au-delà du pouvoir de concentration normal, puis mettre son courage au défi de suivre sa pensée.

Le samedi arriva. Le combat devait se dérouler sur un ring dressé sur le terrain de football d'une école africaine de Sophiatown. On parvint dans les faubourgs, où nous attendait Mr. Nguni, vers quatre heures et demie.

Les routes étaient poussiéreuses, il avait fait chaud. La poussière était collée aux murs blanchis à la chaux des cabanes, des magasins et sur tous les endroits où il y avait des panneaux publicitaires vantant les mérites du saindoux Gold Seal, du pétrole Blue Light, des réchauds de camping Primus, du tabac Drum et du savon Sunlight. Il y avait quelques camions sur la route, on vit un taxi du pays et plusieurs cars bondés à craquer tandis que des centaines de gens roulaient à bicyclette. Le chauffeur avait la main quasiment en permanence sur le klaxon, ce qui ne faisait qu'ajouter apparemment à la confusion. Alors qu'on approchait de l'école, on apercevait des gens le long des rues étroites qui semblaient serpenter au petit bonheur parmi des baraques construites avec tous les matériaux de construction possibles et imaginables. Mr. Nguni me demanda de baisser la vitre pour que les gens des tribus m'aperçoivent. Rougissant, je m'exécutai. « Vous êtes très connu ici, Peekay. Ils ont fait des tas de kilomètres pour venir vous voir.

— Pourquoi n'y a-t-il que des femmes et des enfants ? s'enquit Hymie.

— Ce sont les hommes qui vont assister au match. Les femmes, elles, sont venues voir l'Onoshobishobi Ingelosi.

— La vache, je ne me rendais pas compte. Tu es plus connu que Johnny Ralph, Peekay. » Johnny Ralph était le champion poids lourd incontesté d'Afrique du Sud, un nom connu de tous parmi les Blancs.

Mr. Nguni se mit à rire. « Johnny Ralph, ils ne connaissent pas ce boxeur à Sophiatown.

— Mr. Nguni, déclarai-je, vous devez dire à tous que je ne suis pas un chef. Je n'ai aucun pouvoir. Vous devez leur dire qu'Onoshobishobi Ingelosi n'est qu'un nom, un nom qu'on m'a donné à la prison de Barberton. Cela ne représentait rien. »

Mr. Nguni, assis sur la banquette arrière, se tourna vers moi. Il était manifestement choqué. « Je ne peux pas, Inkosi. Ce n'est pas à moi de dire qui est Onoshobishobi Ingelosi. Ce soir, on verra, on ne peut rien y changer, c'est écrit dans les os et la fumée. » Il se retourna vers le chauffeur pour lui indiquer le chemin.

« La vache ! Il y croit ! » observa Hymie en aparté.

On s'engagea dans la cour de l'établissement où on découvrit une marée d'Africains. La Buick devait se frayer un passage parmi la foule. On était à une heure et demie du match ; le terrain de football était plein à craquer, il ne restait qu'une étroite allée menant au ring dressé au milieu. Il devait y avoir dix mille spectateurs, sans compter ceux qui se déversaient par les grilles.

« Je croyais que vous aviez dit que ce serait un combat dans une école, lança Hymie à Mr. Nguni. Je pensais que vous parliez d'un réfectoire ou un endroit dans ce genre-là. Toute l'Afrique est venue voir ce fichu match ! Et s'il se passe quelque chose, une émeute ou je ne sais quoi ?

— Non, non ! Il n'y aura pas de problèmes, Mr. Levy. La femme, elle va parler aux hommes.

— La sorcière ? demandai-je.

— Oui, c'est elle, Peekay. Elle va s'adresser aux hommes. »

Hymie eut un sourire nerveux. « C'est bien la première fois qu'une sorcière va annoncer un match. Tu es sûr de m'avoir tout expliqué, Peekay ? »

Je l'attrapai par la chemise. « Ne commence pas, toi, hein ! »

On nous emmena aux douches pour nous changer. Solly Goldman nous attendait. « Ils font ça on ne peut plus casher, ils ont Natkin Patel, l'Indien de Durban, pour arbitrer le combat. Ça alors ! Vous avez vu ce monde ? »

Je me changeai, puis on se rendit au réfectoire pour la pesée. Hymie regarda la balance ; elle venait d'un magasin du coin, c'était le genre de balance dont on se sert pour peser les sacs de farine de maïs. « Qu'est-ce que ça fait, bon Dieu ! on va se battre contre lui de toute façon, même s'il dépasse la limite, lança Hymie.

— C'est très important, Mr. Levy. Les hommes doivent savoir que tout est fait dans les règles », répondit Mr. Nguni.

Au milieu de la pièce à côté de la balance, il y avait une douzaine d'Africains qui étaient tous en costume et cravate. Même si les complets n'étaient pas toujours assortis, ils étaient propres et repassés. D'un côté se trouvait Gideon Mandoma, le poids coq zoulou que j'allais affronter.

Laissant là Solly et Hymie, je m'approchai de lui et lui tendis la main. « Je vous vois, Gideon Mandoma », dis-je en zoulou.

Gideon Mandoma prit ma main, la serrant à peine. Il répondit sans me regarder : « Je vous vois, Peekay.

— J'ai appris que vous venez de la Tugela River Valley. La nounou que j'avais quand j'étais petit était de là-bas, elle s'appelait Mary Mandoma. Elle était du kraal du même chef, peut-être ? »

Gideon Mandoma me regarda, les yeux écarquillés, l'air bouleversé. « La personne dont vous parlez est ma mère. Elle est morte depuis cinq ans. » Il pointa le doigt vers moi. « C'est vous le gosse des eaux nocturnes ? »

Ce fut à mon tour d'être bouleversé. Je me tenais devant le boxeur zoulou, complètement ahuri. J'allais me battre contre le fils de Nounou, le bébé qu'elle avait dû abandonner pour s'occuper de moi. C'était moi qui avais volé le lait de sa poitrine lorsqu'on l'avait engagée pour être ma nourrice, puis ma nurse.

Gideon se reprit le premier. « On dit que vous êtes un chef mais il faut prouver que vous avez l'esprit d'Onoshobishobi Ingelosi. Je sais que je suis un chef, que j'ai l'esprit de Cetshwayo et, avant lui, de Mpande, de Dingane et même de Shaka, le roi de tous les rois. » Son regard se durcit brusquement. Il avait attendu longtemps ; il allait maintenant se battre contre celui qui lui avait arraché sa mère qu'il n'avait connue qu'à l'âge de six ans à cause de cela. Ce n'avait pas été délibéré ; pourtant, à ses yeux, il avait une nouvelle raison de gagner. Chez les Zoulous, les coïncidences n'existent pas. Je savais que ce signe serait pour lui indiscutable et très fort. Gideon Mandoma avait plus de raisons que moi de l'emporter. Pour la première fois dans ma carrière de boxeur, j'avais peur. Je savais que Mandoma pouvait me battre.

On se pesa devant Solly, Mr. Nguni, Natkin Patel, l'arbitre indien, et les autres Africains. On était tous les deux dans les limites des poids coqs, même si j'étais à cinq livres du poids maximum alors que Gideon était tout juste à la limite.

Le soleil se couchait lorsqu'on sortit pour se rendre sur le ring, il y avait déjà une odeur de fumée et de charbon de bois. Il faisait toujours une chaleur torride, j'avais bu de l'eau toute la journée. Je me demandai si Mandoma avait fait la même chose ; s'il était juste à la limite, il avait dû éviter de boire et on faisait un combat en six rounds, une grande première pour moi. C'était le compromis auquel était arrivé Solly avec Mr. Nguni, la moyenne entre les trois reprises d'un match amateur et les neuf d'un match professionnel. Je songeai soudain que si je parvenais à le balader autour du ring, le boxeur noir risquait d'être suffisamment déshydraté pour faiblir dans les deux derniers rounds.

Sur le ring, une vieille femme vêtue d'un manteau de fourrure fatigué sur une robe informe haranguait la foule. Sa voix aiguë portait jusqu'aux marches de l'école où on se trouvait. Lorsqu'elle en arriva à la fin de son discours, le public y répondit par un torrent d'applaudissements. Entrant sur le ring, deux hommes la soulevèrent, relayés par deux autres qui se tenaient derrière les cordes.

« Il est temps. On doit y aller, s'il vous plaît », annonça Mr. Nguni. Il nous conduisit dans l'étroit passage aménagé au milieu de cette marée humaine, suivant un fil électrique relié à un micro. Gideon Mandoma et ses soigneurs nous avaient précédés de quelques mètres, le stade au complet retentissait des clameurs de la foule. On arriva presque en même temps sur le ring, bien que chacun d'un côté, les hurlements s'amplifièrent. Hymie et Solly me servaient de soigneurs. Hymie se dirigea vers le coin du boxeur noir pour assister à la séance des gants tandis qu'un gros Zoulou dans un costume désassorti dont la veste tirait sur l'unique bouton marron s'approchait de nous pour faire la même chose. Je sentais la sueur me couler sous les aisselles alors que Solly me tapait les mains, puis m'enfilait les gants.

Mr. Nguni leva les bras, la foule se calma peu à peu. On avait installé le micro sur le ring, sa voix retentit alentour tandis qu'il s'adressait aux spectateurs. Il commença par présenter l'arbitre, soulignant qu'il était indien et qu'il était venu spécialement de Durban. Appréciant son caractère de neutralité, le public applaudit très fort Natkin Patel.

Mr. Nguni déclara ensuite à la foule qu'ils connaissaient tous les raisons de ce combat. Ce n'était pas à lui d'en parler davantage. C'était maintenant aux deux esprits de s'exprimer, le meilleur gagnerait et les hommes sauraient que penser. Un silence total régnait pendant son discours. Il présenta alors Gideon Mandoma qui, les bras en l'air, se dirigea vers le milieu du ring sous un tonnerre d'applaudissements. Mr. Nguni demanda le silence d'un geste, puis demanda au public de chanter *Nkosi Sikelel'i Afrika*, l'hymne national africain.

Dix mille voix s'élevèrent, parfaitement à l'unisson. La beauté de cet instant resterait à jamais gravée dans ma mémoire. L'aspiration et l'amour que les Africains mettaient dans ce chant étaient profondément émouvants. Il m'était difficile de rester concentré. Gideon Mandoma avait une excellente raison de l'emporter, désormais on lui avait donné la plus grande inspiration qu'un boxeur ait jamais eue.

J'avais du mal à garder fermée la trappe en fer dans ma tête. Des images de Nounou me traversaient l'esprit. Une douce femme à la peau noire qui m'avait fait don de son amour sans compter, qui n'avait jamais évoqué l'enfant arraché à son sein encore lourd de lait. Gideon Mandoma avait le droit de me haïr et, dans un combat, la haine est un bon compagnon.

Mr. Nguni me demanda ensuite de venir au milieu du ring. A ma grande surprise, les applaudissements furent tout aussi chaleureux. Il commença alors à chanter l'air de l'Ange Têtard, sa voix vibrant jusqu'au parterre silencieux. Lorsque le moment vint pour le chœur de répondre : « *Onshobishobi Ingelosi... shobi... shobi... ingelosi* », dix mille voix retentirent comme un roulement de tonnerre. Je me tenais au milieu du ring, les larmes coulant sur mes joues. Ce fut peut-être le plus beau moment de ma vie. Les hommes voulaient savoir la vérité. Ce n'était pas un match opposant un Noir à un Blanc, c'était une mise à l'épreuve pour découvrir l'esprit, l'esprit de l'Afrique. Deux gosses, qui n'étaient pas encore des hommes, par une chaude soirée d'été empreinte des odeurs de fumée et de sueur, allaient décider s'il y avait de l'espoir pour les Blancs, les Noirs et les gens de couleur, pour le peuple du Grand Sud.

« Mayibuye Afrika ! hurla Mr. Nguni.

— *Mayibuye Afrika ! Afrika Afrika ! Afrika !* Reviens, l'Afrique ! Reviens, l'Afrique ! » répondit la foule déchaînée.

Glissant précautionneusement le micro entre les cordes, Mr. Nguni quitta le ring et Natkin Patel nous invita à le rejoindre. Il avait le visage grêlé, quasiment de la couleur d'un bon curry, aussi bête que cette comparaison paraisse. Ses cheveux gris acier étaient aplatis par la brillantine, la raie droite comme un I sans qu'une seule mèche franchisse le chemin tracé sur son crâne. Vêtu d'une chemise blanche, d'un pantalon de flanelle crème et de tennis blancs, il ressemblait plus à un joueur de cricket qu'à un arbitre de boxe. On avait tous les deux les yeux rivés par terre tandis qu'il parlait.

« Ecoutez-moi, je vous prie. Quand je crie break, vous vous séparez tout de suite. En cas de knock-down, je compte jusqu'à huit, puis j'essuie vos gants et vous reprenez le combat. Pas de coup de tête, pas de coup de coude, vous devez vous battre loyalement sinon, sapristi, je vous donnerai des points de pénalité. Bonne chance, les enfants. » Il nous tapota l'épaule. « Serrez-vous la main. Lorsque le gong retentira, venez vous battre, je vous prie. » On effleura nos gants mais on ne se regarda pas.

Je regagnai mon coin où je m'assis. Le gong retentit. « Défonce-le, Peekay », dit Hymie en retirant mon tabouret. Je bondis vers la tache floue marron qui se précipitait vers moi.

Mandoma se ruait vers moi, frappant tous azimuts. Ses coups s'abattirent sur mes bras, dans mes gants, il avait fondu si vite sur moi qu'il réussit à me bloquer dans mon coin et je dus l'accrocher. L'arbitre nous ordonna de nous séparer alors que je parvenais à le faire tourner ; le soleil était parfait : bas et déclinant rapidement. Il se retrouva en plein dedans, aveuglé durant la fraction de seconde qu'il me fallut pour lui décocher un violent direct du gauche sur le nez. Ce fut un beau coup, un filet de sang coula de l'une des narines. Il me faudrait une foutue chance pour réitérer ce coup, le soleil se coucherait avant la fin du prochain round et il aurait sans doute saisi la manœuvre à ce moment-là. Mandoma était d'une agressivité incroyable, prêt à perdre une douzaine de coups pour percer mes défenses. Vers la fin de la première reprise, il me toucha sous le cœur, je crus que j'allais m'évanouir. Il me balança un crochet du gauche digne d'un rhinocéros partant à la charge. Je le maintenais à distance en lui envoyant des directs du gauche, que des points gagnants mais rien de dangereux pour lui. Ce salaud était d'une force herculéenne. Je passai le premier round à dépister ses mauvaises habitudes. En dehors du fait qu'il attaquait trop, ce serait très difficile de me battre contre lui en adoptant une tactique défensive. Le gong annonça la fin de la première reprise, je transpirais déjà abondamment.

« Tu as vu Mandoma, il dégouline de partout, dit Hymie.

— La vache, il frappe comme une bête, il faut que je le pousse à bouger sans arrêt, à être sans arrêt en déséquilibre.

— Juste le temps des quatre premiers rounds. Regarde-le. » Hymie avait raison, Mandoma était en nage et, bien que le soleil fût très bas, on avait l'impression qu'il faisait encore plus chaud.

« Dites-moi s'il boit au quatrième, lançai-je à Solly quand le gong annonça le deuxième round.

— Boxe-le, c'est tout, mon petit. Fais-le bouger, fais-le venir vers toi », répondit tranquillement Solly.

Mandoma m'attaqua avec la même violence. Même si j'encaissais la majeure partie des coups dans les bras et les gants, je compris que s'il continuait à ce régime-là, il allait me fatiguer. Il fallait que je lui fasse rater plus souvent ses offensives ; cependant, il était rapide comme l'éclair et j'avais drôlement de mal à l'esquiver. Je réussis à placer assez de bons coups pour être en avance aux points à la fin du deuxième round, mais cela ne servait pas à grand-chose et j'étais obligé d'y mettre tout mon art pour arriver à éviter les ennuis.

On se lança dans le troisième. Une fois de plus, il m'attaqua puis enchaîna d'un crochet du droit qui me toucha sur le côté de la mâchoire. Je me retrouvai au tapis tout à coup, affalé sur le dos. Lorsque Mandoma se retira vers le coin neutre, je le voyais double, puis l'arbitre commença à compter. Je savais que j'avais été sérieusement ébranlé ; pourtant, je ne sentais rien, j'avais la tête qui bourdonnait et il me fallait toute ma concentration pour entendre l'arbitre compter. A six, ma vue s'éclaircit brusquement et, à huit, j'étais debout. Le coup était superbe, je savais que je ne survivrais pas à beaucoup d'autres du même genre. Patel essuya mes gants, me demanda combien il avait de doigts en m'en montrant trois, puis six. Tout ce temps était précieux, ma tête ne bourdonnait plus. Enfin, il nous dit de reprendre le combat.

Mandoma avait envie de sang, il s'élança trop vite et sans réfléchir.

Cela suffit à me sauver. S'il avait attendu de se placer pour m'envoyer un autre beau coup, il m'aurait eu. Il voulait me mettre knock-out et son regard téléphonait ses coups. A la moitié du round, j'avais repris mes forces et je commençais à ébaucher mon plan favori. Négligeant la tête, je m'attaquai au corps, sous le cœur, dans la partie molle sous la cage thoracique et au plexus solaire. Il me balançait un terrible crochet du gauche ou un uppercut du droit et j'enchaînais par deux ou trois coups sévères au même endroit. Rien d'exceptionnel, cependant je sentais mes doigts s'enfoncer. Si j'arrivais à éviter une offensive de choc et s'il continuait à téléphoner ses attaques chaque fois qu'il s'apprêtait à frapper, j'allais finir par l'avoir. J'avais presque toujours eu affaire à des cogneurs, Mandoma frappait plus fort que tous les adversaires que j'avais affrontés jusqu'à présent et il était drôlement rapide. Mais je trouvais qu'il commençait à se démasquer comme la plupart des cogneurs.

Si le match s'était joué en trois rounds comme d'habitude, Mandoma aurait pu l'emporter. Au quatrième, il ralentit un peu le rythme. Il m'avait poursuivi durant trois reprises en tapant sans arrêt, il fallait bien que la chaleur se fasse sentir. Toutefois, il n'avait pas bu d'eau, il s'était juste rincé la bouche avant de la recracher. Je continuai donc à frapper dur et bas. Vers la fin du quatrième, je l'entendis grogner au moment où je plaçais trois bons coups. Je commençais à tourner comme une horloge. Mandoma m'accrocha et, sur le break, m'envoya un superbe gauche. On aurait dit qu'un train m'était rentré dedans. Je m'affalai, rebondissant sur le tapis. Je n'arrivais pas à y croire, je secouai la tête mais tout resta flou. A huit, j'étais tout juste capable de tenir debout. Mandoma me tenait : il suffisait d'un coup à peu près correct et j'étais mort.

L'arbitre me demanda si j'allais bien. Lorsque j'acquiesçai, il essuya mes gants et m'enjoignit de reprendre le combat, sans me dire de compter ses doigts cette fois-ci. Il fallait que je tienne jusqu'à la fin du round. Patel n'accepterait pas un knock-down de plus. A condition que j'aie pu me relever la troisième fois. « Danse, klein baas, tes jambes, il faut que tu danses, seules tes jambes peuvent t'éviter les ennuis. » J'entendais parfaitement les mots de Geel Piet. A mon grand soulagement, le gong annonça la fin de la quatrième reprise.

« Il a un sacré punch dans les deux mains, mon gars, mais il ralentit. Je veux que tu restes près de lui pour qu'il ne puisse pas t'en mettre un sérieux. Continue à le travailler au corps, il finira bien par sentir quelque chose.

— J'ai failli me faire avoir », répliquai-je en haletant. Mes forces revenaient malgré tout. Je me rinçai la bouche et recrachai l'eau, délicieuse sensation de fraîcheur.

« La vache, il boit ! s'exclama Hymie. Ce salaud est en train de boire ! »

Les vingt premières secondes du cinquième round furent les plus terribles que j'avais endurées jusqu'à présent. Mandoma m'attaquait tous azimuts ; cependant, je me dégageai, m'esquivai, reculai en pédalant et évitai les offensives. Il m'envoya un gauche que je contre-attaquai d'un droit, le touchant sous l'œil en l'amochant. Il saignait toujours du nez. Je ne l'avais pas beaucoup frappé à la tête mais je l'avais fait saigner du nez sans arrêt en lui balançant régulièrement des directs du droit sur le point sensible. Rien n'influence plus un arbitre qu'un bon jet de sang. Le téléphonant de trois kilomètres, Mandoma me décocha un crochet du gauche, je contre-attaquai et le coinçai dans les cordes d'un direct du gauche parfaitement orthodoxe suivi d'un direct du droit à la tête. Deux coups exemplaires qui, bien calculés, faisaient des dégâts.

Le Noir leva les mains pour se protéger la tête, je me rapprochai au moment où son ventre était à découvert et plaçai une combinaison en huit coups signée Geel Piet, juste à l'endroit où devait se trouver l'eau qu'il avait avalé. Je savais qu'il allait souffrir et avoir d'atroces nausées. Il suffoqua sous la rafale de coups et tenta de repousser mes gants. Je lui mijotai un crochet du droit qui le toucha à la mâchoire de toutes mes forces. Tandis que ses attaques m'avaient fait perdre l'équilibre, les miennes l'envoyèrent valser dans les cordes, puis il s'affala à genoux, les deux mains à terre. Des gouttes de sang coulaient de son nez sur le tapis gris alors que je me retirais dans un coin neutre.

A huit, il se leva, mais il avait l'air mal en point ; je revins à la charge et commençai à le frapper. J'aurais pu attaquer d'un swing et tenter de l'achever ; cependant, un boxeur de la trempe de Mandoma a toujours des ressources et arrive toujours à trouver le courage de balancer le dernier grand coup. J'étais presque sûr qu'il était épuisé et qu'il ne parviendrait pas à se remettre assez vite entre deux rounds. Je l'aurais au dernier. Le gong retentit, je regagnai mon coin où je retrouvais Hymie et Solly qui me hurlèrent dessus.

« Merde de merde, mais pourquoi tu l'as pas achevé ? brailla Hymie.

— Que dalle, il n'a plus rien dans le ventre, tu aurais pu l'avoir.

Maintenant, il va avoir trois fois le temps de récupérer, affirma Solly.

— Il lui suffit d'un seul bon coup pour me dégommer», protestai-je. Je suivais un plan à la Geel Piet et non un plan à la Solly Goldman. Geel Piet aurait voulu que je le boxe de façon classique, pas que je le tabasse. «Tu dois toujours jouer la prudence d'abord, klein baas, boxe, boxe, boxe, ne cogne jamais.»

Solly se reprit. «Tu as raison, mon petit. Heureusement qu'il y en a encore un qui a sa tête.» Qu'il le pensât ou non, il savait qu'il devait me faire retrouver ma concentration et que, dans son agitation, il s'était conduit comme un imbécile.

Le gong annonça le dernier round. Mandoma, cherchant à tout prix à reprendre des forces, avait bu de nouveau. Durant la première minute de la dernière reprise, il attaqua fort mais sa synchronisation n'était plus juste et il manquait de coordination. Je restai à l'écart. Le frappant légèrement sur son entaille sous l'œil. Faisant toujours couler le sang, attendant l'occasion d'attaquer. Il me toucha d'un crochet du droit qui, plus tôt, m'aurait achevé, alors qu'il manquait d'autorité maintenant. Il était temps de passer à l'offensive. Je le refoulai dans son coin et commençai à le travailler sous le cœur. Trois bons coups avant qu'il ne parvienne à m'accrocher. Il était trop épuisé pour s'en sortir indemne. Après chaque break, je le repoussais dans un coin en le travaillant au corps. J'étais sidéré qu'il tienne encore sur ses jambes. Jamais je n'avais frappé personne à un tel rythme ni avec une telle puissance. Mais le salaud ne lâchait pas. Il fallait que je le renvoie au tapis. Je commençai à frapper le Noir violemment sur le nez, il haussa la garde, se mettant à découvert au niveau du ventre. La combinaison en huit coups de Geel Piet se transforma en un treize coups à la Solly Goldman, c'était la première fois que je réussissais parfaitement un enchaînement en treize coups. Mandoma émit une espèce de gargouillis, puis un soupir et s'effondra. Il était complètement à bout de forces, il avait les yeux posés sur moi, mais son corps ne répondait plus et il n'arriva pas à relever la tête. Je l'avais achevé. Il n'avait plus la force de continuer. Mandoma était le cogneur le plus doué qu'il m'ait été donné de voir.

Je n'avais jamais été aussi exténué. Non seulement je n'avais jamais fait six rounds mais je n'avais jamais encaissé autant de coups. Je m'efforçai de regagner le coin neutre avec dignité tandis que Natkin Patel commençait à compter pour déclarer Mandoma knock-out.

Pour la première fois depuis le début du combat, j'entendis le public qui était littéralement déchaîné.

« *Onoshobishobi... shobi... shobi... Ingelosi !* » reprenait le chœur tel un grondement de tonnerre déferlant sur le terrain de football. Les mots se répétèrent à l'infini jusqu'à ce qu'on remette le micro sur le ring et que les soigneurs de Gideon Mandoma l'aient aidé à rejoindre son coin. Je traversai le ring pour voir s'il allait bien et lui serrer la main.

« C'est toi le grand chef, celui qui est *Onoshobishobi Ingelosi* », affirma Mandoma puis, se redressant sur ses jambes qui tremblaient encore, il leva ma main en l'air. La foule était en liesse.

« C'est toi le chef, l'esprit est toujours en toi, on sera frères, Gideon Mandoma.

— Je te vois, Peekay. On a sucé le lait au sein de la même mère, on est frères. » Je levai sa main, le public applaudit à tout rompre.

Ayant rejoint le micro, Mr. Nguni avait réussi, avec quelque difficulté, à calmer les spectateurs. J'avais regagné mon coin où j'étais assis sur le pot tandis que Solly me frictionnait, Hymie me tendant une serviette propre pour me draper dedans.

« On a vu ce qu'on a vu. Vous devez tous rentrer chez vous annoncer à vos tribus que l'esprit qui était en l'*Onoshobishobi Ingelosi* est toujours vivant en l'homme d'aujourd'hui. Vous l'avez vu de vos propres yeux, il en est ainsi », dit-il simplement. Se tournant vers Gideon Mandoma et moi, il nous demanda de venir. On resta à côté de lui, se tenant par l'épaule. « On a vu les esprits combattre, en cela nous sommes tous frères », déclara Mr. Nguni et les clameurs des spectateurs noirs mirent fin à la cérémonie.

J'effleurai l'épaule de Gideon, puis regagnai mon coin. La nuit commençait à tomber, l'odeur de la fumée et du charbon de bois me revenait aux narines. Au loin, on entendit le sifflement d'un train qui troua le brouhaha du public qui s'en allait. De tous côtés, on était entourés de visages radieux, certains tendaient la main pour me toucher comme si j'étais un talisman. La plupart toutefois me regardaient et je voyais qu'ils y croyaient. La légende s'était ancrée dans les esprits et ne ferait que se développer. Je me demandais si elle finirait un jour. Je m'aperçus soudain que j'avais mal partout comme si on m'avait cassé tous les os.

Un bras appuyé sur l'épaule de Hymie, on suivit tous les deux le rempart humain pour retourner vers l'école. Des mains noires me touchaient, essuyant sur mon corps la sueur qu'elles étalaient sur les visages.

« Alors, vous voyez, qu'est-ce que je vous avais dit, les gars ? Je vous avais bien dit que ce serait un combat superbe ! s'exclama Solly au moment où on entra dans le bâtiment. Merde alors ! Deux fois, j'ai vraiment cru que tu étais fini, mon petit. Ça fait plaisir de voir que tu peux encaisser un coup. Je vais t'avouer une chose, j'ai jamais vu un amateur placer parfaitement une combinaison en treize coups. Rien que pour ça, ça valait la peine de venir.

— La ferme, Solly, vous ne voyez pas que Peekay souffre, le coupa Hymie.

— Pas autant que le négro, mon gars », répliqua Solly.

Lorsqu'on arriva aux douches, je m'assis et je me mis à pleurer. J'avais l'impression de voir se dérouler les années à venir. Ma souffrance physique avait aiguisé mon esprit. Je voyais l'Afrique du Sud. Ce qui allait se passer. Il s'était produit quelque chose en moi ; Hymie parlait mais il me semblait que sa voix résonnait dans une chambre d'écho. Non, pas dans une chambre d'écho, dans la grotte de cristal de l'Afrique. Sa voix retentissait sur le faîte des arbres de la forêt tropicale dans la vallée comme les cris des babouins. « Je l'ai trouvée, Doc. J'ai trouvé la puissance de l'ange ! » disait la voix de Hymie. La grotte qui m'entourait miroitait, le cristal devint ma souffrance qui s'aviva alors que la lumière se faisait plus violente. Mon esprit se concentra sur un point précis. La tristesse que j'éprouvais était accablante, tristesse à l'égard du Grand Sud. Dans la blancheur, dans la lumière, perçait un bruit comme si la lumière et le son ne faisaient qu'un. C'était la grosse caisse et les voix des hommes. Elles déferlèrent ensemble tel un écho. « *Mayibuye Afrika ! Afrika ! Afrika !* » Reviens, l'Afrique ! L'Afrique ! L'Afrique ! Ma vie, quel que soit mon avenir, était liée à cela ; je n'avais aucune chance d'y échapper, je faisais partie de la grotte de cristal de l'Afrique. Au milieu de la douleur et du trouble où je me trouvais, je ne voyais que destruction, confusion et le bruit de la grosse caisse : boum, boum, boum, puis la lumière commença à baisser et Doc entra dans la grotte, aussi grand que jamais, ses cheveux blancs comme neige. « Tu dois essayer, Peekay. Tu dois essayer. Absoloodle ! »

Hymie me prit par l'épaule. « Cet *Onoshobishobi Ingelosi* représente plus que ce j'en sais, n'est-ce pas, Peekay ?

— Mon Dieu, je ne sais pas. Je n'en sais rien, répondis-je en sanglotant.

— Ne t'inquiète pas, Peekay, personne ne peut te faire de mal. Pas un seul salopard ne pourra te faire de mal tant que je serai en vie !

— Doc est mort ! » m'entendis-je dire comme si ma voix était complètement dissociée de mon corps.

Ce soir-là, quand on rentra chez Hymie à Pretoria, m'attendait un message me demandant de rappeler Mrs. Boxall.

« Peekay, on a de tristes nouvelles, le professeur a disparu ! Gert et tous les gardiens qui n'étaient pas de service, plus la moitié des hommes de la ville sont partis à sa recherche dans les collines, mais il a disparu depuis deux jours. Maintenant, il y a paraît-il peu de chances de le retrouver vivant ! » Sa voix hésita, puis se cassa lorsqu'elle se mit à sangloter. La ligne de Barberton grésillait, le son faiblissant puis revenant, et les sanglots de Mrs. Boxall diminuaient puis s'amplifiaient. « Je t'en prie, reviens, Peekay. Reviens vite, je t'en prie, tu arriveras sûrement à le trouver, vous êtes allés dans tant d'endroits ensemble », me dit-elle en pleurs.

Hymie m'obligea à dormir. « On te réveillera à deux heures et un chauffeur peut t'emmener à Barberton. Il y a trois cents kilomètres. Tu y seras à l'aube. »

Je savais où trouver Doc. Je savais qu'il avait réussi l'impossible et qu'il était parvenu à la grotte de cristal de l'Afrique. Doc était étendu sur la plate-forme, les bras sur la poitrine. Dans cent milliers d'années, redécouvrant la caverne, des gens monteraient sur la plate-forme magique et déclareraient : « Quelle étrange coïncidence, on dirait la silhouette d'un homme coulée dans du cristal. Un homme très grand et très maigre. » Puis je m'endormis à force de pleurer.

22

Personne, pas même moi, ne connaissait la religion de Doc. Cependant, après une semaine de recherches avec plusieurs équipes dans tous nos coins préférés — sauf un —, on décida d'organiser une cérémonie religieuse. Marie vint prétendre que Doc avait trouvé la voie du Seigneur quand il était à l'hôpital pour sa pneumonie ; ma mère était aux anges. Le pasteur Mulvery revendiqua le droit de tenir un service funèbre sans la dépouille mortelle de Doc. Je ne protestai pas. Marie s'était convaincue que Doc avait accepté Jésus et elle l'avait noté comme étant l'une de ses plus grandes réussites en matière de salut. Je crois que Doc n'en aurait pas été trop fâché ; de plus, son amour pour le Grand Sud s'achevait dans la plus belle éternité qu'il pût rêver, point de poussière ni de cendres mais un merveilleux enterrement païen qui lui permettrait d'être une part vivante de son Afrique bien-aimée. Son esprit demeurerait dans la grotte de cristal de l'Afrique, contemplant par-delà la forêt tropicale la vallée brumeuse et les montagnes au loin qui se teintaient de bleu tel le dessin au crayon d'un enfant.

Je me sentis complètement engourdi après la mort de Doc. J'avais l'impression d'avoir perdu mon centre de gravité. Tout était sens dessus dessous, les gens me parlaient, je ne les entendais pas. Leurs bouches s'ouvraient comme un poisson rouge dans un bocal et rien n'en sortait. Leurs gestes semblaient exagérés, on aurait dit qu'en s'approchant de moi, ils devenaient de plus en plus gros et déformés, leurs pieds restant à la même place alors que leurs corps se distendaient comme dans des dessins animés vers l'endroit où je me trouvais. La peine était profondément enfouie et étouffée. Je savais que c'était la raison pour laquelle je me sentais engourdi. J'avais l'impression que je ne serais plus jamais pareil, que je n'aimerais jamais plus autant. Je n'arrêtais pas de me répéter que je savais que Doc allait mourir, que Doc me l'avait dit depuis des mois. Cependant, ce genre de mort m'était totalement étrangère. La mort était laide et violente comme celle de Grand-père Chook et de Geel Piet ou même macabre comme celle de la Grosse Hettie. La mort, comme j'en étais arrivé à l'apprendre en Afrique, n'avait rien d'une disparition en douceur, n'avait aucune dignité. Il me semblait donc que Doc avait triché, il était simplement parti, il avait disparu, il avait provoqué la mort plus qu'elle ne lui était arrivée. Je me sentais trahi, en colère même. Pourquoi ne m'avait-il pas attendu ? Pourquoi ne me l'avait-il pas dit pour que je puisse l'emmener à la grotte de cristal ? Pourtant, en mon for intérieur, je savais que je n'aurais pas pu, je me serais accroché jusqu'à son dernier souffle de vie. Je savais aussi qu'il en était conscient. Mais cela ne m'aidait en rien. Cela ne chassait pas le besoin, la douleur sourde qui me tenaillait constamment sous le cœur à l'endroit précis où on travaille un autre boxeur jusqu'à ce qu'il n'ait plus de souffle. C'était exactement ça : le gong avait retenti mais je ne parvenais à trouver ni la force ni la volonté de venir disputer le round suivant tout seul.

Le pasteur Mulvery raconta un tas de choses comme quoi cela marquait la fin du labeur de Doc et de sa vallée de larmes. Il dit de Doc qu'il était un grand pianiste et un jardinier. « Le Seigneur Jésus a donné à notre professeur bien-aimé un jardin au paradis rempli du parfum des pensées et des pois de senteur où il peut jouer sa musique devant un chœur d'anges. »

Les habitués de la congrégation durent penser que c'était l'une de ses meilleures descriptions du sort des chrétiens de la Résurrection dans l'autre monde, ponctuant son panégyrique à coups de « Loué soit le Seigneur » et « Béni soit Son glorieux nom ». J'entendis tout cela mais ça n'avait aucun sens, cela n'avait aucun rapport avec Doc. Absoloodle aucun.

« O mon Dieu, ô Seigneur, pauvre de moi. Notre très cher professeur aurait sûrement préféré les feux éternels de l'enfer plutôt que de passer l'éternité au milieu des pensées et des pois de senteur à jouer devant un chœur d'anges », déclara Mrs. Boxall, confrontée pour la première fois au pasteur Mulvery et aux œuvres de la Mission de la Foi apostolique.

Les aloès qui poussaient à flanc de coteau au-dessus du jardin de roses étaient en fleur. Le jour de la cérémonie, je montai à l'aube à notre rocher où je pleurai un bon moment jusqu'à ce que le soleil se lève sur la vallée. En redescendant, je ramassai plusieurs branches d'aloès que je mis dans un grand vase en cuivre découvert à la sacristie. Lorsque ensuite j'entrai dans l'église pour assister à la cérémonie, on l'avait retiré pour le remplacer par un arrangement floral composé de glaïeuls roses et orange.

Même le Vieux Bornstein, qui ne quitta pas son chapeau, assista aux obsèques en compagnie de Miss Bornstein. Le rouge à lèvres vif et les longs ongles rouges de Miss Bornstein semblaient étrangement déplacés dans une église qui enseignait que tout maquillage, hormis la poudre, était un péché. J'avais entendu un jour une dame qui œuvrait pour le Seigneur dire que les longs ongles vernis étaient les griffes du diable dégoulinant du sang des pécheurs. Miss Bornstein avait l'air très belle parmi ces femmes sans artifice, récurées à la pierre ponce, avec leurs cheveux gris tirés en arrière et maintenus par une barrette en plastique bon marché, leurs chapeaux piqués d'un brin de fleurs en lin, maigres tentatives pour se parer. Je voyais qu'elles lui jetaient des regards à la dérobée, épiant son teint extraordinaire, ses cheveux noirs, presque bleutés, d'un éclat magnifique, ses yeux verts, ses lèvres et ses ongles d'un brillant scandaleux. Elles recracheraient tout leur venin mérité la prochaine fois qu'elles piailleraient autour d'une tasse de thé pour se raconter qu'elles avaient vu le péché dans la chair, le diable en personne assis parmi elles.

Après le service sur le parvis, comme il n'y avait pas de cercueil abritant Doc à contempler d'un air solennel, les habitués purent féliciter Marie pour sa conversion spectaculaire. Même ma mère eut droit à quelques éloges injustifiés pour avoir eu la première l'idée de proposer Doc comme candidat potentiel au salut.

Tous les gardiens qui connaissaient Doc, y compris le capitaine Smit et le commandant, vinrent présenter leurs respects. Ensuite, le capitaine Smit m'invita à la prison où l'équipe de boxe avait organisé une veillée mortuaire. La cérémonie ressemblait plutôt à une joyeuse fête qui donnait dans les chœurs et les *braaivlies* ; je m'efforçai d'être enjoué, car je pensais qu'ils voulaient saluer la mémoire de Doc et me remonter un peu le moral. Ceci aurait plus été du goût de Doc que le prêchi-prêcha religieux.

Gert me prit à part. Quand j'étais rentré pour participer aux recherches, je l'avais remplacé. Il n'avait quasiment pas dormi depuis trois jours et il était épuisé. « Dis-moi, mon vieux, comment se fait-il qu'on ne l'ait pas retrouvé ? Tu connais tous les coins où il allait.

— Ja, c'est bizarre. Mais tu sais, Gert, il avait sans doute un endroit secret dans un ancien puits de mine qu'il était le seul à connaître, un endroit qu'il avait découvert des années avant de me rencontrer. »

Gert me regarda droit dans les yeux. « Non, c'est impossible. Vous étiez trop proches tous les deux. Je pense que tu es au courant mais tu as raison, mon vieux, moi non plus je ne dirais rien si j'étais à ta place. » Gert, qui n'était pas bavard, avait l'art d'écouter ; il venait d'être promu sergent et tout le monde disait qu'il irait loin.

Doc me légua tout ce qu'il possédait, y compris le Steinway. Il laissa à Dee et Dum une petite rente d'une vingtaine de livres. Ma mère fit installer le Steinway au salon où il prenait quasiment toute la place ; on dut mettre les deux fauteuils assortis au canapé dans la véranda du fond. Une rudement bonne idée car c'était toujours là qu'on s'asseyait. En dehors des dames de la congrégation et des gens de la ville qui venaient pour des séances d'essayage, on n'avait jamais de visite qui justifiât de s'installer inconfortablement au salon. La véranda du fond était donc parfaite pour les vieux fauteuils en brocart aux pattes de lion qui, après avoir été cloués quarante ans au salon, avaient enfin le droit de jouer leur rôle de « pose-derrière ».

Je crois que de prime abord mon grand-père fut un peu blessé de les voir ainsi relégués. C'était sa ravissante épouse, pour qui on avait créé le jardin de roses, qui avait acheté ces meubles. Quand je rentrai aux vacances suivantes cependant, il avait officiellement élu l'un des sièges dont la tapisserie aux tons fanés était pleine de petits trous dus à la cendre de sa pipe.

Le cottage de Doc se trouvait sur un petit *kopjie* très à l'écart de toutes les autres demeures européennes. Son testament, que me lut le jeune Bornstein, m'apprit que toute la colline lui appartenait. J'y installai Dee et Dum au titre de gardiennes ; en réalité, je considérais que c'était leur maison. Le minuscule cottage avec ses trois pièces et sa cuisine en appentis était un véritable château à côté de la modeste construction en brique accolée à la pépinière où elles vivaient. Elles avaient été très affligées toutes les deux par la mort de Doc. Celui-ci leur avait demandé de lui préparer de quoi manger pour trois jours et de ne parler de son départ à personne. Le quatrième jour, Doc n'étant pas revenu,

Dee était allée voir Mrs. Boxall qui avait donné l'alarme. D'après ses dires, Dee avait simplement annoncé à Mrs. Boxall que Doc n'était pas rentré la veille au soir car son lit n'était pas défait et les cendres du petit poêle ventru étaient froides. Elles m'avaient confié que Doc leur avait demandé des provisions pour trois jours, ce qui signifiait que lorsque Mrs. Boxall m'avait appelé, Doc était parti depuis quatre jours. A la fin du combat contre Gideon Mandoma, au moment où j'avais su avec une certitude absolue que Doc était mort, il était en route depuis trois jours. Il lui avait fallu deux jours pour arriver à la grotte de cristal de l'Afrique ; après quoi, il s'était reposé, puis, le troisième jour, il avait escaladé la falaise. Doc était un homme méthodique, il avait dû tout calculer minutieusement jusqu'à ses toutes dernières forces. Marie m'avait raconté que lorsqu'il était à l'hôpital, il s'était plaint tous les soirs de ne pouvoir dormir, on lui avait donc donné des somnifères. Doc ne prenait jamais de comprimés ; il appelait cela : « Se mettre de mauvais produits chimiques dans le sang. » Je savais qu'il les avait emportés avec lui. Doc ne faisait jamais rien par hasard et il n'y avait aucune raison qu'il agisse différemment en organisant sa mort.

C'était grâce à Dee et Dum, qui avaient tenu leur promesse envers Doc, que les équipes de recherche n'étaient pas allées plus loin dans les collines. En un jour, un vieil homme frêle à peine remis d'une pneumonie n'aurait pu dépasser les contreforts, sans parler de gravir la chaîne de Saddleback. Je connaissais Doc ; il avait tout prévu, mesurant ses chances de réussite.

J'attendis la veille du jour où je devais rentrer en pension, la fièvre due au décès de Doc s'étant un peu calmée, pour qu'on me permette de retourner seul dans les collines. Annonçant à ma mère au dîner que j'allais faire une dernière randonnée en souvenir de Doc, je partis avant l'aube. Je savais qu'il lui manquait encore quelque chose : sinon, il m'aurait laissé un message quelconque. Avec l'aide de Dee et Dum, j'avais fouillé en vain le cottage et le jardin de cactus. Doc voulait que je m'acquitte d'un dernier devoir, j'en étais convaincu ; de toute façon, j'éprouvais le besoin d'accomplir une espèce de rituel à ma façon pour marquer sa disparition. Je pris une boîte de sardines, deux oranges, fourrai dans mon ancienne gamelle d'écolier une tomate, deux œufs durs et deux pommes de terre froides qui restaient puis, muni d'une gourde et d'une torche électrique, je me mis en route. Pour ne pas éveiller les soupçons, je n'emportai pas de corde car j'étais sûr de pouvoir escalader la falaise sans y avoir recours.

Ne m'arrêtant qu'au lever du soleil pour boire et manger une pomme de terre, j'arrivai en milieu de matinée à notre camp au bord de la forêt tropicale. Au-dessus de moi se dressait l'escarpement qui prenait soudain tant de sens pour moi. Comme je m'y attendais, Doc était passé par là. Il n'avait pas plu depuis dix jours; or les cendres étaient encore fraîches et poudreuses dans le trou que j'avais creusé pour faire du feu. Pour m'en assurer, j'allai à l'endroit où j'avais enterré nos ordures que j'exhumai. Sans l'ombre d'un doute, on avait ajouté une autre boîte de corned-beef et l'emballage d'un paquet de Bakers Pretty Polly Crackers. Doc adorait ces biscuits secs sans aucun goût et il achetait toujours la même marque.

Une demi-heure plus tard, je me trouvais sur le replat qui menait à la grotte. Il n'y avait là apparemment aucun signe de Doc, mon cœur se mit à battre la chamade. Et si Doc n'avait pas réussi? S'il était tombé en tentant d'escalader la falaise et qu'il gise dans l'épaisse forêt qui poussait en bas? Je refoulai la panique qui m'envahit, car je savais qu'il me faudrait le trouver et parvenir à le monter en haut de la falaise pour le déposer sur la plate-forme dans la grotte. Tâche qui me prendrait deux jours si tant est que j'y arrive.

Je savais aussi que si Doc reposait dans la grotte de cristal de l'Afrique, il n'aurait pas voulu que j'y entre. Doc était un homme d'une grande délicatesse et l'idée de m'imposer le spectacle de son cadavre sur la plate-forme était inconcevable. Il avait dû me laisser des instructions à l'entrée, au jour; c'est là qu'était son message. Je commençai à explorer la saillie centimètre par centimètre. Doc m'avait appris à observer, il comptait sur moi pour que je me livre à un examen minutieux dépassant le stade de la fouille habituelle pour que seul un œil entraîné puisse le découvrir, s'il avait caché quelque chose.

Je cherchai pendant une demi-heure. Cependant, cent milliers d'années de vent, de pluie et d'érosion avaient usé la saillie en pierre à chaux, le replat creusé dans la roche était lisse et régulier, il n'y avait pas de fissures dans la dolomite. Je fus pris de doute. Doc avait peut-être eu l'intention de me laisser un message mais, étant au bord de l'effondrement quand il était enfin parvenu là, il avait économisé ses dernières forces pour atteindre la plate-forme.

C'est alors que je le vis. A un endroit, une rayure foncée d'un sédiment minéral quelconque, sec depuis longtemps, avait coloré la paroi. Passant la main sur la roche teintée, quelque chose me piqua brusquement. Je retirai ma main et la regardai : une petite goutte de sang se forma sur ma paume. Dépassant au milieu de la tache sombre d'un dixième de centimètre, j'aperçus la pointe de la lame du canif Joseph Rogers de Doc.

Doc avait découvert que l'endroit où s'étaient déposés les sédiments était plus tendre que la roche alentour et il avait creusé un trou au milieu avec son canif. Il avait ensuite mélangé le sable trouvé dans l'excavation avec un peu d'eau de sa gourde puis, glissant dedans le canif dont la lame dépassait à peine, il l'avait remplie de grains de sable pour masquer l'endroit où il l'avait enterré.

C'était bien de lui ; il avait une telle confiance en la formation qu'il m'avait donnée qu'il était convaincu de pouvoir choisir une cachette difficile à trouver pour les autres mais que je découvrirais quand même. Je grattai la poussière autour de la lame et extirpai le petit canif. Il y avait sur le manche, attaché avec du fil de coton, un mot.

Le trou s'avéra être plus profond que je ne pensais, plus profond et plus large ; derrière le canif était enfouie la montre à savonnette en or de Doc. De la pointe du couteau, je récupérai la chaîne de gousset et la superbe montre ancienne. Je fourrai le tout dans la poche de mon pantalon puis, de mes mains gauches et tremblantes, retirai le fil de coton qui attachait le billet au manche du canif en os noir.

C'était une feuille déchirée sur l'un des petits blocs-notes que Doc emportait sur le terrain. D'un côté de la page sur toute la largeur de haut en bas étaient inscrites des notes de musique, minuscules mais justes, un morceau rédigé avec minutie. Je tournai la page. Au milieu, de l'écriture soignée de Doc, était consigné un mot bref.

Mon cher Peekay,

En ce monde, jamais un homme n'a eu un ami tel que toi. Hier soir, cette musique m'est venue en tête ; j'ai su alors que mon heure était arrivée. Peut-être, qui sait, est-ce la musique pour l'Afrique ? Peut-être n'est-ce que ma musique pour toi ? Pas aussi bonne que Mozart, sûrement pas comme Mr. Beethoven ni Mr. Brahms, mais peut-être meilleure qu'un nocturne de Chopin. Un si petit morceau de musique pour une si longue vie. Quel dompkop je suis. Pas au point de ne pas te choisir comme mon ami toutefois. Pour ça, j'ai droit à onze sur dix. Maintenant, je dois aller dans la grotte de cristal de l'Afrique. Tu ne dois pas me suivre avant que ton heure ne soit venue. Peut-être dans cent milliers d'années nous reverrons-nous.

Au revoir, Mr. Je-Sais-Tout, champion du monde des poids welter.

Ton ami,

Doc.

J'avais déjà pleuré Doc et ce billet me réconforta. Doc était à l'abri, là où il voulait être, et son secret serait gardé à jamais. Je pénétrai dans la galerie qui menait à la première caverne. Vérifiant la solidité de la rampe en corde qu'on avait installée pour que Doc entre dans la grotte la première fois, je vis qu'elle tenait bien. Il n'avait pas dû avoir trop de mal à arriver dans l'étroit passage. Il ne me fallut que quelques minutes pour retirer le piton de la paroi et enlever la corde.

Je regagnai le replat où je décrochai le second piton, puis mis les deux dans mon sac à dos ainsi que la corde. Dans quelques années, les petits trous que le métal avait faits dans la roche seraient érodés et il ne resterait pas trace du passage de l'homme. Seuls les babouins, ou un léopard de temps en temps, feraient un tour dans la première caverne, mais aucun ne pénétrerait dans la sombre et humide grotte de cristal de l'Afrique. Doc serait à l'abri durant les cent milliers d'années qu'il lui faudrait pour se transformer en cristal, à jamais partie intrinsèque de l'Afrique.

J'étais de retour juste au moment où la lune se levait sur la vallée. La douleur, la douleur sourde qui me tenaillait sous le cœur m'avait quitté. La tristesse demeurait mais j'étais fier que Doc ait réussi ce qu'il voulait. Et on serait toujours liés, il existait très fort en moi. Il avait rencontré un petit garçon troublé et terrifié à qui il avait apporté la confiance, la musique, la connaissance et un amour de l'Afrique ; il m'avait aussi appris à ne pas avoir peur des choses. Aujourd'hui, je ne savais plus où commençait l'enfant et où finissait Doc. J'avais reçu tous ses dons. Maintenant que Doc reposait là où il devait, je savais que rien ne nous séparerait jamais.

Le pot de yaourt partait à quatre heures le lendemain pour rejoindre le train-couchettes qui reliait Kaapmuiden à Johannesburg en une nuit. En ce dernier matin, j'entrai au salon, ouvris le Steinway et commençai à déchiffrer la musique de Doc que j'avais transcrite sur trois partitions. Après avoir cherché les notes pendant une heure, la mélodie se forma peu à peu. C'était un nocturne avec une phrase musicale qui revenait. Très beau, c'était sans aucun doute africain, empreint d'une tristesse et d'une aspiration à quelque chose qui semblait être dans la musique de toutes les tribus. J'avais l'impression de connaître le phrasé, et aussi l'air qui revenait, comme si je l'avais entendu en rêve ou au pays des songes ou encore comme quelque chose qu'on a dans le sang. Puis je compris ce dont il s'agissait. C'était le chant de l'Ange Têtard.

Je m'arrêtai, abasourdi. Doc n'avait jamais entendu le chant, qui n'avait commencé qu'après mon entrée en pension. Je rejouai la mélodie ; ce n'était pas une coïncidence, le chant faisait manifestement partie de la musique, il revenait dans le nocturne, se répétant en une douzaine de variations, mais il était toujours présent : clair, incontestable, sauvage, beau. *Onoshobishobi Ingelosi... shobi... shobi... Ingelosi.* Les notes du piano énonçaient ces mots aussi distinctement que si les hommes les avaient chantés.

Il se faisait tard, il était temps d'aller faire mes adieux à Mrs. Boxall, le Vieux Bornstein et Miss Bornstein. Gert avait promis de passer me prendre pour me conduire à la gare dans la nouvelle Chevrolet de la prison. Ainsi, ma mère et mon grand-père n'avaient pas à compter sur le pasteur Mulvery dont les dents de devant toujours prêtes à prendre la poudre d'escampette et la présence onctueuse me déprimaient de plus en plus. J'étais content qu'il n'ajoute pas à la gêne que j'éprouvais toujours au moment du départ.

Je glissai la musique de Doc entre les pages d'un petit volume de poésie de Wilfred Owen que m'avait offert Mrs. Boxall. « Pas aussi fleur bleue que Rupert Brooke mais bien meilleur poète de guerre, d'après moi », avait-elle dit.

A l'idée de partir en sachant que lorsque je reviendrais, je ne retrouverais plus Doc en ce lieu, ce départ m'était d'une tristesse quasiment insupportable. Ma mère tenta de papoter gaiement mais elle ne brillait guère dans ce domaine ; mon grand-père se contenta de tapoter sa pipe, la bourrer, tirer dessus, se détourner, puis lever les yeux vers les montagnes en disant : « Les cumulonimbus se forment, il y aura peut-être de l'orage ce soir, juste au moment où les Frensman sont prêtes à éclore. » La Frensman était une rose à tige longue d'un rouge profond et, si les pétales étaient déjà entrouverts, l'orage les abîmerait. Gert, qui dans ses meilleurs moments n'avait guère de conversation, ne fit qu'ajouter à mon appréhension ; l'attente du départ me sembla affreusement longue. Glissant la main dans la poche du pantalon de flanelle neuf que m'avait fait le Vieux Bornstein, j'en sortis la montre à savonnette de Doc. J'allais l'ouvrir quand je compris ma bêtise et remis aussitôt la belle montre ancienne dans ma poche. Ma précipitation me trahit aussitôt. Je croyais avoir échappé aux regards indiscrets. Cependant, deux minutes plus tard, une fois que ma mère fut retournée parler à mon grand-père, Gert murmura : « Alors, tu l'as trouvé, hein ? Je suis drôlement content, Peekay. » J'ignorai sa remarque, faisant semblant de ne pas avoir entendu. Je savais que Gert garderait le silence.

Un coup de sifflet annonça le départ, les petits groupes réunis sur le quai s'agitèrent comme toujours lorsque des adieux qui s'éternisent s'achèvent à brûle-pourpoint. Il en fut de même pour nous, chacun étant soulagé intérieurement que l'attente se termine. « Prends soin de toi, mon petit », lança ma mère, me tendant sa joue poudrée.

« C'est un bon gars », dit mon grand-père entre deux bouffées, puis il me serra la main. Contemplant son visage, je m'aperçus que ses yeux bleus étaient un peu chassieux et que la peau des pommettes et autour de la bouche était très tendue, comme toujours chez les maigres quand ils commencent à vieillir.

Gert saisit ma main d'une poigne très ferme à la façon afrikaner. « Bonne chance, Peekay, on se revoit en juillet, mon vieux. » Il prit une position de boxeur, petite plaisanterie pour cacher sa gêne. « Garde les mains en l'air, tu as compris. » Il me fit un grand sourire, puis se pencha pour que personne d'autre n'entende : « Ne te bats plus contre les Cafres, tu sais, ils ont la tête trop dure. »

Le pot de yaourt recracha un jet de vapeur d'une telle puissance qu'il aurait pu sortir d'un train beaucoup plus gros, beaucoup plus imposant. Dans les wagons de troisième « Réservés aux Noirs », les gens hurlaient de plaisir, cinq ou six têtes se penchant à la vitre de chaque voiture tandis qu'une douzaine de mains agitaient des mouchoirs, transformant les adieux en une vraie fête tandis que le petit train quittait le quai. Je continuai à faire signe jusqu'à ce qu'on ait dépassé la grande courbe, le quai disparaissant hors de notre vue. Avec un soupir de soulagement, je me renversai sur la banquette en cuir vert. Je savais que j'aurais le compartiment pour moi jusqu'à Kaapmuiden et j'étais ravi à l'idée d'être seul. La semaine avait été longue depuis mon combat contre Gideon Mandoma.

Hymie avait un tas de nouvelles à la rentrée. Il avait conclu un arrangement en bonne et due forme avec Mr. Nguni : vingt jeunes boxeurs noirs s'entraînaient désormais au gymnase de Solly ainsi que trois spécialistes noirs qui seraient formés pour s'occuper des boxeurs et finiraient par devenir arbitres.

On sépara du groupe Gideon Mandoma ainsi que trois autres jeunes pour qu'ils s'entraînent avec moi le mercredi après-midi et le dimanche matin avant la messe. Très vite, Gideon dépassa le simple rôle d'un bon « sparring-partner ». Il riait beaucoup et avait un esprit vif qui me ravissait. Son anglais n'était pas brillant ; au début, on parlait principalement en zoulou jusqu'au jour où, trois semaines après le début du trimestre, il me tapa sur l'épaule avec son gant à la fin d'une séance. « Fini le zoulou. Peekay, tu as appris le zoulou au sein de ma mère, maintenant il faut que j'apprenne l'anglais par tes poings. Tu dois m'apprendre l'anglais. » S'appuyant, il lissa délicatement ses cheveux en arrière à la manière de Hymie, les effleurant à peine comme s'il se pomponnait devant la glace. « Je tiens quelques bons mots de Hymie. » Il imita la façon dont celui-ci vous crachait les mots à la figure : « Espèce de sale Cafre insolent ! » Gideon renversa la tête en riant de bon cœur. « Cet anglais-là, je le comprends très bien. »

C'est alors que l'idée me vint brusquement. « On va créer une école pour les boxeurs noirs de Solly, annonçai-je à Hymie dans le tram en rentrant après l'entraînement.

— La vache, Peekay, ce n'est pas aller un peu loin ? Donne de l'éducation à ces salopards de nègres et, avant que tu aies eu le temps de dire ouf, ils voudront s'emparer du pays.

— Il est autant le leur que le nôtre. Plus même, répliquai-je, surpris de sa réaction.

— Tu as parfaitement raison. Cependant, ne pourrait-on leur laisser un peu plus de temps pour s'en apercevoir ? Laisser ces bougres dans le noir le plus longtemps possible ?

— Qu'est-ce que tu racontes, Hymie ? Je croyais que tu étais un libéral ? »

Hymie éclata de rire. « Avant tout, je suis un pragmatique mais il doit y avoir quelque chose à gagner là-dedans, même si je ne sais absolument pas où. Comment comptes-tu t'y prendre ? En leur ouvrant les portes de la Prince of Wales School ?

— Allez, Hymie, sois sérieux. Si on va voir Singe 'n Burn en lui présentant la chose comme deux hommes de la Renaissance et qu'on lui fait tout un discours sur le libéralisme et tout le tralala, je suis sûr qu'il marchera. On pourrait donner les cours dans l'une des salles de classe le samedi soir.

— Ça déjà, ça me plaît ! Un cours par semaine ne devrait pas représenter une trop lourde menace pour la civilisation blanche telle qu'on la connaît à la pointe sud de l'Afrique.

— Alors, qu'est-ce que tu en penses ?
— De prime abord, je ne vois pas comment on pourrait en tirer un sou, mais comme disait Karl Marx ou le Christ, je ne sais plus : "L'homme ne vit pas que de pain." D'accord, comme tu voudras.
— Formidable ! Parce que c'est toi qui dois aborder le sujet auprès de Singe 'n Burn en lui expliquant qu'en tant que Juif tu sais ce que ça représente que d'être un peuple opprimé. »

Hymie réfléchit un moment. « Bon, alors comme si de rien n'était, j'entre tout simplement et je demande à Singe 'n Burn d'ouvrir une école pour les Noirs dans ce bastion des privilèges blancs, lui faisant observer qu'en tant que spécialiste de l'oppression depuis près de mille neuf cents ans...
— Bon, je vais prendre rendez-vous pour le voir demain après la classe. »

Singe 'n Burn s'avéra beaucoup plus difficile à convaincre que prévu. Il ne savait absolument pas quelle attitude le gouvernement nationaliste risquait d'adopter si l'une des plus célèbres écoles privées de langue anglaise du pays devenait le berceau de l'éducation pour adultes parmi la communauté noire.

Il y avait naturellement des écoles pour les Noirs, dont certaines excellentes. Toutefois, la plupart des Africains quittaient l'école avant d'arriver au lycée et l'immense majorité après deux ou trois ans d'études des plus sommaires. Certains, le plus grand nombre peut-être, n'y allaient pas du tout. Si, par la suite, ils souhaitaient apprendre à lire et à écrire, il n'existait pas d'établissements pour adultes.

On était apparemment dans l'impasse, Singe 'n Burn nous ayant promis de soumettre le problème aux administrateurs du collège qui repousseraient très probablement le projet. Leur concept du gentleman chrétien ne s'étendait pas à la fraternité, quand il s'agissait d'abaisser la barrière raciale.

On avait des arguments de choc mais une politique naïve. En Afrique du Sud, quand on parle de négritude, la politique et la justice sociale n'ont pas grand-chose en commun.

« On est deux imbéciles d'avoir cru qu'il marcherait tout de suite. Il faut qu'on lui donne un sentiment de culpabilité à ce salaud, ça marche à tous les coups avec un homme de la Renaissance », déclara Hymie. On était installés dans la salle des grands chargés de la discipline que fréquentaient peu nos homologues après la classe. C'était un endroit très tranquille pour discuter ou travailler.

« Je croyais qu'on lui avait déjà donné un sentiment de culpabilité ?

— Dans la tête, oui, une culpabilité intellectuelle. Toutefois, se sentir coupable au point d'en souffrir intérieurement, c'est autre chose. Les Juifs sont des spécialistes en matière de culpabilité de l'âme. Laisse-moi te donner un exemple. Jusqu'au jour où on s'est battus à Sophiatown, les seuls Noirs que je connaissais bien se limitaient à Mary, notre cuisinière, et à Jefferson, le majordome. Plus les autres domestiques, anonymes naturellement, qui font semblant de travailler dans les parages. Le jour du combat, c'était la première fois que j'approchais de près les Africains. J'entends par là que je les approchais en tant qu'individus, pas seulement en tant que domestiques ou fidèles serviteurs de la famille, mais en tant qu'individus avec leurs problèmes. Des gens comme tout le monde, quoi. Je ne te l'ai jamais dit, pourtant cela m'a bouleversé. Je me suis aperçu qu'ils me plaisaient. Plus encore, j'ai compris pour la toute première fois ce qu'avaient dû éprouver les Juifs persécutés. Quand ils ont chanté pour toi, pas seulement pour Gideon, ce qui était compréhensible, mais pour toi aussi, j'ai eu honte de la couleur de ma peau devant leur générosité d'esprit. C'est ce genre de culpabilité dont je parle.

— Tu ne m'avais rien dit de tout ça, Hymie !

— A quoi cela sert-il ? Il n'y a rien à dire, on doit le ressentir. C'est ce qu'il faut à Singe 'n Burn. Il a besoin de ressentir non pas ce qu'il refuse d'admettre mais qu'il rejette. On va lui présenter Gideon.

— Tu as eu droit à dix milliers d'Africains qui chantaient *Sikelel'i Afrika,* tu penses que Gideon arrivera à le convaincre tout seul ? C'est le seul Zoulou qui n'ait pas d'oreille sur cette terre. » C'était vrai : quand Gideon chantait, on aurait dit un grincement rouillé sur du bois dur.

« Non, bien sûr que non. Mais une fois qu'on en aura fini avec ce sale Noir insolent, on croira entendre Othello. »

On concocta un discours pour Gideon Mandoma qui, je dois l'avouer, était superbe. L'idée était que Gideon l'apprendrait en zoulou et que je le traduirais en anglais comme si je le découvrais. Singe 'n Burn serait si abasourdi par le langage, la poésie et l'éclat de ces mots qu'il comprendrait que l'homme noir n'était pas seulement un type bon à couper du bois et à tirer l'eau du puits, pas même un noble sauvage, mais quelqu'un qui avait un admirable potentiel pour aller jusqu'à devenir l'un des Sinjun's People.

On fit répéter le discours à Gideon puis, celui-ci portant une chemise blanche, le pantalon bien raccommodé d'un antique costume et ses vieilles chaussures noires cirées, on se présenta au bureau de Singe 'n Burn. Je dois dire qu'il fut charmant. On s'assit dans ses grands fauteuils en cuir puis Miss Perkins, sa secrétaire, nous servit le thé et des biscuits Marie. Ayant prévu le coup du thé, on avait appris à Gideon à poser sa tasse en équilibre sur ses genoux pour qu'il ait l'air raffiné et parfaitement à l'aise. Je savais cependant qu'intérieurement il serait très troublé.

J'expliquai à Singe 'n Burn que l'anglais de Gideon ne lui permettait pas de tenir une conversation et que j'allais lui servir d'interprète. Le fait que l'un des Sinjun's People puisse mener l'entretien en zoulou impressionna le directeur au-delà de toute espérance, je crois.

Gideon, comme à la répétition, s'exprima tout d'abord en anglais. L'un de ses plus beaux sourires découvrant ses dents d'un blanc éclatant, il déclara : « Pardonnez-moi mon anglais, monsieur, elle n'est pas assez bonne pour dire cette chose qui est dans mon cœur. »

Et d'acquiescer avec sympathie. Je vis que le plan commençait à marcher. Gideon s'éclaircit la gorge, puis reprit en zoulou. Après chacune des phrases soigneusement préparées, je traduisais de ma meilleure voix, prenant un ton grave et dramatique.

« Je ne suis pas issu d'une nation d'esclaves mais on a fait de moi un esclave. Je suis issu d'un peuple d'hommes vaillants mais on me fait pleurer. Moi, qui suis né pour devenir un chef, je suis devenu ce qu'aucun homme ne devrait être, un homme sans droits et sans avenir. » Je marquai un temps théâtral avant de poursuivre : « J'ai dix-sept printemps, j'ai tué un lion et je me suis assis sur la natte du grand chef mais on a donné ma place à quelqu'un d'autre. Cette place n'est pas un siège à la table des Blancs, cette place n'est pas une voix dans l'indaba des Blancs. » Je vis que Singe 'n Burn commençait à être mal à l'aise. Il ne comprendrait pas ce qui lui arrivait quand on en aurait fini. Question culpabilité, le vieux Singe n'avait encore rien vu.

A ma grande surprise, Gideon abandonna brusquement son texte. « Mon esclavage n'est pas l'œuvre des Blancs. Ce n'est pas le sjambok des Blancs qui m'impose mon esclavage. Mon esclavage est dans mon propre cerveau. Là dans ma tête, j'ai la fierté zoulou de mes ancêtres mais je n'ai aucun savoir. Ma bêtise est mon esclavage, c'est l'instrument de la misère et du désespoir des Noirs. Si les Blancs me donnaient leurs droits et leur voix, je ne pourrais pas m'en servir, je serais toujours en esclavage.

Je serais toujours un domestique, un Cafre noir, un être inférieur car je ne saurais pas comment me servir de ces droits, comment faire entendre ma voix auprès des autres. Je vous en prie, monsieur, mon esprit réclame la connaissance à cor et à cri. Je voudrais recueillir la connaissance dans ma main et la boire comme on boit de l'eau au bord du ruisseau. Je suis nu sans connaissance. Je ne suis rien sans savoir. Je vous en prie, monsieur, donnez-moi cette connaissance, donnez-moi ce savoir, pour que je puisse aussi être un homme. »

Gideon avait si bien ordonné son propos que je n'eus aucun mal à le traduire presque parfaitement, interrompant à peine son débit. Les larmes coulaient sur ses joues et il ne tentait pas de les essuyer. Je songeai soudain que pour un Zoulou pleurer est une grande honte, mais il ne pouvait sécher ses larmes avec sa tasse et sa soucoupe en équilibre sur ses genoux. Je me penchai pour le débarrasser et levai les yeux vers Hymie, n'osant pas regarder Singe 'n Burn. Hymie était visiblement contrarié que j'aie retiré la tasse de Gideon : les larmes étaient le clou du spectacle, l'argument choc. Othello n'avait rien à envier au sale Noir insolent de Hymie.

« Ce n'est pas sur moi que je pleure, c'est sur mon peuple, Inkosi », murmura Gideon, essuyant ses larmes du revers de la main. Observant Singe 'n Burn à la dérobée, je m'aperçus qu'il avait le regard voilé et qu'il s'efforçait aussi de dominer ses émotions.

« Remarquable, absolument remarquable. » Puis, se tournant vers Hymie et moi, il ajouta : « Ce jeune homme doit avoir son école et je compte sur vous deux pour y donner le meilleur de vous-mêmes. »

On avait gagné ! Singe 'n Burn, principal de Winchester School et garant de la grande tradition des écoles privées aux colonies, homme de la Renaissance et libéral convaincu, on avait réussi à toucher son coeur et à lui faire percevoir l'âme de l'Afrique noire.

Hymie fut le premier à réagir. « Le collège peut-il fournir les cahiers et le reste, monsieur ? » Singe 'n Burn acquiesça.

« Voyez avec Miss Perkins pour qu'elle vous donne l'autorisation, Levy. Vos élèves doivent avoir le matériel nécessaire.

— Merci, monsieur », dis-je, puis je me tournai vers Gideon pour lui annoncer la nouvelle. Gideon fit un énorme sourire.

« Beaucoup de garçons, pareils que moi, on vous remercie, Inkosi. » Singe 'n Burn répondit à Gideon d'un signe de tête. Il était clair qu'il était ravi du jeune chef zoulou.

L'école commença avec pour seuls élèves les boxeurs noirs du gymnase de Solly. En un mois, les chauffeurs, les cuisinières et les boys du coin vinrent grossir les rangs ; Johnson le Pisseux, l'Araignée rusée et Atherton ainsi que deux types du collège qui parlaient le sotho furent engagés pour enseigner aux cours du samedi soir.

Avant même l'accord du directeur, on avait envoyé une longue lettre à Miss Bornstein lui demandant quelle était la meilleure méthode à suivre pour enseigner l'anglais et le calcul aux Africains ; elle avait répondu en nous adressant une remarquable série de notes pédagogiques ainsi que plusieurs manuels qui nous permirent de préparer un programme scolaire complet que je pus traduire en sotho, en zoulou, en shangaan et en fanagalo.

Après avoir reçu l'approbation de Singe 'n Burn, on commença aussi à enseigner le programme aux nouveaux élus parmi les Sinjun's People pour que le cours du soir puisse se poursuivre une fois qu'on aurait passé notre examen de fin d'études à la fin de l'année.

Au bout de quelques semaines seulement, les résultats étaient surprenants. Les élèves, à qui on donnait un tas de devoirs après le cours de quatre heures du samedi soir, revenaient travail intégralement fait, en redemandant. Le bruit se répandait parmi les membres de la Prince of Wales School ; on ne tarda pas à nous apporter des collections de comptines, d'abécédaires et toutes sortes de manuels. On avait plus de volontaires qu'il n'en fallait. Ensuite, répugnant à gâcher toute ressource disponible, Hymie trouva une méthode d'enseignement personnalisée où chaque élève noir disposait d'un précepteur blanc rien que pour lui. Pendant une heure, tous nos étudiants avaient droit à une heure de cours collectif au réfectoire. Après quoi ils se mettaient dans un coin de classe avec leur précepteur attitré. Chacun travaillait sur une série de notes qu'on lui fournissait et il devait suivre à la lettre les grandes lignes du programme de Miss Bornstein.

Les élèves progressaient beaucoup plus rapidement que n'importe quel collégien blanc dans un contexte scolaire classique. Hymie, insatisfait de notre premier programme d'études, s'échinait sans relâche sur les notes, en supprimant les erreurs et les perfectionnant.

Quatre mois plus tard, on reçut la visite d'un journaliste et d'un photographe du *Rand Daily Mail*. Dans l'édition du mercredi suivant, on avait un compte rendu d'une page entière accompagné d'une photo de Hymie, Gideon et moi.

L'article, très outré, donnait une version bâclée du combat que j'avais disputé contre Gideon, expliquant ensuite comment on avait ouvert une école, Hymie et moi, pour les boxeurs qui n'étaient pas encore adultes, donnant l'impression qu'on était devenu l'un des principaux établissements scolaires pour les Noirs. L'article était bourré d'inexactitudes mais il fit quand même beaucoup de vagues à l'école. Singe 'n Burn nous convoqua dans son bureau et nous reprocha de ne pas l'avoir consulté avant de parler à un journaliste. Il laissa entendre que c'était somme toute assez stupide d'avoir agi ainsi au vu de la situation politique qui interdisait les écoles noires dans les quartiers blancs.

En sortant du bureau du directeur, Hymie haussa les épaules. « Toute publicité est bonne, d'après moi.

— J'espère que tu as raison, j'ai l'impression qu'on a fait une gaffe.

— Ouais, moi aussi », murmura-t-il.

Le samedi suivant, la police débarqua dans nos locaux. Des agents en uniforme kaki, aussi bien blancs qu'africains, se postèrent brusquement aux portes du réfectoire. Un lieutenant de police, qui avait une ceinture Sam Browne et un revolver dans son étui, bondit sur l'estrade en sifflant un grand coup.

« C'est une descente de police, que personne ne bouge et tout se passera bien, c'est compris ! » Jambes écartées, la main sur son arme, il nous dévisageait comme s'il nous mettait au défi de bouger. « Qui est le responsable ici ?

— *Ons is* », répondis-je en afrikaans, montrant Hymie et moi.

Le policier poursuivit en anglais. « Pourquoi n'y a-t-il pas d'adulte responsable ?

— Ce sont les garçons qui donnent les cours, répliquai-je.

— Tu veux dire que ce sont des gosses blancs qui enseignent à ces sales Cafres ?

— C'est cela. » Je commençais à reprendre courage, le premier moment de surprise passé.

« Dis donc, mon bonhomme, tu es en train de me raconter que vous apprenez l'alphabet à ces ordures de Cafres ? Vous n'avez rien de mieux à faire de votre temps le samedi soir ?

— Avez-vous un mandat de perquisition ? s'enquit Hymie.

— Qui tu es, toi ? l'interrogea le policier.

— Répondez d'abord à ma question, rétorqua Hymie d'un ton égal.

— Dis donc, on joue les insolents ?

— Il vous a simplement demandé si vous aviez un mandat de

perquisition, monsieur», intervins-je. Le policier comprit soudain qu'on n'était pas intimidés. En réalité, il avait tort, on crevait de peur tous les deux.

«Et si j'en ai pas? lança-t-il avec défi.

— Alors, vous êtes dans une propriété privée et je vais être obligé de vous demander de partir sur-le-champ, déclarai-je.

— Tu n'es qu'un sale gosse, à qui tu crois parler, hein?

— Si vous n'avez pas de mandat de perquisition pour entrer dans cette école, fichez le camp!» lui cracha Hymie à la figure.

A ma grande surprise, le lieutenant de police fit un large sourire. Puis, pinçant son nez entre le pouce et l'index, il dit : «C'est toi le Juif, hein.» Il se tourna vers moi. «Et c'est toi le boxeur qui te bats contre les Cafres.» Il pointa le doigt vers les Africains assis en silence devant nous. «Voyons voir le Cafre contre lequel tu t'es battu, mon bonhomme.»

Sans se faire prier, Gideon se leva. «Viens ici, Joe Louis, viens à côté du Juif et du boetie cafre.»

L'agent demanda à un policier noir qui se trouvait à la porte d'approcher. En attendant qu'il monte sur l'estrade, il défit le bouton en cuivre rutilant fermant le rabat de la poche de sa tunique kaki dont il sortit un morceau de papier qu'il nous tendit. «Tiens, le Juif, lis ça toi-même.» Avançant de quelques pas, Hymie prit le document qui était manifestement un mandat leur donnant l'autorisation d'entrer et de fouiller les lieux. Le lieutenant se tourna vers le policier noir qui se tenait auprès de lui. «Dis à ces sales nègres qu'ils doivent tous montrer leur livret et le laissez-passer de leur employeur les autorisant à rester dehors après le couvre-feu de neuf heures.»

Je m'adressai au policier blanc. «Il n'est pas encore neuf heures, lieutenant. Personne n'a enfreint la loi.»

Il fit un grand sourire. «Ja, je sais, mon bonhomme mais il sera bien neuf heures quand j'en aurai fini et qu'on aura arrêté tous les sales nègres qui n'ont pas de laissez-passer.

— Ce mandat concerne le St. Johns College, annonça brusquement Hymie. Regardez, vous voyez, c'est écrit : St. Johns College, Houghton. C'est l'école qui se trouve à un kilomètre d'ici!

— Ne joue pas au plus malin avec moi, c'est compris? Sinon, vous allez passer tous les trois la nuit derrière les barreaux à la prison centrale.»

Hymie s'approcha de l'agent de police blanc. «Lisez ça vous-même. C'est écrit : St. Johns College, Houghton. Ce n'est pas nous. Maintenant, je vous prie de partir!

— C'est le bon endroit, l'endroit dont on parle dans le journal, je te le dis, moi ! A St. Johns, l'autre collège, ils donnent aussi des cours aux Cafres ? » Je vis qu'il était troublé soudain.

« Il faudra le leur demander vous-même, monsieur l'agent », répondis-je, sans oser regarder Hymie.

Le lieutenant plia le mandat qu'il remit dans sa poche. « Je devrais vous arrêter pour entrave à la police dans ses fonctions, vous savez bien qu'il ne s'agit que d'une erreur technique. Ils se sont trompés quand ils ont consulté la carte. C'est la bonne école, je vous le dis, moi !

— Ce n'est pas ce qui est écrit sur votre bout de papier, je dois vous demander instamment de partir, monsieur l'agent, insista Hymie qui exploitait la situation au maximum.

— D'accord, le Juif, mais t'imagine pas que tu me reverras plus. Je sais reconnaître un *comministe* quand j'en vois un. » Il pointa le doigt vers moi. « Toi aussi, toi et ton ami cafre. Je sens un *comministe* à un kilomètre. »

Il se retira avec ses hommes. On entendit le bruit de leurs bottes sur les pavés lorsqu'ils traversèrent la cour de l'établissement.

« La vacheski ! On l'a échappé belle ! m'exclamai-je. Qu'est-ce qu'on fait maintenant ? »

Gideon fit un grand sourire, une espèce de sourire de travers. « Je crois que c'est fini… l'école est finie.

— Sûrement pas, merde ! riposta Hymie. Je ferai appel aux avocats de mon père s'ils essaient de recommencer. »

Gideon eut un rire désabusé. « Tu ne risques rien mais nous, on ira en prison, c'est toujours comme ça. Tu es très malin et grâce à la magie d'Onoshobishobi Ingelosi, le nom du collège a été changé sur le papier. Mais les policiers sont des gens méchants, ils ne nous lâcheront pas si facilement et je pense aussi que le grand baas qui est directeur, il va faire fermer cette école.

— Il faudra qu'il passe sur nos cadavres, riposta Hymie. Je te jure qu'il va se battre pour défendre les cours du soir. »

Il n'en fut rien. Le lundi suivant, on fut convoqués tous les deux au bureau de Singe 'n Burn pour être confrontés à un agent de la police sud-africaine.

« Voici le capitaine Swanepoel du poste de police central de Johannesburg. Il voudrait vous poser quelques questions, annonça Singe 'n Burn d'un ton sévère. Apparemment, le compte rendu que vous m'avez fait du week-end ne correspond pas tout à fait à celui qu'a présenté l'agent de police qui a assisté à votre cours samedi soir. Je vous conseille vivement de dire toute la vérité au capitaine Swanepoel.

— On vous a expliqué exactement ce qui s'est passé, monsieur, déclarai-je au directeur.

— Sauf votre respect, l'agent qui a effectué la visite samedi dernier est formé pour faire ses rapports correctement, vous pouvez me croire, affirma le capitaine.

— En ce cas, nos versions coïncideront parfaitement, capitaine Swanepoel. Enfin, si on dit tous les deux la vérité, assura doucement Hymie.

— La vérité ? Qu'est-ce que la vérité ? Mon expérience m'a appris que la vérité s'en va en fumée quand les émotions s'en mêlent. Les émotions déforment toujours les faits, croyez-moi, monsieur le directeur, répliqua le capitaine Swanepoel.

— Capitaine, ces deux garçons ont été formés à considérer les choses en toute objectivité, même s'ils sont impliqués personnellement.

— Ja, je ne voudrais pas manquer de respect, monsieur le directeur, mais je me dois d'accréditer le témoignage écrit d'un agent de police plutôt que les propos de deux jeunes gens qui étaient fort agités à ce moment-là.

— Peut-être le capitaine Swanepoel pourrait-il nous dire en quoi diffèrent nos points de vue ? m'enquis-je.

— Oui, naturellement. » Le directeur s'éclaircit la gorge. « D'après le capitaine Swanepoel, vous avez refusé de coopérer avec l'agent chargé de la visite et vous avez été des plus grossiers.

— On ne nous a pas donné l'occasion de coopérer, monsieur. L'agent s'est montré tout à la fois brutal et grossier, me traitant de boetie cafre, traitant Levy de Juif et Gideon Mandoma d'ordure cafre. » Levant les yeux, je découvris l'ombre d'un petit sourire narquois sur le visage du capitaine Swanepoel.

« C'est impossible, un agent de la police sud-africaine est formé pour être respectueux à l'égard du public, déclara-t-il, puis il s'adressa à Singe 'n Burn. Les gens inventent sans arrêt des choses, des choses que la police aurait soi-disant racontées.

— Vous nous traitez de menteurs, capitaine ? » lançai-je.

Swanepoel ignora ma question. « Il est écrit ici que vous avez tenu un langage grossier à l'agent chargé de l'enquête ?

— Oui, je lui ai dit de ficher le camp, déclara Hymie, mais vous n'avez toujours pas répondu à la question de Peekay, capitaine.

— J'y répondrai plus tard, mon petit, ne t'inquiète pas pour ça, riposta Swanepoel. C'est ça que tu appelles ne pas être grossier ?

— Levy a été plus que provoqué et dans la mesure où l'agent n'avait aucun droit d'être dans les lieux, la remarque n'était pas injustifiée, monsieur, répliquai-je.

— Je ne t'ai rien demandé et il n'a pas répondu à ma question. » Il pointa le doigt vers Hymie. « Je te répète ma question : c'est ça que tu appelles ne pas être grossier ?

— Présenté ainsi, ça l'est, mais...

— Il n'y a pas de mais, mon bonhomme. Alors, tu reconnais avoir été grossier envers l'agent ?

— Je reconnais lui avoir dit de ficher le camp, capitaine, répliqua Hymie.

— Nous sommes donc d'accord. Le premier différend qui nous opposait s'avère exact, alors pourquoi ne devrais-je pas croire que ce rapport est un compte rendu exact de ce qui s'est passé ?

— Je proteste, cette façon de discuter n'est pas correcte, capitaine Swanepoel », interjeta Singe 'n Burn.

Le capitaine Swanepoel se tourna vers le directeur. « Je suis un représentant de la police, pas un maître d'école, je considère les preuves, je ne joue pas.

— Nous avons quarante-deux Africains, plus nos camarades qui confirmeront nos propos », protestai-je. J'avais entendu les gardiens interroger les prisonniers, ils employaient la même tactique que Swanepoel à notre endroit.

« Ah oui, quarante-deux témoins de parti pris. Les Africains ont une autre idée de la vérité que les Blancs. Quant à vos camarades blancs, nous évitons de prendre les dépositions des jeunes.

— Vous n'avez toujours pas répondu à ma question, capitaine, déclara Hymie, les dents serrées.

— Tu veux que je te dise une chose, mon petit, les gens de ton acabit, tôt ou tard, ils se retrouvent confrontés à la police. Je me souviendrai de toi.

— *Je vous en prie !* Répondez à notre question, monsieur ! » hurla Hymie.

Swanepoel se mit à rire. « Quand on se reverra, j'y répondrai, c'est compris ?

— Que va-t-il advenir de ce rapport, capitaine Swanepoel ? » s'enquit Singe 'n Burn.

Le policier soupira. « Vu l'erreur technique qui s'est glissée dans le mandat de perquisition, je dois bien à regret annuler ce rapport.

— Capitaine Swanepoel, je peux l'avoir, s'il vous plaît ? » lançai-je.

Swanepoel se remit à rire. « La police sud-africaine n'offre pas de souvenirs. Si vous en voulez, allez au défilé pascal.

— Je suis ravi de savoir que l'affaire est close, dit Singe 'n Burn, manifestement soulagé.

— Non, monsieur le directeur, ça ne fait que commencer. Vous pouvez vous estimer heureux qu'on se soit trompé de collège sur le mandat de perquisition, car aujourd'hui je suis venu vous voir à titre amical. Si on revient samedi prochain et qu'on découvre que votre merveilleux établissement donne des cours aux communistes noirs, on sera contraints d'en tirer des conclusions plus que regrettables.

— Je proteste, monsieur ! » Singe 'n Burn était en colère.

Le capitaine Swanepoel fit un grand sourire. « A l'heure actuelle, il n'est pas rare de découvrir un communiste noir. » Il regarda Hymie. « Ni même un Blanc, ajouta-t-il, puis il se tourna vers moi. Ou même plus d'un. Quand les Noirs se mettent en tête de recevoir de l'éducation, vous pouvez me croire, ils ne mijotent jamais rien de bon. Il y a quelqu'un d'autre ou quelque chose d'autre qui se cache derrière.

— Vous nous demandez de fermer les cours du soir, capitaine, c'est bien cela ?

— Monsieur le directeur, la législation n'est pas encore très claire en la matière, mais l'enseignement aux Noirs dans une école blanche ne sera pas accepté dans la nouvelle Loi des Zones de Ségrégation. Vous voyez quelle est ma position, monsieur le directeur. Je dois aussi vous dire que mon devoir ne fait pas de doute en l'occurrence. La prochaine fois, on ne se trompera pas dans le mandat de perquisition. Et lorsqu'on viendra, on trouvera quelque chose. » Il s'arrêta un instant et nous observa à nouveau. « On trouve toujours quelque chose. »

Il se leva et tendit la main à Singe 'n Burn. Le directeur ne s'en saisit pas, il agrippa le bord de son bureau puis se pencha légèrement. « Nous ne nous laisserons pas intimider par la police, capitaine Swanepoel. Nous n'avons pas enfreint la loi et, que je sache, ce pays est encore libre et démocratique. »

Le capitaine Swanepoel haussa les épaules et se baissa pour récupérer son képi sur sa chaise. « Je regrette que vous refusiez de coopérer avec la police, monsieur. » Il ajusta son képi puis se retourna vers le directeur, effleurant la visière pour le saluer. « Au revoir, monsieur. » Sans un regard vers Hymie ou moi, il s'en alla, refermant doucement la porte derrière lui.

« Merde, et maintenant ? dit Hymie dans sa barbe.
— Pardon, Levy ?
— Rien, monsieur. »
La lumière qui filtrait par la fenêtre éclairait à contre-jour les cheveux blancs comme neige de Singe 'n Burn. Toujours agrippé à son bureau, il avait l'air frêle, se balançant légèrement comme si le mouvement l'empêchait de se désintégrer en un million de fragments minuscules qui dériveraient en silence dans le faisceau de lumière terne.
« Bravo, monsieur », lança Hymie.
Singe 'n Burn secoua lentement la tête. « On est battus.
— Mais vous venez de dire ?...
— Pure bravade, mon garçon. Samedi, votre cours aura lieu et le capitaine Swanepoel va faire une descente de police officielle à la Prince of Wales School. Après quoi, le conseil d'administration se réunira et leur conclusion est réglée d'avance. » Il leva les yeux vers nous. « Malgré tout, on va ouvrir samedi prochain, ce ne sera qu'une victoire provisoire mais il y a un principe important en jeu. »
On quitta le bureau de Singe 'n Burn complètement déprimés.
« J'en ai rien à foutre des victoires provisoires, des principes ni du directeur ! explosa Hymie une fois qu'on fut hors de portée.
— Il faut qu'on tienne Gideon au courant ainsi que les autres boxeurs. Ce n'est que justice qu'ils décident eux-mêmes s'ils veulent venir.
— Ouais, sans doute, répliqua Hymie, morose. Et les autres ?
— Laisse tomber, ils ne viendront pas. Samedi dernier, ça leur a suffi. Il n'y a pas de principe en jeu pour eux, ce n'est qu'une nouvelle occasion qui se perd, une nouvelle porte qui se ferme. Ils ont passé leur vie à se faire baiser par le système. Tu viendrais, toi, si tu étais quasiment sûr de te faire arrêter, d'être jeté en prison, de perdre ton boulot et d'être fiché comme communiste ?
— Je commence à comprendre la chance que j'ai d'être blanc. »
Hymie le prenait plus mal que moi. J'avais toujours connu ce genre d'intimidations et je savais que le capitaine Swanepoel aurait pu se montrer beaucoup plus dur s'il l'avait voulu.
« Qu'est-ce qu'on va faire, Peekay ? »
Je ris. « Tu es vraiment un bêcheur, hein ? Tu crois toujours que la police est là pour te protéger du grand méchant loup ? Après la séance de samedi soir, il fallait s'y attendre. Les nationalistes ne considèrent pas cela comme un jardin d'enfants pour

les grands Noirs ; à leurs yeux, on lance une révolution noire sur le territoire des privilèges blancs.

— Tu plaisantes. Notre bête petite école pour les boxeurs et les domestiques ?

— Les petits glands deviennent de grands chênes. Les nationalistes ne sont pas idiots. Tu devrais le savoir ; les Juifs ont déjà commis cette erreur avec les nazis, ils les prenaient pour une bande de voyous qu'on pouvait acheter. Tu as vu le niveau d'études des membres du gouvernement nationaliste ? C'est sans doute le cabinet au niveau culturel le plus élevé du monde. Le racisme ne décline pas quand on a quelque chose dans la cervelle ; c'est une maladie, elle peut incuber dans l'ignorance mais elle ne disparaît pas forcément quand on gagne en sagesse !

— Tu es train de m'expliquer que tu savais depuis le début ce qui allait se passer ?

— Non, bien sûr que non. Je pensais qu'on avait une chance. Tu avais raison d'être un peu cynique de prime abord mais ça valait la peine d'essayer.

— Pourtant, tout à l'heure dans le bureau du directeur... tu avais l'air tellement déçu ?

— Enfin, Hymie, je ne prétends pas que je voulais que ça arrive ! J'étais en colère et amèrement déçu. Déçu d'avoir eu raison.

— Tu es un type drôlement compliqué, Peekay. C'est moi qui suis censé être réaliste dans notre association. Qu'est-ce qu'on fait maintenant ?

— On annule la séance de samedi pour commencer. Il est inutile de mettre les boxeurs en danger, pas pour remporter une victoire empirique en tout cas.

— On peut leur donner des cours après l'entraînement au moins.

— Pas question. Ce salaud de Swanepoel ne va pas nous lâcher d'un pouce.

— Je me sens si impuissant. » Hymie me regarda et haussa les épaules. « Tu sais, avant d'aller à Sophiatown, je n'en aurais rien eu à ficher. Ouais, bien sûr, j'aurais sans doute marché dans la combine de l'école avec toi comme tu as marché avec moi sur certains coups. Mais après le combat, d'avoir vu ces gens, ce n'est plus pareil. Je commence à avoir une idée de ces gens, de ce que signifie être opprimé, de ce que cela devait représenter d'être juif dans l'Allemagne de Hitler. » C'était la première fois que je voyais Hymie troublé. Il était confronté à un problème qu'on ne pouvait résoudre avec de l'argent ou de l'influence. « Leur aspiration était si modeste et on n'a pas réussi. Enfin, ces pauvres types avaient une telle soif d'apprendre, juste à lire, à écrire et à faire quelques additions. C'était le moins qu'on puisse faire. » Hymie pleurait presque de rage.

« Et c'est ce qu'on va continuer à faire. Je n'ai pas passé quatre ans avec Geel Piet sans apprendre à vaincre le système.

— Comment ça, Peekay ?

— Les cours par correspondance. Les cours par correspondance de Miss Bornstein !

— Peekay ! Tu es un génie ! On a déjà tout le programme traduit dans trois langues africaines et en fanagalo. C'est dans la poche, mon vieux, on va tester tout ça. On le fera gratuitement pour les élèves qui ont été expulsés puis, avec l'aide de Mr. Nguni et pour une modeste somme qui reste à déterminer, on enverra des cours par correspondance pour les Noirs dans toute l'Afrique du Sud. On en enverra même un exemplaire au capitaine Swanepoel en lui disant de se torcher le cul avec pour qu'il ait l'air intelligent chaque fois qu'il pète ! »

Les cours par correspondance de Miss Bornstein allaient devenir les plus importants du genre dans l'hémisphère Sud, Miss Bornstein en étant la véritable directrice. Mr. Nguni annonça simplement que le cours était dû à l'Ange Têtard qui voulait que les hommes mettent leur fierté à apprendre à lire, écrire et faire des additions. Cela allait s'avérer être l'un des éléments les plus importants de son empire financier et politique dans les années suivantes.

23

En 1951, je remportai le titre des poids plume d'Afrique du Sud et, pour la troisième année consécutive, la Prince of Wales School gagna le championnat interscolaire. Darby et le sergent étaient de véritables héros ; ils étaient désormais les bienvenus dans la salle des professeurs : le succès fait apparemment tomber les barrières sociales. On se présenta tous à l'examen de fin d'études ; en fait, les Sinjun's People étaient sûrs d'être reçus avec les félicitations du jury. Atherton fut sélectionné dans l'équipe scolaire de rugby pour faire une tournée en Argentine et l'Araignée rusée avait réussi à entrer dans l'équipe de cricket du Transvaal. Johnson le Pisseux, grâce aux leçons particulières qu'on lui avait données Hymie et moi, pensait qu'il serait reçu et pourrait étudier la médecine. Sur le ring il était devenu expert en matière de coupures, et de cette modeste spécialité était née sa vocation.

De l'avis général, j'avais fait de brillantes études : sélectionné dans l'équipe de rugby, j'avais été trois fois champion de boxe mais aussi responsable en chef de la discipline et commandant d'une compagnie dans le corps des cadets. Bien que je n'aie pas fait de réels progrès en musique, on me considérait toujours comme l'un des meilleurs musiciens du collège.

Selon les critères de Sinjun, j'étais bien parti pour devenir un homme de la Renaissance. Selon les miens, ma réussite était nettement moins éclatante. J'avais survécu au système mais, par beaucoup de côtés, c'était bien là le problème. J'avais l'impression de ne pas être maître de mon existence, oubliant ma personnalité au profit des récompenses clinquantes et des marques d'approbation de mes pairs. Mon besoin de gagner avait effacé tout le reste, la tête l'avait emporté sur le cœur, le conseil de Hoppie avait trop bien marché.

J'avais subvenu à mes besoins pendant mes études grâce à la Banque et aux différentes combines qu'on avait montées avec Hymie. Cependant, ce qui n'était pour Hymie qu'un divertissement de l'esprit était pour moi crucial. Cet argent m'était non seulement indispensable pour survivre mais aussi pour assurer ma dignité. On était devenus inséparables tous les deux et, depuis la mort de Doc, Hymie était certainement la personne qui comptait le plus dans ma vie. Dans mon for intérieur toutefois, je savais que mon choix m'avait été dicté parce que Hymie pouvait m'aider à vaincre le système. J'étais un exploiteur. C'était devenu une habitude ; je pouvais bien avoir l'air d'un gagnant, il n'empêche qu'intellectuellement, j'étais un pique-assiette.

J'étais aussi conscient du prix que je payais. Je savais qu'en contrepartie, les gens puisaient en moi leur énergie. Hymie, Miss Bornstein, Mrs. Boxall, tous avaient besoin de moi pour se créer un centre d'intérêt, je devais jouer mon rôle pour les récompenser de leur aide et de leur affection sans bornes. Le concept de l'Ange Têtard, dont j'avais tenté de me débarrasser, me collait à la peau. Après le combat contre Mandoma, le public noir qui assistait à mes matches était devenu de plus en plus imposant ; aux championnats interscolaires d'Afrique du Sud, on avait fait appel à la police pour disperser la foule des chœurs réunis au Drill Hall de Johannesburg. J'étais convaincu qu'au bout du compte, on attendait plus de moi. Toute ma vie, on m'avait poussé à droite et à gauche. Le Juge. Le Seigneur. Le concept de l'Ange Têtard. A ma façon, je m'étais battu ; en retour, j'y avais gagné d'avoir pour mentors Doc, Hoppie et Geel Piet. L'intérêt de tout cela était difficile à comprendre. Peut-être, après tout, en va-t-il ainsi de la vie. Néanmoins, je sentais qu'il me fallait agir de mon propre chef pour reprendre ma vie en main. On aurait dit que j'avais besoin de perdre mais qu'il me manquait les mécanismes pour y parvenir. Je n'étais confronté qu'à un seul problème en l'occurrence : je ne savais absolument pas comment m'y prendre.

La seule chose qui m'appartenait vraiment était mon ambition de devenir champion du monde des poids welter. C'était la seule chose qu'on ne pouvait pas manipuler. Je l'avais en moi ou je ne l'avais pas. C'était l'élément que ceux qui m'aimaient, à l'exception du capitaine Smit et de Gert, ne pouvaient comprendre. C'était la seule donnée de ma vie qui semblait avoir un sens à mes yeux. Dans cette unique initiative, il n'y avait pas corruption de l'esprit.

La dernière semaine du trimestre, Singe n'Burn m'accompagna à mon entretien devant le jury des boursiers. J'avais fait deux demandes. L'une à la Witwatersrand University et l'autre à l'University of Stellenbosch, un établissement de langue anglaise réputé pour son école de droit. Cependant, plus que tout, je voulais entrer à Oxford. Il me semblait que j'avais peu de chances de ne pas arriver à mes fins, quoi qu'il advienne. La famille de Hymie avait déjà accepté de payer mes études mais, même à titre de prêt, je trouvais cette idée inacceptable. Inacceptable pour moi, pour la mémoire de Doc, pour Mrs. Boxall, Miss Bornstein, le capitaine Smit, Gert, Hoppie Groenewald, la Grosse Hettie et, surtout, pour Geel Piet qui, de sa vie, n'avait jamais vu une main se tendre vers lui.

Même ma mère, qui était convaincue que les choses temporelles de l'existence étaient secondaires et qui attribuait au Seigneur tout le mérite de mes études, était restée devant sa machine à coudre du matin au soir pour subvenir à mes besoins dans la mesure de ses moyens.

J'étais un homme maintenant, je n'avais plus à prendre. J'avais l'impression que le reste dépendait de moi. Même si je ne savais pas quelle serait la prochaine étape, il me semblait que je pourrais la voir se dessiner en agissant sans l'aide que les autres m'offraient toujours avec prodigalité.

Hymie, aussi bien le joueur que l'homme d'affaires, estimait que j'avais moins de cinquante pour cent de chances de décrocher l'une des trois bourses d'Oxford accordées à l'Afrique du Sud. Alors que la date de mon entretien approchait, il était de plus en plus affolé. Il sentait que j'avais besoin d'agir seul et que, dans une large mesure, la bourse d'Oxford répondrait à mes vœux. En même temps, il voulait m'éviter une déception en cas d'échec. Il n'était pas impossible, mais fort rare, d'obtenir une bourse frais émoulu du collège. On choisissait presque toujours les boursiers d'Oxford après un premier diplôme, quand l'étudiant avait déjà confirmé ses brillants résultats scolaires par une licence avec mention doublée d'une participation active aux activités sportives et culturelles de l'université.

« Enfin, Peekay, aux yeux de mon père, les frais de scolarité d'Oxford c'est trois fois rien. On serait ensemble comme on l'a toujours été, puis on reviendrait ici et on ouvrirait un cabinet tous les deux. Tu pourras commencer à t'occuper des hommes et je nous ferai gagner des millions de dollars. C'est si simple. Pourquoi faut-il que tu compliques tout, nom de Dieu?

— Pour commencer, parce que je vais devenir champion du monde des poids welter. Si j'accepte l'argent de ton père, je serai obligé de consacrer tout mon temps à mes études pour le justifier.

— Tu n'as pas à le justifier, tu peux faire les deux! riposta Hymie.

— Tu me connais trop bien pour y croire. Je voudrais te dire une chose idiote, Hymie. Si je devais choisir entre devenir champion du monde des poids welter ou être diplômé en droit d'Oxford, la boxe l'emporterait.»

Il parut stupéfait. «Pourquoi? Tu n'es pas du genre à vouloir connaître cette gloire-là. En réalité, tu es exactement le contraire.

— Ça a un rapport avec une chose qui s'est passée quand j'étais petit. Je ne peux pas l'expliquer, il faut qu'il en soit ainsi, c'est tout.

— Peekay, l'argent que tu gagneras en tant que professionnel, même si tu es champion du monde, ce ne sera rien à côté de ce qu'on pourrait ramasser tous les deux si on ouvrait un cabinet ensemble.

— Ce n'est pas une chose qui s'explique. J'ai travaillé dans ce but depuis que j'ai six ans. Cela n'a rien à voir avec l'importance du personnage ou du titre.» Je pouffai en moi-même. Comment diable pouvais-je lui avouer que je le faisais, entre autres, à cause d'un poulet mort!

«Ecoute, Peekay, tu es tout juste poids léger. Il faut deux ans, peut-être trois avant que tu ne passes poids welter. Tu peux faire tes études, ou une bonne partie en tout cas, puis poursuivre ta carrière de boxeur. Je t'aiderai. On en tirera même un tas de fric.»

L'entretien avec le jury de sélection fut assez éprouvant. Durant une heure, le jury discuta avec Singe 'n Burn tandis que je poireautais dans la salle d'attente de University House. Ce fut le pire de tout. Le comité se composait de trois hommes d'un certain âge qui commencèrent par bavarder avec moi tout simplement. L'un d'eux, un maigre aux lunettes rondes à monture métallique qui glissaient au bout de son long nez et dont les cheveux séparés au milieu par une raie impeccable étaient plaqués de brillantine, ressemblait à Ichabod Crane*. M'observant par-

* Personnage de *The Legend of Sleepy Hollow*, de Washington Irving, Ichabod Crane est un professeur superstitieux à l'ancienne mode de la Nouvelle-Angleterre qui a peur de tout *(NdT)*.

dessus ses lunettes, il cita le premier vers d'une poésie d'Ovide en trois strophes et me demanda quelle était la suite. J'avais envie de rire, c'était un truc que Doc m'avait appris quand j'avais neuf ans.

« Pas mal, pas mal du tout, rien qu'une légère erreur.

— Je suis désolé, monsieur, mais je ne suis pas d'accord », répliquai-je, mon cœur battant la chamade. Ces trois stances comptaient parmi les préférées de Doc et je les connaissais sur le bout des doigts. J'étais sûr de ne pas m'être trompé.

« Bravo, jeune homme ! s'exclama Ichabod. Vous avez parfaitement raison. De plus, vous avez eu le courage de le dire. » Il remonta ses lunettes en haut de son nez, puis nota quelque chose sur un bloc de papier réglé jaune vif.

Les trois examinateurs avaient vraiment l'air pétri de science, pas du genre sportif. Cependant, après avoir bavardé avec moi de choses et d'autres, ils attaquèrent le chapitre de la boxe. Pourquoi, voulaient-ils savoir, étais-je obsédé par la boxe ? Mon dossier de candidature montrait que j'étais un brillant élève, un musicien de grand talent, un bon joueur de rugby et un excellent boxeur. L'un d'eux lut un passage du texte : « A l'ambition de devenir boxeur professionnel et de remporter le championnat du monde des poids welter ! » Je vis qu'il était complètement interloqué.

« Un garçon comme vous, d'une intelligence incontestable, ou même supérieure d'après votre directeur, doit sûrement comprendre qu'une vocation de boxeur professionnel n'est pas compatible avec des études de droit à Oxford ?

— Lord Byron était boxeur, monsieur. Personne ne doute de son intégrité intellectuelle », répondis-je. Il grogna et écrivit quelque chose sur son bloc. L'ombre d'un sourire éclaira le visage d'Ichabod Crane.

« Ah, je ne me rappelle pas si Byron est allé à Oxford ! s'exclama-t-il, provoquant le rire de ses deux collègues.

— Votre remarque est pertinente, monsieur... euh, Peekay, mais si mes souvenirs sont exacts, il était amateur.

— Il est prouvé qu'on a engagé des paris sur certains de ses combats, ce qui aujourd'hui ferait de lui un professionnel, monsieur.

— Admettons, mais un petit pari entre amis : ça ne se compare pas.

— Non, monsieur », rétorquai-je, préférant éviter de pousser ma chance en faisant observer qu'il s'agissait de très grosses sommes d'argent.

A la fin de l'entretien, on me demanda de patienter dans la salle d'attente en compagnie de Singe 'n Burn. Le directeur semblait encore plus nerveux que moi ; il me fit répéter les termes de l'entrevue mot pour mot. Lorsque j'en arrivai à l'épisode sur Byron, il fut ravi. « Remarquable ! » s'exclama-t-il en applaudissant. Cependant, quand je mentionnai l'épisode des paris, et la réponse assez froide qui avait accueilli mes propos, il se rembrunit. « C'est Lewis, de Natal University, un homme qui n'apprécie pas la contradiction. » A la fin de mon récit, il dit simplement : « C'est bien, Peekay, tu t'en es bien tiré. »

On nous fit de nouveau entrer. Ce fut Ichabod Crane qui annonça que je faisais partie des cinq derniers candidats en liste et que je devrais me présenter à l'examen d'entrée à Oxford.

« La Prince of Wales School où vous avez fait vos études jouit d'une réputation enviable et, si elle forme des gens de votre genre, le moins que je puisse dire, au nom de mes collègues et de moi-même, c'est que nous sommes impressionnés. » Ils se levèrent alors et nous serrèrent la main.

Singe 'n Burn était aux anges, on avait franchi le principal obstacle. Ils avaient pris au sérieux ma candidature de bachelier. Quelques jours plus tard, je passai avec Hymie l'examen d'entrée à Oxford dont on devait annoncer les résultats avant l'attribution des bourses.

Quand je rentrai chez moi pour les vacances de Noël, je découvris ma photo à la une des *Goldfields News*. Mr. Hankin, journaliste frustré s'il en fut, s'était servi du cliché que Doc avait pris alors que j'étais assis sur le rocher le jour où on s'était rencontrés sur la colline derrière le jardin de roses. Bien qu'en ville tout le monde sût qui j'étais, une manchette annonçait au-dessus : GARÇON SUR UN ROCHER SUR LE CHEMIN D'OXFORD ! Je me rappelai avec une certaine amertume l'usage qu'en avait fait ce vieil imbécile la dernière fois, quand il avait accusé Doc d'être un espion nazi et de m'avoir cassé la mâchoire.

Une fois de plus, j'étais un héros à Barberton. Pour ce petit monde, mon accession au statut de boursier d'Oxford n'était plus qu'une question de forme. Durant le mois qui précéda les résultats des examens d'entrée à Oxford, Miss Bornstein vécut dans l'angoisse.

A la prison, ils furent beaucoup plus impressionnés par la combinaison en treize coups de Solly. S'ils avaient pu choisir entre une bourse d'études à Oxford, dont ils n'avaient jamais entendu parler ni de près ni de loin, et une combinaison en treize coups, il est quasiment certain qu'ils auraient préféré la seconde solution. Une fois de plus, je remportai le titre des poids plume de l'Est-Transvaal et du meilleur boxeur des championnats. Grâce à cela, ma quatrième victoire consécutive, le capitaine Smit, en un moment qu'il qualifia par la suite comme étant l'un des plus beaux de sa vie, put réclamer le trophée pour le Barberton Blues, à titre définitif.

Mes résultats d'examen arrivèrent fin janvier, précisant que j'avais été reçu avec mention très bien dans toutes les matières. Miss Bornstein ne se tenait plus et la nouvelle fit un tel raffut dans les parages que le Vieux Bornstein trouva moyen de perdre la première partie d'échecs qu'il m'eût jamais concédée tout en protestant fermement qu'il ne l'avait pas fait exprès. Quatre jours plus tard, une lettre arriva du comité des bourses d'Oxford.

Cher Mr. « Peekay »,

De la part du comité de sélection aux bourses d'Oxford pour l'année 1950, nous sommes au regret de vous informer que votre candidature n'a pas été retenue.

Le comité de sélection m'a demandé de vous féliciter pour votre attitude au cours de l'entretien et pour les résultats que vous avez obtenus à l'examen obligatoire.

Le comité estime sincèrement que, votre licence obtenue, vous devriez vous représenter.

Veuillez agréer mes salutations distinguées,

L. J. Fischer,
Secrétaire du Comité.

Autour de moi, les gens s'attendaient toujours à ce que je remporte la victoire, c'était une habitude, une satisfaction qui allait de soi. Je vis qu'ils étaient retournés et cruellement déçus : ils avaient rempli leur contrat et je les avais en quelque sorte trahis. Miss Bornstein et Mrs. Boxall, complètement bouleversées, s'étaient vite convaincues d'une espèce de complot. Ma mère, après avoir versé quelques larmes, en arriva rapidement à la conclusion que le Seigneur avait décidé, que Sa volonté en allait autrement, et que, si seulement je L'acceptais dans mon cœur et dans ma vie, Ses intentions à mon endroit deviendraient claires. Deux jours plus tard, elle annonça au dîner que le Seigneur l'avait explicitement informée et que je devais renoncer à la boxe car cela Lui déplaisait. Une fois la question réglée, le Seigneur me guiderait dans les projets qu'Il nourrissait spécialement pour moi.

Lorsque je répondis que la boxe comptait trop pour moi, elle éclata brusquement en larmes. « C'est le diable qui parle en toi, on ne se moque pas de Dieu ! » hurla-t-elle, quittant la table, le visage caché dans sa serviette.

« Allons, allons. C'est un bon gars », tenta de tempérer mon grand-père.

Le lendemain, arriva une lettre de Singe 'n Burn dans laquelle il disait qu'il était sûr que je surmonterais ma déception et que j'avais en moi le courage de devenir plus fort grâce à cette expérience. Il affirmait que le véritable homme de la Renaissance acceptait la défaite comme étant l'élément qui justifiait de se battre pour parvenir à la réussite finale, etc., etc. Il ajoutait ensuite qu'il avait reçu une lettre du professeur Stonehouse de Witwatersrand University qui, s'avéra-t-il, n'était autre qu'Ichabod Crane. Dans ce mot, Stonehouse avait fait remarquer que le comité avait eu la visite d'un certain capitaine Swanepoel qui n'avait pas été élogieux à l'égard du collège ni de ses activités et surtout à propos du rôle que j'y jouais. Il voulait assurer Singe 'n Burn que, même si on lui soutenait le contraire, cette affaire avec la police n'avait pas affecté son jugement ni celui de ses collègues, il en était convaincu. Stonehouse terminait en déclarant que ma demande de bourse à Witwatersrand avait été accordée et qu'il espérait que le directeur saurait user de son influence pour que je l'accepte.

La semaine suivante, l'autre bourse, pour Stellenbosch, fut confirmée et on m'invita à me présenter à Natal University. Cependant, je savais que dans l'esprit de ceux qui m'aimaient, ce serait comme d'accepter les miettes à la table d'un nanti. Oxford représentait quelque chose de particulier à leurs yeux et aucun autre endroit, si noble fût-il, n'aurait satisfait les espoirs qu'ils avaient mis en moi et ne les aurait récompensés du rôle qu'ils avaient joué.

Seul mon grand-père semblait imperturbable. Il n'avait rien dit quand la lettre du comité était arrivée hormis, bien entendu : « C'est un bon gars. » Je le retrouvai un peu plus tard dans le jardin où il greffait des boutures de rosiers et on s'assit à l'ombre de l'un des vieux chênes anglais, à l'abri du soleil aveuglant de décembre. Comme d'habitude, il prit dix minutes pour tapoter, bourrer et allumer sa pipe avant de souffler enfin un nuage bleu qui encadra son visage. Je lui avais donné une boîte d'Erinmore que j'avais achetée à Johannesburg et la fumée du tabac au goût de miel dégageait une odeur délicieuse alors qu'elle s'envolait en volutes autour de sa tête.

« Mon frère Arthur est allé à Oxford, c'était la grosse tête de la famille. Il avait eu une bourse, comme toi, d'abord pour entrer au lycée, puis à Oxford. » Il tira une bouffée et contempla le toit qu'on n'avait toujours pas repeint. « De mon temps, il y avait très peu de collégiens qui arrivaient à faire leur chemin vers les cimes grisantes d'Oxford et de Cambridge.

— Que lui est-il arrivé, grand-père ? »

Le vieil homme tira sur sa pipe, puis regarda dans le vide pendant une éternité entre deux bouffées. « Je ne sais pas ce qui a mal tourné, mon gars. Il est devenu juge à la cour d'appel et il était complètement perclus d'arthrite à l'âge de quarante ans. Une vie lamentable en fait, il a eu beaucoup d'argent et un tas de misères pour lui comme pour les autres. D'après ma soeur Jessie, il est mort riche et seul. » Il tira une plus longue bouffée. « Ce qu'il y avait de drôle chez Arthur, c'est qu'il ne voyait jamais les choses telles qu'elles étaient. »

Hymie avait envoyé un télégramme toutes les semaines, pour savoir si les résultats étaient arrivés et me demandant de lui téléphoner, en PCV, dès que je les aurais. Je l'appelai du bureau de Mrs. Boxall à la bibliothèque.

« Quel coup dur, Peekay, et si près du but, si près, nom de Dieu ! » Il y eut un déclic dans l'appareil, suivi d'une voix de femme. « C'est l'opératrice, je vous prie de ne pas jurer sur les lignes de téléphone public. » On entendit un autre déclic. « La vache ! Qui c'était ? » s'enquit Hymie au bout de la ligne. Il y eut un nouveau déclic et la ligne fut coupée. Je recomposai le numéro.

« Opératrice, j'ai été coupé.

— Peekay, c'est Doris Engelbrecht ! » Doris était une femme d'une bonne vingtaine d'années, une « amygdalectomie » convertie de Marie qui donnait des cours au catéchisme à la Mission de la Foi apostolique. « Je suis censée couper les appels qui renferment des mots obscènes. Ton correspondant de Pretoria a tenu un langage ordurier et blasphémé le nom de Dieu. Je ne peux tolérer cela sur les lignes du téléphone public même s'il paie la communication.

— Je suis désolé, Doris. C'est sa façon de parler, il ne voulait rien faire de mal, il est comme ça, c'est tout.

— Enfin, Peekay, comment peux-tu fréquenter une personne de ce genre ? Toi qui es si intelligent et tout, toi dont la mère est une chrétienne de la Résurrection de premier ordre ?

— Doris, vous n'avez pas à écouter, les conversations téléphoniques sont censées être personnelles.

— Il est dit dans les Ecritures que je ne dois pas laisser les gens employer des termes obscènes au téléphone. Comment puis-je faire si je ne les entends pas ? »

Il n'y avait apparemment pas de réponse à cela. « Doris, si vous me passez mon correspondant à Pretoria, je lui demanderai de ne pas employer de gros mots.

— Dis-lui aussi de se rincer la bouche avec du savon Lifebuoy ! » riposta Doris.

Deux minutes plus tard, le téléphone sonna. J'attrapai le combiné et, sans laisser à Hymie le temps de prononcer un mot, je lançai : « Fais gaffe à ce que tu dis, Levy. Doris, la chrétienne de la Résurrection, t'a mis sur écoute. »

Il n'y eut qu'une très légère hésitation au bout du fil. « Quels sont vos chocolats préférés, Doris ? » s'enquit Hymie. Le silence lui répondit. « Black Magic ou ces grosses boîtes à trois livres avec l'image d'un cottage anglais sur le couvercle où on voit toutes les fleurs dans le jardin, vous savez celles avec un gros ruban rose ? » Toujours le silence. « Je voulais juste vous dire que je regrette mes propos, de tels propos peuvent indisposer certaines oreilles. »

La voix de Doris intervint d'un ton cassant. « Dis au correspondant au bout du fil que je ne me laisserais pas tenter par le diable, Peekay !

— Mais, Doris, mon ami a une fabrique de chocolat, c'est juste sa façon de s'excuser, affirmai-je pour l'amadouer.

— Une si grosse boîte que vous n'arrivez pas à la prendre d'une seule main, Doris, poursuivit Hymie.

— Celle avec le jardin et le ruban rose alors, murmura Doris d'une petite voix.

— D'accord. Mais vous devez promettre de ne plus écouter, Doris, déclarai-je.

— Uniquement si tu jures sur le nom de Dieu que ton ami ne blasphémera plus, répliqua-t-elle d'un ton où perçait encore la mise en garde.

— Merci, Doris », dit-on en chœur. Il y eut un déclic, Doris s'était retirée.

« Je t'en supplie, n'oublie pas d'envoyer les chocolats, Hymie. Je suis obligé de vivre ici, moi.

— On peut parler maintenant ? s'enquit Hymie.

— Bien sûr ! Tu as la parole d'une chrétienne de la Résurrection !

— Non, je n'oublierai pas. On a une pièce entière bourrée de boîtes de chocolat scandaleusement grandes au magasin de tapis. Mon père appelle ça ses pots-de-vin ; tous les clients ont droit à une boîte quand un vendeur estime qu'il est temps de conclure la vente. Mon père prétend que toute son affaire est bâtie sur le chocolat. » Hymie se mit à rire. « Il appelle même les vendeurs ses soldats en chocolat ! »

Son ton changea brusquement. « La proposition tient toujours, mon vieux. Tu n'as pas à prendre l'argent, ce n'est qu'un prêt. Maintenant que tu as été reçu à l'examen d'entrée d'Oxford et tout.

— Hymie, on en a déjà parlé ! Tu avais promis de ne plus revenir là-dessus.

— Mince alors, mais qu'est-ce que tu vas faire ? »

Je lui parlai des deux bourses qu'on m'avait proposées et du paragraphe de la lettre m'encourageant à me représenter une fois que j'aurais eu ma licence.

Hymie garda le silence un moment. « Ça y est, j'ai trouvé ! On va aller ensemble dans l'université que tu voudras et on fera ensuite les deux dernières années à Oxford. Tu n'as que dix-sept ans et moi dix-huit, on a tout le temps ! »

Ce fut mon tour d'être muet. « Tu as oublié une chose », repris-je enfin.

Hymie fut aussi rapide que l'éclair. « Bien sûr que non, on ira à Witwatersrand, Solly pourra rester ton entraîneur et les deux potes ne se quitteront pas.

— Ça a l'air formidable, Hymie, mais tu as été reçu à Oxford. Cela ne colle pas du tout avec tes projets.

— Les projets ! Les projets sont faits pour être chamboulés. C'est une bien meilleure idée. »

Je savais bien que non.

« Laisse-moi réfléchir, Hymie. Il ne me faut que quelques jours pour étudier la question. » Je compris soudain que je devais me rendre à la grotte de cristal de l'Afrique, que je devais « parler » avec Doc. Celui-ci jouait toujours un rôle important dans ma vie et il me semblait que la grotte de cristal de l'Afrique serait l'endroit où je me sentirais le plus proche de lui.

« Appelle-moi en PCV, dans une semaine. C'est promis ? Salut, Peekay. »

Le lendemain matin, je préparai un sac à dos et partis avant l'aube pour me rendre à la grotte. En milieu de matinée, j'étais arrivé au replat à côté de la caverne. Je n'avais aucune envie d'entrer ; l'esprit de Doc était présent partout, j'étais suffisamment proche.

Exposé à l'ouest, le saillant recevait le soleil de la fin d'après-midi ; j'étais donc assis à l'ombre, la surface lisse de la dolomite gardant encore la fraîcheur de la nuit. Je fermai les yeux comme Inkosi Inkosikazi m'avait appris à le faire des années plus tôt.

Surgit soudain dans ma tête le grondement de l'eau, puis je vis les trois cascades. Je me retrouvai au clair de lune sur un affleurement rocheux juste au-dessus des chutes. En contrebas déferlait la rivière qui s'engouffrait dans une étroite gorge. Juste avant qu'elle ne se rue dans le canyon, se formait un bassin d'eau verte au pied de la dernière cascade et, au milieu, à une enjambée de petit garçon les unes des autres, se trouvaient les dix pierres noires, leur surface plate et mouillée ne dépassant que de quelques centimètres au-dessus des remous.

J'inspirai profondément avant de m'élancer ; l'air frais et les gouttelettes me cinglèrent le visage. J'atteignis le bassin au pied de la première cascade, le grondement de l'eau étouffant le bruit de ma chute. Je revins à la surface pour être aussitôt entraîné vers la deuxième cascade, puis vers la troisième, débouchant dans le profond tourbillon des eaux vertes. Remontant tant bien que mal à la surface, je me mis à nager vers la première des pierres noires. Me hissant dessus, je bondis de l'une à l'autre, sautant enfin sur la plage de galets. Je sentis mes orteils et la plante de mes pieds effleurer les galets ronds bien lisses puis, au moment où j'arrivai, je me retrouvai dans la grotte de cristal de l'Afrique.

On aurait dit que la grotte était illuminée par la douce lumière du soleil ; je distinguais parfaitement ce qui m'entourait. C'était encore plus magnifique que tout ce que j'avais imaginé, les stalactites pendaient, de toutes les couleurs possibles, certaines tombant de la voûte sur près de dix mètres. Je m'approchai de la plate-forme de Doc, contournant les bassins aux eaux lisses comme un miroir où se reflétaient les superbes glaçons de pierre aux formes grotesques. Un rayon de soleil, aussi tranché que dans un ciel de Raphaël, tombait sur la plate-forme. Levant les yeux, je découvris dans la voûte un trou parfaitement rond par lequel filtrait le soleil comme si cela avait été calculé pour qu'il en soit ainsi à cette heure et en ce jour. Le faisceau de lumière brillait à travers les structures cristallines au-dessus de la plate-forme et éclaboussait l'escalier qui y menait. Je montai lentement les marches inégales ; enfin arrivé à la dernière, je contemplai le socle où gisait Doc.

Doc était tel que je l'avais imaginé, doigts tendus, bras pliés et croisés sur la poitrine, jambes droites, comme l'effigie d'un chevalier du Moyen Age reposant sur une tombe gothique dans le calme d'une grande cathédrale. Il était tout de cristal, la lumière douce faisant des reflets qui dansaient sur les bords de la statue. Un éclairage vif encadrait le visage sculpté de Doc.

Je lui avouai ma crainte de ne plus maîtriser mon destin. Je lui confiai que, m'étant si bien camouflé, j'avais maintenant l'impression d'être beaucoup trop façonné et dirigé par les besoins d'autrui. Que la puissance de l'ange, qui était en moi, s'était dispersée même si les intentions de tous à mon égard n'étaient ni perverses ni malveillantes. Au contraire, leurs actes baignaient dans l'innocence de l'amour. Je perdais tout pouvoir tandis que ceux qui m'entouraient pillaient mon esprit en me faisant don de leur personne.

On aurait dit qu'une voix intérieure me soufflait : je suis devenu expert en camouflage. Etant précoce, cela me permettait, à l'image d'un caméléon, d'être face à chacun ce qu'il attendait de moi. Pour Doc un compagnon, pour Mrs. Boxall un enchantement, pour les hommes un champion, pour le capitaine Smit une réussite, pour Miss Bornstein une paillette dans un tissu terne, pour Hymie un faire-valoir, pour Singe 'n Burn un produit et pour mes condisciples l'image de l'élève idéal, un gagnant et un type formidable.

J'étais un petit garçon pauvre parmi des gosses de riches et, dans mon esprit, je ne pouvais parvenir au statut que leur conférait le simple expédient de la richesse qu'en réussissant brillamment dans tous les autres domaines. J'en étais arrivé à m'identifier tellement à mon masque que la parodie était devenue beaucoup plus importante que la vérité. Même si cette attitude était si parfaitement au point qu'elle n'était plus délibérée, elle était cependant née du fait que j'étais contraint de me dissimuler. Quand j'étais petit, j'avais découvert qu'il n'y a que deux cachettes possibles pour ceux qui veulent rester planqués. Deux solutions : être une personne insignifiante ou un être d'exception. Ou on se fond dans un cadre populaire ou on avance dans une direction où la majorité redoute de vous suivre.

Mon camouflage, conçu des années plus tôt sous les persécutions du Juge, menaçait de forger l'homme accompli. Il était temps de me dépouiller de ma seconde peau marbrée inventée avec art, pour devenir moi-même, temps de prendre le risque de me mettre à nu, de reconquérir la puissance de l'ange. J'en étais arrivé au point où me trouver était esssentiel.

Je ne savais pas depuis combien de temps j'étais assis là, jambes croisées sur le replat, mais, mon œil accommodant peu à peu, la tache bleu pâle qui se dessinait devant mes yeux devint plus nette, prenant la forme des montagnes à l'ouest. Dans la forêt tropicale en contrebas, j'entendis le cri d'un lori rouge. J'avais les jambes raides et les chevilles endolories à force d'être immobile. Je me sentis envahi d'un sentiment de liberté… ce sentiment que j'avais éprouvé quand le gros train noir avait quitté le quai en sifflant, s'éloignant du foyer, de Mevrou et du Juge. Lorsque Hoppie s'était assis en face de moi et qu'on s'était lancés ensemble dans une aventure en partageant une sucette verte.

J'étais revenu du pays des songes dans la grotte de cristal de l'Afrique, convaincu que je devrais subir une dernière épreuve avant que la puissance de l'ange ne m'appartienne en propre. Quand mon destin serait entre mes mains.

Je demeurai assis, complètement figé, comme Doc m'avait appris à le faire lorsqu'on observait un être vivant. « Aussi pétrifié que le rocher, Peekay, dépasse le stade des démangeaisons et de la douleur pour arriver à un état de concentration d'une lucidité absolue. » Je restai donc parfaitement immobile, sortant peu à peu du cocon où m'avait plongé mon état de transe. Dans ma tête, je demandai à Doc de se manifester.

En cet instant, aussi pétrifié qu'un rocher sur le saillant juste devant la grotte de cristal de l'Afrique, je n'avais pas l'ombre d'un doute, je n'étais pas davantage troublé par l'absurdité de ma démarche, réclamant un signe, une confirmation sous un aspect matériel du message que je percevais en moi avec une telle clarté.

Au début, ce n'était même pas l'esquisse d'un mouvement, encore moins qu'un battement de paupières, une légère tache de lumière. Puis la tête du mamba noir surgit du replat à soixante centimètres de moi. Sa tête plate gris anthracite se figea à quelques centimètres du rebord du saillant. Sa langue fourchue, comme animée d'une vie propre, jaillit et s'agita, émettant des vibrations. L'énorme serpent se redressa, pointant au-dessus du replat, s'avançant jusqu'à ce que sa tête se trouve à une quinzaine de centimètres de mon visage. Je voyais ses yeux, des obsidiennes noires rivées au-dessus d'une mâchoire au poison mortel. Sa tête bougea au ralenti d'un côté à l'autre, balayant mon champ de vision. S'il me frappait, il me resterait un quart d'heure à vivre… suffisamment pour entrer dans la grotte et m'étendre auprès de Doc avant que mon système nerveux n'abandonne. La tête du mamba disparut de ma vue et vint se poser au bout de ma botte. Je sentis la pression de son corps tandis qu'il glissait sur ma botte, puis sur le saillant pour disparaître derrière la falaise. Le serpent ne pouvait venir que de la grotte. Doc m'avait fait un signe. Je savais ce que je devais faire.

Peu à peu, mon corps reprit vie, je perçus la poussée d'adrénaline au moment où elle se déchargea dans mon sang, me laissant tremblant. J'attendis de me calmer avant de descendre sur le minuscule replat où, collé contre l'escarpement, je me propulsai jusqu'à me retrouver devant l'entrée de la grotte. Le sol de la galerie menant à la caverne était couvert de sable qui s'était effrité des parois sous l'érosion du vent. Je vis distinctement par où était arrivé le serpent puis s'en était retourné, s'étant sûrement gavé des malheureuses chauves-souris qui dormaient à l'intérieur. Doc m'avait envoyé le signal que j'attendais.

Je rebroussai prudemment chemin vers le saillant, repris mon sac à dos et commençai à descendre la falaise. Il y avait peu de chances que je rencontre le serpent en route. Bourré de chauves-souris, il allait chercher un endroit où dormir à l'abri d'un rocher où il ne risquait pas d'être dérangé.

Après m'être remis de mes frayeurs, je trouvai que le serpent était un symbole parfaitement approprié, peut-être même extraordinaire. Le mamba noir, le serpent le plus mortel qui soit au monde, prend un compagnon de vie. Si ce dernier se fait tuer, le premier attend souvent le retour de l'assassin, prêt à mourir pour s'acquitter de sa vengeance. Pas agressif de nature, il défend cependant son petit, se redressant de toute sa taille et frappant de côté tel un fouet. Les hommes levant instinctivement les bras pour se protéger les yeux quand ils ont peur, les crochets du mamba s'attaquent généralement au haut du bras. Le chemin jusqu'au cœur est court et la mort certaine.

La consternation fut générale quand j'annonçai que je voulais prendre une année sabbatique avant d'entrer à l'université et que je me rendrais en Rhodésie du Nord pour travailler dans les mines de cuivre. On aurait dit que tous les gens qui m'aimaient, même les boxeurs, avaient l'impression que si je rompais le rythme de ma vie, le sortilège qui nous unissait serait brisé.

A Noël, le frère de Gert, qui était venu le voir du Copperbelt, avait parlé du manque de main-d'œuvre blanche dans les mines du Copperbelt et du Congo. La guerre de Corée venait de commencer et le prix du cuivre était monté en flèche. Il raconta que les foreurs à pointe de diamant gagnaient deux cent livres par semaine et que les jeunes travaillant sur « les grizzlys » en gagnaient une centaine après avoir touché leur prime.

La Rhodésie du Nord était une colonie anglaise située de l'autre côté du Zambèze. C'était loin des gens qui me tenaient en esclavage sous le tendre joug de leurs ambitions. Loin de la légende de l'Ange Têtard. Et même loin du monde de la boxe. Je voyais là une occasion de faire la paix avec moi-même et de me charpenter pour devenir un poids welter. Le travail de la mine m'endurcirait et un an loin du ring ne me ferait pas de mal. Je boxais depuis l'âge de sept ans, j'avais disputé cent seize combats amateurs. Mon instinct, qui ne me trompait jamais, me disait qu'il était temps de faire une pause.

Le frère de Gert, Danie, était foreur à pointe de diamant, le corps d'élite parmi les mineurs du Copperbelt. La plupart des foreurs était des Afrikaners de Johannesburg attirés par l'énorme prime qu'on accordait aux Blancs. On les appelait ainsi parce que le bord coupant des mèches de foreuse était émaillé de diamants industriels pour qu'elles aient la force de creuser la roche. Danie travaillait dans une mine près de Ndola, la capitale de la Rhodésie du Nord. Il me dit qu'il pourrait me faire engager sur un grizzly à la Rhone Antelope Mine, propriété de l'Anglo-American, dans la petite ville minière de Luanshya. Un type employé sur un grizzly travaillait avec des explosifs très puissants, c'était le poste le mieux payé après celui de Danie.

Au cours du voyage de quatre jours, le train quitta l'Afrique du Sud à Beitbridge, puis traversa la Rhodésie du Sud jusqu'aux Victoria Falls où je franchis le Zambèze pour entrer en Rhodésie du Nord. La Rhodésie du Sud n'est pas très différente de l'Est et du Nord-Transvaal alors que, de l'autre côté du grand Zambèze, le paysage cède à la prairie et à la forêt tropicale. Les arbres qui couvraient de vastes superficies ne ressemblaient à aucune essence que je connaissais car ils gardaient leurs couleurs automnales tout l'été. Des feuilles rouges et jaune vif ou même mauves et pourpres, toute la palette qu'on trouve dans l'hémisphère Nord en cette saison. Un voyageur assis à côté de moi me parla de champignons géants comestibles qui jaillissaient dans la forêt en une nuit, atteignant soixante centimètres de haut avec un chapeau d'un mètre de diamètre. Un spécimen pesait treize kilos et demi. J'avais assez roulé ma bosse pour ne pas prendre tout ce qu'on me racontait pour parole d'évangile. Pourtant, au cours des mois suivants, j'allais voir des Africains vendre ces énormes champignons au bord de la route, coupant simplement la portion que désirait le client. Le sol mouillé et feuillu de la forêt donnait aussi naissance à des papillons de nuit géants aux couleurs éclatantes dont les ailes avaient une envergure de vingt-cinq centimètres.

La Rhodésie du Nord semblait différente et les Africains, comme presque toujours en Afrique centrale, étaient vraiment noirs, leur visage étant apparemment plus aplati et leur charpente plus petite que le chocolat au lait plus clair du Zoulou ou du Shangaan. Ils parlaient swahili. Je m'aperçus avec consternation que je ne parlais pas cette langue et que, pour la première fois de ma vie, j'étais coupé du peuple africain. Dans les mines, on employait une langue baptisée ki-swahili qui était analogue au fanagalo mais qui, comme tous les parlers destinés à un rapport de travail, était limitée et pauvre. On recrutait les Africains au fond de leurs villages dans la brousse pour les engager aux mines où on leur apprenait cette langue afin qu'ils puissent recevoir des ordres de leurs supérieurs et, la plupart du temps, discuter entre eux. Une équipe de travail comprenait souvent des mineurs noirs de cinq ou six tribus différentes, chacune ayant son propre dialecte.

A quatre heures de l'après-midi le quatrième jour, on arriva enfin dans la ville endormie de Ndola. Ce n'était en fait qu'une petite communauté qui se composait des familles de mineurs et des commerçants vivant sur les énormes mines de cuivre. La ville comptait aussi des fonctionnaires coloniaux britanniques et leurs proches. Cela formait une dichotomie difficile parmi les Blancs. Les familles des mineurs se mêlaient rarement à celles des fonctionnaires installées à l'autre bout de la ville. Ndola se trouvait à une cinquantaine de kilomètres de Luanshya mais, pour les voyageurs, c'était le terminus.

Le frère de Gert me retrouva à la gare où fusaient les bavardages des Noirs troublés et apeurés. Des employés blancs des mines feignaient l'indifférence tandis que les policiers noirs de la société, en uniforme bleu, pleins de suffisance et d'impatience toute professionnelle, rassemblaient et bousculaient des centaines d'Africains à la descente du train. Il était trop tard pour revenir en arrière : on les avait cueillis dans la brousse comme des melons d'eau du désert.

Depuis deux jours et deux nuits, le train s'était arrêté le long de vagues abris en tôle ondulée, isolés de la brousse par une petite clairière. Un recruteur noir poussait dans le train de maigres groupes d'une douzaine d'Africains enveloppés dans des couvertures. Le blanc de leurs yeux trahissait leur peur et leur trouble tandis qu'on les entassait comme des paquets à bord du monstre, qui sifflait et recrachait de la fumée, sous les quolibets de ceux qu'on avait ramassés aux arrêts précédents et qui se tenaient maintenant le bras négligemment posé sur le rebord de la fenêtre du compartiment, s'étant habitués au cliquetis de la vitesse et au miracle de ce serpent qui se déroulait sur un chemin de fer.

Ils en étaient presque au terme de leur voyage. Je regardais les policiers noirs de la mine qui tentaient sans ménagements de les mettre en rang. Ils venaient uniquement parce que la sécheresse et une terrible invasion de sauterelles avaient détruit leurs récoltes et les pâturages de leur bétail. Arrachés à leur village pour travailler à la mine sous contrat, ils allaient y passer un an pour envoyer de l'argent à leurs femmes et à leurs enfants qui mouraient de faim. La peur que ces malheureuses créatures éprouvaient la première fois qu'on les faisait descendre dans les entrailles de la terre déchaînait les rires des mineurs noirs expérimentés mais aussi de nombreux Blancs.

Le frère de Gert remarqua que j'observais ces pauvres bougres. « Eh oui, on dirait des singes quand ils débarquent. Ils ne sont même pas capables de monter une échelle et si tu leur montres leur reflet dans une glace, ils en deviennent quasiment blancs en voyant le gros singe qui les regarde. C'est très drôle, je te jure. » Il prit ma valise et se dirigea vers une camionnette verte Bedford. Je lui emboîtai le pas. « J'ai quitté mon boulot pour te conduire à Luanshya. J'ai appelé le foyer hier, ils sont au courant de ton arrivée. Demain, tu dois te présenter au bureau de recrutement pour passer la visite médicale, puis tu iras t'inscrire à l'école des mines pour trois mois. Je tiens à te prévenir, mon vieux, ils ont un salaud de Gallois là-bas qui s'appelle Thomas, méfie-toi de lui. Si tu sors de l'école et que tu obtiennes ton permis pour manier l'explosif, tu en prends pour six mois de grizzly, trois si tu as de la chance. Mais ça rapporte gros.

— Pourquoi six mois seulement ou même trois ? m'enquis-je alors qu'on s'éloignait de la gare.

— Je ne voulais pas te le dire avant mais si tu restes plus longtemps, tes chances augmentent.

– Mes chances ?

— Ja, mon vieux, tes chances d'être gravement blessé ou de te faire tuer. » Danie se mit à rire. « C'est pas pour rien qu'on te paie aussi cher, tu sais.

— Tout le monde passe par là ?

— Ja, tous les jeunes. Si tu as plus de vingt-deux ans, tes réflexes ne sont pas assez rapides. Il n'y a que les jeunes qui soient assez rapides ou assez fous pour le faire ! ajouta-t-il avec un large sourire.

— Apparemment, je n'ai guère le choix ! »

Le frère de Gert s'esclaffa de nouveau. « Non, aucun. Tous les jeunes doivent travailler là-dessus, sinon personne ne le ferait. Sur le Rand*, c'est même pas permis. Passer le minerai par un grizzly, c'est le meilleur moyen, mais c'est aussi le plus dangereux. Le syndicat des mineurs du Rand n'en accepterait jamais la queue d'un et ils sont interdits partout en Afrique du Sud, mais ici en Rhodésie du Nord, ils s'en fichent. Du moment qu'ils peuvent extraire leur merde, ils sont contents. » Il se tut au moment où il prit un virage, s'engageant sur un chemin de terre défoncé au sortir de la ville. « Mais tu gagnes des paquets de fric et, si tu es prudent, il ne t'arrivera rien. »

Je ris. « Ne t'inquiète pas, Danie, je ferai drôlement gaffe ! »

Il me regarda, ses mains vibrant sur le volant alors qu'on arrivait à un endroit bourré d'ornières. « C'est bien le putain de problème, le type qui est sur un grizzly travaille de nuit, de onze heures à sept heures du matin, il doit retirer tout le minerai de l'excavation. Mon boulot, c'est de forer le trou toute la journée et c'est toi qui, la nuit, dois extraire la boue par le grizzly. Si tu es trop prudent et que tu n'en dégages pas suffisamment pour que j'aie une cavité vide sur laquelle travailler, tu es dans le pétrin jusqu'au cou ! » Il me fit un sourire entendu. « Si ça t'arrive deux, trois fois, tu n'as plus qu'à rentrer chez toi. Le foreur à pointe de diamant, c'est le roi et si tu lui bousilles son excavation, tu mettras plus jamais les pieds dans une mine, mon vieux. »

Je gardai le silence. Je ne savais absolument pas de quoi il parlait, mais j'imaginais qu'on subissait toutes sortes de pressions quand on travaillait sur un grizzly, quel que soit le boulot. Et quand on est sous pression, c'est là qu'ont lieu les accidents.

« Ce qu'il y a de bien avec Thomas, le type de l'école des mines, c'est qu'il te fait vivre un tel enfer pendant la formation que si tu tiens le coup et que tu obtiens ton permis pour manier l'explosif, tu as de fortes chances de survivre sur un grizzly. »

Danie me laissa au foyer, où j'avais une chambre réservée pour un mois avant de m'installer seul dans une cabane, dans l'une des zones pour célibataires aménagées alentour.

« J'essaierai de venir te voir de temps en temps, d'accord ? Mais c'est pas facile ici, chaque ville minière est indépendante et tu

* Abréviation de Witwatersrand, région aurifère d'Afrique du Sud *(NdT)*.

travailleras de nuit alors que je suis toujours de jour, donc ça servirait à rien que je passe. Si c'est trop dur, tu peux m'appeler. » Il griffonna le nom de sa mine et un numéro de téléphone sur un bout de papier. « Laisse-moi un message au bureau, je viendrai le plus vite possible. » Il me tendit la main. C'était un balèze, au moins un mètre quatre-vingt-dix, et il avait une poigne de gorille comme toujours les Afrikaners.

Je le remerciai de son aide. « Pas de problème, Peekay, les amis de mon petit boetie sont mes amis. Gert dit que tu es un type formidable et qu'un jour tu deviendras champion du monde, je suis content de pouvoir t'aider. » Il s'arrêta un instant. « Ici aussi on fait de la boxe, mais il n'y en a pas un qui te vaille. Certains Cafres ne sont pas mauvais, ils seront parfaits pour t'entraîner, ces sales singes ont la tête si dure qu'ils useraient une foreuse à pointe de diamant. A un de ces jours, Peekay, bonne chance, hein. » Je regardai la camionnette accélérer, dérapant avant de s'éloigner dans un nuage de fumée.

En dehors des bureaux administratifs et de la fonderie, la petite ville minière de Luanshya se composait de deux parties. La ville en elle-même, qui abritait les employés mariés et leurs familles, les professeurs, les commerçants et les fonctionnaires coloniaux, des policiers pour la plupart, et une zone à part réservée aux célibataires constituée de plusieurs centaines de cabanes rondes qu'on appelait selon le terme sud-africain des *rondavels*.

Elles avaient toutes un toit en tôle ondulé, des murs et un sol en ciment. Chaque cahute avait une véranda carrée pare-mouches d'un mètre quatre-vingts sur quatre mètres cinquante de long. Alors que la véranda était une construction minable destinée à se protéger des moustiques et à laisser entrer la brise, la porte était en tôle, quasiment impossible à abattre quand elle était fermée de l'intérieur. De chaque côté de la baraque étaient aménagées deux petites fenêtres avec des barreaux. Ces huttes n'avaient rien d'accueillant ni de confortable, hormis la présence d'un gros ventilateur qui parfois, par une chaleur d'enfer après une nuit passée sur un grizzly, dispensait assez d'air pour vous plonger dans un sommeil agité.

Dans la rondavel, il y avait un lit, une penderie, une table et deux chaises. Au milieu de cette armée de cabanes négligées se trouvait le foyer où on mangeait pour quelques livres par mois. Le groupe de maisons où j'allais vivre comptait des hommes venant de quarante-deux pays différents, la plupart ayant un passé douteux et un avenir incertain dans leur pays d'origine. Alors qu'il y avait quelques types préposés au grizzly comme moi, des jeunes qui étaient rapides et assez en forme pour travailler sur les barres d'acier au tungstène sans se tuer, la majorité des mineurs avaient la trentaine, certains étant même plus vieux. C'étaient tous des durs, sans exception, des durs qui étaient là pour l'argent. Très peu étaient des mineurs classiques, beaucoup étaient des ivrognes et des criminels, certains des ex-nazis en cavale, d'autres des mercenaires qui avaient continué sur leur lancée à la fin de la guerre, en attendant la prochaine même s'ils n'étaient pas prêts à endosser l'uniforme pour des affaires sérieuses comme celle qui se déroulait en Corée. Certains étaient des tricheurs, des escrocs et des voleurs qui, tout en travaillant dans les mines afin de pouvoir rester en ville, étaient venus pour ce qui se passait après le boulot.

J'appris que la politesse habituelle n'était pas de mise et qu'il ne fallait pas demander à quelqu'un d'où il venait ni l'interroger sur son passé. Il pouvait lui arriver de vous le raconter quand il avait l'alcool sentimental, mais en général le fumier, comme les gens de la ville appelaient les types des baraquements, avait appris à se taire, qu'il soit ivre ou à jeun. J'appris aussi très vite à fermer ma porte le samedi soir quand, une semaine après qu'on m'eut attribué une cabane, j'évitai de justesse un viol collectif. Dans une ville sans femmes en dehors d'une poignée de dames mariées, un garçon de dix-sept ans représentait une occasion formidable pour une bande d'Allemands, de Russes, d'Algériens français et de Slaves pris de boisson. Si je n'avais pas été sauvé par Raspoutine, un colosse géorgien qui ne parlait quasiment jamais, je serais sûrement passé à la casserole. Alors que la police maintenait l'ordre en ville, le domaine du fumier était propriété de la mine et largement livré à lui-même, sauf si une bagarre à coups de couteau ou une querelle d'ivrognes dégénérait.

Toutes les six semaines, un DC-3 belge atterrissait sur la petite piste située à un kilomètre et demi de l'agglomération près du puits de mine n° 9. Pour la plus grande joie du fumier qui attendait, il déversait une cargaison de vingt-cinq putains en provenance de Bruxelles via le Congo belge où elles avaient déjà passé une semaine fort lucrative dans les mines de cuivre de la province du Katanga. Deux semaines couchées, et elles vivaient un an tranquilles chez elles. En fait, il y avait pas mal de jeunes femmes au foyer qui gagnaient ainsi de quoi s'acheter une maison ou des vendeuses qui se faisaient une dot. L'Europe manquait d'hommes et il fallait à une fille un peu plus qu'une famille respectable pour avoir l'espoir de se marier. Il suffisait de deux semaines de vacances qui s'expliquaient facilement, et de deux jambes écartées du matin au soir pour consolider une demande en mariage grâce à l'acompte, offert ostensiblement par les parents de la mariée, sur une jolie petite maison dans les faubourgs d'Anvers. Certaines de ces dames étaient des professionnelles car une partie du fumier exigeait ce genre de services. Une bonne pute sait comment s'y prendre pour enivrer un type, lui donner ce qu'il veut et lui voler une semaine de paye sans perturber son anonymat ni toucher son cœur. Pour un homme en cavale, la compassion, l'amour ou même l'innocence feinte représentent le plus grand risque, sur le plan émotionnel.

Le jour où l'avion des putes arrivait, le fumier attendait dès l'aube, s'asticotant pour savoir qui aurait de la chair fraîche et les plus jolies femmes, maudissant ce foutu fumier français de l'autre côté de la frontière du Congo qui était passé avant, se disant que c'était bien connu : le fumier français avait de toutes petites queues et c'était pour ça que les femmes y allaient en premier. Ils se disaient avec force clins d'œil et rires gras que, si ça avait été le contraire, ces fichus Français auraient fini par les avoir à l'œil car les putes ne se seraient pas rendu compte qu'elles étaient au turbin. On appelait les filles des French letters*, parce que c'était le fumier français qui avait trempé le premier sa pine dedans avant de les envoyer par avion de l'autre côté de la frontière. Les mineurs du Congo étaient un mélange hétéroclite exactement comme le Copperbelt, bien que la majorité fût composée de Belges de langue française. Cependant, la distinction échappait au fumier en général. « S'il parle français, c'est un Français. Alors, pourquoi discuter ? »

Ma nouvelle vie commença à l'école des mines, école dont l'enseignement avait principalement lieu sous terre, de jour, au puits n° 9 qui se trouvait à la limite de la ville. Elle était dirigée par deux Gallois costauds qui, prétendait-on, avaient joué première ligne pour Cardiff avant-guerre. Dai Thomas et Gareth Jones formaient un remarquable duo, Thomas travaillant sous terre avec les élèves tandis que Jones, ancien professeur et technicien des mines, donnait les deux heures de cours théorique avant le début de nos huit heures au fond de la mine.

Le duo avait pour but de tirer le maximum de souffrances des

* « Capotes anglaises », mais la traduction littérale de l'expression anglaise est : « lettres françaises » *(NdT)*.

trois mois passés sous leur coupe. Jones confiait à Thomas les faiblesses de chacun et celui-ci faisait tout son possible pour les exploiter quand on arrivait sous terre. Ils considéraient qu'ils avaient pour fonction de montrer aux hommes comment s'en sortir vivants au fond de la mine et, ce faisant, ils les tuaient quasiment.

A dix-sept ans, j'étais le plus jeune et aussi le plus petit du groupe d'élèves récalcitrants le plus coriace qu'on eût jamais réuni pour apprendre quelque chose. On était tous là pour l'argent et non pour faire carrière. Toutefois, le service des mines de la Rhodésie du Nord exigeait que tous les mineurs obtiennent leur permis pour manier l'explosif, ce qui nous obligeait à apprendre non seulement comment employer la dynamite mais aussi à recevoir une formation d'arrimeur, raucheur, foreur et soudeur. Sur le plan physique, les deux premiers mois furent les plus éprouvants de ma vie. Avec mes cinquante-neuf kilos, je n'étais pas fait pour ce genre de travail. On n'était pas en Afrique du Sud et Thomas tenait à ce que les hommes rassemblés sous sa direction s'acquittent de toutes les tâches réservées habituellement aux mineurs africains. Le travail de forage, qui vous brisait le dos, et l'arrimage d'un roulage qu'on venait de faire sauter amenaient parfois des hommes adultes à un état d'épuisement total et, très souvent, les exaspéraient au point de se révolter. Thomas était impitoyable. L'arrimage consistait à retirer à la main la roche qu'on avait fait sauter, la ramasser à la pelle puis la charger sur des wagonnets souterrains. On faisait cela six heures par jour, tous les jours le premier mois, souvent dans des roulages étroits à trois cents mètres sous terre par 40°. On avait droit à une demi-heure pour déjeuner et à une pause de cinq minutes toutes les heures pour boire. Des années de boxe m'ayant formé les bras et le torse, je pris vite le rythme pour manier une pelle de mineur au bout contondant et au long manche. A la fin des huit heures cependant, j'avais les jambes en coton et je pleurais de fatigue. Thomas interpellait les hommes à coups d'injures, tentant toujours de provoquer une bagarre, de faire perdre la tête à un type pour lui faire sa fête. Un ou deux s'y essayèrent et non seulement ils eurent droit à une sévère raclée mais en plus ils furent renvoyés, ayant perdu toute chance de gagner un paquet de fric. Je mourais d'envie de me battre contre Thomas. Personne ne savait que j'étais boxeur ; quand je n'étais pas trop éreinté et que je pouvais rêver un peu, je l'imaginais me frappant, manquant désespérément sa cible et s'écroulant enfin, épuisé, s'étant ridiculisé devant le fumier. Dans ma tête, je l'abandonnais rampant par terre tandis que je ramassais tranquillement ma pelle à long manche et reprenais ma tâche sans dire un mot. Rien que l'idée que j'y serais sans doute arrivé dans la réalité me poussait à continuer lorsqu'il me harcelait, parfois sans répit durant une heure.

« Alors, grosse tête de merde, toi qui es si malin, combien faut-il de gélignite pour faire sauter une brèche de douze ? » Au cours de la première semaine, j'avais lu d'un bout à l'autre les manuels que Gareth Jones nous avait donnés. Thomas ne tarda pas à découvrir que je connaissais les réponses aux questions simples qu'il nous posait quand on descendait dans la mine tous les jours. La présence d'une grosse tête dans sa classe ne lui souriait guère et il semblait décidé à avoir ma peau. Il m'interrogeait sur des sujets qu'on devait étudier des semaines plus tard mais, généralement, j'étais capable d'y répondre. Le reste du fumier n'était pas réputé pour ses capacités intellectuelles et la lecture n'est pas habituellement le point fort de ce genre de personnages. Je savais que je ne pouvais pas me tromper uniquement pour donner à Thomas le plaisir de me remettre à ma place. Le fumier était ravi que je réponde bien car ainsi, dans leur esprit, j'avais l'avantage sur Thomas.

« Des forages de six pieds ou de neuf, monsieur ? demandais-je.

— Tu joues au fortiche, mon gars ?

— Non monsieur, mais ce ne serait pas pareil, non ?

— Bien sûr que non, espèce d'imbécile, bien sûr que ce serait pas pareil !

— C'est pourquoi je vous ai posé la question, monsieur Thomas. »

Pris à son propre piège, Thomas ripostait avec colère : « C'est pas souvent qu'on se sert de marteaux-piqueurs de neuf pieds, hein ?

— Dans le cas où la roche est un peu durcie, si monsieur », répliquais-je.

Thomas sautait là-dessus, fou de joie. « Il y a de précieuses petites pierres durcies dans une putain de mine de cuivre, mon gars !

— Dans ce cas, huit kilos, monsieur », répondais-je sans m'émouvoir. Les hommes qui m'entouraient avaient des sourires aussi grands qu'une tranche de pastèque.

« Exact ! braillait Thomas. Mais ne joue pas au plus malin avec moi, mon gars. Sinon, tu vas arrimer jusqu'à ce que les bras t'en tombent et il te restera que des moignons pour te gratter le nez.

— Oui, monsieur », acquiesçais-je. Néanmoins, je savais qu'il aurait le dernier mot. Il me mettrait sur un bout qu'on aurait mal fait sauter, où le minerai s'était brisé en morceaux trop gros pour les ramasser à la pelle, si bien que je devrais casser et soulever les rocs toute la journée jusqu'à m'écrouler de fatigue.

« Te fais pas passer pour malade, mon gars, au boulot dans cinq minutes, sinon tu as une livre d'amende. » A l'école des mines, on recevait un salaire symbolique qui couvrait tout juste les frais de la cabane et de la cantine. Il nous restait ensuite deux livres pour les choses indispensables. Si, à la fin du mois, il vous manquait cinq livres, c'était encore plus dur.

Je me disais que rien de ce que disait ou faisait Thomas ne pouvait m'abattre. Je me convainquais que j'étais venu pour trimer. Effectivement, après deux mois à l'école des mines, mon corps n'avait jamais été si ferme et je savais que la puissance musculaire n'allait pas tarder à suivre. J'avais un speedball et un sac dans ma baraque où personne ne risquait de les remarquer ; tous les jours, je faisais des poids et haltères au gymnase ainsi que dix ou douze kilomètres de course à pied trois fois par semaine. Cependant, je n'essayai pas de rentrer au club de boxe.

Le sport était la seule chose que les mineurs et les gens bien avaient en commun. La vie sociale de la petite ville se déroulait au club, largement subventionné par les mines. Il affectait toutes les traditions et les usages de politesse que ce genre d'institutions anglophiles exigent de leurs membres issus de la petite bourgeoisie qui se trouvent par hasard projetés vers les hautes sphères d'une société coloniale dans un trou perdu. Le problème du fumier international avait été résolu en construisant un bar séparé qui lui était réservé. Il se trouvait dans un bâtiment qui disposait de sa propre entrée et où les hommes pouvaient venir sans être vus de l'establishment, les cadres des mines et les plus acceptables parmi les familles de mineurs.

Le bar du fumier, comme on l'appelait, avait un comptoir de quinze mètres de long, un sol en ciment et du carrelage blanc de cabinet aux murs sur un mètre quatre-vingts. Il y avait aussi des portes battantes comme dans un saloon. La salle proprement dite était vide et on pouvait uniquement rester debout. Dehors se trouvait un « jardin à bière » avec une centaine de tables, chacune arborant un parasol inamovible en fer soudé au centre d'une table en acier qui, à son tour, était vissée au sol de la cour en ciment peinte en vert. Les chaises étaient aussi en acier, les pieds étant fixés au sol. Chacune des tables et ses six chaises étaient peintes d'une couleur différente si bien que, de loin, l'ensemble semblait très gai. Au-dessus des tables, suspendues comme de hautes cordes à linge, étaient accrochées des guirlandes de lampes colorées qui, le soir, donnaient à tout un étrange reflet vert et mauve.

Trois serveurs, tous allemands, tous gros et tous prénommés Fritz, dirigeaient le bar tel un bureau d'ordonnance. Chacun des Fritz s'occupait de son tiers de comptoir ; derrière lui se trouvait un assortiment complet d'alcools et une caisse. Il ne quittait jamais son territoire pour servir un verre, tirer une bière à la pression ou faire de la monnaie. Chacun des Fritz répondait à un numéro : Fritz Un, Fritz Deux et Fritz Trois. Chacun avait ses fidèles parmi le fumier qu'il finissait par considérer comme les habitués de son coin de zinc. Les Fritz se vantaient d'avoir ou de pouvoir préparer toutes les boissons au monde. Toutefois, ils débitaient surtout du cognac, de la bière, du rhum, de la vodka et ceci dans cet ordre. Quand on buvait au bar, on pouvait être servi à la dose ou au verre si c'était de la bière. Mais quand on voulait s'installer dehors, on avait droit à un broc de bière ou une bouteille entière d'alcool, sauf si on voulait retourner au comptoir chaque fois en se frayant un passage pour être servi au verre. De mémoire d'homme, on n'avait jamais vu un Fritz quitter son poste. Le bar du fumier était ouvert de sept heures du matin à minuit, heure à laquelle l'un des Fritz lavait les lieux au jet, faisant sortir en même temps ceux qui étaient trop ivres pour partir d'eux-mêmes.

Dans la journée jusqu'à trois heures, heure à laquelle se terminait le tour de jour, les trois femmes des Fritz, chacune étant aussi grosse que son mari, dirigeaient le bar du fumier. On les appelait toutes Mrs. Fritz sans distinction et sans numéro. Apparemment, mari et femme ne se retrouvaient jamais ensemble et le fumier se demandait toujours comment les Fritz pouvaient se vanter d'avoir à eux trois quinze gros enfants blonds. Selon la plaisanterie qui circulait, on disait que le jour où les Fritz quitteraient le bar du fumier, ils achèteraient tout le quartier chaud de Hambourg.

Au bout de trois mois, il ne restait que onze hommes sur les dix-huit qui étaient entrés avec moi à l'école des mines. Admissibles à l'examen nous donnant le permis pour manier l'explosif, on devait choisir la version internationale ou celle de la Rhodésie du Nord. Thomas, faisant exceptionnellement preuve de gentillesse, me proposa de me présenter à l'examen international car il n'avait pas eu un seul élève reçu à cette épreuve en sept ans.

« Si tu es reçu, tu seras le plus jeune de tous les temps, ce qui serait une réussite dont Mr. Jones pourrait être fier, et moi j'aurais peut-être même droit à un compliment, mon gars. » La saison de rugby avait commencé et Thomas s'était aperçu, trop tard pour que cela me soit utile, que je savais jouer. Aux matches de sélection, il avait semblé que je pourrais former la première équipe dont il était le sélectionneur aux côtés de Mr. Jones.

L'examen avait lieu au bureau du service des mines à Ndola. Il se composait d'une épreuve écrite d'une demi-heure et d'un oral d'une heure. Ceci car la majorité des hommes n'étaient pas très forts à l'écrit mais capables de répondre à la plupart des questions qu'on leur posait.

Presque tous les types qui m'accompagnaient avaient si peur qu'ils en étaient paralysés. Si on échouait, on retournait à l'école pour un mois et, si on était de nouveau recalé, on était expulsé. Je les faisais répéter depuis un mois, on avait fini par me baptiser Professeur Peekay. Dans le car pour Ndola, je les bombardai de questions.

Tous, hormis un énorme Boer de l'État libre d'Orange, obtinrent leur permis pour manier l'explosif. Le Boer, un type assez sympathique mais bête comme ses pieds, fut définitivement renvoyé. Cependant, il se remonta le moral en apprenant qu'on l'avait accepté comme chauffeur aux chemins de fer de Rhodésie du Nord. Thomas et Jones nous avaient suivis en voiture. Après les épreuves du matin, on se rendit tous à l'unique hôtel de Ndola où tout le monde se soûla quasiment et finit par dire à Thomas qu'il était un beau salaud. J'avais été reçu à l'examen international et je devais avoir avalé quatre litres et demi de citronnade rien qu'en répondant aux toasts que les hommes n'arrêtaient pas de porter en l'honneur de Thomas, de Jones et du Professeur Peekay. Plus ils étaient ivres, plus ils étaient expansifs. A la fin, Thomas devint un candidat garanti à la sainteté et ils jurèrent qu'ils me protégeraient contre tous les nouveaux venus et que je pouvais tout leur demander.

Ma vie de mineur sur un grizzly commença le lendemain, lorsque je descendis seul sous terre pour la première fois avec les équipes qui travaillaient de onze heures du soir à sept heures du matin.

Le fonctionnement du grizzly exige quelques explications. Imaginez si vous voulez un entonnoir pointé vers le sol. La partie supérieure de l'entonnoir avant de se rétrécir vers le bout représente l'excavation qui est en fait un immense trou souterrain. On se sert de ce conduit pour récupérer la roche qu'on a fait sauter des parois de la cavité. Cet orifice a dix-huit mètres de long et mène directement à un roulage principal. Le fond du tube de l'entonnoir est équipé d'une porte en acier actionnée à l'air comprimé. Au milieu, autrement dit à neuf mètres du roulage et à égale distance de l'extrémité inférieure de l'excavation, une série de six barres d'acier au tungstène est fixée sur le conduit de l'entonnoir avec un étroit passage creusé à l'oblique dans la roche menant au boyau. On appelle ces six barres de tungstène un grizzly. Ce nom venant du fait qu'elles sont fabriquées au Canada, d'où « les barres du grizzly ». Le minerai que les foreurs à pointe de diamant forent et font sauter des parois de l'excavation est canalisé dans le conduit au fond de la cavité et se déverse, les petits morceaux tombant à travers les barres du grizzly pour remplir la partie supérieure du tube de l'entonnoir. Les plus gros morceaux dégringolent sur les barres et il faut les faire sauter à travers le grizzly pour qu'ils atteignent une taille permettant de les charger sur les wagonnets du roulage principal. Des trains souterrains s'arrêtent devant la porte à air comprimé et des hommes, se trouvant sur le roulage principal, ouvrent la porte au bout de l'entonnoir pour remplir les wagonnets de minerai. Il s'agit d'une opération très simple mais aussi très dangereuse. Le type travaillant sur le grizzly manipule les barres situées juste sous l'entrée de l'excavation qui peut dégorger à l'improviste des pierres grosses comme une voiture de faible cylindrée.

Il opère dans le noir ; pour toute source de lumière, il dispose de la lampe de mineur fixée sur son casque, la pile étant attachée à sa ceinture en toile forte. Il a cinq Africains pour l'aider à faire tomber le roc à travers les barres du grizzly et préparer la boue pour les explosifs. Il arrive que la boue se déverse de l'excavation et qu'elle continue à débouler toute la nuit, une explosion ponctuelle ou un petit travail sur les barres aux longs leviers suffisant à la laisser s'écouler. La plupart du temps toutefois, le travail qui vous tord les boyaux consiste à poser des charges et faire passer le minerai à travers les barres, atteignant parfois quarante ou cinquante explosions dans la nuit jusqu'à ce qu'un terrible mal de tête provoqué par l'odeur douceâtre et écœurante des bâtons de gélignite menace de vous arracher le crâne. Seuls les foreurs à pointe de diamant, qui en utilisent davantage, ont des migraines encore plus atroces, la douleur monstrueuse les réduisant quelquefois à un état d'inconscience ou de démence provisoire.

Le type du grizzly travaille sur les barres mêmes qui ont une quinzaine de centimètres d'épaisseur et qui se trouvent à soixante centimètres les unes des autres. Des règles de sécurité exigent qu'il soit attaché à une chaîne de six mètres arrimée à sa ceinture dans le dos. Cependant, à l'instar de nombreux systèmes de sécurité, la chaîne est un attrape-nigaud : s'il glisse et tombe à travers les barres au fond de l'entonnoir, il se brisera le dos comme un morceau de céleri car la chaîne l'arrêtera dans sa chute quatre, cinq mètres plus bas. S'il ne se rompt pas les os et que la boue commence à se déverser, le minerai passant à travers le grizzly le réduira en chair à saucisse. Un bon spécialiste prend le risque de travailler sans chaîne de sécurité et apprend, même dans le noir, à être aussi agile qu'un singe, sautant toute la nuit de barre en barre avec un levier d'un mètre cinquante à la main.

Ils travaillent toujours sur le même appareil, sachant que leur vie dépend de leur connaissance parfaite du genre de l'excavation et de l'entonnoir. Chaque grizzly a son caractère propre et un bon spécialiste peut comprendre son système comme si son esprit était en communion avec la roche même d'où il vient. Il suffit que quelques cailloux filtrent au milieu d'un noyau pour qu'il coure se mettre à l'abri alors que des centaines de tonnes de pierres s'apprêtent à lui tomber sur la tête. Il suffit qu'il entende un bruit bizarre dans l'écho provenant de la cavité pour qu'il sache qu'un roc risque de débouler, l'arrachant aux barres. Il a des réflexes aussi aiguisés que ceux d'un excellent pilote de course et il est toute la nuit sur les nerfs. A la fin de son tour, un homme opérant sur un grizzly a perdu environ deux kilos et est dans un état d'épuisement total. Au bout de trois mois, on le retire de son poste pour une période de deux mois avant de pouvoir le reprendre. Bien qu'on y gagne des sommes astronomiques, la plupart préfèrent ne pas y retourner et prennent un travail moins bien payé de soudeur, de boiseur ou de chef d'équipe.

Une opération particulière finit par décourager même les plus téméraires. Parfois, durant toute la nuit quasiment et souvent à trois ou quatre reprises, la roche se trouve bloquée à l'entrée de l'excavation. Autrement dit, au tout début de l'entonnoir à neuf mètres des barres du grizzly. En jargon de métier, on appelle ça un noyau ou une grappe de raisin. Des pierres dc toute taille obstruent le passage. Le système de sécurité exigeait de déplacer le roc et, pour désengorger la cavité, il fallait préparer un paquet de gélignite. On l'attachait ensuite à un bambou de neuf mètres. On enveloppait ensuite les bâtons d'explosif de cordeau détonant, explosif fait dans un cordon qui ressemble à du câble électrique blanc. L'idée est de pousser le paquet de gélignite contre les pierres bloquant l'entrée du trou. Puis d'amorcer le détonateur fixé au bout du cordeau qu'on a tiré du paquet de gélignite jusqu'au niveau du grizzly. Sur ce, si on a beaucoup de chance, l'explosion contre le noyau débloque les rocs l'entrée de l'excavation se dégageant et la boue se déversant à nouveau.

Cependant, la vie sur un grizzly n'est pas faite pour être rose et, quand la dynamite ou la gélignite n'est pas collée à un paquet de boue, l'explosion s'écarte de la paroi, prenant la ligne de moindre résistance. Faire sauter un noyau en usant de la technique du bâton de bambou réussit rarement. La pression que subit le mineur est énorme : il faut que la boue s'écoule. Or, s'il emploie cette méthode, il risque de se livrer à des explosions en vain toute la nuit. Il est payé au chargement et, s'il ne vide pas son excavation, le foreur à pointe de diamant perd sa journée le lendemain, si bien qu'au bout du compte le type du grizzly perd souvent une ou deux dents dans l'histoire. En dehors de tout cela, son honneur est en jeu. Un spécialiste qui abandonne son grizzly bloqué est la lie de la terre dans le monde de la mine. Comme dirait Thomas : « Nom de Dieu, c'est pas du boulot, mon gars ! »

Après avoir essayé sans succès de faire tomber un noyau grâce à un explosif arrimé sur un bâton en bambou, le type du grizzly fourre plein de boue dans son épaisse chemise en laine et une bombe de gélignite reliée avec du cordeau, puis escalade la paroi à pic de l'entonnoir jusqu'à arriver au point de blocage. C'est le moment le plus dangereux : si le noyau se détache pendant qu'il est en train d'arrimer l'explosif dessus, il est mort, projeté à travers les barres dix-huit mètres plus bas pour être enterré sous cinquante tonnes de rochers. Luttant contre la peur d'être engagé à fond sans issue de secours, on trouve un point d'ancrage entre les rocs où glisser l'explosif à la gélignite. Puis on enroule le cordtex autour en prenant soin de laisser une bonne longueur retomber vers le grizzly en contrebas pour pouvoir y fixer un détonateur. Enfin, on assujettit la bombe avec de la boue pour qu'elle soit hermétique et que l'explosion se fasse dans la roche. L'ayant installée et enveloppée, il vous faut redescendre, chaque pas précaire sur l'à-pic de l'entonnoir à l'aller comme au retour étant un pari basé sur l'espoir que le noyau tienne. Une fois revenu au niveau du grizzly, on relie le cordeau à un détonateur, on fait signe à l'Africain de tirer sur la sirène d'alarme, on amorce le détonateur avec un bâtonnet spécial donnant une flamme grosse comme un crayon qui, une fois allumée, ne peut s'éteindre. Il vous reste alors trente secondes pour vous retirer dans la galerie de sécurité avant que l'explosion ne se déclenche.

Si le noyau ne tombe toujours pas, on est obligé de remonter, sachant qu'avec l'explosion supplémentaire il risque d'être ébranlé et sur le point de s'effondrer. On apprend vite à faire une seule fois le parcours, posant sur le noyau plusieurs charges qu'on relie avec du cordeau. Cela signifie qu'on passe dix minutes à un quart d'heure contre le noyau, la tension et le danger augmentant à chaque seconde. Ainsi cependant, au moment où les quatre ou cinq bombes explosent en même temps, on a de fortes chances de débloquer la situation. Tout dépend des nerfs… de vos nerfs. Si on a le cran de rester quinze ou vingt minutes en haut de l'entonnoir, installant minutieusement le matériel et fixant chaque bombe avec de la boue, il faut que le noyau soit très gros pour que ça ne marche pas. Au cours de l'année que j'allais passer sur les grizzlys, sur vingt spécialistes travaillant dans la mine, cinq trouvèrent la mort quand un noyau céda alors qu'ils étaient en haut de l'entonnoir à poser des charges dessus.

Le règlement de la mine ne permettait pas aux types des grizzlys de grimper dans l'entrée de l'excavation : si on se faisait prendre, on était aussitôt renvoyé. Toutefois, dans la mesure où on était contraint d'agir ainsi au moins deux fois toutes les nuits, le chef d'équipe se tenait à l'écart pour ne pas vous surprendre. La prime de chacun était liée au minerai que le spécialiste réussissait à extraire de la cavité. Il n'y avait pas un chef d'équipe pour appliquer le règlement alors qu'il savait que la technique du bâton de bambou était si inefficace qu'un noyau risquait de rester bloqué toute la nuit et qu'on ne retirerait pas une seule tonne de minerai du trou.

Quand je ne faisais pas dans mon froc, je prenais un plaisir pervers à être un brillant spécialiste. J'étais le plus jeune de la mine et je comptais à mon actif l'un des meilleurs résultats. Le foreur à pointe de diamant attaché à la cavité au-dessus de mon grizzly était un Afrikaner du nom de Botha que je n'avais jamais rencontré car il travaillait de jour et moi de nuit. Les foreurs formaient l'élite de ce monde souterrain et ne parlaient jamais avec les types des grizzlys, le travail était trop dangereux et le foreur ne voulait pas avoir la responsabilité de savoir qui s'occupait de son excavation. Toutefois, si on maintenait un bon rendement et qu'on laissait sa cavité vide, il vous envoyait une caisse de cognac tous les mois.

Une caisse de cognac offerte par son foreur à pointe de diamant représentait le symbole honorifique auquel aspiraient tous les préposés au grizzly : dans l'univers fou du fumier des mines de cuivre d'Afrique centrale, cela devint une reconnaissance encore plus importante que l'argent.

Je donnais l'alcool à Raspoutine, le colosse géorgien qui vivait dans la cabane voisine. Il était boiseur dans la même équipe de nuit que moi et on se rendait à bicyclette au puits n° 7 situé à cinq kilomètres de la ville où on travaillait tous les deux. Depuis le jour où il avait sauvé ma virginité anale, on était devenus amis, notre amitié étant moins basée sur les mots que sur les choses qu'on avait en commun. Raspoutine parlait très peu anglais et, plutôt que de l'apprendre, il restait silencieux tout simplement. Il s'installait sous ma véranda ou moi sous la sienne et on jouait aux échecs. Il jouait suffisamment bien pour soutenir mon intérêt ; quand je me déconcentrais, il lui arrivait de remporter une partie. Souvent, on demeurait là, je lisais un livre ou il passait sa collection de symphonies et de concertos de Tchaïkovski sur son nouveau tourne-disques portable. Il ne mettait jamais rien d'autre. Il s'asseyait, un énorme bloc de bois de la région dans une main, une hache pour le petit bois dans l'autre et, sans même lâcher le billot, il le taillait jusqu'à ce qu'il forme une boule parfaite trois heures plus tard. Raspoutine était presque aussi grand que Doc mais deux fois plus large, plus gros encore que les Afrikaners, et la hache devait peser plus de deux kilos. Pour sculpter le morceau de bois et en faire une boule, il fallait une force quasiment inconcevable. Lorsque Raspoutine ne s'occupait pas à cela, il aiguisait sa hache. Il travaillait jusqu'à ce que la musique s'arrête, passant tout le répertoire de concertos et trois symphonies. Parfois, des larmes coulaient en silence sur ses joues, se perdant dans sa barbe hirsute. Il ne se donnait jamais la peine de les essuyer ; il continuait simplement à sculpter le billot de bois, posant de temps à autre la hache pour ramasser un quart rempli de cognac VSOP qu'il vidait à moitié d'un trait avant de le remplir à ras bord. Quand Tchaïkovski s'arrêtait, autrement dit qu'on était restés là durant l'ensemble de ses trois concertos de piano, son concerto de violon et trois symphonies minimum, généralement la n° 1 en *sol* mineur, la 2 en *do* mineur pour finir toujours par la sixième, la grandiose et éclatante *Pathétique*, une bouteille de cognac était vide et la boule en bois terminée.

Raspoutine rangeait soigneusement l'électrophone et époussetait les disques qu'il glissait dans leur pochette avant de les poser sur une serviette dans une vieille valise. Puis il prenait la boule en bois qu'il mettait sur une pile entassée par terre dans sa cabane. Il devait y en avoir six ou sept cents grosses comme une boule de bowling, empilées en tas séparés d'une centaine chacun, une boule venant s'ajouter chaque jour. Certaines parmi les plus anciennes avaient viré à un gris argenté ravissant, d'autres avaient les superbes taches du bois régional qu'il employait. Elles étaient toutes exactement de la même taille et remarquablement faites. On pouvait en prendre deux, sculptées à des mois d'écart, leur rondeur exemplaire et leur dimension étaient si comparables qu'on ne voyait pas la différence, chacune témoignant de son talent exceptionnel et de sa force surhumaine. Sa cahute sentait la sève du bois jeune, une odeur proche de celle de la forêt. Raspoutine entrait dans sa baraque et respirait profondément, humant le parfum de sève du bois non traité.

« Ça sent comme en Roussie, Peekay. » Je me demandais souvent si, dans sa Russie natale, il avait vécu autrefois parmi les forêts de bouleaux de la taïga. Cependant, je ne savais absolument pas comment le lui demander.

J'étais fasciné par les boules extraordinairement sculptées et je m'aperçus que je ne parvenais pas à travailler un morceau de bois à la hache plus de trois minutes : la main tenant le billot s'engourdissait et, à force de la tenir, j'éprouvais une douleur insupportable au poignet droit. Je compris que cet exercice endurcirait mes bras, mes poignets et même mes mains pour boxer. J'achetai donc une hache plus petite et plus légère que Raspoutine aiguisa jusqu'à ce qu'elle coupe comme un rasoir. L'idée que je voulais l'imiter fit grand plaisir au géant barbu. On s'asseyait sous sa véranda, taillant le bois en écoutant Mr. Tchaïkovski, Raspoutine buvant du cognac en versant des larmes qui, telles des gouttes d'argent liquide, coulaient sur ses joues pour se perdre dans son immense barbe noire.

Je finis par découvrir que les boules en bois lui servaient de calendrier, chacune représentant un jour passé à la mine. D'après mes calculs, il était là depuis trois ans environ.

On se retrouvait quand notre équipe remontait à sept heures du matin et on rentrait à bicyclette jusqu'à la cantine pour le petit déjeuner. Raspoutine était toujours douché et m'attendait lorsque ma cabine faisait surface. Il arrivait à finir plus tôt et à remonter avant les types des grizzlys.

« Beaucoup de boue déplacée, Peekay. Toi, brave garçon », disait-il invariablement au moment où je sortais de la cabine. Puis il prenait ma lampe de mineur qu'il rechargeait dans la salle prévue à cet effet pour que je puisse aller directement au bureau du puits vérifier le compte du minerai extrait, pointer et me rendre aussitôt aux douches. Quand je sortais des vestiaires vingt minutes plus tard, il se tenait dans le soleil du matin, ma bicyclette à la main, prêt à partir.

Je n'avais quitté mon poste que depuis une semaine, après avoir fait mes trois mois, lorsque le chef de la mine me convoqua dans son bureau et me demanda de me proposer pour y retourner. J'étais censé être de repos, affecté sur un roulage principal à titre de chef d'une équipe d'arrimeurs par exemple, mais trois types des grizzlys avaient été gravement blessés et la mine ne disposait pas de remplaçants frais émoulus de l'école. Pour me convaincre, on me doublait ma prime pour la période concernée. Apparemment, Botha, le foreur à taille de diamant, s'était plaint à grands cris du nouveau spécialiste nommé à son excavation et voulait que je revienne. L'attrait de l'argent, plus le compliment, ce fut trop pour moi. La jeunesse a un sens très fort de son immortalité et j'étais comme les autres. Je me retrouvai sur ma plateforme de grizzly pour trois mois de plus. A la fin du premier mois, Botha envoya deux caisses de cognac : désormais, Raspoutine n'avait absolument plus besoin des services du bar du fumier. Il était si fier de moi qu'il se mit à pleurer.

Arrimant chacun une caisse de cognac sur le porte-bagages de nos bicyclettes, on les poussa sur cinq kilomètres pour rentrer en ville, les vingt-quatre bouteilles cliquetant gaiement alors qu'on avançait sur le chemin de terre défoncé. Arrivé au baraquement du fumier, Raspoutine mit les caisses dans sa cabane d'où il ressortit quelques instants plus tard, un vieux fusil de 12 à la main.

« Ce soir, ragoût à la russe ! » annonça-t-il. Le civet de lapin de Raspoutine était le plus grand compliment qu'il pouvait vous faire et je dois avouer qu'il était vraiment exquis, un bouillon bien épais parfumé avec d'étranges herbes qu'il ramassait dans la nature et un délicieux lapin rose en morceaux accompagnés de petits oignons entiers et de pommes de terre. Je le regardai se diriger vers la brousse, sans même prendre le temps d'avaler son petit déjeuner à la cantine.

Je me réveillai à quatre heures de l'après-midi comme d'habitude. De la cabane de Raspoutine s'échappait le fumet délectable du civet de lapin. Je savais qu'il m'appellerait vers cinq heures et demie pour manger, je partis donc aux douches faire mes ablutions. On dînerait, puis on irait voir un film au club. On était mercredi soir et le mercredi, il y avait toujours un western. Raspoutine avait la passion des westerns. On arrivait de bonne heure et on s'installait au premier rang, Raspoutine avec une bouteille de cognac et son quart, prêt à hurler et à montrer le poing aux méchants sur l'écran. Il pleurait quand le héros était dans le pétrin, au moment où des guerriers indiens allaient le brûler ou des hors-la-loi criminels le torturer. Enfin, quand le film arrivait au moment le plus poignant, que le héros s'en sortait indemne et triomphant avec la fille, il se levait, cognant son quart contre la bouteille vide et hurlant sa joie en russe. Cela ne dérangeait personne apparemment : Raspoutine faisait partie du western du mercredi ; de plus, à l'entracte, il achetait toujours des bonbons et des glaces à tous les enfants. Cela devint une tradition de crier et de faire semblant de pleurer en même temps que Raspoutine et tout le monde s'amusait beaucoup.

A cinq heures et demie, je l'entendis beugler : « Peekay, tu viens ! »

Raspoutine avait mis deux bols et deux cuillères à soupe sur la table. Disposé au milieu dans une boîte à confiture se dressait un bouquet de fleurs sauvages qu'il avait ramassées en allant à la chasse au lapin et, à côté, se trouvait une miche de pain frais. Les fleurs donnaient une charmante touche accueillante et le civet préparé dans une grosse casserole sur son unique brûleur électrique sentait délicieusement bon. Raspoutine le servit directement dans les bols, l'exquis fumet montant à mes narines. Il plongea dans la marmite une fourchette qu'il planta dans les gros morceaux de lapin rose pour me servir. Enfin, il sortit une bouteille de limonade pour moi, se versa du cognac dans son quart puis on attaqua, arrachant d'énormes bouts de pain à la miche et dévorant goulûment le délicieux ragoût. On ne prononça pas un mot ni l'un ni l'autre avant d'avoir avalé la dernière bouchée et de s'être resservis.

« Le ragoût russe très bon, Raspoutine », dis-je enfin, me frottant le ventre pour souligner ma satisfaction.

Raspoutine parut content, un peu gêné du compliment même. Il se leva de table et, se dirigeant vers la penderie, en sortit le vieux fusil de 12. Faisant semblant de viser un lapin au loin, il colla l'œil au canon. « Oh, oh, Peekay, le lapin fait miaou, miaou, moi pan, pan, lapin foutu ! » s'exclama-t-il en se tordant de rire, puis il rangea l'arme à sa place.

Je n'avais jamais mangé de chat mais je savais qu'il me serait ımpossible de refuser la prochaine fois que Raspoutine m'offrirait cette grâce suprême et retournerait à la chasse au lapin. Je priai en silence de ne plus rien faire à l'avenir qui lui fasse trop plaisir. Je me demandai quelle était la famille en ville qui s'interrogeait sur le sort de son chat.

24

Il est bien connu que toute habitude, même la plus étrange, devient vite une seconde nature, surtout chez les jeunes. Tels les survivants des camps de concentration nazis qui parlent des usages imposés et suivis qui rythmaient le cours des jours d'horreur jusqu'à sembler des jours ordinaires, travailler sur un grizzly devint un boulot aussi banal qu'un autre. Avec l'audace, on entretient d'abord des rapports de prudence ; bientôt, on la considère amicalement, et fraternellement ; enfin elle devient familière : le couple est créé.

Arrive alors un stade où le système nerveux s'adapte au nouvel environnement : l'état d'anxiété fait place au calme et, les situations ne provoquant plus de stress, le cœur reprend son rythme normal.

Un bon spécialiste attire une bonne équipe de Noirs. Les Africains, sortis de la brousse, comprennent instinctivement la sécurité collective qu'apporte un chef sûr de soi. Au fil des mois, mon grizzly n'ayant jamais eu d'accident et moi étant indemne, ces Noirs qui travaillaient régulièrement avec moi s'arrêtaient rarement pour cause de maladie, préférant trembler d'un accès de malaria plutôt que de risquer de perdre leur place au profit d'un autre Noir impatient d'être intégré dans un *juju*, une équipe protégée par des forces mystérieuses.

Quand un type se faisait sauter, il était assez courant qu'il entraîne son numéro un avec lui. Celui-ci est le mineur le plus compétent du groupe, généralement un boutefeu expérimenté.

Mieux payé que les autres, il est le chef des Noirs mais aussi le bras droit de l'homme affecté au grizzly. C'est lui qui s'occupe des charges et prépare les tas de boue où déposer l'explosif. En cas d'accident, il se trouve souvent auprès de son supérieur. Sachant cela, un bon spécialiste renvoie habituellement son numéro un dans le puits de sécurité, pour déclencher la sirène d'alarme avant d'amorcer le détonateur et un bon numéro un remerciera son patron en édifiant la mystique du personnage aux yeux des Africains de la brousse qui forment le reste de l'équipe.

Une fois qu'une équipe a été liée à un accident au niveau du grizzly, ils deviennent de mauvais juju, à leurs propres yeux et aux yeux des autres mineurs noirs. Pour ces Africains primitifs, il est inconcevable qu'un Blanc, être supérieur, meure et qu'un Noir parfaitement remplaçable puisse vivre. De toute évidence, les dieux ont commis une erreur. « La foudre en bâton » leur était destinée, désormais la mort planait sur eux s'ils restaient à la mine.

Les mineurs noirs ne comprenaient pas et ne croyaient pas à l'idée que le pourcentage de chances augmentait. Ils auraient été bien incapables de saisir la simple logique qui imposait que plus longtemps je restais à travailler sur le grizzly, plus je risquais de ne pas en sortir indemne. Pour un esprit simple, la superstition qui les liait à moi est compréhensible ; le fait que je commençais à y croire à moitié ne l'était pas.

Hormis une semaine de congé après mes trois premiers mois, je travaillais depuis neuf mois. Alors que je savais qu'il me suffisait de le demander pour être remplacé, je m'accrochais. Raspoutine continuait à recevoir de Botha les deux caisses du meilleur cognac d'Afrique du Sud à la fin de chaque mois et le fait que la quantité de minerai extraite de mon grizzly tenait presque toujours la première place au tableau de la nuit comptait beaucoup pour moi ; je n'aurais sans doute pas accepté de l'avouer, ne serait-ce qu'en mon for intérieur. Même dans ce contexte invraisemblable, je n'avais toujours pas vaincu mon besoin d'être le meilleur. Bien que le pourcentage de risques eût largement dépassé le simple stade de la bêtise, je me convainquais que mon intelligence changeait tout — il y a de quoi rire —, que je savais comment survivre à un grizzly car je le comprenais mieux et j'avais moins de chances de prendre des décisions dictées par l'émotion quand j'étais sous pression. Ce qui était naturellement un tas de foutaises.

J'en étais arrivé au point où Fats Greer, qui conduisait le treuil du puits n° 7 et était aussi l'agent d'assurance à mi-temps de la mine, refusa de me couvrir. « Nom de Dieu, Peekay, le record absolu sur un grizzly s'élève à onze mois et le salaud qui l'a établi mange les pissenlits par la racine. Arrête de jouer au plus malin ! »

Cependant, je ne voulais plus faire ce que me prescrivaient les autres. De plus, je me disais que si on maintenait la prime et que je parvenais à rester un an sur un grizzly, j'aurais gagné assez d'argent pour entrer à Oxford. Plus question de demander l'aumône. Je pourrais me débrouiller tout seul ! J'avais consacré ma vie à utiliser ceux qui m'entouraient, à gagner, envers et contre tout. Je comprenais le système, mais je ne voulais plus payer le prix exigé sur le plan émotionnel. Ce n'était peut-être qu'une idée que je me faisais ; mais tout homme est à la fois une île et Robinson Crusoé, on est tout seul et on doit apprendre à se débrouiller. L'année de désespoir que j'avais connue à cinq ans, alors que j'étais la proie du Juge, m'avait marqué pour toujours. Mon idée puérile du camouflage, pour éviter d'être assailli émotionnellement parlant, était restée. Dans mon esprit, même si à l'époque je n'aurais sûrement pas été capable d'exprimer cette idée, les mines représentaient un retour au pays de la peur que j'avais connu dans cette première pension. Cette fois-ci toutefois, c'est moi qui gagnerais. Le grizzly que je manipulais serait le Juge, mais cette fois-ci je ne serais pas brisé. J'étais venu ici pour découvrir qui diable j'étais.

Curieusement, quand on fait le récit d'un événement dangereux, on explique souvent les faits en évoquant le pressentiment qu'on a eu de la catastrophe. Alors qu'en réalité, la plupart des accidents surviennent tel l'éclair déchirant soudain un ciel apparemment clément. On a l'impression que les êtres humains aiment à gonfler l'importance d'un drame dont on réchappe de justesse, ou même d'une catastrophe, en prétendant que le destin tenait le gouvernail.

La veille du jour où je me fis avoir par le grizzly, je rêvai que j'étais penché sur une charge banale pour amorcer le détonateur. Normalement, il faut deux minutes pour que le cordeau arrive à la charge de dynamite. Cependant, lorsqu'il s'agit de faire sauter du roc posé sur les barres du grizzly, un bon spécialiste coupe le cordeau pour en faire une mèche qui dure trente secondes, ce qui est suffisant pour rejoindre le puits de sécurité. Les nuits difficiles, quand la boue refuse de s'écouler, on peut procéder à quarante ou cinquante explosions. A raison de quatre-vingt-dix secondes chaque fois, on peut facilement gagner une heure en tout. En termes de minerai, cela peut faire une énorme différence quant au compte définitif de la nuit.

Dans mon rêve, je tenais le bâton de cheesa embrasé près de la mèche, attendant que la gerbe d'étincelles me montre comme d'habitude qu'elle était allumée. Toutefois, le cordeau se métamorphosa en le mamba noir de la grotte de cristal de l'Afrique : il se redressa comme il l'avait fait devant la caverne, agitant la tête et sa langue dardée se transformant pour devenir les étincelles qui crépitaient. Fasciné, je ne pus bouger jusqu'au moment où je compris qu'il était trop tard. Je jetai la dynamite à la tête du serpent à l'instant où il m'attaquait. Le bâton de soufre embrasé se perdit dans l'explosion alors que je volais en éclats.

Je me réveillai, mon cœur battant à tout rompre. Les types du grizzly parlaient souvent de ce sujet : « Quand viennent les rêves, il est temps de laisser tomber. » Cela ne m'était jamais arrivé et soudain j'avais peur : les grizzlys avaient commencé à envahir mon subconscient. Ce soir-là, je déclarai au chef d'équipe que je voulais arrêter, lui donnant une semaine de préavis. Il ne me posa aucune question. Il hocha simplement la tête en affirmant . « Tu l'as bien gagné, Peekay, on va te trouver une solution de tout repos, l'arrimage sur un roulage principal par exemple, hein ? » Je le remerciai. Cependant, il parut inquiet brusquement. « Merde ! Qui va annoncer ça à Botha, il te prend pour Dieu le Père. » Il fit un large sourire. « Quelqu'un d'autre peut le dire à ce salaud, c'est le boulot de l'équipe de jour. » Depuis cinq mois, j'avais régulièrement reçu deux caisses de cognac mais je n'avais jamais rencontré Botha. Comme je l'ai déjà dit, il était de tradition qu'un foreur à pointe de diamant et son spécialiste du grizzly ne se croisent jamais. Apparemment, personne ne savait au juste pourquoi. Néanmoins, comme toutes les habitudes bien ancrées, cela était devenu une superstition et les deux hommes s'efforçaient de ne jamais se rencontrer qu'ils travaillaient de concert.

« Raspoutine regrettera le cognac », lançai-je, me sentant soulagé d'un grand poids maintenant que j'avais pris la décision d'arrêter.

Le chef d'équipe se mit à rire. « Je te laisse lui annoncer la nouvelle ! » Raspoutine était le meilleur boiseur de la mine mais aussi la terreur des chefs d'équipe à qui il interdisait d'approcher de l'endroit où il travaillait lorsqu'il construisait une cloison ou boisait un nouveau roulage. Tous avaient fini par accepter Raspoutine, cependant : son travail, il le faisait bien, sans prendre de risques inutiles avec son groupe. C'était la première règle à suivre, le reste tenait des finesses du respect envers l'autorité, concept qui semblait échapper à l'énorme Géorgien.

A la suite de ma conversation avec le chef d'équipe, la première partie de mon tour se passa normalement. Je m'arrêtai comme d'habitude pour que mes hommes se reposent entre trois et quatre heures du matin, moment qu'on appelle toujours « l'heure mortelle » parmi les gens qui travaillent sous terre. C'est l'heure où paraît-il le pouls se règle en battant lentement et où le rythme circadien faiblit. C'est l'heure où ont lieu les pires accidents, insistent les vieux boutefeux. Travailler durant l'heure mortelle serait vraiment tenter le sort. On a beau dire que nous sommes des êtres rationnels, il y a, tapie en chacun de nous, une superstition secrète qui remonte sans doute à l'époque où les hommes vénéraient les pierres et les arbres ; superstition qu'on ignore à ses propres risques et périls. Pour le spécialiste du grizzly, mieux vaut gagner du temps en réduisant les mèches plutôt que de travailler quand la mort rôde dans les sombres galeries souterraines, à la même heure, toutes les nuits.

A quatre heures et quart, je finis de poser le paquet de boue sur une charge, réduisant la mèche comme d'usage. Je l'avais glissé sous la gélignite couverte de boue et j'avais pris le bâton de dynamite embrasé des mains du numéro un, que j'appelais Elie parce qu'il aimait l'allumer lui-même, s'ôtant toute chance de se retirer à l'abri du puits où on se réfugiait. Il attendait auprès de moi jusqu'à ce que le cordeau commence à crépiter. Avec le bâton que me tendit Elie, j'effleurai le bout entaillé et évasé que j'avais coupé pour découvrir les grains de poudre à canon noire qui couraient dans le corps du détonateur. Il ne se produisit rien. Pas une flamme au moment où la poudre prit, pas un crépitement au moment où elle arracha le milieu du cordeau. Avant même de m'interroger, la vision du mamba noir surgit dans mon esprit. « Mon Dieu ! C'est impossible. C'est une amorce roulante ! » On appelle ainsi un détonateur qui brûle à l'intérieur et qui a l'air inerte alors qu'en réalité il s'approche aussi vite de la charge de gélignite. Cela arrive très rarement. La plupart des hommes qui travaillent sur les grizzlys n'en ont jamais vu ou, dans le cas contraire, il n'y ont pas survécu pour le raconter.

Attrapant Elie par le col de sa chemise, je le poussai vers le puits de sécurité, le plaquant à terre à l'entrée alors que je plongeais à l'abri un quart de seconde avant que la charge ne saute. L'explosion résonna à cinq mètres de l'endroit où on était. Si le serpent ne m'était pas revenu en rêve, je me serais peut-être obstiné sur le cordeau raccourci. Trois secondes de plus et on était morts, Elie, le maître du feu, et moi.

Se mettant à genoux et s'essuyant les mains sur le fond de son pantalon, Elie commença à jacasser avec fièvre tandis que les autres se précipitaient vers nous. Il leur expliqua qu'une amorce diabolique qui ne s'allumait pas avait fait exploser la charge mais que j'avais percé sa magie et que j'avais contrecarré ses mauvaises intentions en l'entraînant à l'abri. L'équipe l'écoutait, médusée. Puis, chacun s'approcha de moi et vint me toucher le bras à son tour, baissant les yeux ce faisant. Une fois de plus, j'avais confirmé mon statut de sorcier. N'était-ce pas une preuve de plus que leur sécurité était garantie ? L'Ange Têtard était à l'œuvre de nouveau.

Je dois reconnaître que j'étais aussi exalté par cette aventure, enchanté du sens de mon rêve. Je n'arrêtais pas de me demander si j'aurais su reconnaître une amorce roulante sans cela. Ce phénomène se produisait si rarement que Thomas n'avait même pas évoqué cette possibilité à l'école des mines. J'avais lu quelques lignes sur le sujet qui écartaient l'hypothèse en concluant que ce genre d'événement était exceptionnel, dans l'un des nombreux manuels qu'on nous avait donnés, manuel que moi seul peut-être avais pris la peine de lire parmi les élèves.

Au lieu de considérer le drame auquel j'avais échappé de justesse comme un avertissement du domaine des réalités, j'étais si grisé que je décidai de retirer mon préavis. J'avais un sens extraordinaire de mon destin, du droit chemin que j'avais choisi. J'avais joué et gagné, on avait passé l'éponge, on avait déjoué l'accident qui devait se produire, une fois de plus on avait rétabli les chances de départ. J'allais mener ce vieux salaud de grizzly à bon port jusqu'au 15 février, soit onze mois et une semaine. Il pouvait aller se faire voir, Fats Greer, j'allais établir un nouveau record.

J'avoue que mon raisonnement semble absurde mais ce n'était pas si bête. La paye d'un travail de tout repos sur un roulage principal représentait moins de la moitié de la somme que je recevais tous les mois. Avec ma double prime de cuivre plus ma prime au résultat, je pouvais gagner quarante pour cent supplémentaires. Abandonner tout cela m'obligeait à rester dans les mines trois mois de plus et, ce faisant, à manquer le début du trimestre à Oxford.

Me sentant parfaitement bien, je regagnai le grizzly et, debout sur les barres, j'éclairai le noyau qui s'était formé à l'entrée de l'excavation. Cela avait l'air dangereux : une grappe de raisin où il suffisait qu'une petite pierre se détache pour que tout s'écroule. Cinquante tonnes de rocs pouvaient rester accrochées au-dessus de ma tête grâce à un simple caillou. Le vieux salaud jouait avec moi, me taquinant, je tendis l'oreille pour entendre ses propos — un grincement, un gémissement, le cliquetis qui résonnait d'un simple caillou —, pour savoir jusqu'à quel point tenait l'amas de pierres en équilibre au-dessus de moi.

Il arriva enfin, le bruit soudain et inégal d'un simple caillou au moment où il se détacha de la masse pour ricocher sur les parois à pic qui descendaient de l'excavation. Un, deux, il allait faire trois rebonds avant d'atterrir sur la barre à l'autre bout du grizzly. Ma connaissance intime, presque instinctive, qui me venait de plus de deux mille heures passées à travailler sur ce grizzly, m'apprit que le caillou devait être à peu près gros comme un pamplemousse et qu'il annonçait sans doute l'écroulement du reste.

Je me déplaçai vite, sautant sur les barres pour me mettre à l'abri du puits de sécurité. Au-dessus de moi, le noyau gémit un instant, un avertissement qui dura une ou deux secondes avant que ne suive l'avalanche dans un terrible grondement. Je m'élançais déjà pour regagner l'abri quand le caillou heurta le grizzly et, rebondissant par à-coups sur l'acier au tungstène, il voltigea pour venir me toucher au ventre.

Le grondement de la roche se détachant parvint à mes oreilles avant que je ne tombe, assommé, à travers les barres, dévalant dix-huit mètres dans le puits presque vide.

La chute aurait dû me tuer. Les dix tonnes de roc qui déboulèrent à ma suite auraient aussi dû me tuer. Je m'étais évanoui au moment où la pierre m'avait heurté et je m'étais effondré tel un sac de pommes de terre, rebondissant sur l'une des parois du puits. Par miracle, mon casque était resté en place, je ne m'étais donc pas fracassé le crâne quand j'avais atterri au fond du grizzly dans un mètre d'argile schisteuse. Elle provenait de l'énorme roc que j'avais fait sauter avec l'amorce roulante. Je m'étais rendu compte que j'avais employé trop de gélignite mais le puits du grizzly était vide sous les barres et un bon spécialiste tente de mettre un tampon de fine argile contre les portes pneumatiques en acier pour empêcher que des pierres plus grosses ne s'écrasent dessus J avais atterri dans ce lit moelleux d'argile et de sable, roulant pour me coincer enfin sous une étroite saillie où on avait maladroitement fait exploser la paroi. Dix tonnes de rocs m'avaient suivi dans ma chute, s'entassant au-dessus de moi.

Cependant, par miracle, en morceaux suffisamment gros pour laisser passer l'air.

Je gisais à l'abri de la saillie, enseveli sous plusieurs de ces rocs. J'ai reconstitué les événements qui se sont déroulés durant les sept heures suivantes en parlant avec mes hommes et l'équipe de sauvetage.

Elie était complètement bouleversé. Son allégresse avait laissé place à un désarroi total. Néanmoins, il ne s'était pas affolé et avait tiré la sirène d'alarme... cinq longs coups entrecoupés de quinze secondes de silence, une pause d'une minute, puis la même formule reproduite trois fois. On ne pouvait se tromper sur le sens du message : il annonçait une catastrophe. Les autres membres du groupe se pelotonnèrent dans le puits de sécurité, trop secoués pour réagir, leurs vies brisées soudain car dans leur esprit ils étaient sûrs qu'ils allaient mourir s'ils restaient, ne serait-ce que pour aider l'équipe de secours. A leurs yeux, la chance avait tourné, leur talisman blanc était mort. Il était temps de remonter à la surface, de remettre les disques en cuivre accrochés à leur cou et de retourner dans la jungle où, dans l'éclatante lumière du soleil tropical, la mort, qui voyait mieux dans le noir, aurait plus de mal à les trouver.

Raspoutine, qui travaillait sur le roulage principal à huit cents mètres de là, fut le premier Blanc à entendre le signal de détresse. Il envoya son numéro un prévenir le chef d'équipe sous terre et se dirigea vers mon grizzly. Fou d'inquiétude, il chargea malgré tout un wagonnet de bois de cloison, ordonnant à ses hommes de le pousser vers l'endroit de l'accident. S'il s'agissait d'un accident sur un grizzly, Raspoutine savait qu'il faudrait d'énormes poutres pour tenter une opération de sauvetage.

Aux mines, la nouvelle d'un drame se répand apparemment par le téléphone arabe. Des spécialistes qui travaillaient avec moi à cinq cents mètres sous terre arrêtèrent leur machine et amenèrent leurs équipes pour aider aux recherches. Cela m'était arrivé à trois occasions ; je savais ce qu'il en était lorsque les équipes de secours retiraient enfin le corps brisé et écrasé, parfois même en morceaux, du roc éclaboussé de sang pour le déposer dans un sac en toile. J'avais même vu du sang filtrer par les portes pneumatiques fermant le fond d'un puits et j'avais attendu durant les six heures qu'il avait fallu pour parvenir jusqu'à la dépouille qui ne gisait qu'à quelques mètres, comme moi en ce moment.

Par accord tacite, les spécialistes du grizzly se prêtaient à toute tentative de secours. Ils étaient les témoins attitrés de la mort avec laquelle ils avaient appris à vivre chaque fois qu'ils montaient les dix-huit mètres d'échelle à pic du puits jusqu'au niveau du grizzly. Les tentatives de secours, souvent vaines, étaient un rituel macabre auquel ils se sentaient obligés de participer, par respect pour l'un de leurs frères qui était mort.

C'est l'environnement qui décide d'une opération de sauvetage. Une excavation et le grizzly qui se trouve en dessous sont des choses vivantes qu'il faut réduire au silence avant de commencer. Il faut étayer le puits juste au-dessus des barres, faire taire le vieux salaud. Pour cela, on emploie d'énormes bois de cloison qui peuvent retenir des rocs déboulant du trou. Etayer le puits du grizzly était une opération dangereuse en soi, avant tout parce que les menuisiers ne sont pas experts dans l'art de comprendre l'engin. Le travail se compliquait à cause des vingt tonnes de rocs qui se trouvaient sur les barres au moment où le noyau s'était effondré. Il allait falloir les dégager dans le tuyau d'aération et le puits de sécurité tandis que les morceaux trop lourds à soulever resteraient sur les barres, servant de protection au cas où les bois de cloison céderaient.

C'était à Raspoutine de construire la tête de pont qui étayerait le puits au-dessus du grizzly. Les blocs de bois brut de trois mètres sur vingt-cinq centimètres, baptisés des trois sur vingt-cinq, pesaient plus de cent trente kilos chacun et il fallait les tirer à la main sur les dix-huit mètres du puits d'entrée jusqu'au niveau du grizzly. Le temps que l'équipe de sauvetage arrive d'en haut, le géant géorgien avait déjà épuisé ses hommes et ceux des trois autres grizzlys s'échinaient pour traîner l'énorme charge.

Raspoutine s'activait, en proie à une fureur froide et maîtrisée, sans geste inutile et sans gâcher ses forces cependant, parlant calmement aux Noirs pour qu'ils ne s'affolent pas. Il avait même réussi à remettre mes hommes à l'œuvre. Il savait qu'une opération de sauvetage était une tâche de longue haleine qui risquait de devenir dangereuse si on donnait des ordres précipités et si la peur vous prenait. Installé au niveau du grizzly, il mena l'entreprise destinée à retirer les rocs transportables qui se trouvaient sur les barres de tungstène. Quand arriva à son tour le chef des opérations de sauvetage, haletant après avoir monté les échelles du puits d'entrée, Raspoutine l'attendait en haut.

« Pas venir ici, Peekay est à moi, moi m'en occuper ! » Il lui jeta un regard noir, ouvrant et fermant ses énormes poings.

Le reflet du casque blanc de l'homme éclaira les yeux de Raspoutine où brillaient la colère et une froide détermination. Raspoutine ne prenait aucun risque ; il n'était pas question de confier l'opération de sauvetage au chef de la mine. « D'accord, le Russcoff, je vais t'envoyer un gars et un électricien pour te donner de la lumière et un treuil, continue.

— Vous envoyer Zoran le Croate, lui je travaille. » Il se retourna vers le grizzly. Par la suite, le chef des opérations de sauvetage, un certain McCormack, un type bien et un mineur très compétent, expliqua qu'il avait compris en voyant le regard de dément du Russe que le géant lui aurait brisé le cou comme à un poulet pour le refouler dans le puits d'entrée s'il avait fait un pas de plus. Il se sentit nettement mieux à l'idée de ne pas avoir examiné les lieux de l'accident lorsque l'électricien revint après avoir installé les lumières, lui annonçant que c'était peine perdue, qu'il n'y avait strictement aucune chance que j'aie survécu.

Raspoutine avait autorisé à rester le gars du treuil, un Yougoslave qu'on appelait tout simplement Zoran, et avait demandé qu'on lui envoie sa propre équipe tout juste remise de ses efforts. Maintenant son rythme effréné bien que mesuré, il boisa le puits au-dessus du grizzly. Trois heures s'écoulèrent avant de pouvoir pénétrer sans risque dans le puits où je gisais.

Raspoutine, dont le tricot en laine de mineur et la chemise qu'il portait par-dessus étaient trempés de sueur, ne s'arrêta qu'un instant pour boire un bidon d'eau avant de se laisser descendre sur le palan que le Yougo avait monté sur le roc qui me recouvrait près de quinze mètres plus bas. Travaillant à coups de terribles grognements, il se mit à remplir la benne, sifflant un coup bref et strident chaque fois qu'il fallait le remonter.

Raspoutine étant à l'abri dans le puits, McCormack et les autres membres de l'équipe de sauvetage, accompagnés des trois spécialistes, s'étaient entassés au niveau du grizzly. Les Blancs œuvraient de concert avec les Noirs pour vider la nacelle et passer la caillasse vers le puits d'aération. Le travail du Russe s'avéra être un modèle en matière de sauvetage. McCormack installa la tente à oxygène et l'appareil de transfusion que réclamerait le médecin de la mine quand il arriverait enfin.

McCormak aurait voulu envoyer un Africain en bas toutes les dix minutes, le temps requis pour épuiser un homme qui soulève des pierres dont certaines pesaient jusqu'à vingt-deux kilos. Il savait que Raspoutine s'y refuserait. Un Africain négligent ou novice risquait de faire glisser des pierres, enfonçant encore plus le roc qui se trouvait au-dessus de moi. Jusqu'au moment où il soulèverait mon corps et collerait ma poitrine à son oreille, Raspoutine n'accepterait pas ma mort.

Confrontés à un accident, les hommes, surtout les mineurs, qui vivent constamment dans l'ombre de la mort ne parlent pas à voix basse ni d'un ton solennel pendant des heures. Le regard qu'on voit sur les visages bouche bée des gens attroupés autour d'une victime de la route n'est pas comparable à celui des mineurs. Ceux-ci affichent leur peine sans ostentation, chacun gardant ses sentiments pour soi, tous les types du grizzly sachant que leur nom risque d'être le prochain dans les cartes de ce jeu truqué.

Mick Spilleen — qu'on appelait naturellement Mickey Spillane*, du nom du célèbre détective américain auteur de romans policiers —, un Irlandais illettré qui avait suivi avec moi les cours de l'école des mines et qui venait de se proposer pour rempiler sur les grizzlys dans l'espoir de payer ses dettes de jeu, fut le premier à lancer les paris. « Le Rusco y arrivera pas, moi j'vous l'dis, les gars.

— Je crois que si, mon vieux », répliqua un autre, sans doute Van Wyck l'Afrikaner. Brusquement, tout le monde y alla de son pari. Même Elie, qui avait refusé de partir quand on avait remplacé mon équipe, eut le droit de miser cinq livres, soit une semaine de salaire, sur le fait que le Russe parviendrait jusqu'à moi avant de s'effondrer. Mickey proposa ensuite une cote de cinquante contre un sur le fait que j'étais vivant. Cette fois-ci, le petit Africain fut le seul à parier, misant une autre semaine de salaire sur le talisman qui leur avait gardé à tous la vie sauve durant près de neuf mois. La plupart estimèrent que Raspoutine ne tiendrait pas la distance et, entre la douzaine de Blancs présents, la somme totale s'élevait à près de deux mille livres. Quand, des années plus tard, je racontai l'histoire à Hymie, lui demandant ce qu'il aurait fait, il répondit en riant : « L'Irlandais avait raison, sauf que j'aurais proposé à deux cent contre un que tu t'en sortirais. Mais j'aurais réduit la cote sur le Russe. »

La force herculéenne de Raspoutine commençait à faiblir. La respiration difficile, il puisait au plus profond de lui l'énergie de continuer. Lorsque le panier était plein, il n'avait plus le courage de siffler. Zoran, qui regardait d'en haut, remontait le panier. Après quoi le géant se baissait, ses énormes mains écorchées, serrant les genoux. A un moment, il vomit ; à un autre, il retira sa

* Détective américain qui s'est rendu célèbre en écrivant des romans policiers ayant pour cadre New York *(NdT)*.

chemise en lambeaux et son tricot de mineur puis, déchirant des bandelettes de tissu, pansa ses mains en sang. Cependant, chaque fois que le panier redescendait, il était prêt à poursuivre sa tâche. Plusieurs avaient proposé de le remplacer ; il s'était contenté de secouer la tête. « Niet, niet ! » disait-il dans un souffle. Bientôt, les bords coupants des rocs cassés qu'il soulevait lui lacérèrent la poitrine et le ventre. Son torse couvert de poussière, pris dans la lumière de l'unique ampoule qui brûlait juste au-dessus de lui, brillait de sang et de chair à vif, les muscles de son ventre enflammés sous l'effort. En haut, les hommes l'observaient, fascinés, attendant le moment où le géant allait s'effondrer.

« Il est foutu, moi j'vous l'dis. Encore une demi-tonne et on en parle plus », murmurait Mickey alors que le Russe n'avait aucune chance de l'entendre ni même de comprendre son lourd accent. Ils assistaient à une extraordinaire épreuve de force et se disaient qu'un jour ils raconteraient cette fameuse nuit à leurs petits-enfants.

Ce fut sans doute à ce moment-là que Raspoutine m'entendit gémir, même si cela tenait du miracle avec sa respiration sifflante. Il poussa un cri déchirant et se jeta sur le roc à l'endroit d'où provenait le son. Ne se préoccupant plus de la benne, il arracha les pierres, les entassant comme un fou derrière lui. Il s'échina, « possédé par le diable en personne », prétendit Mickey par la suite. Raspoutine trouvait la force de continuer, faisant appel à une énergie qui dépassait le domaine du normal, poussant de petits grognements sauvages, tel un cochon cherchant des truffes. Le sang dégoulinait de sa poitrine et de son ventre, trempant son pantalon jusqu'aux genoux alors que les bandages en pièces se déchiraient, ses mains étant réduites à l'état de morceaux de viande.

Quand il arriva enfin à moi, toujours coincé par miracle sous la saillie étroite mais souveraine, mon corps était en sang car j'avais perdu de grands lambeaux de peau dans ma chute. Raspoutine souleva mon corps, le porta à sa poitrine et colla l'oreille contre mon cœur.

« Peekay, lui vivre ! » gémit-il. Lentement, il s'effondra à terre, ses jambes ne le portant plus.

On s'assit dans un nid creusé dans le rocher, pareil à celui que l'oiseau de solitude avait enfoui en moi, ma tête dans le giron ensanglanté du géant. Il s'était coupé l'index à la hauteur de la première articulation ; tandis qu'il me caressait tendrement le front, le sang qui jaillissait de la blessure ruisselait sur mon front, emplissant les coupes formées par mes yeux clos. Les trous ne tardèrent pas à se remplir, puis, débordant, inondèrent mes joues. Raspoutine tenta d'arrêter le flot, l'essuyant de son doigt sectionné, sans comprendre d'où venait le sang. « Peekay ! Raspoutine trouver Peekay, Raspoutine faire ragoût de lapin », dit-il en sanglotant.

Par la suite, Mickey prétendit que, lorsqu'ils arrivèrent jusqu'à nous, des larmes de sang coulaient des yeux du géant, mais à ce moment-là il était déjà mort.

Je passai une semaine à l'hôpital où on me soigna surtout pour commotion. J'avais eu la peau arrachée sur une grande partie du corps et souffrais de contusions graves, mais je n'avais rien de cassé. Quand je repris conscience et que j'appris la mort de Raspoutine, je me mis à pleurer puis suppliai qu'on retarde l'inhumation pour que je puisse y assister. Sous un climat chaud dans une ville sans morgue, c'était impossible et le colosse géorgien était enterré depuis trois jours lorsque je sortis du cottage abritant l'hôpital. J'avais une tête épouvantable, les yeux au beurre noir et les deux côtés du visage pourpres à cause des contusions, mais j'étais en pleine forme. Mon premier travail fut d'aller au grand magasin de Luanshya pour commander une pierre tombale, une dalle de granit noir qui devait venir de Bulawayo à près de mille kilomètres de là, ce qui prendrait plusieurs semaines. On y graverait simplement l'inscription suivante : *RASPOUTINE, remarquable spécialiste du civet de lapin, qui donna sa vie pour son ami.* Je me rendis ensuite au petit cimetière où il reposait sous un tertre d'argile rouge. Au-dessus se trouvait une seule couronne de glaïeuls défraîchis. On était presque au début de la saison des pluies ; il avait plu un peu la veille. La violence des averses tropicales avait balayé l'argile, si bien que les pétales roses et orangés, opaques car ils avaient été mouillés, étaient tachés de boue. Raspoutine adorait les fleurs sauvages comme Doc les aloès · comment se fait-il que les omniprésents glaïeuls l'emportent toujours sur tout le reste ? Je m'accroupis avec difficulté car la croûte sur ma jambe me faisait mal, puis lus la carte maculée de boue qui accompagnait la couronne : *Qu'il repose en paix. La direction, Rhone Antelope Mine.* C'était tout. J'avais emporté le vieux fusil de Raspoutine. Je me redressai puis, portant l'arme à mon épaule, je déchargeai les deux canons sur sa tombe. C'était sans doute un geste dérisoire. De plus, à la suite du recul sur mon épaule meurtrie, je me mis à sautiller sous l'effet de la douleur. Cependant, c'était exactement le genre de chose qui pouvait se produire dans les westerns du mercredi en matinée et que Raspoutine aurait sûrement beaucoup apprécié.

Le lendemain, après avoir mis toutes les boules en bois de Raspoutine à l'arrière d'une camionnette que j'avais empruntée, je retournai au cimetière. Munie d'une pelle à long manche, j'aplanis le monticule et enterrai le fusil auprès de Raspoutine ; puis je construisis sur la tombe une pyramide avec tout mon chargement. Quand j'eus fini, elle atteignait un mètre cinquante de haut. Prenant soigneusement les mesures, je fis faire à l'atelier de soudage du puits n° 9 un cadre en forme de pyramide avec des barres parallèles tous les dix centimètres sur le côté pour qu'on voie bien les boules mais sans pouvoir les retirer. L'armature métallique fut prête en deux jours. Avec l'aide de Zoran le Yougo, je montai un treuil au-dessus de la sépulture de Raspoutine et déposai la structure sur les boules en bois, enchâssant les coins dans du ciment.

Cela composa un ensemble très impressionnant. Quand la pierre arriverait, la tombe de Raspoutine serait la fierté du petit cimetière.

En compagnie de Zoran, qui parlait un peu le russe, je parcourus les papiers de Raspoutine. Il n'y avait pas grand-chose à dire de son passé : les papiers d'un marin norvégien à son nom, un passeport russe et la lettre de licenciement du navire russe indiquant sa qualité de chauffeur. On découvrit enfin une feuille où était écrit le nom d'une femme, le même que celui de son passeport. Suivait une adresse en Russie. Zoran m'avait expliqué qu'il y avait souvent une légère différence dans les patronymes en Russie ; il devait entendre par là, supposai-je, qu'il s'agissait de la version féminine du même nom. Le compte en banque de Raspoutine s'élevait à près de sept mille livres. Après avoir emmené Zoran avec moi et convaincu le juge régional que c'était la plus proche parente de Raspoutine, je pris des dispositions pour envoyer cette somme à la personne indiquée sur le bout de papier. Une femme, une sœur, une mère ? Tout du moins quelqu'un, quelque part, quelqu'un d'autre que moi, qui se souviendrait de lui à cause de la chance qu'il lui avait offerte.

Fats Greer, l'agent d'assurance à mi-temps, était venu me voir à l'hôpital. Il m'avait mis un morceau de papier sous les yeux. « Signe là, Peekay », dit-il, son doigt grassouillet montrant une ligne blanche. Je m'exécutai. « Il me faut deux chèques de vingt livres chacun. Ne les date pas. » A ma grande surprise, il sortit mon carnet de chèques. « Elie, ton numéro un, a remis ton sac *chorla* au chef de la mine après ton accident. J'ai pris la liberté de me servir des clés qui se trouvaient dedans. » Encore un peu hébété et ne comprenant pas très bien ce qui se passait, j'acquiesçai ; d'après ce que je savais, il avait refusé de couvrir mes deux derniers mois sur le grizzly. Je signai les chèques, puis lui demandai des précisions. « Je te le dirai quand tu iras un peu mieux. » Il fit un large sourire. « Ce fou de Russe t'a donné plus que sa vie, mon petit. » Une semaine plus tard, j'appris que Raspoutine avait contracté depuis longtemps avec Fats Greer une police d'assurance de mille livres dont j'étais le bénéficiaire. Fats me tendit aussi un chèque de cinq cents livres. « C'est pour quoi ?

— Les indemnités de ton accident, répondit-il. Regarde tes talons de chèque, tu as versé toutes tes primes. » Il s'éloigna en sifflotant.

Je n'avais donc plus besoin de rempiler pour trois mois à la mine. Comme aurait dit Solly Goldman : « Tu es sorti de l'auberge, mon bonhomme. » Grâce à l'argent que j'avais économisé plus le legs de Raspoutine, j'avais de quoi passer trois ans à Oxford. Il me resterait aussi de quoi m'offrir le voyage à Londres une fois par semaine pour m'entraîner avec le célèbre Dutch Holland. Généralement, Holland n'acceptait pas les amateurs mais Hymie avait su, à coups de flatteries, le convaincre de me laisser lui montrer ce que je savais faire. Si cela lui plaisait, il me prendrait dans son équipe de professionnels.

Au sortir de l'hôpital, j'eus trois semaines de congé de maladie. Je savais que pour venir à bout de mes contusions, les exercices physiques étaient la meilleure solution. Je fis beaucoup de course à pied. J'installai aussi un sac artisanal en toile très lourd que le voilier de la mine m'avait fabriqué, l'accrochant à un chevron que Zoran avait renforcé sous la véranda de ma rondavel. A côté pendaient le speedball et le sac plus léger que j'avais apporté d'Afrique du Sud sur lesquels je m'étais entraîné tous les jours depuis que j'étais à la mine.

Je ne pouvais me permettre de perdre mon rythme. Tandis que le travail sous terre m'avait charpenté si bien que j'étais presque poids welter, je ne voulais pas renoncer à la vitesse au profit de la puissance que j'avais acquise. Cette année loin du ring m'avait fait du bien. Je n'en avais jamais parlé à personne, même dans mes lettres ; pourtant, le feu qui animait mon ambition de devenir champion du monde des poids welter brûlait aussi violemment que jamais et ne m'avait jamais quitté, ne serait-ce que l'espace d'un instant.

En réalité, lorsque je repris conscience à l'hôpital, je crus que j'avais disputé le championnat du monde et que j'avais été mis KO. Ma déception fut terrible. Quand je revins vraiment à moi et me rappelai les événements, je me remontai le moral à l'idée que désormais je savais ce qu'il en était que de perdre le championnat du monde. Il ne me restait plus qu'à découvrir le goût de la victoire.

Je me guéris de mes maux en transpirant au cours de trois séances d'entraînement intensif par jour. En une quinzaine de jours, les croûtes commencèrent à tomber, me laissant sur tout le corps de grosses plaques de peau rose qui me donnaient un peu l'air d'un albinos qu'on aurait passé à l'envers dans un hachoir. On m'avait aussi rasé la tête pour me soigner une coupure sur le crâne qui s'avéra très superficielle ; cinq points de suture avaient suffi. Comme dirait Solly Goldman : J'avais l'air d'un vrai gugusse. Les règlements de la mine exigeaient que je fasse un dernier tour, pas sur un grizzly cependant, pour signer tous mes papiers et être considéré comme complètement rétabli. Ainsi, je ne risquais pas de les poursuivre en justice par la suite, arguant de séquelles réelles ou imaginaires.

Je consacrai ma dernière semaine de congé de maladie à écrire à ma famille, Miss Bornstein, Mrs. Boxall et à Hymie naturellement, car, chaque semaine, je recevais un courrier d'Oxford. J'expédiai aussi une lettre à Gert et à Gideon Mandoma qui commençait à manier très bien la langue. Enfin, j'adressai un mot à Singe 'n Burn qui cessa ses activités à la Prince of Wales School presque à la date où je quittai la mine. Ils m'avaient tous donné de leurs nouvelles régulièrement, Miss Bornstein et Mrs. Boxall restant en relation avec Hymie. Quant à Singe 'n Burn, à ma grande surprise, il m'avait écrit toutes les six semaines. Après un premier moment de déception lorsque j'avais refusé une bourse pour une université d'Afrique du Sud, il s'était convaincu que je devais entrer à Oxford par mes propres moyens et s'était arrangé pour qu'on m'admette au Magdalen College où était Hymie. Je savais que cette dernière lettre leur annonçant que j'avais réussi serait une grande nouvelle pour eux tous. J'étais de nouveau sur les rails et on passerait l'éponge. Le fils prodigue était de retour. Je me demandais même si le Vieux Bornstein me laisserait gagner une autre partie d'échecs.

Il restait une caisse de cognac presque pleine dans la cabane de Raspoutine. Je décidai de l'apporter au bar du fumier le samedi, deux jours avant la fin de mon contrat. J'attendis le dernier moment car je n'avais pas envie de me montrer en public. J'étais assez connu en ville : je jouais en demi de mêlée dans l'équipe de rugby de Luanshya et j'avais été sélectionné trois fois pour défendre les couleurs du Copperbelt. J'étais gêné qu'on fasse des tas d'histoires autour de moi, je restais donc à l'écart.

J'avais l'intention de me rendre au bar peu après trois heures quand Fritz Un, Deux et Trois prenaient leur service. L'idée d'y aller plus tôt, alors que les trois Mrs. Fritz faisaient le tour du matin, et que les trois grosses *Frau* m'entoureraient de leur sollicitude, m'était insupportable.

Je pensais demander à l'un des Fritz de mettre la caisse de cognac en tombola et d'utiliser l'argent réuni pour acheter des glaces aux enfants à la matinée du mercredi en souvenir de Raspoutine. J'imaginais que cela suffirait très certainement à régaler les gosses pendant plusieurs semaines. J'étais sûr que ce projet aurait plu à Raspoutine.

J'avais assisté aux deux dernières séances, à la place où on s'asseyait toujours. Les enfants étaient venus comme à l'accoutumée et s'étaient installés autour de moi. Je poussai grondements, plaintes et cris, faisant tout un numéro, aux moments où le gros Russe l'aurait fait. Au début, les gosses ne réagirent pas mais j'insistai. Ils ne tardèrent pas à retrouver leur bonne humeur et on s'amusa bien. Sauf que le premier mercredi, à la fin du film, je me mis à pleurer, ce qui gâcha un peu leur plaisir. Comme d'habitude à l'entracte, j'achetai des glaces pour tout le monde ; les gamins entrèrent aussitôt dans le nouveau jeu, comprenant fort bien mes intentions. Trois semaines après la mort de Raspoutine, lorsque je leur annonçai que j'allais partir, deux petits garçons s'approchèrent de moi.

« Ne t'inquiète pas pour la tombe du Ruscoff, les boules en bois et tout ça. On s'en occupera à ta place, Peekay, m'assura le plus grand des deux.

— Oui, pour toujours ! » ajouta l'autre.

Les affaires de Raspoutine étaient enfin entre les seules mains auxquelles il aurait fait confiance. « Il faudra repeindre le cadre en métal de la pyramide tous les ans, sinon elle va rouiller au bout d'un moment, déclarai-je.

— De quelle couleur ? s'enquit le plus grand.

— En rouge, bien sûr ! répliqua le petit.

— Oui, en rouge, ce serait joli, acquiesçai-je.

— Tu vois, je te l'avais dit ! Les Russes aiment bien le rouge », lança le gamin d'un air triomphal.

Je traînai la caisse de cognac au bar du fumier. Il était encore tôt, il n'y avait que quelques clients. Les rares fois où j'étais venu, je m'étais adressé à Fritz Trois. Me dirigeant vers sa partie réservée, je lui fis part de mes intentions.

« Ja, bien sûr, on va faire. Mais tu dois t'occuper des baris », répondit Fritz Trois d'un ton catégorique comme si l'idée venait de lui. Sans que je le lui demande, il me prépara un grand verre de citronnade avec de l'eau de Seltz et une goutte de bitter comme je l'aimais.

« Non, non, je ne veux pas de paris, juste une tombola, Fritz Trois.

— Ja, une tombola ! Tu vas préparer, viens je te montre. » Il souleva le panneau du bar pour me faire passer derrière le comptoir puis, prenant la caisse de cognac, me fit signe de le suivre dans une arrière-salle qui était en réalité un bureau. D'un tiroir, il sortit une agrafeuse, un rouleau de papier pour machine à calculer de cinq centimètres de large, un vieux stylo Croxley réparé avec un sparadrap taché d'encre, une paire de ciseaux et un tampon. Rapidement, il coupa un morceau de papier de dix centimètres, écrivit à chaque bout numéro un, répétant l'opération jusqu'à avoir vingt bandes numérotées de un à vingt qu'il tamponna à l'endroit du cachet du Luanshya Club et agrafa l'autre bout pour former un petit carnet de billets de loterie.

« Voilà, on a un carnet de tombola, ja ? Tu fais la même chose pour avoir cinq cents billets... D'accord ? » J'acquiesçai puis lui dis que je voulais acheter deux autres bouteilles de cognac pour compléter la caisse. « No, c'est Fritz qui paie ! » rétorqua-t-il, pointant le doigt sur sa poitrine. « Le Ruscoff, lui mon ami. » Il me laissa dans le bureau et retourna au bar.

Je travaillai tranquillement pendant une heure, inventant une version plus sophistiquée en utilisant une grosse épingle pour faire des trous au milieu de chaque carnet fini, afin de déchirer facilement la moitié que garderait l'acheteur. Le bar était de plus en plus bruyant tandis que les hommes affluaient. Préparer des billets de loterie était un travail monotone, je me perdis bientôt dans mes pensées, sans plus prêter attention au bruit.

Un sifflement faible bien qu'insistant m'arracha à mes rêveries. Levant les yeux, je découvris la silhouette massive de Fritz Trois qui se profilait dans l'embrasure de la porte. Je remarquai aussitôt le silence qui régnait dans le bar du fumier. Le gros Allemand avait l'air inquiet : il remuait les lèvres sans parler et agitait la main d'un geste pressant pour me dire d'approcher.

« Que se passe-t-il, Fritz ? » Il tressaillit en entendant le son de ma voix.

« Chut ! Tais-toi, je t'en prie, on a des problèmes, ja. » Je me levai et le rejoignis à pas de loup. « C'est Botha ! Botha, le foreur à pointe de diamant, il a une terrible migraine et il est devenu fou. » Il pointa le doigt par-dessus son épaule. « S'il te trouve, il te duera ! murmura-t-il d'une voix rauque.

— Merde, Fritz ! Botha est mon foreur, il ne me ferait pas de mal », répliquai-je à voix basse.

Fritz Trois m'attrapa par ma chemise. « C'est déjà arrivé. Tout le monde doit foutre le camp quand Botha boit cognac jusqu'à ce qu'il soit kaput et qu'il tombe par terre. Ja, puis j'appelle l'hôpital. S'il te prend, il te duera, Peekay. » Il me montra la fenêtre. « Je t'en prie, saute. »

Je m'approchai de la fenêtre que je tentai d'ouvrir : elle était condamnée. Soudain, le serpent revint à ma mémoire, sa tête en forme de diamant avec sa petite langue dardée remuant plus vite que je ne pouvais cligner les yeux. Entendant le cri affolé de Fritz Trois, je me retournai et vis son gros corps tiré brusquement en arrière. Un mastodonte, presque aussi imposant que Raspoutine, se rua dans la pièce, se cognant le front contre le haut du chambranle. Il laissa échapper un rugissement de douleur mêlé de surprise : du sang dégoulina de la blessure lorsqu'il se baissa pour entrer. Il avait les yeux gonflés et injectés de sang. De ses narines coulait un épais filet de morve.

« *Kom hier jou fokker !* » gronda-t-il en m'attrapant des deux mains, se penchant légèrement en avant comme s'il s'apprêtait à ramasser un lapin pris dans un piège.

« C'est moi, Botha ! C'est Peekay, ton spécialiste du grizzly ! » lui hurlai-je.

Le colosse ne parut pas m'entendre. « Je vais te tuer ! Je vais te tuer, espèce de salaud ! » Il avait les manches relevées presque jusqu'à l'épaule comme le font les Afrikaners et, au moment où il m'assena un coup, je découvris le tatouage.

En temps normal, j'aurais facilement esquivé son attaque maladroite, mais je restai cloué sur place sous l'effet du choc. Le dessin qu'avait Botha en haut du bras gauche représentait une croix gammée grossièrement ébauchée. J'avais déjà vu ce tatouage... sur le Juge.

Botha, le Juge qui était devenu une espèce de géant déchaîné, me saisit par ma chemise d'une main puissante et, de l'autre, me prit par la ceinture. Il me souleva de terre puis, franchissant la porte, il me balança dans la salle par-dessus le long bar.

Je me retrouvai à quatre pattes mais réussis à amortir ma chute en m'appuyant sur les mains. Je fus pris d'une colère si froide et si violente qu'il aurait fallu me l'arracher de la tête, me semblait-il, tel un doigt pris dans les glaces. J'étais si concentré que les contours de la pièce s'estompèrent tandis que l'énorme silhouette du Juge se découpait si nettement, quand il monta sur le comptoir, qu'à trois mètres je distinguai un à un les poils de sa barbe d'un jour.

« D'abord la tête, ensuite le cœur. Ainsi, les grands peuvent battre les petits. » C'était la voix de Hoppie que j'entendais. Ma résolution devint une force invincible, un sentiment pur, complètement maîtrisé par mon cerveau.

« Amène-toi, Jaapie Botha ! Viens, mon vieux, viens, je t'attends quasiment depuis toujours. » Il y avait dans ma voix un accent menaçant qui m'était inconnu.

Fritz Trois, réfugié derrière le long bar, me hurla : « Lui aspirer gélignite, lui fou ! Sauve-toi, Peekay. Ce Boer te tuer ! »

Le Juge descendit du zinc et, poussant un rugissement rageur, se rua vers moi. Une migraine aussi forte que la sienne pouvait provoquer un état de démence passager, je savais qu'il était capable de tuer. Je m'écartai et le touchai d'un sévère uppercut du gauche sur le nez, frappant fort, sachant que la violente explosion de douleur dans les sinus enflammés serait terrible. Un homme de ma taille se serait certainement évanoui sous le coup. Hurlant tel un animal blessé, le Juge se retourna vers moi, du sang et de la morve coulant de son nez.

J'attendais cet instant depuis longtemps ; je savais exactement comment m'y prendre. Le Juge était le taureau et moi le matador, c'était moi qui mènerais le combat. Je compris soudain que tout l'art du jeu de jambes de Geel Piet avait été conçu pour ce jour ; pour le *klein baas*, le moment était venu de danser.

Le Juge devait avoir dans les vingt-cinq ans mais il s'était déjà empâté et sa bedaine de buveur de cognac dépassait de sa ceinture. Des années de travail dans une ferme puis à la mine lui avaient bâti une charpente massive et il était sans doute à l'apogée de sa force physique. Cependant, à le regarder, je vis qu'il n'était pas en grande forme. Ses sinus étant déjà bien bouchés, j'allais essayer de le travailler à la bouche. Si j'arrivais à lui faire avaler assez de sang tout en le poussant à l'attaque, il aurait bientôt le souffle coupé. Mes mains étaient puissantes à force de sculpter des boules à la Raspoutine ; de plus, la peau et les articulations s'étaient durcies à force de taper sans gants sur le sac en toile. Le Juge m'attaqua sans relâche ; chaque fois qu'il fonçait sur moi, je contre-attaquai d'un coup fulgurant, le frappant au nez ou à la bouche. Il ne tarda pas à cracher un flot de sang, gonflant la poitrine à fond pour tenter de reprendre son souffle. A cette heure, le sang salé devait se mélanger à l'alcool dans son ventre. Ensuite, j'allais placer une combinaison en huit coups signée Geel Piet à la limite du plexus solaire, là où se rencontraient toutes les terminaisons nerveuses.

Il commençait à se déplacer plus lentement, s'efforçant de me bloquer dans un coin pour pouvoir m'écraser. Je le laissai faire jusqu'à ce qu'il me colle dos au mur, puis levai les mains comme pour implorer sa clémence. Il téléphona son coup de trois kilomètres, je l'esquivai et me dérobai tandis que son énorme poing s'abattait sur la paroi. Ses articulations cédèrent, les os du poignet transperçant la peau, éclaboussant tout le carrelage de sang lorsqu'il se cassa la main et le poignet.

La colère froide qui m'habitait m'enveloppa dans une bulle focalisée sur le Juge et moi-même. Comme dans une peinture de Goya, seule comptait l'action centrale ; le reste se perdait dans un flou appartenant à un autre lieu en un autre temps. Je ne m'étais pas rendu compte que le bar s'était peuplé derrière le comptoir : deux cents mineurs se tassaient sur trois épaisseurs le long des dix-huit mètres de zinc. Brusquement, le Juge se retourna et s'avança d'un pas pesant vers le bar. Terrifiés, les hommes reculèrent, se cognant contre les étagères et les bouteilles d'alcool qui leur tombèrent dessus. Le Juge s'empara d'une bouteille de cognac à moitié vide que personne n'avait songé à retirer du comptoir. Il la fracassa sur le rebord du zinc, s'aspergeant le visage d'alcool : quelques gouttes qui lui sautèrent aux yeux l'aveuglèrent. La combinaison en huit coups signée Geel Piet toucha au ventre l'homme aveuglé et je terminai par un uppercut dans son nez écrasé réduit en purée. Le temps qu'il balance la bouteille cassée, je m'étais dégagé.

Le Juge, comme au ralenti, tomba à genoux et vomit par terre. Le combat avait duré près de vingt minutes. Je n'avais pas dit un mot, ma fureur se concentrant dans mes deux mains. J'avais les articulations en sang à force de le frapper mais je ne sentais rien.

Tandis qu'il gisait dans son vomi, une voix de petit garçon jaillit du tréfonds de moi : « C'est toi qui as tué Grand-père Chook ! »

Le Juge se releva lentement, se servant de la bouteille brisée pour se redresser. Il avait le visage dans un état épouvantable, du sang coulait de sa main et de son poignet cassés, sa chemise, trempée d'un mélange de cognac, de sang et de vomi, lui collait à la poitrine et au ventre. Il leva la tête et me regarda puis, entre ses lèvres fendues, murmura ce seul mot : « Pisskop. » Rassemblant ses dernières forces, il jeta la bouteille sur moi, me manquant de plusieurs centimètres. Sa main et son poignet cassés pendaient le long de son corps, inutiles, et il tanguait sur ses jambes. La combinaison en treize coups signée Solly Goldman entra en action, chaque coup touchant le Juge au ventre avec violence et en profondeur. Le jet de vomi franchit un mètre avant d'éclabousser par terre tandis que le Juge s'effondrait.

J'avais le crâne qui explosait. Le grondement dans ma tête n'était que lumière éblouissante. Le moment était venu de passer au cœur. En une seconde, je me retrouvai à califourchon sur lui. La morve et le sang dégoulinaient de son nez, sa tête reposant sur son bras droit juste au-dessus de son poignet cassé. Son bras gauche à la croix gammée tatouée était tourné vers moi. Je ne m'étais pas rendu compte que j'avais porté la main à mon short ; pourtant, je tenais ouvert le canif Joseph Rogers de Doc, la lame petite mais aiguisée comme un rasoir. Elle s'abattit sur le haut du bras, là où mord le mamba, et entailla l'épiderme audessus du dessin grossier, la lame découpant un carré de dix centimètres de large sur huit de haut. Je fis ensuite un X d'un angle à l'autre en forme de croix de Saint-André, puis traçai deux lignes perpendiculaires pour dessiner la croix de Saint-George, incisant la chair presque au muscle. Le sang, avant de ruisseler sur son bras, reproduisit parfaitement l'Union Jack. Sur les lignes dentelées de la croix gammée, je signai P. K. Enfin, me barbouillant la main du mélange immonde sur sa chemise, je la frottai sur le drapeau du Royaume-Uni et mes initiales, sachant que cela provoquerait une infection massive et amènerait la cicatrice boursouflée à se développer sur le bras. Rien n'effacerait jamais la grande cicatrice qui se formerait, composant le drapeau et les initiales qui avaient remplacé la croix gammée. Après m'être essuyé les mains et avoir frotté le canif de Doc au dos de la chemise du Juge, je me relevai. Fermant la lame du Joseph Rogers, je le remis dans la poche de mon short éclaboussé de sang. « Raspoutine te remercie pour le cognac, Botha », dis-je, très calme soudain.

Je pris conscience de la présence des hommes derrière le comptoir. Ils n'avaient pas bougé et étaient silencieux. Ils me suivirent du regard tandis que je me dirigeais lentement vers les portes style saloon, puis quittais le bar du fumier. Dehors, très haut, flottait dans le ciel de l'après-midi une pleine lune d'une blancheur laiteuse. Je me sentais purifié, tous les oiseaux de solitude au bec en os étaient chassés, leurs nids de pierre transformés en cailloux dans la rivière. De l'eau fraîche et claire bouillonnait pardessus les rochers, des ruisseaux dans le désert.

COLLECTION « LES ROMANS ÉTRANGERS »

dirigée par Tony Cartano

Déjà parus :

La mort d'un apiculteur, par Lars Gustafsson. Traduit du suédois par C.G. Bjurström et Lucie Albertini.

Une mère et ses deux filles, par Gail Godwin. Traduit de l'anglais par Françoise Cartano.

Ararat, par D.M. Thomas. Traduit de l'anglais par Claire Malroux.

Le club, par Leonard Michaels. Traduit de l'anglais par Françoise Cartano.

Voyages intermédiaires, par Ted Mooney. Traduit de l'américain par Robert Pépin.

Journée d'adieu, par John McGahern. Traduit de l'anglais par Alain Delahaye.

La joueuse de flûte, par D.M. Thomas. Traduit de l'anglais par Suzanne Mayoux.

Rencontre d'été, par Steve Tesich. Traduit de l'américain par Janine Hérisson.

Speranza, par Sven Delblanc. Traduit du suédois par Jean-Baptiste Brunet-Jailly.

Strindberg et l'ordinateur, par Lars Gustafsson. Traduit du suédois par Marc de Gouvenain.

Lumière pâle sur les collines, par Kazuo Ishiguro. Traduit de l'anglais par Sophie Mayoux.

In memoriam, par Rodney Hall. Traduit de l'anglais par Françoise Cartano.

Le centaure dans le jardin, par Moacyr Scliar. Traduit du brésilien par Rachel Uziel et Salvatore Rotolo.

Sempreviva, par Antonio Callado. Traduit du brésilien par Jacques Thiériot.

Musique funèbre, par Lars Gustafsson. Traduit du suédois par Marc de Gouvenain.

Folie d'une femme séduite, par Susan Fromberg Schaeffer. Traduit de l'américain par Éléonore Bakhtadzé.

Poupées russes, par D.M. Thomas. Traduit de l'anglais par Brice Matthieussent.

La nuit de Jérusalem, par Sven Delblanc. Traduit du suédois par Jean-Baptiste Brunet-Jailly.

Le Dragon et le Tigre, par David Payne. Traduit de l'américain par Brice Matthieussent.

Face à un homme armé, par Mauricio Wacquez. Traduit de l'espagnol (Chili) par Jean-Marie Saint-Lu.

Les autistes, par Stig Larsson. Traduit du suédois par Jean-Baptiste Brunet-Jailly.

L'étrange naissance de Rafael Mendes, par Moacyr Scliar. Traduit du brésilien par Rachel Uziel et Salvatore Rotolo.

Hôtel Majestic, par Lynne Alexander. Traduit de l'américain par Françoise Cartano.

Les trois tours de Bernard Foy, par Lars Gustafsson. Traduit du suédois par Marc de Gouvenain.

La caserne, par John McGahern. Traduit de l'anglais par Georges-Michel Sarotte.

En attendant la fin du monde, par Tim O'Brien. Traduit de l'américain par Bernard Ferry.

La Vierge de pierre, par Barry Unsworth. Traduit de l'anglais par Éric Chédaille.

Sinatra, par Raul Nuñez. Traduit de l'espagnol par Jean-Marie Saint-Lu.

Un artiste du monde flottant, par Kazuo Ishiguro. Traduit de l'anglais par Denis Authier.

Une odeur de laine mouillée, par Lars Gustafsson. Traduit du suédois par Marc de Gouvenain.

Nouvel An, par Stig Larsson. Traduit du suédois par Jean-Baptiste Brunet-Jailly.

La désespérance, par José Donoso. Traduit de l'espagnol (Chili) par Jean-Marie Saint-Lu.

Le Prince des marées, par Pat Conroy. Traduit de l'américain par Françoise Cartano.

Séminaire pour la jeunesse, par Aldo Busi. Traduit de l'italien par Monique Aymard.

La séduction, par Knut Faldbakken. Traduit du norvégien par Éric Eydoux.

Les castrats, par Sven Delblanc. Traduit du suédois par Jean-Baptiste Brunet-Jailly.

Le portier, par Reinaldo Arenas. Traduit de l'espagnol (Cuba) par Jean-Marie Saint-Lu.

Mr. North, par Thornton Wilder. Traduit de l'américain par Éric Chédaille.

L'île de Pascali, par Barry Unsworth. Traduit de l'anglais par Gérard Piloquet.

Les filles des autres, par Richard Stern. Traduit de l'américain par Georges-Michel Sarotte.

Expédition Montaigne, par Antonio Callado. Traduit du brésilien par Jacques Thiériot.

Le Grand Santini, par Pat Conroy. Traduit de l'américain par Éric Chédaille.

La colline de l'Ange, par Reinaldo Arenas. Traduit de l'espagnol (Cuba) par Liliane Hasson.

Introduction, par Stig Larsson. Traduit du suédois par Jean-Baptiste Brunet-Jailly.

L'Obscur, par John McGahern. Traduit de l'anglais par Alain Delahaye.

Cet ouvrage a été composé par Charente-photogravure
et imprimé par la S.E.P.C. à Saint-Amand-Montrond (Cher)
pour le compte des éditions Presses de la Renaissance

Achevé d'imprimer en décembre 1989

Dépôt légal : décembre 1989.
N° d'impression : 2625.

Imprimé en France